RHOI CYMRU'N GYNTAF:
SYNIADAETH PLAID CYMRU

I Roger

Gyda diolch ag

mewn edmygedd!

Richard

RHOI CYMRU'N GYNTAF: SYNIADAETH PLAID CYMRU

Cyfrol 1

Richard Wyn Jones

GWASG PRIFYSGOL CYMRU
CAERDYDD
2007

Gwefan: *www.cymru.ac.uk/gwasg*

ISBN 978-0-7083-1756-3

Mae cofnod catalogio'r gyfrol hon ar gael gan y Llyfrgell Brydeinig.

Argraffwyd yng Nghymru gan Wasg Dinefwr, Llandybïe

CYNNWYS

CYFLWYNIAD

Hon yw'r gyntaf o ddwy gyfrol ryng-gysylltiedig yn trafod Plaid Cymru. Yn ôl un sylwebydd doeth mae unrhyw ymdrech i gloriannu datblygiad plaid wleidyddol yn rhwym o olygu trafodaeth ar hanes y wlad sy'n gartref i'r blaid yn ei chyfanrwydd, a hynny o bersbectif y blaid honno.[1] Nid yw'r cyfrolau hyn yn honni gwneud mwy na thrafod un agwedd yn unig ar ddatblygiad y Blaid, sef ei datblygiad syniadaethol. Ni cheir nemor ddim ynddynt am ei strwythurau mewnol na'i threfniadaeth. Prin yw'r sôn am etholiadau hefyd. Mewn byr eiriau, mae llawer o elfennau mwyaf sylfaenol bywyd beunyddiol unrhyw blaid wleidyddol fwy neu lai yn absennol o'r drafodaeth sy'n dilyn. Serch hynny, mae'r ffaith fod yr astudiaeth wedi ehangu i'r graddau fod angen dwy gyfrol i'w chwmpasu yn awgrymu fy mod innau wedi methu ag osgoi cael fy llusgo i gyfeiriad cwestiynau a thueddiadau ehangach wrth geisio deall datblygiad syniadaethol Plaid Cymru o'i chychwyn yng Nghaernarfon yn 1924 hyd at y dwthwn hwn.

Genre digon anghyfarwydd i ddarllenwyr Cymraeg yw'r math o hanes syniadaethol a geir yng nghyfrolau *Rhoi Cymru'n Gyntaf*. Yr ydym, mae'n debyg, yn fwy cyfarwydd â chofiannau a hunangofiannau, cyfrolau o feirniadaeth lenyddol a chyfrolau hanesyddol mwy confensiynol (ac, ar sawl ystyr, ehangach eu golygon) na'r hyn y ceisir ei gyflwyno yma. O'r herwydd, mae'n briodol cychwyn y gyfrol gyntaf trwy gynnig eglurhad o *rationale* y cyfrolau ynghyd â chyflwyniad i'w strwythur, strwythur a all daro rhai fel un digon anghonfensiynol. Yn ogystal â hyn, ceisiaf fwrw ychydig o oleuni ar y persbectif a adlewyrchir yn y tudalennau sy'n dilyn.

* * *

[1] 'The history of any given party can only emerge from the complex portrayal of the totality of society and State (often with international ramifications too). Hence it may be said that to write the history of a party means nothing less than to write the general history of a country from a monographic viewpoint, in order to highlight a particular aspect of it.' Antonio Gramsci, 'Political parties', *The Modern Prince* (New York: International Publishers, 1957), t. 149.

Wrth fynd i'r afael â syniadaeth wleidyddol Plaid Cymru mae dyn yn ymwybodol ei fod yn dod wyneb yn wyneb ag o leiaf ddwy ragfarn sydd bellach wedi'u gwreiddio'n ddwfn. Y gyntaf ohonynt yw'r dybiaeth mai un o nodweddion amlycaf gwleidyddiaeth Cymru yw ei hanallu i weithredu megis deorfa i syniadaeth wleidyddol o unrhyw sylwedd. Neu yng ngeiriau sylwebydd arall, 'There is scarcely any Welsh political thought worthy of the name.'[2] Pan gofir mai K. O. Morgan, *doyen* hanesyddiaeth gyfoes Gymreig, oedd awdur y geiriau hyn, yna nid ar y chwarae bach y mae diystyru'r farn a fynegir ynddynt. Rhagfarn wahanol a ddaw'n amlwg wrth graffu ar y llenyddiaeth academaidd doreithiog honno sy'n trafod cenedlaetholdeb. Beth bynnag yw nodweddion penodol gwleidyddiaeth Cymru, cred llawer iawn o'r arbenigwyr mwyaf blaenllaw yn y maes mai digon disylwedd – a dibwys – yw syniadau'r mudiadau hynny sy'n wrthrych eu hastudiaethau. Felly, yn ôl Eric Hobsbawm, credo'r 'lesser-examination passing classes' yw cenedlaetholdeb.[3] Oherwydd safon eilradd, simplistig a threuliedig syniadaeth genedlaetholgar, tybia Ernest Gellner nad yw syniadau unigolion penodol o blith rhengoedd y cenedlaetholwyr o unrhyw bwysigrwydd neu ddiddordeb arbennig. 'If one of them had fallen,' meddai, 'others would have stepped into his place . . . No one was indispensible. The quality of nationalist thought would hardly have been affected much by such substitutions. Their precise doctrines are hardly worth analyzing.'[4] Hynny yw, nid oedd o dragwyddol bwys pa un ai Saunders Lewis neu Gwynfor Evans oedd yn arwain Plaid Cymru ac yn rhoi cyfeiriad syniadaethol iddi. Yr un gwys syniadaethol y byddai'r Blaid wedi ei dilyn, doed a ddelo.

Fel yr awgryma'r ffaith fod yr astudiaeth hon yn ymestyn dros ddwy gyfrol, credaf fod y naill ragdybiaeth fel y llall yn anghywir. O ran diffygion honedig syniadaeth Gymreig, dichon fod un o nodweddion amlycaf gwleidyddiaeth y wlad hon ers gwawrddydd yr oes ddemocrataidd, sef 'unbleidiaeth' – dominyddiaeth neu hegemoni un blaid dros y dirwedd wleidyddol – yn milwrio yn erbyn creadigrwydd syniadaethol oddi mewn i

[2] K. O. Morgan, *Democracy in Wales from Dawn to Deficit* (Cardiff: BBC Wales, 1995), t. 8.

[3] Eric Hobsbawm, *Nations and Nationalism since 1870: Programme, Myth, Reality* (Cambridge: Cambridge University Press, 1990), t. 118.

[4] Ernest Gellner, *Nations and Nationalism* (Oxford: Blackwell, 1983), t. 124.

rengoedd y blaid ddominyddol ei hun.[5] Yn sicr, ni cheir rhyw lawer i gyffroi'r sawl sy'n ymddiddori mewn syniadaeth wleidyddol wrth bori trwy gyhoeddiadau'r Blaid Ryddfrydol Gymreig yn chwarter cyntaf yr ugeinfed ganrif, neu yng nghyhoeddiadau'r Blaid Lafur Gymreig yn ystod ail hanner y ganrif honno.[6] Ond os yw sglerosis syniadaethol yn un o nodweddion y blaid ddominyddol mewn cyfundrefn a nodweddir gan unbleidiaeth wrth i'r blaid honno ganolbwyntio ar gwestiynau mwy pragmataidd o gynnal ei statws a'i grym, oni ellir disgwyl mai ochr arall y geiniog, fel petai, yw'r pwyslais mawr (gorbwyslais hyd yn oed) ar wedd syniadaethol gwleidyddiaeth yn y pleidiau hynny sydd wedi eu hymylu o fewn y gyfundrefn? Hynny yw, ac o fynegi'r peth yn ddigon amrwd, gan nad yw'r pleidiau hynny yn meddu ar nemor ddim grym sefydliadol, onid oes tuedd i'w haelodau ganolbwyntio eu hegnïon ar geisio sicrhau rhyw fesur o rym a dylanwad syniadaethol? Yn sicr ddigon, mae elfennau o ddiddordeb mawr yn syniadaeth y mudiad sosialaidd yng Nghymru yn y cyfnod cyn y Rhyfel Mawr – does ond rhaid meddwl am y trafodaethau hynny ymhlith Syndicalwyr a fu'n cyfarfod yn yr 'Aberystwyth Restaurant' yn Nhonypandy ac a esgorodd ar *The Miners' Next Step* – a gwelwyd elfen o greadigrwydd syniadaethol yn rhengoedd y Blaid Gomiwnyddol Gymreig wedi hynny.[7] Ac yn sicr ddigon, bu Plaid Genedlaethol Cymru – Plaid Cymru wedi 1945 – yn hynod weithgar yn syniadaethol. Fel y gwelir yn y cyfrolau hyn, bu'r trafodaethau syniadaethol a esgorwyd arnynt yn cwmpasu popeth o gwestiynau sylfaenol megis perthynas y genedl â'r unigolyn, i

[5] Ceir trafodaeth arloesol o 'unbleidiaeth' mewn perthynas â'r Blaid Lafur Gymreig yn Iain MacAllister, 'The Labour Party in Wales: the dynamics of one-partyism', *Llafur* 3 (1) (1980), 79–89. O ran 'unbleidiaeth' yn fwy cyffredinol – neu 'one-party dominant regimes' yn ieithwedd Gwyddor Wleidyddol – gweler T. J. Pempel (gol.), *Uncommon Democracies: The One-party Dominant Regimes* (Ithaca: Cornell University Press, 1990).

[6] Yn ei drafodaeth o Ryddfrydiaeth Gymreig yn negawdau cyntaf yr ugeinfed ganrif mae Kenneth O. Morgan yn nodi bod gwleidyddion Rhyddfrydol yn ystod y blynyddoedd hyn wedi parhau'n 'sunk in the politics of nostalgia and . . . wedded to the old themes' – themâu megis dirwest a datgysylltiad – a hynny er gwaetha'r newidiadau cymdeithasol aruthrol a oedd ar droed yng Nghymru'r cyfnod. Roedd hyn yn cyferbynnu â'r sefyllfa yn Lloegr ar y pryd lle'r oedd y Blaid Ryddfrydol yn ymateb i'r un newidiadau trwy fabwysiadu rhaglen syniadaethol fwy radical 'Rhyddfrydiaeth Newydd'. Kenneth O. Morgan, 'The new liberalism and the challenge of Labour: the Welsh experience, 1885–1929', yn ei *Modern Wales: Politics, Places and People* (Cardiff: University of Wales Press, 1995), t. 64.

[7] Unofficial Reform Committee, *The Miners' Next Step* (Tonypandy: Unofficial Reform Committee, 1912).

awgrymiadau penodol ar draws ystod eang iawn o feysydd polisi. Mater i'r darllenydd, wrth gwrs, yw pwyso a mesur safon y trafodaethau syniadaethol hynny; mater arall wedyn yw'r cwestiwn o geisio distyllu unrhyw beth o werth parhaol ohonynt. Serch hynny, ceir digon o dystiolaeth yma fod un garfan yng ngwleidyddiaeth y Gymru gyfoes wedi cymryd syniadaeth wleidyddol o ddifrif. A byddwn i, o leiaf, yn dadlau nad disylwedd mo'r etifeddiaeth a grëwyd ganddynt: *pace* K. O. Morgan, dyma syniadaeth wleidyddol o'r iawn ryw.

Credaf yn ogystal fod digon o dystiolaeth yn y cyfrolau hyn, ac yn arbennig efallai'r gyfrol gyntaf, sy'n dangos nad mater dibwys oedd union awduraeth y syniadau hyn. Yn hytrach, cafodd gwahanol bersonoliaethau a rhagfarnau awduron penodol y syniadau a gysylltwyd â'r Blaid effaith fawr ar union ffurf a chynnwys ei syniadaeth wleidyddol. Felly, a chodi cwr y llen ar un o ddadleuon y gyfrol bresennol, tra gellir dadlau bod consýrn â hanesyddiaeth – y stori genedlaethol, fel petai – yn un o nodweddion cyffredinol syniadaeth genedlaetholgar, cafwyd fersiynau tra gwahanol o hanes Cymru gan Saunders Lewis a Gwynfor Evans; fersiynau a gafodd effaith yn eu tro ar y canfyddiad cyhoeddus o'r Blaid. Mae unigolion yn cyfrif; yn enwedig felly mewn pleidiau gwleidyddol bychain (ac nid oes dadl nad plaid fechan fu Plaid Cymru trwy'r rhan fwyaf o'i bodolaeth hyd yn oed os y bu rhai o'r unigolion a fu ynglŷn â hi o faintioli deallusol sylweddol iawn). Wrth gwrs, mae unigolion – pob un ohonom – yn adlewyrchu i ryw raddau amgylchiadau cymdeithasol ehangach. Ond yr ydym yn fwy na hynny hefyd. Yn sicr, camgymeriad dybryd yw gweld safbwynt unrhyw unigolyn fel adlewyrchiad o ryw gytser arbennig o nodweddion dosbarth a chymunedol yn unig. Gallwn feddwl dros ein hunain a throsgynnu, i ryw raddau beth bynnag, yr amgylchiadau a gyfrannodd at ein ffurfiant. Neu fel y dywedodd Karl Marx rywdro, dynion sy'n creu hanes ond nid mewn amgylchiadau o'u dewis. Mae'r cyfrolau hyn yn cymryd yn ganiataol fod syniadau gwleidyddol yn bwysig yn eu hawl eu hunain, ac yn olrhain datblygiad y syniadau hynny a gyflyrodd nifer o ddynion tra phenderfynol, a nifer o ferched yn ogystal, i newid cwrs hanes Cymru.

* * *

Mae dwy ran i'r gyfrol bresennol. Yn Rhan Un, Cenedlaetholdeb, ceir cyflwyniad bras i'r ddealltwriaeth o genedlaetholdeb sy'n sail i'r astudiaeth drwyddi draw. Teimlais ei bod yn bwysig cynnwys y drafodaeth hon oblegid mae cenedlaetholdeb yn ffenomen sy'n esgor ar lawer iawn o gamddealltwriaethau. Dyma bwnc y mae gan bawb bron farn neu ragfarn yn ei gylch hyd yn oed os mai yn anaml y bydd y farn wedi'i seilio ar ystyriaeth ddofn. Yng Nghymru, yn arbennig, mae'n prif draddodiad gwleidyddol cyfoes, sef y traddodiad Llafuraidd, wedi tueddu i gondemnio cenedlaetholdeb yn enw 'rhyngwladoldeb', gan ddadlau bod y cyntaf yn fynegiant o gulni, plwyfoldeb neu waeth. Mewn gwrthgyferbyniad llwyr, mae tueddiad ymysg cenedlaetholwyr Cymreig i ystyried eu cenedlaetholdeb hwy fel mynegiant naturiol o gymundod cenedligol oesol. Dengys y bennod fod y ddwy ddealltwriaeth yma'n gwbl annigonol; yn wir, eu bod ynddynt eu hunain yn fynegiannau o ideoleg genedlaetholgar (cenedlaetholdeb Brydeinig yn achos y brif ffrwd yn y Blaid Lafur Gymreig). Cymerir y cyfle hefyd i drafod perthynas cenedlaetholdeb ag ideolegau gwleidyddol fel y'u deellir yn fwy confensiynol, megis sosialaeth, rhyddfrydiaeth a cheidwadaeth. Yn ogystal â hyn, trafodir rhywfaint ar y goblygiadau i Gymru a chenedlaetholdeb Cymreig a gyfyd o'r ffaith mai Lloegr oedd 'y cyntaf-anedig' o safbwynt y byd modern: mai yn Lloegr y gwelwyd y wladwriaeth fodern gyntaf yn ymffurfio, mai yn Lloegr y gwelwyd y gymdeithas gyntaf wedi'i seilio ar economi gyfalafol, ac mai yn Lloegr y gwelwyd datblygiad y cenedlaetholdeb cyntaf.

Fel yr awgryma hyn oll, mae naws fwy cyffredinol i'r drafodaeth yn y bennod gyntaf. Dichon yn wir fod y drafodaeth yn ddigon haniaethol ar brydiau. Yn sicr ddigon, fe ymdrinnir â materion astrus. Nid wyf yn ymddiheuro am hynny a cheisiais fy ngorau i fod mor eglur ag y gallaf ynglŷn â'r materion hyn. Serch hynny, efallai mai priodol yw awgrymu wrth y darllenwyr hynny nad oes ganddynt ddiddordeb mawr mewn cwestiynau cyffredinol ynglŷn â chenedlaetholdeb i neidio'n syth at Ran Dau a'r deunydd Cymreig mwy cyfarwydd a geir yno (gan obeithio y bydd ganddynt flys troi'n ôl at y bennod gyntaf ar ôl gorffen gweddill y llyfr!).

Mae Ail Ran y gyfrol, Cenedlaetholwyr, yn cynnig dehongliad o ddatblygiad syniadaethol Plaid Cymru o'r cychwyn cyntaf hyd at sefydlu Cynulliad Cenedlaethol Cymru yn 1999. Gwneir hynny trwy ffocysu'n benodol ar syniadau'r pedwar arweinydd mwyaf arwyddocaol yn hanes y Blaid hyd yn hyn. Caiff Pennod 2 ei neilltuo i drafodaeth ar syniadaeth wleidyddol Saunders Lewis. Gwynfor Evans yw gwrthrych Pennod 3 tra rhennir y sylw ym Mhennod 4 rhwng y ddau Ddafydd, Dafydd Wigley a Dafydd Elis-Thomas. Y cyfiawnhad dros roddi sylw i arweinwyr yn y modd yma yw bod yr arweinwyr hynny wedi chwarae rôl ganolog fel llunwyr a lladmerwyr rhaglen syniadaethol eu plaid. Yn sicr ddigon, ac fel y gwelir yn y man, bu Saunders Lewis yn ffigwr cwbl ddominyddol yn ystod ei lywyddiaeth ac felly hefyd Gwynfor Evans, er i raddau ychydig yn llai efallai. Mae'r darlun yn newid rhywfaint erbyn diwedd llywyddiaeth hirfaith Evans wrth i'r Blaid dyfu. Ni fyddwn am honni bod y naill Ddafydd na'r llall wedi mwynhau na chwennych yr un fath o ddominyddiaeth dros agenda syniadaethol eu plaid â'u dau ragflaenydd pwysicaf, a hynny er gwaetha'r ffaith fod Dafydd Elis-Thomas wedi dangos diddordeb a chreadigrwydd syniadaethol nodedig, ac fy mod yn cyflwyno achos yn y tudalennau sy'n dilyn dros ystyried Dafydd Wigley yn feddyliwr gwleidyddol o faintioli mwy nag a sylweddolir yn gyffredinol. Yn hyn o beth, mae'r ffocws ar y ffigyrau dominyddol hyn ychydig yn artiffisial erbyn i'r drafodaeth gyrraedd y 1970au. Fodd bynnag, y gwir amdani yw bod cyfyngiadau i bob ffocws y gellid bod wedi'u mabwysiadu, ac rwy'n mawr hyderu y bydd darllenwyr o'r farn fod Rhan Dau y gyfrol hon yn bwrw goleuni newydd a dadlennol ar ddatblygiad Plaid Cymru.

Nid dyma'r lle priodol i ddarparu mwy na rhagflas byr iawn o gynnwys ail gyfrol yr astudiaeth. Digon yw dweud bod ei ffocws yn symud oddi wrth unigolion penodol i drafodaeth fwy thematig ei natur. Yn y gyfrol hefyd ceir trafodaeth fanwl o hynt Plaid Cymru ers sefydlu'r Cynulliad Cenedlaethol, sef y datblygiad sefydliadol mwyaf arwyddocaol o ddigon yn hanes gwleidyddiaeth Cymru ers y Deddfau Uno.

* * *

Nid oes y fath beth â hanes neu wyddor gymdeithasol ddibersbectif. Dylid gochel rhag unrhyw awdur sy'n honni bod yn wrthrychol. Mae'n rhwysg sy'n ddieithriad yn celu rhagfarnau a gwerthoedd penodol dan ei fantell. Wrth reswm, bydd unrhyw awdur gwerth ei halen yn ymdrechu i godi uwchlaw ei ragfarnau, hyd yn oed os yw'r ymdrech yn ofer yn y pen draw. Gan fod *Rhoi Cymru'n Gyntaf* yn trafod materion sydd yn ddi-os yn cyflyru teimladau cryfion a chan y bydd tuedd, rwy'n sicr, ymysg rhai darllenwyr i briodoli dadleuon a dadansoddiadau nad ydynt yn tycio at ragfarnau'r awdur presennol, tybiaf y byddai'n deg i mi geisio nodi'n fyr yr hyn a ddeallaf i ynglŷn â sail y byd-olwg a adlewyrchir yn y tudalennau sy'n dilyn.

Fe soniodd Antonio Gramsci yn rhywle ei fod yn 'Sardinwr heb gymhlethdodau'. Ni allaf honni bod yn rhydd o gymhlethdodau ond, o ran hunaniaeth genedlaethol o leiaf, mae ergyd ei sylw'n dal. Yng ngeiriau cerdd epig Gareth Siôn am Gymru'r cyfnod Thatcheraidd, 'wyf Gymro'. Wyf Gymro, atalnod llawn. Hynny yw, rwyf yn aelod o'r garfan honno o'm cenhedlaeth nad yw'n ymglywed mewn unrhyw ffordd â swyn Prydeindod. Nid am ein bod wedi'i wrthod yn ymwybodol, ond oherwydd cefndir a magwraeth. Nid yw hunaniaeth Gymreig o anghenraid i'w dyrchafu uwchlaw'r un Brydeinig – er fy mod yn digwydd credu bod mwy o bosibiliadau creadigol a blaengar yn perthyn iddi gan nad ydyw wedi'i llwytho â'r sglerosis sefydliadol a'r holl ragfarnau dosbarth a chenedlaethol sy'n rhan o etifeddiaeth 'hanes gogoneddus' y Deyrnas Gyfunol. Fy mhwynt yn hytrach yw hyn. Rwyf yn mynd i'r afael â syniadaeth Plaid Cymru fel un sydd, i raddau helaeth, yn gynnyrch llwyddiant y blaid honno i ddylanwadu ar fyd-olwg cyfran o drigolion Cymru. Yn wir, tybed ai gormod yw awgrymu mai un modd o ddehongli'r astudiaeth hon – os y modd lleiaf diddorol, gobeithio! – yw fel ymdrech i archwilio'n feirniadol y diwylliant gwleidyddol a wnaeth gymaint i lunio a ffurfio ei hawdur?

Mae cyfeirio at Gramsci hefyd yn addas yn y cyd-destun hwn gan ei fod yn tynnu sylw at ddylanwad arall. Ysgrifennwyd y cyfrolau hyn o bersbectif adain chwith. Cytunaf â Tom Nairn pan ddywed fod mynd ati o ddifrif i ddadansoddi cenedlaetholdeb yn golygu bod yn rhaid gwrthod Marxaeth yn ei gwedd fwyaf rhwysgfawr – y grefydd seciwlar honno a oedd, ar un adeg, yn honni deall gorffennol, presennol a dyfodol pawb a phopeth. Mae'n rhaid cydnabod yn ogystal fod y chwith mewn cyflwr deallusol go druenus erbyn hyn. Serch hynny, daliaf fod gwerth parhaol yn yr agwedd at hanes a chymdeithas sy'n pwysleisio dylanwad prosesau materol gan geisio deall eu rhyngberthynas gymhleth â'r diwylliannol a'r gwleidyddol. Nid yw cydnabod cymhlethdod y byd cyfoes na diffygion dybryd y chwith ychwaith yn mennu dim ar ddilysrwydd ymdrechion i sicrhau byd lle y caiff unigolion, cenhedloedd a'r amgylchedd eu trin ag urddas a dyledus barch. Dichon fod yr agwedd hon bellach yn anffasiynol, hyd yn oed os yw'n parhau ychydig yn fwy dylanwadol yng Nghymru nag y mae mewn llawer i fan arall. Wn i ddim a yw cyndynrwydd y Cymry i fwrw gwleidyddiaeth adain chwith o'r neilltu yn gyfan gwbl yn adlewyrchu ceidwadaeth naturiol diwylliant ymylol, ynteu a ydyw'n adlewyrchu gallu pobl y cyrion i weld ymhellach na chwiwiau *intelligentsia* y craidd (honedig) soffistigedig? Bid a fo am hynny, mae'r cyfrolau hyn yn adlewyrchu'r dybiaeth y gall persbectif materyddol barhau i'n cynorthwyo i ddeall y gorffennol, ac y bydd eto'n sail ar gyfer gwleidyddiaeth ryddfreiniol yn y dyfodol, boed hynny trwy gyfrwng y blaid wleidyddol sy'n wrthrych iddynt ai peidio.

* * *

Ffrwyth blynyddoedd o waith yw'r astudiaeth hon ac mae'n hwyr glas, felly, diolch ar goedd i'r unigolion a'r sefydliadau hynny a fu'n gefn ac yn gynhaliaeth yn ystod y cyfnod hwn. Yn gyntaf, carwn gydnabod fy nyled drom i'm hadran, sef Adran Gwleidyddiaeth Ryngwladol, Prifysgol Cymru, Aberystwyth. Bu polisi goleuedig yr adran o ganiatáu cyfnodau sabothol cyson i'w staff er mwyn rhoi'r cyfle iddynt ganolbwyntio ar brosiectau ymchwil hirdymor er gwaethaf holl brysurdeb (cynyddol) dysgu a gweinyddu yn rhagluniaethol. Bu dau sefydliad yn Norwy yn ddigon caredig i gynnig lloches i mi yn ystod y cyfnodau hyn. Mae'r ffaith eu bod wedi gwneud hynny er gwaetha'r ffaith fy mod yn ymchwilio i bwnc a ystyrir gan lawer (ym Mhrydain o leiaf) yn ymylol, ac yn ysgrifennu mewn iaith leiafrifol, yn dangos bod yr ymrwymiad hen ffasiwn hwnnw at ddysg er ei mwyn ei hun yn parhau'n fyw ac yn iach mewn un cornelyn o Ewrop o leiaf. *Tusen takk* i Sverre Lodgaard a'i gydweithwyr yn yr *Norsk Utenrikspolitik Institutt* ac i Hanne Marthe Narud a'i chydweithwyr hithau yn yr *Institutt for Statsvitenskap* ym Mhrifysgol Oslo. Grant gan Gyngor

Cyllido Addysg Uwch Cymru a ganiataodd i mi ddod â'r gwaith i ben a diolchaf yn ogystal i'r Cyngor am ei haelioni.

Yn ystod fy mlynyddoedd ar staff Aberystwyth bu brwdfrydedd a diddordeb y myfyrwyr y cefais y fraint o'u dysgu yn ysbrydoliaeth gyson. Carwn ddiolch iddynt ac yn arbennig felly i'r holl fyfyrwyr hynny fu'n dilyn cwrs 'Dosbarth, Cymuned a Chenedl: Syniadaeth Wleidyddol Gymreig'. Gwelodd llawer o'r syniadau a geir yn y cyfrolau hyn olau dydd am y tro cyntaf yn y darlithoedd a'r seminarau hynny. Rwyf hefyd yn ddyledus i'r gwahanol sefydliadau a roddodd gyfle i mi gyflwyno rhai o'r syniadau a'r dadansoddiadau gerbron cynulleidfaoedd ehangach. Diolch yn arbennig, felly, i swyddogion Adran Athroniaeth Urdd Graddedigion Prifysgol Cymru, i Duncan Tanner a Chanolfan Gymreig Materion Cymdeithasol a Diwylliannol Prifysgol Cymru, Bangor, i Ganolfan Ymchwil Ewropeaidd (ARENA) Prifysgol Oslo, i Ysgol y Gymraeg, Prifysgol Caerdydd, ac i Geraint H. Jenkins a Chanolfan Uwchefrydiau Cymreig a Cheltaidd Prifysgol Cymru. Mae fy nyled i Geraint Jenkins yn un sylweddol. Yn ogystal â chael manteisio ar ei gefnogaeth gyffredinol, cefnogaeth y bu'n ei hestyn i ysgolheigion iau ers blynyddoedd bellach, ef a'm gwahoddodd i gyfrannu ysgrif ar 'Saunders Lewis a'r Blaid Genedlaethol' i bymthegfed gyfrol y gyfres *Cof Cenedl* a gyhoeddwyd yn 1999. Ceir fersiwn cynnar iawn o rai o ddadleuon Pennod 2 yn yr ysgrif honno. Cafodd rhai o'r dadleuon ym Mhennod 3 eu gwyntyllu gyntaf mewn ysgrif gennyf yng nghyfrol 63, o *Efrydiau Athronyddol* dan y teitl 'Syniadaeth Wleidyddol Gwynfor Evans'. Diolchaf i'r golygyddion Walford Gealy a'r diweddar John Daniel. Simon Brooks, yn ystod ei gyfnod fel golygydd *Tu Chwith*, a'm gwahoddodd i fynd i'r afael am y tro cyntaf â Dafydd Elis-Thomas. Er nad oes nemor ddim o gynnwys yr ysgrif wreiddiol – a gyhoeddwyd yn rhifyn Haf 1986 o'r cylchgrawn (cyfrol 5) dan y teitl 'O sosialaeth gymunedol i *Quango Wales*: ymdaith ddeallusol hynod Dafydd Elis-Thomas' – yn ymddangos yn y gyfrol bresennol, roedd y gwahoddiad yn bwysig iawn o ran fy ngosod ar ben y ffordd. Roedd parodrwydd nodweddiadol y gwrthrych ei hun i ymateb yn gadarnhaol i'm hymdriniaeth ddigon llym ohono yn ysbrydoliaeth arall.

Bu nifer o gydweithwyr a chyfeillion eraill yn gynhaliaeth bwysig ar hyd y daith, pa un ai a oeddynt hwythau'n ymwybodol o hynny ai peidio. Yn benodol, carwn ddiolch i Non Gwilym, Guto Harri,

Peter Jackson, Charlie Jeffery, Rhys Jones, James Mitchell, Elin Royles, Steve Smith, Dafydd Trystan, Lee Waters, Daniel Williams a Michael Williams. Bu'r athrylith hwnnw John Davies, neu 'Bwlch-llan' i ni gyn-drigolion Neuadd Pantycelyn, yn ysbrydoliaeth hollbwysig arall. Er fy mod wedi ceisio cydnabod fy nyled i ysgolheigion eraill yn weddol drwyadl trwy gyfrwng y troednodiadau a geir yn y gyfrol, ofnaf nad wyf wedi rhoi cydnabyddiaeth deilwng iddo ef. Y gwir amdani yw y dysgais fwy am destun yr astudiaeth hon trwy sgwrsio â John fin nos yn y *Coopers* nag a wnes mewn unrhyw lyfr neu ystafell ddosbarth erioed.

Bu cyfeillion eraill yn ddigon caredig (ac annoeth) i gynnig darllen rhannau o'r gyfrol cyn ei chyhoeddi a chynnig awgrymiadau a gwelliannau gwerthfawr. Diolchaf yn arbennig i Anwen Elias, Meredydd Evans, Rhys Evans, Geraint Gruffydd a Marion Löffler. Dichon y byddai'r gyfrol wedi elwa pe bawn wedi dilyn mwy o'u cyngor ac yn sicr nid eu cyfrifoldeb hwy yw'r brychau sy'n parhau. Yn yr un modd, diolch i Dyfed Elis-Gruffydd a fu'n pori trwy'r gyfrol â chrib mân gan geisio ei orau glas i wneud rhywfaint o iawn am fy niffyg sylw yn y dosbarth Cymraeg ers talwm. Unwaith yn rhagor, rhaid pwysleisio nad ei gyfrifoldeb ef yw unrhyw wallau neu ddiffyg ystwythder sy'n parhau. Rwyf hefyd yn ddyledus am gynhorthwy wrth ddod o hyd i ddeunydd ar gyfer y gyfrol, ac yn benodol i'r diweddar, annwyl Phil Williams ac Ann Williams a roddodd fenthyg casgliad o bamffledi Plaid Cymru i mi am gyfnod estynedig (iawn). Diolch hefyd i dri llyfrwerthwr o'r iawn ryw, sef Dafydd Jones, Dafydd Timothy a Gwilym Tudur, am eu cymorth parod hwythau. Mawr iawn yw fy nyled i Aled Elwyn Jones yn ogystal am ei gymorth amhrisiadwy wrth baratoi mynegai'r gyfrol ac am ei waith ditectif ar fy rhan yn y Llyfrgell Genedlaethol. Pleser yw cael diolch i staff Gwasg Prifysgol Cymru – ac yn arbennig Sarah Lewis – am eu cymorth a'u hamynedd hwythau. Rwyf hefyd yn ddyledus iawn i'r darllenydd anhysbys a ddarllenodd y gyfrol ar ran y wasg am sylwadau adeiladol a chefnogol.

Ni fyddai'r gwaith hwn wedi'i gwblhau heb gymorth tri chyfaill mynwesol. Bu Roger Scully yn graig o gefnogaeth. Nid yn unig y bu'n rhyfeddol o amyneddgar wrth ganiatáu i mi baldaruo wrtho ynglŷn â rhyw agwedd neu'i gilydd o gynnwys y gyfrol ond bu hefyd yn fwy na pharod i ysgwyddo mwy na'i gyfran o'n cyweithiau er mwyn caniatáu amser i mi roi'r horwth peth yn ei wely (o'r diwedd). Bellach, fe ŵyr cenhedlaeth o fyfyrwyr cyfrwng Cymraeg yr Adran Gwleidyddiaeth Ryngwladol am ddoniau'r rhyfeddol Gwenan Creunant. Nid oes unrhyw un wedi cael manteisio mwy arnynt dros y blynyddoedd diwethaf na minnau. Yn ogystal â sicrhau bod Sefydliad Gwleidyddiaeth Cymru yn cael ei weinyddu mewn modd cwbl broffesiynol ac effeithlon, bu'n darllen, yn cywiro, yn gwrando ac yn annog. Yr olaf o'r drindod yw Jerry Hunter, bellach o Ben-y-groes a Phrifysgol Cymru, Bangor. Bu yntau'n darllen, yn dadlau, yn annog, yn procio a phryfocio am ugain mlynedd bellach. Yn fwy na hynny hyd yn oed, bu'n batrwm o'r hyn y gall ysgolheictod fod – yn Gymreig *ac* yn rhyngwladol ei leoliad; yn Gymreig *ac* yn rhyngwladol ei orwelion.

Yn bennaf oll, carwn ddiolch i'm teulu. Pan fabwysiadodd Eli y Cymro hwn go brin ei bod yn deall y byddai Saunders, Gwynfor, D.J. a Noëlle a'r gweddill yn gwmni iddi yn y berthynas! Bu'n rhyfeddol o amyneddgar a byddaf yn fythol ddiolchgar iddi am hynny, ac am ei chariad a'i chefnogaeth ddiwyro. Nid yw plant yn cael dewis diddordebau eu rhieni, wrth gwrs, ac mae Eirig ac Owain yn parhau'n rhy fân i ddeall beth yn union y mae Dad yn ei wneud 'yn y gwaith'. Serch hynny, bu hwyl a chwerthin y ddau – ynghyd â'u diffyg diddordeb yn obsesiynau eu tad – yn donic.

Gair olaf am fy rhieni. Bu datganoli'n freuddwyd fawr ar ein haelwyd ni'n blant. Torrwyd calon fy nhad gan ganlyniad refferendwm Dydd Gŵyl Dewi 1979 a phrin iddo ymhél â gwleidyddiaeth wedi hynny. Ond ym misoedd yr haf 1997, caniataodd iddo'i hun obeithio y byddai gwawr ar ôl nos mor dywyll. Yn oriau mân y bore ar y pedwerydd ar bymtheg o Fedi, eisteddai'r ddau yn ddisgwylgar o flaen y teledu yn aros canlyniadau ail refferendwm. Wrth i'r canlyniadau gael eu cyhoeddi bob yn un, roedd hi'n ymddangos yn gynyddol debygol fod y Cymry am fynnu parhau i fyw yn y cysgodion ar gyrion hanes. Ciliodd fy nhad i'r gwely. Ond nid un i golli ffydd yw fy mam. Arhosodd i weld John Meredith yn ymladd yn aflwyddiannus i gelu gwên lydan wrth sicrhau gwylwyr S4C y gallai'r newyddion o Gaerfyrddin newid popeth. Cyrchodd fy nhad o'r gwely ac yn dilyn y cyhoeddiad olaf yfodd y ddau lwncdestun i'r Gymru newydd gyda gwydraid bach o *sherry*. Cyflwynaf y gyfrol iddynt hwy yn y foment fendigedig honno.

Rhan Un

CENEDLAETHOLDEB

1

CENEDLAETHOLDEB, MUDIADAU CENEDLAETHOL A CHYMRU

O bersbectif rhyngwladol, nid yw'n syndod o gwbl fod mudiad cenedlaethol wedi datblygu yng Nghymru. Y cwestiwn mawr, yn hytrach, yw pam na phrofodd y mudiad hwnnw'n fwy llwyddiannus? Yn wir, o'r un persbectif rhyngwladol hwn, ac o gofio pwysigrwydd cenedlaetholdeb fel ffenomen fyd-eang yn ystod y canrifoedd diwethaf, fe ellid dadlau mai dyma'r unig gwestiwn hanesyddiaethol o bwys cyffredinol a godir gan y profiad Cymreig. Oblegid go brin fod llawer o wledydd yn Ewrop yn ystod y bedwaredd ganrif ar bymtheg lle y ceid gwell argoelion ar gyfer mudiad cenedlaethol llwyddiannus nag yng Nghymru. Yn wir, fe lwyddodd laweroedd o genhedloedd eraill, yn rhai mawr a mân fel ei gilydd, i fynnu ac ennill eu rhyddid ar sail adnoddau llawer iawn mwy llwm nag a feddai'r Cymry. Fel y sylwodd yr hanesydd Miroslav Hroch yn ei gyfrol ddylanwadol *The Social Preconditions of National Revival in Europe*:

> For Wales . . . all the features of the 'classical' definition [o ddarpar-genedl lwyddiannus] were valid in the full extent: it had a compact area of settlement, and old-established and distinctive cultural unity, a modernized literary language, its territory even formed an economic whole, comparable with a national market – and despite this we cannot speak of a full-developed Welsh nation. At the same time it would be possible in contrast to instance a series of nations from which some of these features were absent, but which nevertheless became constituted into national units with an independent existence.[1]

Pam, felly, y profodd yr 'adfywiad cenedlaethol' yng Nghymru mor wantan? Mor wantan fel mai dim ond yn 1997 y penderfynodd y

[1] Miroslav Hroch, *The Social Preconditions of National Revival in Europe. A Comparative Analysis of the Social Composition of Patriotic Groups among the Smaller European Nations*, Cyf. Ben Fowkes (Cambridge: Cambridge University Press, 1985), t. 4. Noder mai rhagdybiaeth Hroch yw bod datblygiad cenedlaethol llawn yn gyfystyr â sefydlu cenedl-wladwriaeth. Mae lle i ddadlau ynglŷn â dilysrwydd y rhagdybiaeth honno – ac yn sicr nid dyma fu safbwynt *rhethregol* arweinyddiaeth Plaid Cymru, fel y gwelir isod.

Cymry eu bod yn deisyf llipryn gwan o Gynulliad Cenedlaethol, a hynny trwy fwyafrif trwch asgell gwybedyn yn unig; mor wantan fel bod yr iaith Gymraeg yn parhau'n fregus ac yn wir, yn ôl llawer, yn parhau i frwydro am ei heinioes?

Ni ellir gobeithio cynnig ateb cynhwysfawr yma. Hyd yn oed pe meddai'r awdur presennol yr arfau deallusol angenrheidiol i geisio gwneud hynny, byddai'n gofyn cyfrol wahanol iawn i'r un a geir yma. Serch hynny, cyn troi at ystyriaeth benodol o genedlaetholdeb Cymreig yn ffurf syniadaeth Plaid Cymru, mae'n bwysig cynnig ychydig o sylwadau mwy cyffredinol eu naws ynglŷn â natur cenedlaetholdeb a mudiadau cenedlaethol, ynghyd â natur y sefyllfa benodol yng Nghymru. Bydd y drafodaeth hon yn awgrymu nifer o themâu a godir eto yn y penodau dilynol. Ond yn ogystal, bydd yn dinoethi'r rhagdybiaethau damcaniaethol a chysyniadol sy'n sail i'r gyfrol ac felly'n rhoi cyfle i'r darllenydd bwyso a mesur eu dilysrwydd.

Deall cenedlaetholdeb

Ffenomen fodern yw cenedlaetholdeb. Ffenomen wedi'i gwreiddio yn y trawsffurfiad o'r Oesoedd Canol i'r gymdeithas ddiwydiannol gyfoes; o fyd ffiwdal i fyd sydd â'i drefn economaidd a chymdeithasol wedi'i seilio ar gyfalafiaeth, a'i drefn wleidyddol wedi'i sylfaenu ar y wladwriaeth sofran. Amlygiad gwleidyddol a diwylliannol ar y broses hon yw cenedlaetholdeb. Bu'n ffordd o ddygymod â newidiadau a oedd nid yn unig yn chwyldroi pob agwedd ar fywyd, gan gynnwys, wrth gwrs, y bydolygon a fu'n fodd o ddal pen rheswm â'r bywyd hwnnw, ond a oedd yn gwneud hynny mewn modd herciog, anwastad ac anghyfartal.

Mae deall anwastadrwydd ac anwadalwch moderneiddio yn hollbwysig os am ddeall yr amrywiol ffurfiau a gymerodd cenedlaetholdeb – yn wir, dyma'r allwedd. Effeithiodd (ac effeithia) moderneiddio ar gymunedau mewn ffyrdd amrywiol iawn. Yn un peth, dechreuodd y dylanwad ar gyfnodau gwahanol ac, o'r herwydd, roedd dwyster y broses yn dra gwahanol. Mewn rhai mannau, yn benodol felly yn yr ardaloedd a fu'n darddle iddi, bu'n broses raddol. O safbwynt moderneiddio roedd manteision mawr o gael bod y cyntaf i'r felin, ac yn y mannau cymharol freintiedig hyn mae'n demtasiwn i'w ddeall yn nhermau proses o 'esblygiad' cymdeithasol. Y broblem ynglŷn â hyn yw bod mabwysiadu ieithwedd o'r fath yn tueddu i saniteiddio a pharchuso proses a oedd, ar ei gorau, yn un hyll a chreulon. Ond gwelir yr agweddau dinistriol hyn ar foderneiddio yn fwyaf eglur yn yr ardaloedd a syrthiodd i'w grafangau yn ddiweddarach. Yn y mannau hyn, megis ymhlith y bobloedd hynny yn yr Affrig y penderfynodd gwledydd y Gorllewin eu bendithio â 'gwareiddiad', neu ymysg y werin wledig y dewisodd Stalin a Mao eu breintio â rhan yn eu harbrofion gorffwyll, daeth moderneiddio yn frawychus o gyflym. Llusgwyd pobloedd gerfydd eu gwar – â rhai ohonynt yn cicio a brathu – i lif y byd cyfoes; llif na ellir dianc rhagddo. Fel yr awgryma'r enghreifftiau hyn, ceid hefyd amrywiaeth mawr yng nghymeriad y parthau hynny a syrthiodd yn eu tro yn ysglyfaeth i resymeg anorchfygol y byd cyfoes. Amrywiaeth yn nhermau sefyllfaoedd ieithyddol ac ethnig. Amrywiaeth hefyd, wrth reswm, mewn patrymau o ddosbarthiad grym – boed hynny'n rym milwrol, yn rym economaidd, yn rym gwleidyddol neu yn rym diwylliannol. Yn yr holl gyd-destunau amrywiol a chymhleth hyn, effaith moderneiddio anwastad oedd creu, neu'n aml, ddwysáu rhaniadau cymdeithasol. Allan o'r gynhysgaeth yma y datblygodd cenedlaetholdeb.

Fe fydd y sawl sy'n gyfarwydd â'r llenyddiaeth ysgolheigaidd eisoes yn ymwybodol o ddyled y ddealltwriaeth hon o genedlaetholdeb i Ernest Gellner. Nid oes tystiolaeth fod gan y gŵr eithriadol hwnnw unrhyw ddiddordeb yng Nghymru. Yn wir, i'r gwrthwyneb. Yn 1991 llwyddodd i draddodi darlith ar ei syniadau parthed cenedlaetholdeb gerbron cynulleidfa yn Aberystwyth heb yngan yr un gair o'i ben am Gymru na'i sefyllfa![2] Serch hynny, mae gan efrydwyr cenedlaetholdeb un ac oll, gan gynnwys y sawl sydd am ddeall teithi Plaid Cymru, le mawr i ddiolch iddo.

Cymwynas fawr Gellner oedd i'w waith ei gwneud hi'n anos o lawer i sylwebwyr (neu o leiaf, y rhai hynny sy'n ymboeni

[2] Ceir testun y ddarlith yn Ernest Gellner, *Encounters with Nationalism* (Oxford: Blackwell, 1994), tt. 20–33. Darlith Goffa E. H. Carr oedd achlysur y ddarlith. Yn y cyd-destun hwn, diddorol yw nodi na ddarfu i Carr ychwaith sôn am Gymru (ac eithrio un cyfeiriad cwbl ansylweddol mewn troednodyn) yn ei lyfr tra-dylanwadol yntau ar genedlaetholdeb, *Nationalism and After* (London: Macmillan, 1945). Roedd llai fyth o esgus ganddo ef na Gellner, hyd yn oed, oblegid roedd Carr yn dal Cadair Woodrow Wilson yn Adran Wleidyddiaeth Ryngwladol, Prifysgol Cymru, Aberystwyth rhwng 1936 a 1947.

am barchusrwydd deallusol) barhau i raffu'r un *clichés* blinedig sydd wedi nodweddu – a llethu – y drafodaeth o genedlaetholdeb. Dangosodd ef pa mor sylfaenol ddiffygiol yw ffug foesoli'r 'gwrth-genedlaetholwyr' hynny sydd mor barod i wrthgyferbynnu cenedlaetholdeb cyntefig, afresymegol ac annerbyniol eraill â'u gwladgarwch naturiol a gwâr eu hunain.[3] Tynnodd wynt o hwyliau eraill o'r un anian sy'n honni eu bod hwy yn codi uwchlaw unrhyw ymdeimlad o genedlaetholdeb trwy goleddu rhyngwladoldeb neu gosmopolitaniaeth. Yn anad neb, fe wnaeth Gellner hi'n gwbl eglur sut y mae cenedlaetholdeb yn hydreiddio cymdeithas fodern *drwyddi draw*. Dangosodd sut y mae pob gwladwriaeth lwyddiannus yn ddibynnol ar ymdeimlad o genedlaetholdeb. Yn wir, wrth ddilyn rhesymeg Gellner, ac fel y gwelwn maes o law, mae pob ideoleg wleidyddol fodern o bwys – rhyddfrydiaeth, ceidwadaeth, sosialaeth, comiwnyddiaeth a ffasgaeth – yn ymarferol, os nad mewn theori, i gyd yn ddibynnol ar ragdybiaethau cenedlaetholgar. Ys dywed David McCrone yn ei drafodaeth ardderchog yntau ar genedlaetholdeb, 'nationalism is the *sine qua non* of modern societies'.[4] Gan Gellner y dysgwyd hyn.

Dylid pwysleisio nad oedd Gellner yn hoelio sylw ar natur hollbresennol cenedlaetholdeb oherwydd ei fod yn genedlaetholwr nac ychwaith am ei fod yn gweld twf ac ymlediad cenedlaetholdeb fel peth daionus a phositif. I'r gwrthwyneb ar lawer ystyr. Hiraethai am Ymerodraeth Awstria-Hwngari a rhybuddiai yn erbyn canlyniadau chwalu'r Undeb Sofietaidd. Yng nghyd-destun y gyfrol hon, diddorol hefyd yw nodi awgrym Tom Nairn fod Gellner wedi datblygu'n edmygydd o'r Deyrnas Gyfunol erbyn diwedd ei oes: 'It was as if a part of the Hapsburg mantle (which he was quite fond of praising) had fallen upon Windsordom.'[5] Yn wir, mae ei

[3] Mae'n werth pwysleisio'r pwynt yma: does dim gwerth dadansoddol i'r ymdrechion cyson a geir i wahaniaethu rhwng gwladgarwch, ar y naill law, a chenedlaetholdeb ar y llaw arall. Gwell, yn hytrach, yw deall ymdrechion o'r fath fel *rhan* o wleidyddiaeth cenedlaetholdeb – fel proses (mwy neu lai ymwybodol) o ddilysu rhai safbwyntiau a sefydliadau, tra'n labelu eraill fel rhai annilys. Mae hwn, wrth gwrs, yn ystum a ddefnyddir yn gyson gan ladmeryddion cenedlaetholdeb gwahanol wladwriaethau yn erbyn lladmeryddion cenedlaetholdeb y lleiafrifoedd cenedlaethol sy'n fygythiad iddynt.

[4] David McCrone, *The Sociology of Nationalism: Tomorrow's Ancestors* (London: Routledge, 1998), t. 72.

[5] Tom Nairn, 'The curse of rurality: limits of modernisation theory', yn John A. Hall (gol.), *The State of the Nation: Ernest Gellner and the Theory of Nationalism* (Cambridge: Cambridge University Press, 1998), t. 134 troed.

waith yr un mor heriol i rai o ragfarnau cenedlaetholwyr ag y mae i ragdybiaethau eu gwrthwynebwyr.

Un o gredoau anwylaf cenedlaetholwyr yw bod eu cenedlaetholdeb hwy, o leiaf, yn 'naturiol'. Law yn llaw â hynny, wrth gwrs, fe welwn yr un cenedlaetholwyr yn taeru bod cenedlaetholdebau eraill yn 'annaturiol' – yn enwedig y cenedlaetholdebau hynny sydd am hawlio yr un 'bobl' a'r un diriogaeth ag y maent hwy yn eu hawlio fel rhan o'u hetifeddiaeth (megis dadl rhai cenedlaetholwyr Cymreig i'r perwyl nad yw'r genedl Brydeinig yn genedl 'go iawn' ac felly nad yw cenedlaetholdeb Prydeinig yn safbwynt dilys). Dadl Gellner oedd bod *pob* cenedlaetholdeb yr un mor 'annaturiol' â'i gilydd (os oes gwerth defnyddio termau megis 'naturiol' ac 'annaturiol' yn y cyd-destun hwn). Mae pob cenedlaetholdeb, a defnyddio'r derminoleg academaidd a aeth bellach yn ffasiynol, yn 'greadigaeth'. Felly, tra bo cenedlaetholdeb *yn gyffredinol* yn rhan annatod ac anhepgor o'r byd modern, nid oes dim yn annatod ac anhepgor am ddatblygiad a pharhad mynegiant *penodol* ohono (cenedlaetholdeb Danaidd, Ffrengig, Eritreaidd, ac yn y blaen). Dychwelir at oblygiadau'r pwynt hollbwysig hwn yn y man.

Gan barhau ein trafodaeth ar y gwastad cyffredinol am y tro, cyfyd cenedlaetholdeb, yn ôl Gellner, o'r ffaith fod cyfrwng ieithyddol a diwylliannol cyffredin yn anhepgor mewn cymdeithas ddiwydiannol (noder bod Gellner yn tueddu i gyfystyru diwydiannu â moderniaeth). Mewn cymdeithasau cyn-ddiwydiannol nid oedd ots os oedd iaith y llys yn wahanol i iaith neu ieithoedd y werin bobl. Nid oedd o dragwyddol bwys os oedd iaith a diwylliant y gwahanol haenau oddi mewn i gymdeithas yn wahanol i'w gilydd. Lleol iawn oedd gorwelion bywyd y mwyafrif llethol, a ffurfiol, gan amlaf, oedd natur y cysylltiad rhwng aelodau o'r gwahanol haenau a dosbarthiadau. Ond mewn cymdeithas fodern, fodd bynnag, mae lleoliad daearyddol a chymdeithasol unigolion yn llawer iawn mwy agored a chyfnewidiol. O'i chymharu â'r hyn a ddaeth o'i blaen, mae cymdeithas fodern, felly, yn *gymharol* egalitaraidd.[6] Yr unig ffordd y gall pobl symud oddi amgylch – a thrwy – gymdeithas o'r fath yw trwy fodolaeth cyfrwng diwylliannol cyffredin sy'n galluogi pawb oddi mewn i gymdeithas gyfathrebu'n

6 Gellner, *Nations and Nationalism*, t. 25.

rhydd a (chymharol) ddiamwys â'i gilydd.[7] Y fframwaith diwylliannol cyffredin hwn, ac yn bennaf oll iaith gyffredin, wedi'i lledaenu trwy gymdeithas gyfan gan gyfundrefn addysg gyffredin, yw sail yr ymdeimlad o genedligrwydd ac o genedlaetholdeb. Yn ôl y dehongliad hwn, mae twf llythrennedd a datblygiad cenedlaetholdeb yn brosesau rhyng-gysylltiedig; dyma'r glud, fel petai, sydd yn dal cymdeithas fodern at ei gilydd.[8]

Wrth gytuno â phwyslais cyffredinol Gellner i'r perwyl fod cenedlaetholdeb yn amlygiad ar y broses foderneiddio, rhydd ysgolheigion eraill flaenoriaeth i agweddau gwahanol o'r broses honno yn hytrach na diwydiannu *per se*. Pwysleisia Michael Mann, er enghraifft, ddylanwad datblygiad cyfalafiaeth fasnachol a thwf y wladwriaeth ganolog fodern.[9] Sbardun pwysig ar gyfer y rhain oedd y chwyldro mawr mewn technoleg filwrol, a thechnegau ymladd, a weddnewidiodd natur rhyfel yn Ewrop dros gyfnod o tua chanrif wedi 1540. Yn sgîl yr amodau newydd a grëwyd gan y datblygiadau hyn, roedd rhyfela yn gofyn am wladwriaeth wahanol iawn i'r hyn a welwyd o'r blaen (mwy canolog ei natur, a llawer mwy o ran maint ei biwrocratiaeth a'i hincwm). Roedd hefyd yn gosod premiwm ar allu'r wladwriaeth honno i gyfathrebu'n effeithiol oddi mewn i'w thiriogaeth. Canlyniad hyn yn ei dro, oedd rhoi hwb sylweddol i'r broses o greu cymdeithas lythrennog ac esgor ar genedlaetholdeb.

Yn ystod yr unfed ganrif ar bymtheg y gwêl Liah Greenfeld darddle cenedlaetholdeb hefyd, ond y tro hwn yn Lloegr yn benodol, yn hytrach nag yn Ewrop yn gyffredinol. Ac yn ôl ei dadansoddiad dylanwadol, sylweddoli rôl catalytig Protestaniaeth sy'n hollbwysig wrth egluro'r mynegiant cyntaf hwn o genedlaetholdeb (dychwelir at oblygiadau'r ddadl i sefyllfa Cymru yn rhan olaf y bennod hon).[10] Mewn gwrthgyferbyniad, yn Ffrainc y ddeunawfed ganrif y tybia'r hanesydd Daniel Bell y ceir man geni

[7] Gellner, *Nations and Nationalism*, t. 141.

[8] Mae Benedict Anderson yn pwysleisio pwysigrwydd twf y wasg argraffu a diwylliant print (*print capitalism*) yn yr un broses. Gweler ei gyfrol *Imagined Communities: Reflections on the Origin and Spread of Nationalism* (arg. diwygiedig) (London: Verso, 1991). Yn y cyd-destun Cymreig gweler Jerry Hunter, 'Cyfrinachau ar dafod leferydd: ideoleg technoleg yn ail hanner yr unfed ganrif ar bymtheg', yn Angharad Price (gol.), *Chwileniwm: Technoleg a Llenyddiaeth* (Caerdydd: Gwasg Prifysgol Cymru, 2002), tt. 36–53.

[9] Michael Mann, *The Sources of Social Power, Vol. 1: A History of Power from the Beginning to AD1760* (Cambridge: Cambridge University Press, 1986).

[10] Liah Greenfeld, *Nationalism: Five Roads to Modernity* (Cambridge, MA: Harvard University Press, 1992), tt. 27–88.

cenedlaetholdeb. Yn wir, mae Bell yn ddigon dewr i gynnig lleoliad a dyddiad penodol iawn ar gyfer yr enedigaeth, sef araith Jean-Paul Raubaut de Saint-Etienne gerbron Cynulliad Cenedlaethol y Ffrainc chwyldroadol ar 21 Rhagfyr 1792.[11] Nid ef yw'r unig un i ystyried digwyddiadau yn Ffrainc yn 1792 yn hynod arwyddocaol yn natblygiad cenedlaetholdeb. I'r bardd Almaenig Goethe, Brwydr Valmy ddiwedd mis Medi y flwyddyn honno oedd y digwyddiad arwyddocaol. Wrth weld gwirfoddolwyr Ffrengig wedi'u tanio ag angerdd cenedlaethol, chwyldroadol yn gwrth-sefyll lluoedd proffesiynol Prwsia, hawliodd ei fod yn dyst i gychwyn cyfnod newydd mewn hanes – y cyfnod cenedlaethol.[12] Yn nhyb Nairn, fodd bynnag, yr hyn a oedd yn allweddol oedd 'the combined shocks engendered by the French revolution, the Napoleonic conquests, the English industrial revolution, and the war between the two super-powers of the day, England and France. This English-French "dual revolution" impinged upon the rest of Europe like a tidal wave.'[13]

Bid siŵr, mae gwahaniaethau diddorol ac arwyddocaol ymhlyg yn y dehongliadau amrywiol hyn, ac eraill sy'n debyg iddynt. Serch hynny, yn y cyd-destun presennol, ni thâl gorbwysleisio'r gwahaniaethau. Roedd datblygiad y wladwriaeth fodern, datblygiad cyfalafiaeth (fasnachol a diwydiannol), ac yn wir twf Protestan-iaeth, oll yn brosesau rhyng-gysylltiedig a rhyng-ddibynnol. Yn wir, ymddengys fod Gellner ei hun wedi derbyn grym dadleuon tebyg i rai Mann a Greenfeld erbyn iddo ysgrifennu ei gyfrol fechan olaf ar y pwnc, sef *Nationalism*.[14] Ynddo, ys dywed Brendan O'Leary, un o feirniaid praffaf Gellner, 'bureaucratic centralisation (and its standardising implications), and "Protestant-type" religions (with their egalitarian and high-culture diffusing properties) are granted their due as semi-independent agents in the generation of nationalism'.[15] Yr hyn sydd yn bwysig yn nhermau'r drafodaeth bresennol, felly, yw'r tir cyffredin rhwng yr ysgolheigion hyn.

[11] '[I]t marks, as well as any single event can, the historical moment at which it became possible to speak of nationalism in France.' Daniel A. Bell, *The Cult of the Nation in France: Inventing Nationalism, 1680–1800* (Cambridge, MA: Harvard University Press, 2001), t. 3.

[12] James J. Sheehan, *German History 1770–1866* (Oxford: Clarendon Press, 1989), t. 222.

[13] Tom Nairn, *The Break-up of Britain* (ail. arg.) (London: Verso, 1981), t. 96.

[14] Ernest Gellner, *Nationalism* (London: Weidenfeld and Nicholson, 1997).

[15] Brendan O'Leary, 'Ernest Gellner's diagnoses of nationalism: a critical overview, or, what is living and what is dead in Ernest Gellner's philosophy of nationalism?' yn Hall, *The State of the Nation*, tt. 72–3. Gweler Gellner, *Nationalism*, tt. 25–30.

Gwelant genedlaetholdeb fel rhan annatod o'r broses o foderneiddio.

Natur anwastad y moderneiddio hyn sydd i'w gyfrif am ddatblygiad cenedlaetholdeb fel ffenomen fyd-eang. Ar yr un pryd ag y mae'n gorfodi rhyw lun ar egalitariaeth *oddi mewn* i gymdeithasau sydd wedi'u dal yn ei lif trwy danseilio'r hyn a ddisgrifir gan Gellner fel 'the rigid, absolutised, chasm-like differences typical of agrarian societies',[16] mae moderneiddio hefyd wedi agor agendor enfawr *rhwng* y cymdeithasau hyn ac ardaloedd a phobloedd eraill. Yn y cyd-destun hwn, daw cenedlaetholdeb yn fodd o geisio cyflyru cymdeithasau sydd wedi'u hisraddoli i weddnewid eu statws *trwy foderneiddio eu hunain.* Caiff pobloedd eu huno, eu cyflyru, eu hysbrydoli ac, yn aml, eu gorfodi i fobileiddio ar sail y gwahaniaethau ethnig a chenedlaethol hynny (rhai real a dychmygol) sy'n eu gwneud yn wahanol ac unigryw. Caiff yr holl broses ei chrynhoi gan Nairn fel a ganlyn:

> uneven development has invariably generated an imperialism of the centre over the periphery; one after another, these peripheric areas have been forced into a profoundly ambivalent reaction against this dominance, seeking at once to resist it and to somehow take over its vital force for their own use. This could only be done by a kind of highly 'idealist' political and ideological mobilization, by a painful forced march based on their own resources: that is, employing their 'nationality' as a basis.[17]

Defnyddir hen gymundodau – fersiynau diwygiedig neu ddychmygol ohonynt gan amlaf – er mwyn caniatáu goroesi yn y byd cyfoes.

Yn ogystal â chrisialu daearyddiaeth wleidyddol twf cenedlaetholdeb, mae'r dyfyniad uchod hefyd yn tynnu ein sylw at nifer o agweddau eraill ar ei ddatblygiad. Trown yn awr at ystyriaeth gryno o ddau o'r pwysicaf: y berthynas rhwng cenedlaetholdeb a'r gwrthrych problematig hwnnw y mae cenedlaetholwyr am ei ddyrchafu, sef y genedl (*Cenedlaetholdeb, yr hen a'r newydd*); a'r hyn a wêl Nairn fel amwysedd cenedlaetholdeb (*Cenedlaetholdeb, hunaniaeth a thrais*).

[16] Gellner, *Nations and Nationalism*, t. 25.
[17] Nairn, *The Break-up of Britain*, tt. 340–1.

Cenedlaetholdeb, yr hen a'r newydd

Ers ei morio hi gyntaf yn y 1980au, daeth 'Yma o Hyd' yn ail anthem genedlaethol i Gymry cenedlaetholgar. Ond er mai hanes Cymru yw testun cân fawr Dafydd Iwan, mae'r sentiment cyffredinol a gyfleir ganddi yn fynegiant croyw o hanfod hanesyddiaeth genedlaetholgar ar hyd ac ar led y byd. Yn wir, camp y gân – fel *Buchedd Garmon* Saunders Lewis o'i blaen – yw distyllu y byd-olwg cenedlaetholgar i'w hanfodion. Mae ei phwyslais ar ach, etifeddiaeth a thraddodiad; ar gwlwm byw y cymundod cenedlaethol; ac ar yr olyniaeth o'r gorffennol i'r presennol. Yn bennaf oll, cyfleir y modd y mae dioddefaint hynafiaid yn gosod rhwymedigaeth foesol ar y sawl sy'n byw yn y presennol i sicrhau bod y genedl yn goroesi i'r dyfodol, a hynny 'er gwaethaf pawb a phopeth'.

Mae beirniaid (niferus) cenedlaetholdeb yn gwbl ddilornus ynglŷn â syniadau o'r fath. Iddynt hwy, lol yw unrhyw sôn am gwlwm cenedlaethol hirhoedlog. Yn hytrach, creadigaeth yn dyddio o ddechrau'r bedwaredd ganrif ar bymtheg yw'r genedl, creadigaeth y cenedlaetholwyr eu hunain. Gwêl Eric Hobsbawm, er enghraifft, y cyfan mewn termau Marxaidd uniongred a digon amrwd. Yn ei dyb ef, ac eraill o'r un anian, dyfais oedd – ac yw – cenedlaetholdeb a'r 'genedl' sy'n galluogi'r dosbarth bwrgeisiol i gadarnhau eu gafael ar rym. Trwy ieuo'r dosbarth gweithiol wrth ddiddordebau gwleidyddol-gymdeithasol y garfan sy'n rheoli cymdeithas, mae cenedlaetholdeb yn eu clymu wrth raglen wleidyddol sydd, yn yr hir dymor, yn tynnu'n groes i'w diddordeb gwrthrychol, go iawn. Yn ôl y farn hon, 'ffug-ymwybyddiaeth' yw ymrwymiad y werin at y cysyniad o genedl – enghraifft o hunan-dwyll dorfol ar raddfa epig.[18]

[18] Mae agwedd hynod ddilornus Eric Hobsbawm tuag at genedlaetholdeb a chenedlaetholwyr yn hydreiddio ei waith – fe'i gwelir nid yn unig yn ei ysgrifau ar genedlaetholdeb *per se* megis *Nations and Nationalism since 1780*, ond hefyd yn ei ysgrifau hanesyddol mwy cyffredinol, er enghraifft ei gyfrol *The Age of Extremes: The Short Twentieth Century 1914–1991* (London: Abacus, 1995). Fel gŵr o dras Iddewig a'i wreiddiau yn ddwfn yng nghanolbarth Ewrop yng nghyfnod ymerodraeth Awstria-Hwngari, nid yw'n syndod, efallai, ei fod yn dra-ymwybodol a gwyliadwrus o'r posibiliadau erchyll sy'n llechu o dan fantell cenedlaetholdeb. Serch hynny, ymddengys fod prosesau seicolegol hyd yn oed dyfnach ar waith yn ogystal – yn enwedig felly parthed ei agweddau at genedlaetholdeb a chenedligrwydd Cymreig. Yn ei hunangofiant – *Interesting Times* (London: Penguin, 2002), tt. 233–45 – mae'r hanesydd yn cyfeirio ei lid at drigolion Croesor yn Eifionydd, ardal lle y bu Hobsbawm yn llogi tŷ haf am flynyddoedd gan stad Portmeirion. Er gwaetha'r ffaith i'r trigolion lleol estyn croeso i Hobsbawm a'i deulu, fe'u cystwyir gan yr hybarch hanesydd

(parhau ar dud. 12)

Roedd Ernest Gellner hefyd yn tueddu i bwysleisio newydd-deb y genedl – yn enwedig wrth geisio tynnu blewyn o drwyn cenedlaetholwyr. Mewn un o'i ddatganiadau cynharaf ar y pwnc haerodd: 'Nationalism is not the awakening of nations to self-consciousness: it invents nations where they do not exist.'[19] Fodd bynnag, ni welai'r ffaith dybiedig hon yn yr un goleuni negyddol â Hobsbawm. Dadleuai ef y bu dyfeisio a dyrchafu'r genedl yn hollbwysig wrth wrthsefyll imperialaeth – grym a fyddai, heb ei herio, wedi esgor ar fath o gyfundrefn *apartheid* fyd-eang. Serch hynny, yn ei dyb ef, ni ddylid rhoi coel ar y rhamantu ffuglennol sy'n nodweddu hanesyddiaeth genedlaetholgar.

Gwrthodir haeriadau Hobsbawm a Gellner ynglŷn â natur ffugiol hanes cenedlaethol gan lawer o ysgolheigion sydd – fel yr awdur presennol – am ddadlau mai ffenomen fodern yw cenedlaethol*deb*. Yn ôl Nairn, er enghraifft, 'The kind of remaking which features in modern nationalism is not creation *ex nihilo*, but a reformulation constrained by determinate parameters of that past.'[20] Tra bo elfen 'greadigol' yn nodweddu hanesyddiaeth yn y cywair cenedlaetholgar, ac yn amlach na pheidio elfen o ffugio bwriadol, mae cenedlaetholdeb hefyd yn rhoi mynegiant cyfoes i hen glymau a pherthnasau. Bodolaeth clymau o'r fath (er mor frau yn aml) sy'n rhoi min a gafael i rethreg genedlaetholaidd. Mae Hroch hefyd yn gwrthod awgrymiadau nad oes unrhyw sylwedd i'r 'genedl' y tu hwnt i freuddwydion cenedlaetholwyr:

> The basic condition for the success of any national agitation . . . is that its argument at least roughly corresponds to reality as perceived by those to

am ganiatáu i'w cenedlaetholdeb Cymreig cynyddol suro eu perthynas â'r deallusion bohemaidd hynny a oedd yn treulio eu hafau yn eu plith. Mewn ysgrif amdano yn y *Guardian* adeg cyhoeddi'r gyfrol (14 Medi 2002), datgelwyd bod Hobsbawm a'i wraig bellach yn berchen tŷ haf arall ger y Gelli Gandryll lle mae'r ddau, yng ngeiriau cyfaill iddynt, yn ymdrechu i 'reproduce the urban intelligentsia in a Welsh wilderness'. Tybed ai gwir bechod brodorion Cwm Croesor oedd iddynt fethu â sylweddoli pa mor ffodus yr oeddynt hwy, bobl yr anialdir, o gael eu breintio â phresenoldeb yr *elite* honedig gosmopolitanaidd o'r ddinas fawr, ac iddynt felly fethu â phlygu glin yn ddigonol? Diolchaf i gyfaill a fagwyd yng Nghroesor, Rhys Jones, am drafodaeth ynglŷn â chysylltiad Hobsbawm â'r ardal.

[19] Ernest Gellner, *Thought and Change* (London: Weidenfeld and Nicolson, 1964), t. 168.

[20] Tom Nairn, *Faces of Nationalism: Janus Revisited* (London: Verso, 1997), t. 104. Dyma hefyd yw ergyd ysgrif ysblennydd Prys Morgan a gyhoeddwyd, yn eironig ddigon, mewn cyfrol a gyd-olygwyd gan Hobsbawm. Gweler Prys Morgan, 'From a death to a view: the hunt for the Welsh past in the Romantic period', Eric Hobsbawm a Terence Ranger (goln), *The Invention of Tradition* (Cambridge; Cambridge University Press, 1983), tt. 43–100.

> whom it is directed. National agitation therefore had to (and normally did) begin with the fact that, quite independently of the will of the 'patriots', certain relations and ties had developed over the centuries which united those people towards whom the agitation was directed. They formed a community united by inward ties, and they were at least vaguely aware of this.[21]

Hynny yw, er bod elfen o freuddwydio, o ddyfeisio ac, yn sicr ddigon, o ramantu, yn nodweddu hanesyddiaeth genedlaetholgar, roedd clymau cenedlaethol yn bodoli cyn i genedlaetholwyr ddod i'r fei. Ac yn wir, roedd y clymau hyn yn rhan anhepgor o'r gynhysgaeth a dynnwyd ynghyd yn yr hyn a gyfeiriwyd ato'n hwylus fel y 'new retrospect' a greai genedlaetholdeb ar hanes gwlad.[22] Serch hynny, ni ddylid syrthio i'r fagl anacronistaidd o faentumio bod hynafiaid y cyfnod cyn-fodern yn synio am y genedl yn yr un modd ag a wnaed yn ddiweddarach yn oes cenedlaetholdeb. Daw hyn yn amlwg iawn wrth ddarllen ymdriniaeth lachar Jerry Hunter o hunaniaeth genedlaethol ymysg Cymry'r unfed ganrif ar bymtheg yn ei gyfrol *Soffestri'r Saeson*.[23] Roedd prif wrthrych y gyfrol honno, Elis Gruffydd, yn gweld ei hun fel Cymro, fel Sais ac fel Prydeiniwr mewn gwahanol gyd-destunau, a hynny heb, fe ymddengys, ddioddef rhyw wewyr seicolegol mawr fel y byddai cenedlaetholwyr cyfoes yn ei dybio. Rhaid gochel rhag y gred fod dilyniant syml rhwng teimladau'r dwthwn hwn a theimladau cyfnodau cynharach. Wedi dweud hynny, ni ellir gwadu ychwaith, fel y dengys Hunter, fod ymdeimlad o genedligrwydd (gan gynnwys Cymreictod) wedi bodoli fel ffactor o bwys ymhell cyn gwawrio'r oes fodern, pryd bynnag y dyddir gwawrio honno.

Sut yn union, felly, y mae clorianmu'r gwahaniaeth rhwng cenedlaetholdeb a'r ymdeimlad o genedligrwydd a balchder cenedlaethol a amlygai ei hun yn y cyfnod cyn-fodern? I'm tyb i, mae tri gwahaniaeth sy'n gwbl arwyddocaol. Byd-olwg yw'r

[21] Miroslav Hroch, 'Real and constructed: the nature of the nation'. yn Hall, *The State of the Nation*, tt. 99–100.

[22] Tom Nairn biau'r term; gweler Nairn, *Faces of Nationalism*, t. 71. Ynglŷn â'r thema hon yn fwy cyffredinol, gweler gwaith Anthony D. Smith, yn arbennig *The Ethnic Origins of Nations* (Oxford: Basil Blackwell, 1986) a *Nationalism and Modernism: A Critical Survey of Recent Theories of Nations and Nationalism* (London: Routledge, 1998).

[23] Jerry Hunter, *Soffestri'r Saeson: Hanesyddiaeth a Hunaniaeth yn Oes y Tuduriaid* (Caerdydd: Gwasg Prifysgol Cymru, 2000).

gwahaniaeth creiddiol cyntaf. Yn yr oes fodern, gwelir y byd yn anad dim oll fel byd o genhedloedd. Y genedl, neu a bod yn fanwl gywir, y diriogaeth genedlaethol, yw'r uned sylfaenol ar gyfer dirnad a deall rhaniad a rhyngberthynas gwahanol rannau o'r byd.[24] Wrth reswm, mae categorïau eraill yn bodoli – nifer ohonynt wedi goroesi o oes flaenorol, megis 'gwareiddiad' a 'chymunedau ffydd', ac eraill, megis 'dosbarth', wedi magu arwyddocâd newydd yn yr oes fodern. Ond ar sawl ystyr, y genedl yw categori sylfaenol y cyfnod modern. Gwelir hyn yn fwyaf eglur, efallai, wrth graffu ar hanes y cyfundrefnau chwyldroadol hynny a oedd yn honni ymwrthod â chategorïau'r 'hen fyd' o'u hamgylch a gorseddu bydolwg newydd yn eu lle. Gan nodi un enghraifft o blith llawer: hyd yn oed yn ystod ei boreddydd chwyldroadol roedd y genedl yn gategori hollbwysig yn nhermau gweinyddiaeth a threfniadaeth fewnol yr Undeb Sofietaidd.[25] Mewn iaith fwy uchel-ael gellir dweud bod y genedl yn rhan sylfaenol o *ontoleg* y byd modern; mae 'cymuned ffawd' y genedl yn allweddol yn ein hamgyffrediad a'n hymwneud â'r byd hwnnw.[26]

Yn ail, meddylir am y cwlwm cenedlaethol mewn modd sylfaenol wahanol yn y byd modern i'r hyn a wnaed yn y gorffennol. Cymundod haniaethol yw'r genedl yn llygaid cenedlaetholwyr, gyda phob aelod yn mwynhau perthynas uniongyrchol (yn ystyr y gair Saesneg *unmediated*) â'i genedl – ac yn yr ystyr yma o leiaf, mae'r genedl yn gymundod cydradd. Hynny yw, nid ydym yn aelodau o'r genedl yn rhinwedd ein rôl fel deiliaid rhyw deulu uchelwrol neu'i gilydd, ac yn yr un modd, nid oes yr un unigolyn neu deulu yn ymgorffori'r genedl, hyd yn oed os gall ambell arweinydd chwarae rôl symbolaidd hollbwysig. I'r genedl *per se* y rhoddir teyrngarwch. Nid oes dim yn sefyll rhyngom ni fel unigolion â'r genedl, fel petai, ac yn hyn o beth mae cenedlaetholdeb yn un o gonglfeini democratiaeth.

Dilyna'r drydedd nodwedd o genedlaetholdeb yn uniongyrchol o hyn. Ys dywed O'Leary, hanfod cenedlaetholdeb yw 'a theory of

[24] Mae Rogers Brubaker yn benthyg geiriau Pierre Bourdieu pan sonia am y modd y daeth 'y genedl' yn un o brif 'principle(s) of vision and division' y byd cymdeithasol yn ystod yr oes fodern. Gweler ei gyfrol *Nationalism Reframed: Nationhood and the National Question in the New Europe* (Cambridge: Cambridge University Press, 1996), t. 3.

[25] Gweler Brubaker, *Nationalism Reframed*, tt. 23–54.

[26] Daw'r disgrifiad o genedl fel 'cymuned ffawd' (*schickalsgemeinschaft*) o waith Otto Bauer; gweler Otto Bauer, 'The nation', yn Gopal Balakrishnan (gol.), *Mapping the Nation* (London: Verso, 1996), tt. 39–77.

political legitimacy' sy'n dal 'the government must be conational with and representative of the governed'.[27] Gellir, yn sicr, sôn am wahanol enghreifftiau yn y cyfnod cyn-fodern pan ddadleuwyd bod yn rhaid cael cyd-wladwr neu gyd-wladwyr i reoli gwlad. Yn y cyd-destun Cymreig cawn ddwyn i gof ddatganiad gwŷr Eryri yng ngaeaf blin 1282 na fyddent hwy fyth yn talu gwrogaeth i frenin estron, tra bo Datganiad Arbroath (1320), a fynnai na fyddai'r Alban fyth yn goddef rheolaeth estron, wedi magu pwysigrwydd symbolaidd aruthrol yng ngwleidyddiaeth yr Alban gyfoes.[28] Serch hynny, dim ond yn y cyfnod modern y daeth y dybiaeth hon yn gonglfaen cyfreithlonedd wleidyddol. Wrth i genedlaetholdeb ddyfod yn rhan o 'synnwyr cyffredin' daeth yn amhosibl bellach i ddychmygu person neu bersonau o un genedl yn rheoli cenedl arall ac eithrio yng nghyd-destun cyfundrefn, megis ffederaliaeth, a luniwyd yn arbennig i liniaru a chaniatáu sefyllfa o'r fath. Ffrancwr yn Arlywydd yr Almaen; gŵr o Gorea yn Ymerawdwr Siapan – yn oes cenedlaetholdeb byddai sefyllfa o'r fath y tu hwnt i ddychymyg.

Yn wir, mae craffu ar hynt breniniaethau – crair o oes a fu ar sawl ystyr – yn yr oes fodern yn cynnig tystiolaeth ardderchog o'r modd y cenedlaetholwyd gwleidyddiaeth. Mae'r modd y gorfu i deulu brenhinol Lloegr, hyd yn oed, fynd ati yn ystod y Rhyfel Mawr i ddiosg eu cysylltiadau Almaenig ac ymseisnigo yn stori gyfarwydd. Ond ystyrir hefyd yr holl enghreifftiau a gafwyd yn Ewrop o genhedloedd a oedd newydd ennill eu hannibyniaeth yn sefydlu eu brenhiniaeth eu hunain trwy wahodd aelod o deulu brenhinol tramor i ddod yn frenin arnynt. Os oedd y brenin newydd a'i olynwyr i ennill eu plwyf yn llwyddiannus, roedd disgwyl iddynt ddysgu iaith a mabwysiadu arferion a theithi (tybiedig) y genedl a oedd yn eu mabwysiadu – ac yn aml, yn wir, newid eu

[27] O'Leary, 'Ernest Gellner's diagnoses of nationalism', t. 55.

[28] R. R. Davies, 'Law and society in thirteenth-century Wales', yn R. R. Davies, Ralph A. Griffiths, Ieuan Gwynedd Jones and Kenneth O. Morgan (goln), *Welsh Society and Nationhood: Historical Essays Presented to Glanmor Williams* (Cardiff: University of Wales Press, 1984), t. 52. William Ferguson, *The Identity of the Scottish Nation: A Historic Quest* (Edinburgh: Edinburgh University Press, 1998), tt. 41–3. Yr hyn sy'n wirioneddol arwyddocaol i'r dyfodol ynglŷn â datganiad gwŷr Eryri a Datganiad Arbroath fel ei gilydd yw'r ffaith fod eu hawduron yn ei gwneud yn gwbl eglur na fyddent yn derbyn rheolaeth estron hyd yn oed os oedd eu harweinwyr gwleidyddol yn cydsynio i hynny. Roedd teyrngarwch i'r genedl felly yn fwy na theyrngarwch i dywysogion neu frenhinoedd unigol.

henwau yn y broses. A ydyw'n ormod, tybed, i ddehongli hyn oll yn nhermau priodas symbolaidd â'r genedl? Bid a fo am hynny, y pwynt sylfaenol yw hyn: er mwyn parhau fel sefydliad yn yr oes fodern roedd yn rhaid i frenhiniaeth addasu i'r drefn genedlaethol newydd.

Mynegiant o'r nodweddion hyn yw dwy o brif egwyddorion gwleidyddol cenedlaetholdeb, sef *hunanlywodraeth* a *dinasyddiaeth*. Mae'r gyntaf yn hawlio i'r genedl y cyfle i benderfynu ar ei statws cyfansoddiadol ei hun, tra bo'r ail yn pwysleisio cyfranogiad pob aelod o'r genedl yn y broses o lunio a lliwio ei dyfodol (ac felly, mae'n egwyddor, sylwer, sydd â democratiaeth fel ei phen draw rhesymegol). Yn oes cenedlaetholdeb, ac oherwydd ei ddylanwad, y daethpwyd i synio am ddinasyddiaeth a hunanlywodraeth yn nhermau synnwyr cyffredin. Derbyniwyd yr egwyddorion hyn – yn rhethregol, o leiaf – gan ladmeryddion pob math o ideolegau gwleidyddol gwahanol, ac o'r herwydd gellir ystyried cenedlaetholdeb fel grym blaengar yn y byd sydd ohoni. Ond nid grym er daioni yn unig ydyw, ysywaeth. Mae rôl ganolog cenedlaetholdeb yng ngwleidyddiaeth yr oes fodern hefyd ynghlwm wrth yr ymdrechion mynych a gafwyd i greu unffurfiaeth genedlaethol oddi mewn i ffiniau'r 'diriogaeth genedlaethol' (gan mai yn anaml iawn y mae ffiniau diwylliannol a ffiniau gwleidyddol yn cyd-daro yn union â'i gilydd). Mae hyn wedi arwain yn ei dro at bob math o anfadwaith gan gynnwys, yn ei fynegiant mwyaf eithafol, 'puro ethnig' a hil-laddiad.[29] Grym dilechdidol yw cenedlaetholdeb, gyda photensial rhyddfreiniol yn cerdded law yn llaw â pheryglon enbyd.

Cenedlaetholdeb, yr hunan a thrais

Cyfyd grym ac amwysedd cenedlaetholdeb o'r un tarddle, sef o'r ffaith ei fod yn ymwneud â theimladau o berthyn a hunaniaeth. Yn wir, go brin y gellir gwadu mai hunaniaeth genedlaethol fu'r wedd bwysicaf ar hunaniaeth – yn unigol a thorfol – yn yr oes fodern. Y cenedlaethol ac nid dosbarth neu grefydd, dyweder, sydd wedi gosod ffiniau ar gyfer diwylliant, cymdeithas sifig a gwleidyddiaeth wladwriaethol. Ac yn sicr ddigon, yr ymdeimlad o

[29] Michael Mann, 'Explaining murderous ethnic cleansing: the macro-level', yn Montserrat Guibernau and John Hutchinson (goln), *Understanding Nationalism* (Cambridge: Polity, 2001), tt. 207–41.

berthyn i gymundod cenedlaethol yw'r unig sail a gafwyd, hyd yn hyn beth bynnag, i'r math o *solidarity* cymdeithasol sy'n angenrheidiol ar gyfer cyfundrefn wleidyddol a chymdeithasol wâr a blaengar.[30] Ond y gwirionedd am hunaniaeth (*unrhyw* hunaniaeth), fel y nododd J. R. Jones, yw 'na ellir gwybod am berthyn heb ymglywed â pheidio â pherthyn'.[31] Hynny yw, rhan hanfodol o wybod pwy neu beth ydym ni yw gwybod pwy neu beth nad ydym. Ni ellir osgoi elfen o begynnu. Ac yn aml trodd peidio â pherthyn yn erledigaeth wrth i'r 'arall' gael ei godi'n fwch dihangol.

A dyma ddod â ni at agwedd ar genedlaetholdeb sy'n codi ias oer ar ei elynion, ac sy'n destun cryn anesmwythyd i'r doethaf o blith ei ladmeryddion – sef ei botensial diymwad fel grym dinistriol a difäol. Nid oes amheuaeth fod cenedlaetholdeb wedi ysbrydoli campweithiau diwylliannol arobryn, o gerddoriaeth Beethoven i bensaernïaeth Gaudí a barddoniaeth T. Gwynn Jones. Bu hefyd yn sail anhepgor i'r cyfundrefnau cymdeithasol mwyaf goleuedig yn hanes y ddynoliaeth hyd yn hyn, sef gwladwriaethau lles Llychlyn. Ond nid dyma'r stori gyflawn o bell, bell ffordd. Nid oes ond rhaid meddwl am Bosnia, Cosofo, Rwanda, a'r ddau ryfel byd, i enwi rhai o'r llu enghreifftiau posibl, er mwyn dwyn i gof pa mor erchyll o greulon a dinistriol y gall cenedlaetholdeb fod.

Fel y nodwyd eisoes, ymateb 'gwrth-genedlaetholwyr' i ddeuoliaeth ddychrynllyd cenedlaetholdeb fu swatio'n rhagrithiol y tu ôl i fantell purdeb. *Nhw* yw'r cenedlaetholwyr, meddant, nid y *ni*: petai pobl fel y nhw yn cael eu ffordd byddai fel Gogledd Iwerddon neu'r Balcans yma, ond, diolch i'r drefn, ni'r yw'r bobl sad sydd wedi ymwrthod â'r fath eithafiaeth. Bod yn 'wladgarol' fu'r enw cyffredin a roddwyd ar sadrwydd o'r fath. Ond yng Nghymru, bu fersiwn arall hefyd yn ddylanwadol, sef rhyngwladoldeb (*internationalism*). Ni fwriedir mynd i'r afael â'r llo aur hwnnw yma.[32] Bodlonir ar nodi ffaith a ddaeth yn fwy amlwg fyth wedi tranc

[30] Gweler amddiffyniad David Miller o werth gwleidyddol a chymdeithasol y genedl yn ei gyfrol bwysig *On Nationality* (Oxford: Oxford University Press, 1999).

[31] J. R. Jones, *Gwaedd yng Nghymru* (Lerpwl: Cyhoeddiadau Modern Cymreig, 1970), t. 14.

[32] Ond gweler ysgrif ddewr Tom Nairn, 'Internationalism: a critique', a adargreffir yn *Faces of Nationalism*, tt. 25–46. Er mai'r chwith yn yr Alban yw ei darged, mae llawer o sylwadau Nairn yn berthnasol i Gymru, er, yn naturiol ddigon, nid yw'n cyffwrdd â rhai o elfennau benodol-Gymreig y gredo hon.

disymwth y drefn Sofietaidd, sef bod rhyngwladoldeb yn ei wedd gomiwnyddol ('rhyngwladoldeb proletaraidd') wedi profi'n was bach ufudd i fuddiannau cenedlaethol yr ymerodraeth Rwsiaidd, a hynny, gwaetha'r modd, mewn enghreifftiau mor (ymddangosiadol) anrhydeddus â Rhyfel Cartref Sbaen (dychwelir at yr achos yma yng nghyfrol II). Yn yr un modd, bu rhyngwladoldeb ar ei wedd Lafuraidd yn llawforwyn i'r safbwynt unoliaethol yng Nghymru – hynny yw, i genedlaetholdeb Prydeinig – a hynny yn ei holl blwyfoldeb anhraethol. Nid yw dweud hyn, wrth reswm, yn bychanu nac yn dibrisio'r greddfau gorau a gysylltir â rhyngwladoldeb, megis parodrwydd i ymuniaethu â phobloedd eraill yn eu gwewyr a'u llawenydd, ac awydd i gyfathrachu â hwy ar sail cydraddoldeb. Yn hytrach, mae bod yn driw i'r gwerthoedd hollbwysig hyn yn golygu cydnabod pa mor fethedig a rhagrithiol y bu'r ystumiau hynny a lapiodd eu hunain ym maner rhyngwladoldeb. Golyga hefyd dderbyn nad ydyw'r haeriad fod gwahaniaeth absoliwt rhwng rhyngwladoldeb a chenedlaetholdeb ar y gwastad cysyniadol yn dal dŵr ychwaith. Y gwir amdani, fel y mae'r profiad Cymreig yn ei gadarnhau, yw y gall cenedlaetholdeb gerdded law yn llaw â'r agweddau amheuthun hyn mor aml, os nad yn amlach, na safbwyntiau sy'n honni eu bod yn ymwrthod â 'chulni' o'r fath.[33]

I'r rhai hynny nad ydynt yn fodlon coleddu ffug-gysuron y safbwynt gwrth-genedlaetholgar nid yw pethau mor syml. Yn hytrach, mae'n rhaid i'r rheini sy'n ymglywed â swyn y cwlwm cenedlaethol ond sydd heb fod, ychwaith, yn fyddar i'w beryglon, ganfod ffyrdd amgen o ymdopi â'i gymeriad deuol. Y ffordd arferol o wneud hyn fu gwahaniaethu rhwng gwahanol *fathau* o genedlaetholdeb, gan geisio didoli'r defaid oddi wrth y geifr fel petai.

Cynigiwyd sawl ffordd o wneud hyn. Gwahaniaethai Lenin, er enghraifft, rhwng cenedlaetholdeb a oedd â'i fryd ar ryddhau cenhedloedd caeth, ar y naill law, a chenedlaetholdeb a geisiai ddyrchafu bri gwladwriaethau pwerus, sef siofenistiaeth, ar y llaw arall. Tra bo'r cyntaf yn dderbyniol o fewn cyfyngiadau penodol, ystyriai'r ail yn adweithiol a gwrthun. Yn y byd academaidd, trowyd y dyfarniad hwn ar ei ben gan ysgolheigion megis Hans

[33] Gweler Will Kymlicka, *Politics in the Vernacular: Nationalism, Multiculturalism, and Citizenship* (Oxford: Oxford University Press, 2001), tt. 203–20.

Kohn a John Plamenatz. Tybiai'r ddau fod y 'cenedlaetholdeb gorllewinol' a gysylltent â gwladwriaethau sefydlog gorllewin Ewrop yn rym blaengar, rhesymol a rhyddfrydol. Mewn gwrthgyferbyniad, dalient fod 'cenedlaetholdeb dwyreiniol', sef y math o genedlaetholdeb a ymwreiddiodd ymysg pobloedd ymylol, yn rym afresymol, adweithiol a pheryglus. Yn fwy diweddar, cafwyd dadl gyffelyb, os llawer mwy soffistigedig, gan Rogers Brubaker sydd yn gwahaniaethu yn ei dro rhwng 'cenedlaetholdeb rhyddfrydol' a'i gefnder mileinig 'cenedlaetholdeb caeedig' (*closed*).[34]

Ond ar hyn o bryd, nid oes amheuaeth mai'r ymdrech fwyaf dylanwadol o blith y gwahanol ymdrechion hyn i ddidoli'r gwahanol fathau o genedlaetholdeb yw'r duedd i wahaniaethu rhwng 'cenedlaetholdeb ethnig', ar y naill law, a 'chenedlaetholdeb sifig' ar y llaw arall. Natur dybiedig y cwlwm cenedlaethol sydd wrth wraidd y gwahaniaeth rhwng y ddau. Pwysleisia cenedlaetholdeb ethnig natur brimordaidd y genedl. Gwêl y genedl fel cymundeb naturiol, oesol, arhosol. Yn ôl y farn hon, perthynas waed yw hanfod y cwlwm cenedlaethol: gwelir y genedl megis tylwyth neu deulu estynedig. Cawn ein geni i genedl ac etifeddwn ei beiau a'i breintiau, ei helyntion a'i rhagoriaethau. Digwydd hyn, ar lefel yr unigolyn, mewn modd sy'n ddi-ofyn-amdano ac na ellir ychwaith ei wrthod heb ddioddef canlyniadau seicolegol trychinebus. Y genedl yw'r 'hon' na ellir dianc rhagddi, chwedl T. H. Parry-Williams.

Mewn gwrthgyferbyniad, pwysleisia cenedlaetholdeb sifig mai cwlwm sefydliadol yn anad dim yw'r cwlwm cenedlaethol. Cyfyd ymdeimlad o genedligrwydd o'r profiad o gyd-fyw oddi mewn i *orbit* gwahanol sefydliadau cymdeithasol, crefyddol a gwleidyddol. Rhywbeth a gaiff ei greu a'i ail-greu yw'r genedl, yn hytrach na 'hanfod' arhosol. Cyfleir cnewyllyn y syniad hwn yn gampus pan ofynna Waldo Williams:

> Pa beth yw cenedl?
> Cadw tŷ mewn cwmwl tystion.

[34] V. I. Lenin, 'The rights of nations to self-determination', yn *Lenin: Collected Works*, cyfrol 20 (London: Lawrence and Wishart, d.d.), tt. 393–454; Hans Kohn, *The Idea of Nationalism: A Study in its Origins and Background* (New York: Collier Books, 1967); John Plamenatz 'Two types of nationalism', yn Eugene Kamenka (gol.), *Nationalism: The Nature and Evolution of an Idea* (London: Edward Arnold, 1976); Rogers Brubaker, *Citizenship and Nationhood in France and Germany* (Cambridge, MA: Harvard University Press, 1994).

Ni cheir cenedl oni bai fod poblogaeth yn 'tystio' o'i phlaid yn eu bywyd beunyddiol.[35] Mae'r elfen 'wirfoddol' yn hollbwysig gan ei bod, mewn egwyddor o leiaf, yn golygu bod y genedl yn ffurf gymdeithasol gynhwysol. Nid trwy gael eich geni ynddi yn unig y gellir perthyn i genedl; gellir dewis bod yn aelod ohoni.

Gellir gweld yn syth beth yw apêl gwahaniaethu rhwng yr ethnig a'r sifig. Â chof am hagrwch erchyll yr ugeinfed ganrif mor fyw, canrif pan laddwyd miliynau o bobl ddiniwed diymgeledd, yn Armeniaid, Iddewon, Sipsiwn a Thutsi, yn unig am fod eu tras yn annerbyniol yn nhyb eraill, mae ceisio codi gwrthglawdd yn erbyn atafistiaeth o'r fath yn weithred anrhydeddus. Nid yw'n syndod felly i'r rhaniad ethnig/sifig ddatblygu grym rhethregol mawr. Tuedd cenedlaetholwyr cyfoes yw mabwysiadu'r label 'sifig' i ddisgrifio eu safbwynt eu hunain. Mae hyn yn wir am genedlaetholwyr Cymreig fel Dafydd Wigley, a chenedlaetholwyr Prydeinig megis Gordon Brown. Yn ôl Wigley, cenedlaetholdeb sifig yw cenedlaetholdeb Plaid Cymru. Haeriad Brown, fodd bynnag, yw bod hunaniaeth genedlaethol Brydeinig yn sifig ei natur, a hynny mewn gwrthgyferbyniad, fe led-awgryma, â'r ethnigrwydd sy'n sail i hunaniaeth genedlaethol Albanaidd a Chymreig.[36]

Ond yn ogystal â chynnig arf rhethregol nerthol, mae gwerth dadansoddol diymwad i'r rhaniad rhwng yr ethnig a'r sifig, fel y gwelir yn eglur yn llyfr dylanwadol Liah Greenfeld, *Nationalism: Five Roads to Modernity*. Ond, er gwaethaf grym dadansoddol y cysyniadau hyn, ni thâl pwyso gormod arnynt. Nid yw cenedlaetholdeb fyth mor syml ag yr awgrymir gan y rhaniad ethnig/sifig. Yn hytrach, mae'r mwyafrif llethol, os nad y cyfan, o genedlaetholdebau

[35] Yn hyn o beth mae tebygrwydd trawiadol rhwng portread Waldo o'r genedl a thrafodaeth enwog Ernest Renan yn ei draethawd 'Qu'est-ce qu'une nation?' (1882), sef un o'r ymdrechion cyntaf i fynd i'r afael â'r genedl mewn modd systematig. Wrth geisio crisialu'r ffactorau hynny sy'n sicrhau bodolaeth a pharhad y genedl, defnyddia Renan y trosiad o '*plebiscite* dyddiol'. Hynny yw, heb i aelodau o genedl ewyllysio (a thystiolaethu) i'w bodolaeth, ni cheir cenedl. Gweler Ernest Renan, 'What is a nation?' cyf. Martin Thom yn Geoff Eley a Ronald Grigor Suny (goln), *Becoming National: A Reader* (New York: Oxford University Press, 1996), t. 53.

[36] Gweler, *inter alia*, sylwadau Dafydd Wigley yn Nhŷ'r Cyffredin ar 8 Rhagfyr 1997 (*Hansard, Column 705*): 'We regard all the people who live in Wales as citizens of Wales and all are equal irrespective of race, creed, colour or language. Plaid Cymru is a national party, but our nationalism is a civic nationalism.' Am ymdriniaeth Brown o Brydeindod gweler y drafodaeth yn Richard Wyn Jones, 'On process, events and unintended consequences: national identity and the politics of Welsh devolution', *Scottish Affairs*, 37 (Autumn 2001), 34–57.

go iawn yn gynhysgaeth gymhleth o'r ddwy elfen. Cymerir, er enghraifft, yr Alban, sef gwlad lle y ceir, yn ôl llawer, esiampl glasurol o genedligrwydd a chenedlaetholdeb sifig. Sefydliadol, fe ddywedir, yw ffocws hunaniaeth genedlaethol Albanaidd: sylfaen arwahanrwydd y wlad yw ei '*estates*' hanesyddol, sef ei chyfundrefnau addysgol, cyfreithiol a chrefyddol; sefydliadau a ffynnodd er gwaetha'r uno â Choron, ac, yn ddiweddarach, wladwriaeth Lloegr.[37] Ond, hyd yn oed a bwrw bod llawer iawn o wirionedd yn y dadansoddiad yma, nid oes angen treulio llawer o amser yn yr Alban i sylweddoli yn ogystal bwysigrwydd elfennau ethnig yn ei bywyd cenedlaethol. Yn wir, fe'u hamlygir ar bob tu, a hynny'n aml mewn ffurfiau sy'n drawiadol o *kitsch*. Ac er cymaint cynddaredd deallusion cenedlaetholgar yn erbyn *tartanry*, rhamantiaeth y *lost cause*, ac yn y blaen, ni fu'r SNP yn swil rhag ceisio troi'r dŵr *Braveheart*-aidd yma i'w melin ei hun.[38]

Wrth droi at Gymru gellid yn hawdd ddadlau mai ethnig fu sail yr ymdeimlad o genedligrwydd Cymreig ar hyd yr oesoedd. Yr iaith Gymraeg fu carreg sylfaen arwahanrwydd Cymru. A chan yr ystyrir iaith, gan amlaf, fel nodwedd ethnig, a bod parhad ac adferiad y Gymraeg yn gonsýrn canolog i'r mudiad cenedlaethol, onid fel cenedlaetholdeb ethnig y dylid adnabod cenedlaetholdeb Cymreig? Ar yr un gwynt, mae'n rhaid cydnabod hefyd fod creu sefydliadau sifig Cymreig wedi bod yn un o brif amcanion cenedlaetholwyr Cymreig – yn brifysgol, llyfrgell a senedd. Onid teg, felly, yw dweud mai cenedlaetholwyr sifig ydynt wedi'r cyfan? Â pethau'n fwy niwlog fyth pan yr ystyrir agwedd unoliaethwyr Prydeinig, megis Neil Kinnock, at Gymru. Tra'n gwrthwynebu datganoli ym mis Chwefror 1979, ei ddadl oedd y dylai cenedligrwydd Gymreig barhau i fod yn 'matter of hearts and minds, not bricks, committees and bureaucrats'.[39] Hynny yw, er nad oedd ganddo wrthwynebiad i barhad Cymreigrwydd ar ei ffurf ethnig (gan osod ei agwedd at yr iaith o'r neilltu am y tro), nid oedd

[37] Gweler, er enghraifft, Lindsay Paterson, *The Autonomy of Modern Scotland* (Edinburgh: Edinburgh University Press, 1994) a David McCrone, *Understanding Scotland: The Sociology of a Nation* (London: Routledge, 2001).

[38] Am enghraifft gofiadwy o'r fath gynddaredd, gweler ysgrif Tom Nairn 'Old and new Scottish nationalism', yn ei gyfrol *The Break-up of Britain*, tt. 126–95.

[39] Gweler Dim Awdur [ond Neil Kinnock], *Facts to beat Fantasies: The Detailed Reasons for Voting NO in the March 1st Referendum and Answers to the Claims of the Yesmen and Guessmen* (Labour No Assembly Campaign, 1979), t. 6.

yn ffafrio rhoi mynegiant sifig i Gymreictod. Pwy, felly, yw lladmeryddion y sifig a hyrwyddwyr yr ethnig yn y cyd-destun Cymreig, cenedlaetholwyr Cymreig neu'r unoliaethwyr hynny sy'n honni bod yn wrth-genedlaetholwyr? Yn y pen draw, ni ellir fyth ateb y cwestiwn: yn wir profiad di-fudd fyddai ceisio gwneud. Mae'r cwestiwn yn seiliedig ar geisio sefydlu ffin a chreu gwahaniaeth nad yw'n bod mewn realiti. Er bod y defnydd o'r termau 'ethnig' a 'sifig' yn darparu modd hwylus o dynnu sylw at elfennau yng ngwead cenedlaetholdeb penodol, rhaid gochel rhag creu *fetish* o'r rhaniad ethnig/sifig. Nid yw bywyd, ac yn sicr nid yw cenedlaetholdeb, fyth mor syml: ffaith yr oedd Waldo a Parry-Williams yn gwbl ymwybodol ohoni, wrth gwrs.

Ymhellach, mae cyfystyru cenedlaetholdeb sifig â daioni a damnio mynegiadau ethnig o'r ffenomen yn beryglus o naïf. Ar y naill law, ni ddylid gwyngalchu cenedlaetholdeb sifig. Cenedlaetholdeb Americanaidd yn sicr yw'r enghraifft amlycaf o genedlaetholdeb sifig, gyda hunaniaeth genedlaethol yn yr Unol Daleithiau yn seiliedig ar deyrngarwch i gyfansoddiad a baner. Eto, dyma gymdeithas lle y bu – a lle y mae – hiliaeth yn rhemp, a dyma wladwriaeth a goleddodd bolisïau gwladychol a arweiniodd at hil-laddiad poblogaeth frodorol y cyfandir, ac sy'n parhau i ymddwyn â rhwysg imperialaidd yn ei chysylltiadau rhyngwladol. Mae môr o agendor rhwng y rhethreg gynhwysol a'r realiti. Ar y llaw arall, nid oes cyfiawnhad yn y byd dros gondemnio pob ymdrech i gynnal a dyrchafu nodweddion ethnig. Oes bai, er enghraifft, ar genedlaetholwyr Tibetaidd am bwysleisio eu harwahanrwydd ethnig wrth geisio gwrthsefyll polisi bwriadol llywodraeth Beijing i'w boddi â mewnfudwyr o dras Han (Tsieinaidd)? A ddylid condemnio pobl Dwyrain Timor am eu gwrthsafiad llwyddiannus yn erbyn ymdrechion y wladwriaeth aml-ethnig Indonesaidd i ddileu eu hiaith wedi iddynt feddiannu eu gwlad yn 1975? Siawns nad yw'r atebion i'r cwestiynau hyn yn gwbl amlwg. Yn yr un modd, mae'n amlwg na ddylid collfarnu'r sawl sydd yn brwydro dros y Gymraeg fel adweithwyr ar y sail fod rhywrai wedi penderfynu bod iaith yn nodwedd ethnig.[40]

[40] Dylwn gydnabod bod y safbwynt a arddelir yma ychydig yn wahanol i'r un a fabwysiadwyd gennyf mewn ysgrifau blaenorol lle defnyddiais y fframwaith sifig/ethnig mewn ffordd braidd yn anfeirniadol. Bu sylwadau nodweddiadol ddoeth Ned Thomas ('Never say ethnic: the political culture of devolution', *Planet: The Welsh Internationalist*, no. 136, 35–8) yn ddylanwad pwysig wrth osod fy syniadau ar dir sicrach.

Y perygl o bwyso'n ormodol ar labeli fel ethnig a sifig yw eu bod yn cymryd lle dadansoddiad go iawn yn hytrach na'i hwyluso a'i hyrwyddo. Gall ein dargyfeirio o'r dasg wleidyddol a moesol hanfodol, sef edrych y tu hwnt i'r labeli a roddir ar fudiadau – neu a hawliant i'w hunain – a chymryd golwg feirniadol ar eu syniadau, eu gweithredoedd a chanlyniadau eu gweithredoedd. Oblegid os yw'r dadansoddiad o genedlaetholdeb a gynigir yn y bennod hon yn gywir, mae'n rhaid derbyn hefyd fod *pob* cenedlaetholdeb yn anifail digon brith. Mae pob hunaniaeth genedlaethol, fel pob ffurf ar hunaniaeth gymdeithasol o ran hynny, yn ddibynnol ar ddiffinio rhywun neu ryw rai fel yr 'arall': rydym yn gwybod pwy ydym *ni*, yn rhannol o leiaf, oherwydd ein bod yn credu nad ydym *ni* fel y *nhw*. Mae pob cenedlaetholdeb yn apelio at barhad a thraddodiad ac felly'n edrych yn ôl wrth edrych ymlaen. Tynnir ar adnoddau'r gorffennol a'r presennol, boed yn glymau sefydliadol neu ethnig, er mwyn uno ac ymnerthu i'r dyfodol. Ac onid afraid yw dweud bod peryglon real ymhlyg yn hyn oll. Gellir gweld yr hyn nad ydym fel rhywbeth sy'n llai na ni – gellir hyd yn oed priodoli iddynt statws annynol. Gellir creu darlun o'r gorffennol sydd nid yn unig yn rhamantaidd a braidd yn unllygeidiog, fel yn achos llawer o hanesyddiaeth genedlaetholgar ddigon diniwed, ond sydd yn cyfiawnhau, ac yn wir yn mynnu, ymddygiad bwystfilaidd yn y dwthwn hwn.

Mae posibiliadau creadigol ac adeiladol cenedlaetholdeb yn mynd law yn llaw â photensial sydd yn llawer llai dyrchafol a derbyniol. Perygl unrhyw ymdrech i wahaniaethu rhwng ffurfiau 'da' a 'drwg' o genedlaetholdeb ar y gwastad damcaniaethol yw ein bod yn colli golwg ar y ffaith fod cenedlaetholdeb yn amwys o ran ei natur. Ys dywed Nairn yn ei ddull dihafal: 'the huge family of nationalisms cannot be divided into the black cats and the white cats, with a few half-breeds in between. The whole family is spotted, without exception.'[41] Nid yw cydnabod hyn yn gyfystyr mewn unrhyw ffordd â dweud bod pob cenedlaetholdeb mor ddrwg â'i gilydd. Byddai dadlau felly nid yn unig yn enghraifft o

[41] Nairn, *Break-up of Britain*, tt. 347–8. Ysywaeth, ymddengys fod Nairn bellach wedi colli golwg ar oblygiadau y sylweddoliad hollbwysig hwn. Mewn ysgrif yn *Faces of Nationalism* (1997), ceir darlun cysurlon ganddo o esblygiad cenedlaetholdeb sy'n awgrymu mai rhyw fath o *aberration* hanesyddol fu pwyslais cenedlaetholdeb ar yr ethnig, a'i fod bellach yn colli ei afael wrth i genedlaetholdeb sifig ddatblygu i'w lawn dwf ('From civil society to civic nationalism: evolutions of a myth', tt. 73–89). Am unwaith mae Nairn yn euog o orsymleiddio.

gam-resymu ond hefyd yn gam â hanes. Ond, heb os, mae'n golygu bod yn rhaid wrth wyliadwriaeth.

Mae'n rhaid i ysgolheigion a sylwebwyr ochel rhag mabwysiadu fframweithiau dadansoddol sy'n gorsymleiddio cenedlaetholdeb yn ei holl amrywiaeth ac amwysedd. Yn bwysicach fyth, mae'n rhaid i wleidyddion a dinasyddion ochel rhag y peryglon sydd ymhlyg mewn cenedlaetholdeb. Dengys y dystiolaeth a gesglir ynghyd yn y gyfrol hon fod arweinwyr Plaid Cymru wedi bod yn ymwybodol o ddeuoliaeth cenedlaetholdeb o'r cychwyn ac wedi ceisio ffrwyno ei elfennau dinistriol posibl. Haerodd Saunders Lewis mai 'cenedlaetholdeb Cristnogol, cymedrol ac amodol ydy cenedlaetholdeb Cymreig'.[42] Er nad yw'r ymrwymiad at Gristnogaeth wedi parhau mor flaenllaw yn y Gymru gynyddol seciwlar, ceisiwyd cydbwyso'r pwyslais ar y genedl â hawliau'r unigolion, ar y naill law, ac â hawliau'r ddynoliaeth ar y llaw arall. Yn wir, fel y gwelwn, dadleuwyd mai dim ond trwy ei gyfraniad at fywyd yr unigolyn a dynolryw y gellid cyfiawnhau cenedlaetholdeb. Serch hynny, yr optimist mwyaf cibddall yn unig a allai gredu na fyddai modd i bethau ddirywio yng Nghymru hefyd pe mabwysiedid agweddau gwahanol gan ei chenedlaetholwyr – yn genedlaetholwyr Cymreig a chenedlaetholwyr Prydeinig.

Mudiadau cenedlaethol

Pan sonnir am 'genedlaetholdeb Prydeinig' arddelir ymadrodd sy'n chwithig o anghyfarwydd i'r rhan fwyaf. Er ein bod wedi hen arfer clywed am genedlaetholdeb Cymreig a chenedlaetholdeb Albanaidd, tueddir i beidio â synio am genedlaetholdeb Prydeinig ac eithrio, efallai, wrth drin a thrafod llabystiaid y *British National Party*. Yn sicr, anaml iawn y cyfeirir at arweinwyr megis Tony Blair, Gordon Brown a Margaret Thatcher fel cenedlaetholwyr Prydeinig, a hynny er gwaetha'r ffaith fod rhethreg 'y genedl' yn hydreiddio eu hareithiau a'u cyfraniadau cyhoeddus. Felly, tra cyfrir hawlio perthnasedd gwleidyddol cenedligrwydd Cymreig a dadlau y dylai Cymru gael statws cyfartal â gwledydd eraill ill dau fel enghreifftiau o genedlaetholdeb Cymreig, nid ystyrir ymdrin â Phrydain a Phrydeindod yn yr un modd fel amlygiadau o

42 Saunders Lewis, *Cymru wedi'r Rhyfel* (Gwasg Aberystwyth, 1942), t. 21.

genedlaetholdeb Prydeinig. Hyn, er gwaetha'r ffaith fod gwleidyddion Llafuraidd a Thorïaidd, fel ei gilydd, byth a beunydd yn dwyn i gof 'this nation of ours', 'our nation' ac ati, ac yn erfyn ar 'the nation' i uno at ryw berwyl neu'i gilydd (i greu ysbryd newydd o 'entrepreneuriaeth', i greu gwlad 'newydd', i 'ymladd terfysgaeth', a.y.y.b.); hyn er gwaetha'r ffaith nad yw gwleidyddion o'r ddwy brif blaid byth yn blino sôn am y 'national interest' a mynnu y dylai Prydain gael rôl arweinyddol flaenllaw mewn gwleidyddiaeth Ewropeaidd a byd-eang. Ar y lefel ddamcaniaethol, fodd bynnag, mae'n amhosibl cyfiawnhau defnyddio cenedlaetholdeb yn y cyd-destun cyntaf, Cymreig heb ei arddel yn y cyd-destun Prydeinig hefyd. Ond nid felly y mae mewn sgwrs bob dydd, ac mae egluro'r gwahaniaeth hwn yn allweddol wrth i ni geisio deall rôl a grym cenedlaetholdeb mewn cymdeithas gyfoes.

Daeth cenedlaetholdeb Prydeinig yn rhan o 'synnwyr cyffredin' gwleidyddiaeth ym Mhrydain (ond nid y Deyrnas Gyfunol – mae'r sefyllfa'n wahanol yng Ngogledd Iwerddon). Mae ei ragdybiaethau sylfaenol – sef fod Prydain yn genedl a'i bod yn 'naturiol' felly mai dyma'r uned wleidyddol bwysicaf i'w phoblogaeth – yn cael eu hystyried mor amlwg fel eu bod y tu hwnt i ddadl. 'Banal nationalism' yw'r term a fathodd Michael Billig i ddisgrifio'r math yma o genedlaetholdeb; cenedlaetholdeb sydd wedi ymdreiddio mor ddwfn i fywyd cymdeithas fel bod aelodau'r gymdeithas honno prin yn ymwybodol o'i fodolaeth. Wrth drafod ei ffurfiau penodol ym Mhrydain a'r Unol Daleithiau, sylwa Billig sut, 'In so many little ways, the citizenry are reminded of their national place in the world of nations. However, this reminding is so familiar, so continual, that it is not consciously registered as reminding.'[43] Ar y cyfan, byd y pethau bach, di-sôn-amdanynt yw byd cenedlaetholdeb y wladwriaeth sefydledig a sefydlog. Byd y geiriau bach – *ein* gwlad, *ein* pobl, *ein* cenedl. Byd yr adroddiad chwaraeon – 'ein gobeithion yn y gemau Olympaidd eleni'. Byd y llinell ffin gyfarwydd ar fap tywydd y teledu. Byd y faner yn cyhwfan yn ddi-sôn-amdani uwchlaw adeilad cyhoeddus (sef delwedd ganolog astudiaeth Billig). Dim ond ar adegau penodol, boed ryfel neu ŵyl genedlaethol, megis achlysur brenhinol, y rhoddir gwedd fwy hunanymwybodol i'r cyfan. Fel arall, cymerir y cenedlaetholdeb hwn yn gwbl ganiataol fel rhan o gefnlen bywyd beunyddiol.

[43] Michael Billig, *Banal Nationalism* (London: Sage, 1995), t. 8.

Beth bynnag yw eu gwahaniaethau ideolegol eraill, saif rhagdybiaethau cenedlaetholdeb Prydeinig yn dir cyffredin rhwng y mwyafrif llethol o wleidyddion, sylwebwyr a dinasyddion. Iddynt hwy, Prydain Fu, Prydain Sydd, Prydain Fydd, fel petai. Mae'r un peth yn wir am wleidyddiaeth Ffrainc, Sweden, Mecsico ac ati. Mae cenedlaetholdeb yn sylfaen i wleidyddiaeth gyfoes ledled y byd. Dyna pam y mae O'Leary yn gywir pan haera: 'The claim can be made . . . that self-professedly modern political doctrines, liberal, socialist or conservative are parastic upon nationalist assumptions; and that the political success of these doctrines in argument and political struggle rests upon these assumptions.'[44] Ac eithrio anarchiaeth – o bosibl – mae pob ideoleg wleidyddol yn yr oes fodern, ac yn sicr ddigon, pob ideoleg wleidyddol lwyddiannus, wedi cerdded law yn llaw â chenedlaetholdeb yn hytrach na mynd benben â'i rym.[45] Gosodwyd y ffin bwysicaf ar gyfer trefnyddiaeth wleidyddol gan ragdybiaethau cenedlaetholdeb; lliwiwyd rhethreg gwleidyddion ganddynt hefyd. Mae gwleidyddiaeth y byd modern yn genedlaethol a chenedlaetholgar.

Arwydd o rym cenedlaetholdeb Prydeinig yw'r statws synnwyr cyffredin y mae'n ei fwynhau. Tanlinellir statws hegemonaidd cenedlaetholdeb Prydeinig gan y ffaith mai aelodau o bleidiau cenedlaethol Cymru a'r Alban a labelir fel 'cenedlaetholwyr' – gair ac iddo oblygiadau negyddol ym meddwl llawer – ond ni ddisgrifir arweinwyr y pleidiau Prydeinig yn yr un modd. Prydeindod a gyfrir fel y norm; dyma a ystyrir yn naturiol. Y bobl hynny sy'n meiddio ymwrthod â'r synnwyr cyffredin, hegemonaidd hwn sy'n cael eu hystyried yn echreiddig – neu'n waeth – ac sy'n gorfod cyfiawnhau eu hunain. Bu deall sut y daw ideoleg benodol i lunio a llywio byd-olwg cymdeithas nes cael ei derbyn megis ar lefel isymwybodol, fel ffordd normal a naturiol y byd a'i bethau, yn dasg y ceisiodd nifer o feddylwyr fynd i'r afael â hi. Un o'r praffaf ohonynt oedd Antonio Gramsci.

[44] O'Leary, 'Ernest Gellner's diagnoses of nationalism', t. 67.

[45] Gellid dadlau mai'r unig ideoleg wirioneddol anghenedlaethol i ennill rhywfaint o ddylanwad yng Nghymru'r ugeinfed ganrif oedd y syndicaliaeth chwyldroadol a ysbrydolodd awduron *The Miners' Next Step*. Eto i gyd, yn ysgrifau Niclas y Glais o'r un cyfnod, fe welir syniadau syndicalaidd yn cael eu hieuo wrth ddyheadau cenedlaethol Cymreig. Gweler, *inter alia*, 'Y ddraig goch a'r faner goch: cenedlaetholdeb a sosialaeth', *Y Genhinen* (Ionawr 1912), 10–15 a 'Gornest Llafur a chyfalaf', *Y Genhinen* (Ebrill 1912), 123–7. Yn nhyb Niclas, o leiaf, doedd dim anghysondeb rhwng ei ddaliadau chwyldroadol a'i genedlaetholdeb.

Fel chwyldroadwr ymddiddorai Gramsci nid yn unig yn sut y daw rhai syniadau'n hegemonaidd, nes cael eu gwaddoli'n synnwyr cyffredin, ond hefyd yn y prosesau hynny a all arwain at danseilio un hegemoni a sefydlu un arall yn ei le. Gellir troi at ysgrif orchestol Gwyn A. Williams, 'Marcsydd o Sardiniwr ac Argyfwng Cymru,' am drafodaeth gynhwysfawr o syniadau Gramsci ynglŷn â'r materion hyn.[46] Yn y cyd-destun presennol, dim ond dwy agwedd ohonynt y mae'n rhaid eu crybwyll: sef, yn gyntaf, y pwysigrwydd a dadogir ganddo i ran deallusion yn y broses o greu ac ail-greu hegemoni; ac yn ail, y pwyslais a rydd ar sut y mae'r syniadaethol a'r materol yn cyfuno (yn ffurf yr hyn a eilw'n *floc hanesig*) er mwyn creu a chynnal hegemoni'n llwyddiannus.[47]

Mae deallusion i syniadau megis gwythiennau i waed: trwy eu cyfrwng hwy y treiddia syniadau trwy gymdeithas. Yr hyn sy'n hollbwysig yn nhermau ei ddadansoddiad yw bod Gramsci yn dal bod y term deallusion yn cwmpasu cyfran llawer ehangach o bobl nag y tueddir i gredu. Nid y sawl sy'n byw a bod yn 'nhyrau ifori' bondigrybwyll ein prifysgolion yn unig sydd yn meddu ar swyddogaeth gymdeithasol 'ddeallusol' – sef, yn fras, rôl addysgiadol ac arweinyddol wrth lunio a lliwio barn, gwerthoedd a gweithredoedd cyhoeddus. Yn hytrach, mae athrawon a newyddiadurwyr, beirdd ac ymwelwyr iechyd, gwleidyddion ac ysgolheigion, ynghyd â deiliaid amrywiaeth amryliw o swyddi a swyddogaethau eraill, oll yn ddeallusion. Atgynhyrchu syniadau 'llywodraethol' y dydd y mae'r mwyafrif o'r deallusion hyn, gan wneud hynny'n weddol anymwybodol. Hynny yw, nid ydynt yn cynnal rhyw drefn gymdeithasol neu'i gilydd oherwydd penderfyniad penodol i wneud hynny – tuedda'r broses i fod yn fwy *mundane* na hynny. Gan gyfeirio'n ôl at y modd y cadarnheir naturioldeb Prydeindod fel enghraifft, nid yw gohebwyr chwaraeon (gan amlaf o leiaf) yn

[46] Gwyn A. Williams, 'Marcsydd o Sardiniwr ac argyfwng Cymru', *Efrydiau Athronyddol*, cyf. 47 (1984), 16–27. Mae'r ysgrif yn adlewyrchu diddordeb oes yr hanesydd ym mywyd a syniadau Gramsci, diddordeb sy'n brigo i'r wyneb yn gyson trwy ei waith. Mae'n ymdrin yn benodol â hwy yn 'The concept of *Egemonia* in the thought of Antonio Gramsci: some notes on interpretation', *Journal of the History of Ideas*, 21(4) (1960), 586–99, a *Proletarian Order: Antonio Gramsci, Factory Councils and the Origins of Italian Communism, 1911–1921* (London: Pluto Press, 1975). Ond yn ogystal, mae dylanwad syniadau a chysyniadau Gramsci yn dew trwy ei gampwaith *When was Wales? A History of the Welsh* (London: Penguin, 1985).

[47] Antonio Gramsci, *Selections from the Prison Notebooks*, golygwyd a chyfieithwyd gan Quintin Hoare a Geoffrey Nowell Smith (London: Lawrence and Wishart, 1971), tt. 5–23, 323–77.

ategu'r ymdeimlad o genedligrwydd Prydeinig trwy eu hadrodd-iadau fel rhan o ymdrech fwriadus i sathru ar gyrn cenedlaetholwyr y cyrion Celtaidd. Maent yn hytrach yn ailadrodd – ac, felly, yn eu tro, yn ategu – y synnwyr cyffredin sydd yn eu dylanwadu hwy.

Ond yn ogystal â chwarae rhan allweddol yn cynnal hegemoni, mae deallusion hefyd yn chwarae rhan allweddol yn y broses o danseilio un hegemoni a gorseddu un arall yn ei le. Trwy ymryson araf a graddol fe all deallusion sydd wedi ymrwymo i syniadau a gwerthoedd gwahanol, neu i garfan benodol oddi mewn i gymdeithas – boed ddosbarth neu grŵp cenedlaethol – danseilio 'naturioldeb' a statws synnwyr cyffredin yr hegemoni presennol. Gall hyn, yn ei dro, agor y drws i'w 'gwrth-hegemoni' hwy gymryd ei le. Noder bod y pwyslais yma ar y *posibiliad* o ddatblygiad o'r fath. Does dim yn anorfod amdano. Cafodd syniadau amgen rif y gwlith eu hybu'n ddiwyd gan garfanau o ddeallusion trwy'r oesoedd, ond ychydig sy'n ennill eu plwyf, fel petai, a chyrraedd statws hegemonaidd. Er mwyn deall sut y mae rhai yn llwyddo ac eraill yn methu, mae'n rhaid troi at gydberthynas y syniadaethol a'r materol.

Defnyddiodd Gramsci y term 'bloc hanesig' i gyfeirio at y cyfuniad o arweinyddiaeth ddiwylliannol-foesol ac economaidd-wleidyddol sydd, yn ei dyb ef, yn sail i unrhyw hegemoni llwydd-iannus. Er mwyn dylanwadu, mae'n rhaid i ideoleg hwyluso buddiannau economaidd-wleidyddol carfan benodol oddi mewn i gymdeithas. Os yw am ddatblygu'n rym hegemonaidd yna mae'n rhaid bod modd ei gyflwyno mewn ffordd weddol gredadwy fel bendith i gymdeithas gyfan. Mewn gwrthgyferbyniad, os yw syniadau yn tynnu'n groes i (amgyffrediad o) fuddiannau materol yna, ni waeth pa mor ddeniadol ydynt, go brin y cânt ddylanwad. Daw perthnasedd y sylwadau hyn yn amlwg wrth i ni droi yn awr o ystyried cenedlaetholdeb yn ei wedd 'banal', chwedl Billig, i ymdrechion bwriadus i hybu cenedlaetholdeb ymysg cenhedloedd di-wladwriaeth. Hynny yw, at wleidyddiaeth mudiadau cened-laethol.

Datblygiad mudiadau cenedlaethol

Trwy ei astudiaethau cymharol o fudiadau cenedlaethol ymysg pobloedd di-wladwriaeth Ewrop y bedwaredd ganrif ar bymtheg, mae Miroslav Hroch wedi esgor ar deipoleg o'u datblygiad sydd bellach wedi ei chael yn gymeradwy gan ysgolheigion mor wahanol eu hanian ag Eric Hobsbawm, Tom Nairn a John Davies.[48] Dengys Hroch sut y gellir gwahaniaethu rhwng tri cham yng ngweithgaredd pob mudiad cenedlaethol, camau a alwodd, yn ei ddull nodweddiadol-iwtilitaraidd, yn Gam A, B ac C. Nodweddir Cam A gan weithgaredd ysgolheigaidd: yn y cyfnod hwn y datblygir gwybodaeth ac y llunnir naratif ynglŷn â hynodion ieithyddol, diwylliannol, cymdeithasol, economaidd a hanesyddol y grŵp cenedligol, gan osod sail ar gyfer datblygiad ymwybyddiaeth genedlaethol ehangach. Yn y cyd-destun Cymreig, gellir ystyried Morrisiaid Môn a Iolo Morganwg fel ffigyrau allweddol yng Ngham A. Adeiladir ar y sail a osodir yng Ngham A gan Gam B pan welir ymdrech i ledaenu'r ymwybyddiaeth genedlaethol trwy drwch y boblogaeth, gyda deallusion (yn yr ystyr eang, Gramsciaidd) yn chwarae rhan hollbwysig yn y gwaith efengylu. Gellir crybwyll Emrys ap Iwan a Michael D. Jones fel ffigyrau hollbwysig yng Ngham B y mudiad cenedlaethol Cymreig. Datblyga Cam C wedi i gyfran helaeth o'r boblogaeth ddod i osod pwys ar eu hunaniaeth genedlaethol – dyma pryd y datblyga cenedlaetholdeb yn ffenomen dorfol; dyma pryd y daw'n rym hegemonaidd.

Does dim yn anorfod am lwyddiant mudiad cenedlaethol. Yn wir, dim ond ar ôl cyrraedd Cam C y gellir dweud bod dyfodol y genedl dan sylw wedi ei sicrhau. Cyn hynny, mae posibiliad real y bydd y ddarpar-genedl yn diweddu'n 'lliw' rhanbarthol oddi mewn i genedl fwy. Ac ys dywed Hroch, 'We know of several cases in which the national movement remained in Phase [Cam] B for a long-time, sometimes down to the present'; yn eu plith, noda Gymru a Llydaw.[49] Wrth drafod achosion fel y rhain, hawlia Hroch fod methiant ymdrechion i symud i Gam C yn adlewyrchu

[48] Hroch, *The Social Preconditions of National Revival*; E. J. Hobsbawm, 'Some reflections on nationalism', yn T. J. Nossiter, A. H. Hanson a Stein Rokkan (goln), *Imagination and Precision in the Social Sciences: Essays in memory of Peter Nettl* (London: Faber and Faber, 1972), tt. 385–406; Hobsbawm, *Nations and Nationalism since 1780*, tt. 11–12; Nairn, *The Break-up of Britain*, tt. 81–113; John Davies, *Hanes Cymru* (London: Allen Lane, 1990), tt. 400–1.

[49] Hroch, 'Real and constructed', t. 98. Gellid dehongli sefydlu'r Cynulliad Cenedlaethol fel cadarnhad fod Cymru wedi cyrraedd Cyfnod C o'r diwedd. Serch hynny, roedd dyfarniad Hroch yn gywir am y bedwaredd ganrif ar bymtheg, sef y cyfnod dan ystyriaeth yn ei gyfrol, ac am y rhan helaethaf o'r ugeinfed ganrif o ran hynny.

methiant i ieuo'r prosiect cenedlaethol wrth raglen economaidd-wleidyddol gredadwy:

> Where the national movement in Phase B was not capable of introducing into national agitation, and articulating in national terms, the interests of the specific classes and groups which constituted the small nation, it was not capable of attaining success. An agitation carried on under the exclusive banner of language, national literature or . . . history, folklore and so on, could not by itself bring the popular strata under the patriotic banner: the road from Phase B to Phase C was closed off.[50]

Hynny yw, mae methiant mudiad cenedlaethol i sicrhau bod lliaws eu 'cyd-wladwyr' yn rhannu'r un dyheadau yn adlewyrchiad, yn ei dro, o fethiant i gyfuno'r syniadaethol a'r materol mewn bloc hanesig llwyddiannus. A heb hynny, nid oes gobaith i ymwybyddiaeth genedlaethol y ceisir ei hybu ddatblygu'n syniad hegemonaidd, nes cael ei graddol waddoli'n genedlaetholdeb synnwyr cyffredin, 'banal' megis ag a geir mewn gwladwriaethau sefydlog.

Mae'n bwysig nodi nad yw defnyddio'r gair 'methiant' yn y cyd-destun hwn yn gyfystyr â beio arweinwyr ac aelodau'r mudiad cenedlaethol am anallu eu prosiect cenedlaethol hwy i gyrraedd y lan. Er bod eu syniadau a'u gweithredoedd yn ddi-os yn effeithio ar ffawd eu hachos – a hynny, weithiau'n gwbl dyngedfennol, megis, yn Llydaw, o bosibl – y gwir amdani yw bod llawer iawn yn dibynnu ar yr amgylchiadau a wynebant. 'Dyn sy'n creu hanes, ond nid mewn amgylchiadau o'i ddewis ei hun.' Ac weithiau mae'r amgylchiadau'n drech na hyd yn oed y mwyaf medrus ac ymroddedig. I Hroch, yr hyn sy'n hollbwysig yw union leoliad y ddarpar-genedl dan sylw yn y broses foderneiddio. Yn benodol, gwahaniaetha rhwng tri chyfnod hanesyddol – Cyfnod 1, 2 a 3 – gan roi'r pwyslais ar nodweddion cymdeithasol yn hytrach na dyddiadau *per se* oblegid fod y gwahanol nodweddion a phrosesau y mae'n tynnu sylw atynt wedi digwydd ar adegau gwahanol mewn gwahanol gymdeithasau.

Cyfnod 1 yw'r cyfnod modern cynnar. Cyfnod a nodweddir gan y frwydr yn erbyn absoliwtiaeth, y chwyldro bwrgeisiol a datblygiad cyfalafiaeth. Y cyfnod a ddaw i fod wedi buddugoliaeth cyfalafiaeth fel cyfundrefn economaidd-gymdeithasol yw Cyfnod 2. Un o

50 Hroch, *The Social Preconditions of National Revival*, tt. 185–6.

nodweddion allweddol y cyfnod hwn yw twf y mudiad dosbarth gweithiol. Mae Hroch hefyd yn crybwyll trydydd cyfnod, sef cyfnod a nodweddir gan integreiddiad bydol o safbwynt economaidd ac o safbwynt cyfathrebu torfol. Yn ei dyb ef, cyfnod sy'n dyddio o ddiwedd y Rhyfel Byd Cyntaf yw hwn, a chan fod ei ffocws ef ar y bedwaredd ganrif ar bymtheg, nid yw'n ymdrin â Chyfnod 3 yn ei ddadansoddiad ei hun o fudiadau cenedlaethol. Ond mewn egwyddor, wrth gwrs, does dim i'n rhwystro ni rhag ei ddwyn i mewn i'r darlun – yn enwedig os penderfynwn fod lle i gredu bod agweddau hollbwysig ar fywyd economaidd Cymru wedi cyrraedd Cyfnod 3 ymhell cyn y Rhyfel Mawr.

Wrth gyfosod ei *schema* parthed y Camau a gymer mudiadau cenedlaethol ar ben y dyraniad hwn rhwng gwahanol Gyfnodau, â Hroch ati i archwilio profiad gwahanol fudiadau cenedlaethol Ewropeaidd gan geisio canfod patrymau sy'n gyffredin rhyngddynt, a hefyd y ffactorau hynny a all esbonio pam fod rhai mudiadau wedi llwyddo ac eraill wedi methu. Cyfyd nifer o bwyntiau diddorol ac awgrymog tu hwnt o'r drafodaeth hon, ac nid oes modd gwneud cyfiawnder â hwy yma. Serch hynny, mae'n werth crybwyll un o'i gasgliadau pwysicaf gan ei fod o berthnasedd amlwg i'n dibenion presennol. Dengys astudiaeth Hroch pa mor anodd y bu i'r mudiadau cenedlaethol hynny a gyrhaeddodd Gam B, wedi cychwyn Cyfnod 2, i wthio ymlaen at Gam C. Oblegid mewn amgylchiadau o'r fath, profodd yn anodd iawn i genedlaetholwyr gysylltu eu hachos yn llwyddiannus â buddiannau materyddol. Hyn oherwydd fod gwleidyddiaeth ddosbarth wedi (neu wrthi'n) ymwreiddio ac yn cynnig cyfrwng arall ar gyfer mynegi'r frwydr ynglŷn â buddiannau materol, a hynny mewn cywair tra gwahanol i'r cywair cenedlaethol. Mae pwysigrwydd gwleidyddiaeth ddosbarth yng Nghymru'r ugeinfed ganrif yn cadarnhau nad eithriad mohonom i'r patrwm cyffredinol hwn. Cadarnheir hyn ymhellach gan y trafodaethau mwyaf soffistigedig ar chwaliad Cymru Fydd, trafodaethau sy'n pwysleisio gwedd ddosbarth yn ogystal â chenedlaethol y chwaliad hwnnw.[51] Ac fel y gwelir yng ngweddill y gyfrol hon, cafodd Plaid Cymru yn ei thro

[51] Emyr Wynn Williams, 'The politics of Welsh home rule 1886–1929: a sociological analysis' (traethawd Ph.D., Prifysgol Cymru, Aberystwyth, 1986). Hefyd Dewi Rowland Hughes, 'Y coch a'r gwyrdd; Cymru Fydd a'r mudiad Llafur Cymreig (1886–1896)', *Llafur*, 6(4) (1994), 60–79; Dewi Rowland Hughes, *Cymru Fydd* (Caerdydd: Gwasg Prifysgol Cymru, 2006).

gryn drafferth wrth geisio gwneud ei weledigaeth genedlaethol yn berthnasol i gwestiynau bara menyn bywyd beunyddiol.

Fodd bynnag, mae cwestiynau yn codi o fframwaith Hroch sy'n berthnasol i'r mudiad cenedlaethol Cymreig nad yw ef ei hun yn mynd i'r afael â hwy. Yn benodol, mae llawer o'i ddadansoddiad wedi'i lunio o bersbectif diddordeb mewn mudiadau cenedlaethol llwyddiannus. Felly, nid yw'n rhoi ystyriaeth ddifrifol i beth sy'n digwydd pan fo Cam B yn hanes mudiad cenedlaethol yn parhau am gyfnod estynedig iawn – fel yn achos Cymru. Ond tybed a yw sefyllfa o'r fath yn golygu y gall 'enillion' Cam A gael eu herydu gan y cenedlaetholdeb gwladwriaethol, dominyddol? Byddai hynny'n golygu bod y mudiad cenedlaethol yn gorfod troi ei olygon yn ôl at y dasg o geisio ailosod – neu o leiaf, amddiffyn – y seiliau angenrheidiol hynny ar gyfer llunio'r ddadl fod cenedl yn bodoli yn y lle cyntaf. Hynny yw, gallai Cam B estynedig iawn olygu bod mudiad cenedlaethol yn canfod ei hun yn ymbalfalu unwaith yn rhagor yng Ngham A. Os yw'r awgrym hwn yn gywir, yna mae'n bwrw cryn oleuni ar un o nodweddion mwyaf trawiadol syniadaeth Plaid Cymru yn ystod cyfnodau Saunders Lewis a Gwynfor Evans fel arweinwyr, sef y pwyslais aruthrol a roddwyd ar hawlio – a cheisio argyhoeddi – bod Cymru yn haeddu'r enw cenedl, er enghraifft trwy geisio lledu ymwybyddiaeth am hanes a thraddodiad llenyddol Cymru. Oblegid, er bod pwyslais hanesyddiaethol cryf yn nodwedd gyffredinol o syniadaeth genedlaetholgar, mae lle i gredu ei fod wedi derbyn pwyslais arbennig yng nghyddestun Plaid Cymru, a hynny nid yn unig oherwydd anian arweinwyr penodol ond oherwydd fod diffyg (cymharol) sefydliadau a strwythurau Cymreig, a diffyg ymwybyddiaeth o hanes Cymru, yn golygu na ellid cymryd yn ganiataol fod y seiliau angenrheidiol (Cam A) yn bodoli ar gyfer datblygiad y blaid.

Syniadaeth mudiadau cenedlaethol

Cyfyd paradocs trawiadol o'r drafodaeth ysgolheigaidd ar genedlaetholdeb a mudiadau cenedlaethol. Ar y naill law, derbynnir yn gyffredinol fod deallusion yn chwarae rôl ganolog yn nhwf cenedlaetholdeb. Yn nhermau camau Hroch, gweithgaredd ysgolheigaidd yw hanfod Cam A mudiad cenedlaethol. Ysgolheigion, ac yn fwy penodol, efrydwyr y Dyniaethau, yn haneswyr, ieithegwyr, arbenigwyr llenyddol, archeolegwyr, casglwyr llên gwerin, cymdeithasegwyr, anthropolegwyr, ac yn y blaen, sy'n gosod sylfeini'r naratif cenedlaethol, fel petai. Ac fel y dengys astudiaethau empeiraidd Hroch ei hun, chwaraeodd deallusion rôl ganolog yng Ngham B mudiadau cenedlaethol ymysg cenhedloedd di-wladwriaeth drwy Ewrop gyfan. A beth, wedi'r cwbl, oedd rhai o ladmeryddion amlycaf Cam B yng Nghymru, pobl megis Michael D. Jones, Emrys ap Iwan a T. E. Ellis, os nad deallusion yn ystyr eang y gair? Heb os, felly, chwaraeodd deallusion ran gwbl ganolog yn nhwf mudiadau cenedlaethol. Ac eto, tybiaeth gyffredin yn y llenyddiaeth berthnasol yw nad oes fawr o sylwedd deallusol i syniadaeth genedlaetholgar. Dedfryd Benedict Anderson, er enghraifft, yw y nodweddir cenedlaetholdeb gan 'philosophical poverty and even incoherence'.[52] Mae ymhell o fod ar ei ben ei hun wrth gyrraedd dyfarniad o'r fath.

Sut mae egluro bod mudiadau sydd â deallusion yn chwarae rhan mor amlwg ynddynt wedi methu, yn ôl pob golwg, â chynhyrchu syniadaeth o sylwedd? Dyfarniad nodweddiadol ddilornus Hobsbawm yw mai deallusion o'r ail a'r drydedd reng a goleddodd genedlaetholdeb – 'the lesser-examination passing classes'.[53] Pa ryfedd, felly, na chynhyrchwyd dim o werth ganddynt? Dadl gwbl groes a glywir gan Brendan O'Leary. Yn ei dyb ef, nid ydym yn delio â pharadocs mewn gwirionedd, ond yn hytrach gamgymeriad neu gamddealltwriaeth. Mae Anderson a'i debyg wedi methu â sylweddoli bod rhai o'r meddylwyr gwleidyddol amlycaf yn nhraddodiad y Gorllewin yn lladmeryddion cenedlaetholdeb. Cyfeiria O'Leary yn benodol at Jean-Jacques Rousseau, Edmund Burke, J. S. Mill, Friedrich List a Max Weber fel meddylwyr o faintioli sylweddol a diamheuol y dylid eu hystyried yn 'nationalist grand thinkers'.[54] Mae lle i ddadlau y gellid ychwanegu enw Gramsci at y rhestr hefyd, o ystyried ei bwyslais ar ddadansoddi a deall hanes a hynodion gwahanol gymdeithasau a'r angen i chwyldroadwyr weithio gyda graen y nodweddion hynny.[55] Hyd

[52] Anderson, *Imagined Communities*, t. 5.

[53] Hobsbawm, *Nations and Nationalism since 1780*, t. 118.

[54] O'Leary, 'Ernest Gellner's diagnoses of nationalism', t. 87 troed.; gweler hefyd tt. 66–71.

[55] Ceir sylw awgrymog i'r perwyl yma gan Roman Szporluk, 'Thoughts about change: Ernest Gellner and the history of nationalism', yn Hall, *The State of the Nation*, t. 33. Hyd yn oed os na chaniateir ystyried Gramsci fel meddyliwr cenedlaetholgar, ni ellir gwadu cenedlaetholdeb y Gwyddel James Connolly.

yn oed os gwelodd yn dda i ddiosg cenedlaetholdeb Sardinaidd ei arddegau, roedd yn sicr ddigon yn ymglywed â thynfa'r genedl weddill ei oes.[56]

Mae O'Leary yn llygad ei le, wrth dynnu ein sylw at le canolog agweddau a rhagdybiaethau cenedlaetholgar yn syniadau rhai o'r meddylwyr gwleidyddol amlycaf. Mae cryn wirionedd hefyd yn ei eglurhad am y methiant a fu i gydnabod hynny yn fwy cyffredinol. Cred mai rhagfarn sylwebwyr (honedig) gosmopolitanaidd yn wyneb syniadau meddylwyr sy'n cyfeirio eu sylwadau at gynulleidfa benodol, 'blwyfol', sy'n gyfrifol am y methiant a fu i ymdrin â syniadaeth genedlaetholgar gyda dyledus barch.[57] Mae sylwadau Hobsbawm yn cynrychioli'n berffaith y math yma o nawddogaeth unllygeidiog. Serch hynny, nid dyma'r stori'n gyfan ychwaith. Mae mwy na rhagfarn syml ar waith yma ac, i'm tyb i, mae deall y rhesymau eraill am y methiant a fu i sylweddoli a chydnabod pwysigrwydd cenedlaetholdeb ym mhrif ganon syniadaeth wleidyddol y gorllewin yn fodd i dynnu ein sylw at rai o nodweddion mwyaf hynod syniadaeth genedlaetholgar.

Ystyrir y meddylwyr a restrir gan O'Leary ym mhantheon y mawrion. Gan osod eu cenedlaetholdeb o'r neilltu am ennyd, beth yn union yw'r tir cyffredin rhyngddynt? Rhwng Burke y Tori, Rousseau y *proto*-Sosialydd a Mill yr arwr Rhyddfrydol: Mill, y ffeminydd cynnar, a Rousseau, y gŵr a gredai fod merched yn sylfaenol eilradd; Rousseau, y rhamantydd, a Weber, y gŵr a ddadorchuddiodd y broses o resymoli (*rationalization*) sy'n nodweddu moderniaeth; Burke a'i barodrwydd i adael trueiniaid Speehamland i lwgu yn hytrach na thanseilio egwyddorion *laissez-faire*, a List a'i bwyslais ar ymyrraeth lywodraethol er mwyn sicrhau economi iach? Fawr ddim, ddywedwn i. Ac os derbynnir Gramsci i'w plith, mae'r gwahaniaethau rhyngddynt yn lluosi eto, a'r tir cyffredin rhyngddynt yn ymddangos hyd yn oed yn fwy rhithiol.

I'm tyb i, dylai hyn oll ein goleuo ynghylch dau bwynt cysylltiedig. Yn gyntaf, mae'r rhan fwyaf o ideolegau gwleidyddol yn bodoli mewn perthynas symbiotig â chenedlaetholdeb. Hynny yw, mae'r mwyafrif o ideolegau gwleidyddol – ac yn sicr ddigon, y mwyafrif llethol o ideolegau gwleidyddol llwyddiannus – yn

[56] Giuseppe Fiori, *Antonio Gramsci: Life of a Revolutionary*, cyfieithwyd gan Tom Nairn (London: Verso, 1990).
[57] O'Leary, 'Ernest Gellner's diagnoses of nationalism', t. 68.

cymryd rhagdybiaethau cenedlaetholaidd yn ganiataol. Mae hyn yn ei dro yn adlewyrchu'r ffordd y daeth y rhagdybiaethau hyn yn rhan 'naturiol' o drefn y byd modern. A siarad yn gyffredinol, derbynnir mai'r 'genedl' sy'n gosod y ffiniau ar gyfer y gymuned wleidyddol. Cystadlu ymysg ei gilydd ynglŷn â 'chynnwys' gwleidyddiaeth oddi mewn i'r ffiniau hynny y mae'r ideolegau gwahanol. Gellir dweud, felly, mai'r hyn a welwn mewn gwirionedd yn yr ymrafael rhwng gwahanol ideolegau (yn yr oes fodern o leiaf) yw cystadleuaeth rhwng gwahanol ffurfiau o genedlaetholdeb – cenedlaetholdeb rhyddfrydol, cenedlaetholdeb ceidwadol, cenedlaetholdeb democrataidd-gymdeithasol, ac, yn ymarferol os nad bob tro yn ddamcaniaethol, cenedlaetholdeb Marxaidd.[58] Wrth symud o'r lefel haniaethol i sefyllfa ddiriaethol Cymru, mae goblygiadau hyn ar gyfer ein dealltwriaeth o wleidyddiaeth Gymreig yn sylweddol. Nid trafod yr ydym sosialaeth *vs* ceidwadaeth *vs* rhyddfrydiaeth *vs* cenedlaetholdeb, ond yn hytrach gwahanol gymysgedd o sosialaeth a chenedlaetholdeb *vs* gwahanol gymysgedd o geidwadaeth a chenedlaetholdeb, ac yn y blaen. Gellir bod yn sosialydd ac yn genedlaetholwr Prydeinig, megis Ness Edwards a Neil Kinnock (ar un adeg), neu'n sosialydd ac yn genedlaetholwr Cymreig, fel Phil Williams a Dafydd Elis-Thomas (ar un adeg); ac yn geidwadwr o genedlaetholwr Cymreig fel Saunders Lewis, neu'n geidwadwr o genedlaetholwr Prydeinig fel Nicholas Edwards. Ni waeth beth yw'r rhethreg, ychydig iawn, iawn sydd wedi mabwysiadu safbwynt anghenedlaetholgar – ac yn sicr ddigon neb o bwys parhaol.

Mae'r ail bwynt yn dilyn yn uniongyrchol o hyn. Nid yw cenedlaetholdeb yn ideoleg wleidyddol gyflawn ar ei phen ei hun.[59] Er bod pennu ffiniau cymuned wleidyddol yn bwysig odiaeth, nid yw hynny'n ddigon ohono'i hun i gynnig arweiniad ar gwestiynau gwleidyddol megis y lefel briodol ar gyfer treth incwm, sut i drefnu a chyllido addysg uwch, a ddylid caniatáu hela â chŵn, ac yn y blaen. Ac yn sicr ddigon ni all y pleidiau cenedlaethol sy'n allweddol ar gyfer y naid o Gam B i Gam C osgoi mabwysiadu safbwynt ar y fath materion hyn. Hyn nid yn unig oherwydd fod

[58] Bu'r drafodaeth ysgolheigaidd ddiweddar ar 'genedlaetholdeb rhyddfrydol' o gymorth mawr wrth oleuo'r pwynt hollbwysig hwn. Gweler, er enghraifft, Yael Tamir, *Liberal Nationalism* (Princeton: Princeton University Press, 1993).

[59] Er gwaethaf y ffaith fod gwahanol genedlaetholwyr, gan gynnwys cenedlaetholwyr Cymreig, yn hawlio hyn. Gweler y drafodaeth yn y penodau dilynol.

cymaint o drafodaeth wleidyddol feunyddiol yn troi o amgylch cwestiynau o'r fath, ond, yn fwy sylfaenol, oherwydd fod gallu cenedlaetholdeb i afael yn y lliaws yn dibynnu ar allu ei lladmeryddion i ieuo'r prosiect cenedlaethol at ryw fath o drawsffurfiad economaidd-gymdeithasol a ganfyddir ei fod o fudd i ganran sylweddol o'r boblogaeth. Yn y pen draw, nid yw'n opsiwn i blaid genedlaethol beidio â datblygu safbwynt ar faterion o'r fath hyd yn oed pe baent yn dymuno gwneud hynny.

Mae cydnabod bod pob mudiad cenedlaethol yn gyfuniad o elfennau penodol-genedlaethol a syniadau a delfrydau (ideolegau) eraill yn golygu cydnabod bod pob achos *sui generis*. Hynny yw, nid oes modd creu darlun o syniadaeth mudiadau cenedlaethol a allai gwmpasu pob enghraifft o fudiadau o'r fath. O ystyried y mater ar lefel ddamcaniaethol, rhaid disgwyl bod cymaint o amrywiaeth rhwng gwahanol fudiadau ag sydd rhwng y 'nationalist grand thinkers' y cyfeiriwyd atynt eisoes. Yn wir, gellir hefyd ddisgwyl amrywiaeth sylweddol iawn oddi mewn i wahanol fudiadau penodol. Wedi dweud hyn i gyd, ceir nifer o bwyntiau mwy cyffredinol y gellir eu gwneud am yr elfennau penodol-genedlaethol yng nghynhysgaeth syniadaethol unrhyw fudiad cenedlaethol a fydd o gymorth wrth i ni symud ymlaen i graffu'n benodol ar Blaid Cymru.

Yn ôl Anthony Smith mae tair elfen ganolog yn nodweddu'r gredo genedlaetholgar.[60] Pwyslais ar *undod* y diriogaeth genedlaethol yw'r cyntaf o'r rhain; pwyslais ar yr angen i ymdrin â'r diriogaeth honno fel uned ynghyd â thuedd gysylltiedig i ddadlau bod undod tybiedig y genedl yn trosgynnu rhaniadau eraill, boed y rheini'n rhaniadau dosbarth, ieithyddol, diwylliannol, daearyddol, gwlad/tref, ac yn y blaen. Crisielir yr elfen hon yn y ddysgeidiaeth genedlaetholgar gan un o sloganau Cymru Fydd, sef y mudiad cenedlaethol a ragflaenodd Blaid Cymru ddiwedd y bedwaredd ganrif ar bymtheg.[61] 'Cymru'n Un' oedd eu cri: bu'n thema gyson yng ngweithgaredd Plaid Cymru wedi hynny.

Pwyslais ar *hunaniaeth* genedlaethol yw ail elfen y drindod a enwir gan Smith. Yr hyn a olygir yn benodol ganddo yw'r pwyslais a roddir gan genedlaetholwyr ar y nodweddion hynny a ystyrir

60 Anthony D. Smith, *Nationalism* (Cambridge: Polity, 2001), t. 9, hefyd tt. 24–8.
61 Gweler bellach Hughes, *Cymru Fydd*.

eu bod yn gyson neu'n holl-gyffredinol ym mhrofiad y genedl trwy'r holl newidiadau a'r dargyfeiriadau sy'n effeithio unrhyw bobl ac unrhyw ddarn o dir. Yr hunaniaeth hon yw'r ddolen gyswllt rhwng y gorffennol, y presennol a'r dyfodol. Gan amlaf mae'r ddadl hon yn gysylltiedig â'r rhagdybiaeth fod yna nodweddion arbennig yn perthyn i genedl. Yn achos cenhedloedd di-wladwriaeth, yr haeriad arferol yw bod yr hynodion hyn yn cael eu mygu neu eu glastwreiddio oherwydd dominyddiaeth cenedl fwy (a'i gwladwriaeth). Yng Nghymru, er enghraifft, cyfeiriwyd yn fynych at ein 'traddodiad radicalaidd' fel amlygiad gwleidyddol o'n nodweddion cenedlaethol, a dadleuwyd mai dim ond trwy ennill ymreolaeth i Gymru y gellid rhoi mynegiant cyflawn iddo. Felly, yn ôl Lloyd George yn ystod ei gyfnod fel cenedlaetholwr Cymreig, 'were self-government conceded to the people of Wales she would be a model to the nationalities of the earth of a people who have driven oppression from her hillsides, and initiated the glorious reign of freedom, justice and truth'.[62] Fel yr awgryma geiriau Dewin Dwyfor, pwyslais ar *ymreolaeth* genedlaethol sy'n cwblhau'r Drindod. Yn syml, dyma'r gred mai'r genedl, a'r genedl yn unig, sydd â'r hawl i benderfynu ar ffurf ei chyfundrefn lywodraethol ei hun. Yn aml, mae mudiadau cenedlaethol yn ffafrio creu gwladwriaeth sofran genedlaethol ar gyfer y genedl, ond mae eraill yn bodloni ar ffurfiau o ymreolaeth llai pellgyrhaeddol, megis mathau o ffederaliaeth neu ddatganoli.

Hanes – neu, a bod yn fanwl gywir, hanesyddiaeth – yw prif arf cenedlaetholwyr wrth bledio undod a hunaniaeth eu cenedl a gosod y sail ar gyfer hawlio ymreolaeth iddi. Mae Tom Nairn wedi cyfeirio sawl gwaith at y duw Rhufeinig Janus wrth drafod agwedd cenedlaetholwyr tuag at hanes.[63] Roedd Janus yn dduw dau-wynebog; wynebai ddwy ffordd ar yr un pryd. Felly hefyd cenedlaetholdeb (y 'Janus modern' chwedl Nairn). Mae'n dwyn adnoddau o'r gorffennol er mwyn darparu sail i fyw yn y dyfodol. Dyma 'bwynt' hanesyddiaeth genedlaetholgar: mae'n pwysleisio parhad a dilyniant ac yn rhoi bri ar 'gof cenedl' fel moddion i uno, ymnerthu, ymgryfhau a mynnu goroesi yn nhrobwll datblygiad anwastad moderniaeth. Felly, mae'r beirniaid hynny sy'n cyhuddo

[62] Dyfynnir yn Hughes, *Cymru Fydd*, t. 103.
[63] Gweler Nairn, *Break-up of Britain*, tt. 317–50, a *Faces of Nationalism*, *passim*.

cenedlaetholwyr o 'fyw yn y gorffennol' yn colli'r pwynt yn gyfan gwbl. Er bod elfen o grancyddiaeth yn ddiau yn nodweddu pob cenedlaetholdeb a phob mudiad cenedlaethol, a chyfran go helaeth ohono'n ymwneud ag agweddau tuag at y gorffennol, nid er ei fwyn ei hun y mae hanes yn bwysig i genedlaetholdeb. Yn hytrach, mae'r gorffennol yn berthnasol oherwydd ei gyfraniad anhepgor i'r dyfodol.[64] Nid byw yn y gorffennol y mae cenedlaetholdeb, ond defnyddio'r gorffennol i fyw yn y presennol a'r dyfodol: neu yng ngeiriau cofiadwy cenedlaetholwyr Cymreig ddiwedd y bedwaredd ganrif ar bymtheg, 'Cymru Fu, Cymru Sydd, Cymru Fydd'.

Heb os, darlun rhannol ac anghyflawn o hanes 'y genedl' a grëir yn y naratif cenedlaethol a sefydlir gan hanesyddiaeth genedlaetholgar. Fel y dywedodd Renan, mae stori genedlaethol lwyddiannus yn dibynnu ar anghofio yn ogystal â chofio.[65] Yn wir, fel y dengys yr hanesydd R. F. Foster mewn trafodaeth hynod awgrymog ar hanesyddiaeth genedlaetholgar yn Iwerddon y bedwaredd ganrif ar bymtheg, yn nwylo cenedlaetholwyr mae tuedd i hanes ymgyffelybu i strwythur storïau tylwyth teg.[66] Ac ni ellir gwadu ychwaith fod gormodiaith, hunan-dwyll, ffugio a hyd yn oed celwydd noeth wedi nodweddu hanesyddiaeth genedlaetholgar hefyd – yn enwedig mewn cyfnodau cynharach cyn i hanes ddatblygu'r math o safonau disgyblaethol sydd wedi ffrwyno llawer ar arferion o'r fath.[67] Serch hynny, ni ddylid casglu o hyn fod hanesyddiaeth genedlaetholgar yn fwy ffug/celwyddog nag unrhyw ffurf arall o hanesyddiaeth. Diffiniwyd haneswyr o bob math gan Karl Kraus fel proffwydi sy'n wynebu am yn ôl.[68] Dyma ddelwedd drawiadol sy'n tynnu ein sylw at un o nodweddion ysgrifennu hanesyddiaethol sydd wedi'i nodi gan y rhan fwyaf o awdurdodau ar y pwnc, sef bod *unrhyw* naratif hanesyddol sy'n

[64] Gwnaed pwynt cyffelyb gan Gellner, ond mewn ieithwedd gymdeithasegol, pan soniodd am genedlaetholdeb yn mabwysiadu ieithwedd y *gemeinschaft* er mwyn creu *gesellschaft*.

[65] 'The essence of a nation is that all its individuals have many things in common, and also that everybody has forgotten many things.' Ernest Renan, 'What is a nation?', t. 45.

[66] Mae Foster yn pwyso ar ddadansoddiad y beirniad llenyddol Rwsaidd Vladimir Propp o storïau o'r fath. Gweler R. F. Foster, *The Irish Story: Telling Tales and Making It Up in Ireland* (London: Penguin, 2002), tt. 4–8.

[67] Felly, sylw pellach Renan, 'Forgetting, I would even go so far as to say historical error, is a crucial factor in the creation of a nation. . .', Renan, 'What is a nation?', t. 45.

[68] Dyfynnir yn James Wood, 'Bobbery', *London Review of Books*, 20 Chwefror 2003, 13.

cysylltu gwahanol ddigwyddiadau, a thadogi arwyddocâd iddynt, yn siŵr o adlewyrchu byd-olwg yr hanesydd a'r 'presennol' yn fwy cyffredinol. Does dim modd osgoi'r peth, ac yn sicr ddigon dim 'gwrthrychedd' mewn unrhyw ystyr syml o'r gair hwnnw. Yng ngeiriau Alun Llywelyn-Williams, rydym 'ni ein hunain yn rhan anorfod o hanes . . . Yn y pen draw, felly, pa mor wrthrychol bynnag y bo'n hagwedd, dehongliad o'r gorffennol fydd pob hanes, dehongliad mwy neu lai arwyddocaol, ac ni all fod amgen.'[69]

Mae hanesyddiaeth, felly, yn elfen hollbwysig yn syniadaeth y mudiadau cenedlaethol hynny sydd, fel Plaid Cymru, â'u bryd ar gymryd y Cam 'olaf' yn y broses o ddiorseddu'r naratif cenedlaethol 'swyddogol' sydd wedi'i ymgorffori (nes dyfod yn 'banal') yn sefydliadau a chymdeithas sifig y wladwriaeth y maent yn ceisio rhyddid ohoni. O'r herwydd, mae'n thema sy'n codi ei phen yn gyson trwy'r gyfrol hon. Agwedd arall ar ddisgwrs cenedlaetholdeb a drafodir yma – agwedd sydd hefyd fel petai'n nodwedd gyffredin o bob mudiad cenedlaethol – yw'r pwyslais a dadogir ar genhedloedd eraill fel esiampl o'r hyn y gall cenedl fod petai'n fodlon llyncu ffisig y cenedlaetholwyr, neu ei ffawd os y'i gwrthodir.

Un o'r cyhuddiadau a deflir fynychaf at genedlaetholwyr yw'r haeriad eu bod yn 'blwyfol'. Prin fod unrhyw gyhuddiad â llai o sylwedd iddo na hwn. O safbwynt arweinwyr a meddylwyr cenedlaetholaidd, dengys y dystiolaeth empeiraidd yn eglur eu bod yn amlach na pheidio yn bobl sydd â gwybodaeth o'r byd (yn fywgraffiadol ac yn ddeallusol a dadansoddol). Gwelir yn ddigon eglur o astudiaethau Hroch, er enghraifft, fod gweithgaredd 'gwladgarol' yng Ngham B mudiadau cenedlaethol wedi'i ganoli yn y 'most market-oriented parts of the territory occupied by the oppressed nationality' – ac yn sicr nid oedd Cymru'n eithriad i'r patrwm hwnnw ychwaith.[70] Tuedda meddylwyr cenedlaetholgar i fod yn ymwybodol o realiti 'datblygiad anwastad', hyd yn oed os nad ydynt yn adnabod y ffenomen wrth yr enw hwnnw. Ac yn y cyd-destun hwnnw, daw esiamplau cenhedloedd eraill yn fodd hollbwysig iddynt nid yn unig ddychmygu dyfodol amgen i'w cenedl oddi mewn i'r broses yma, ond hefyd o geisio trosglwyddo'r

[69] Alun Llywelyn-Williams, *Nes Na'r Hanesydd? Ysgrifau Llenyddol* (Dinbych: Gwasg Gee, 1968), t. 12.

[70] Hroch, *The Social Preconditions of National Revival*, t. 172.

weledigaeth honno i gynulleidfa ehangach. Dylid nodi, fodd bynnag, fod yr union fodel a ddewisir fel esiampl briodol ar gyfer y genedl yn adlewyrchu gwerthoedd a daliadau ehangach na syniadau penodol-genedlaethol yn unig. Hynny yw, gall nifer o wledydd ddarparu esiampl bosibl ar gyfer y genedl 'ddarostyngedig', ac un o'r prif ffactorau sy'n effeithio ar y dewis rhyngddynt yw'r math o werthoedd a pholisïau economaidd a chymdeithasol sy'n cael eu harddel ganddynt. Er enghraifft, fel y gwelir yn ail gyfrol yr astudiaeth hon, tra bu meddylwyr adain chwith oddi mewn i Blaid Cymru yn pwyntio'n gyson at wledydd Llychlyn fel esiampl o'r hyn y gallai'r Gymru Fydd fod, i gyfeiriadau eraill y troes meddylwyr o anian ideolegol wahanol.

Wrth ystyried rôl enghreifftiol cenhedloedd eraill yng nghynhysgaeth syniadaethol mudiadau cenedlaethol, dychwelwn unwaith yn rhagor at natur Janusaidd cenedlaetholdeb. Mae syniadaeth genedlaetholgar nid yn unig yn defnyddio hanes fel adnodd er mwyn y presennol a'r dyfodol, ond mae hefyd yn edrych y tu hwnt i ffiniau'r genedl er mwyn canfod enghreifftiau a all gynorthwyo yn y dasg o'i 'deffro': dau wyneb yn edrych yn ôl a blaen trwy ofod ac amser fel ei gilydd.

Wedi hyn o drafodaeth ar natur cenedlaetholdeb a mudiadau cenedlaethol yn gyffredinol, ystyriwn yn awr y cyd-destun gwleidyddol-economaidd penodol sydd yn wynebu cenedlaetholdeb Cymreig. Yn benodol, trown at natur y wladwriaeth ryfeddol a chwbl unigryw honno y mae Cymru yn rhan ohoni – Teyrnas Gyfunol Prydain Fawr a Gogledd Iwerddon.

Cymru – yng nghysgod y cyntaf-anedig

'For Wales, see England' – geiriau cyfarwydd un o'r cofnodion yn argraffiad 1888 o'r *Encyclopaedia Britannica*; geiriau a fu'n dân ar groen Cymry balch fyth ers eu cyhoeddi. Yr hyn sy'n llai cyfarwydd yw'r ffaith na fyddai'r darllenwyr hynny a droes at y cofnod ar Loegr wedi cael eu goleuo yno ychwaith, gan nad oedd yn cynnwys nemor ddim am Gymru.[71] Cafodd Cymru ei bychanu, ei nawddogi ac, yna, ei hanwybyddu. Yn hyn o beth, gellir gweld

[71] Rwy'n ddyledus i John Davies am yr wybodaeth yma.

golygyddion yr *Encyclopaedia* fel cynrychiolwyr agwedd tuag at Gymru a'r Cymry sydd wedi porthi ei hun ymhlith rhannau o'r *elite* Seisnig (yn arbennig) hyd at y dwthwn hwn. Serch hynny, y ffaith anghysurus amdani yw bod rhithyn o wirionedd ynghlwm wrth eu sarhad a'u dihidrwydd. Oblegid ychydig iawn, iawn y gellir deall am hanes gwleidyddol, cymdeithasol ac, yn wir, diwylliannol ein gwlad heb gyfeirio at ei pherthynas â'i chymydog i'r dwyrain. Y berthynas hon yn ei chymhlethdod amlhaenog, ac yn anad dim, yn ei holl anghydraddoldeb, yw'r allwedd ar gyfer deall ffurfiant y Gymru gyfoes.

Yn hyn o beth, wrth gwrs, nid yw sefyllfa Cymru'n unigryw. Os yw'r darlun o ddatblygiad – o lanw moderniaeth – a beintiwyd yn y bennod hon yn gywir, ni ellir gobeithio deall sefyllfa *unrhyw* bobl heb ddeall eu cydberthynas â phobloedd eraill. Mae hyn yn wirionedd amlwg yn achos y cenhedloedd bychain hynny sy'n byw dan gysgod gwledydd mwy. Ni ellir deall Catalwnya, er enghraifft, heb fyfyrio ynglŷn â'i pherthynas â Ffrainc a Sbaen, ac mae mynd i'r afael â'r Ffindir yn gofyn gwerthfawrogiad o berthynas y wlad honno â Rwsia a Sweden. Ond mae'r un ddadl yn dal am y grymoedd mawrion hefyd. Mewn cyfundrefn ryngwladol lle daeth popeth yn rhyng-gysylltiedig a phawb yn rhyng-ddibynnol – hyd yn oed os yw rhai'n fwy dibynnol nag eraill – ni ellir ysgaru hynt unrhyw wlad oddi wrth ei pherthynas â gwledydd eraill. Golyga hyn, yn ei dro, fod dealltwriaeth gron o Ffrainc, Sbaen neu Rwsia eu hunain yn golygu eu lleoli oddi mewn i wead cymhleth o berthnasau gwleidyddol, economaidd a diwylliannol ehangach.

Yr hyn a wnaiff sefyllfa Cymru'n arbennig yw nid ei statws fel cenedl wan yn swatio dan gesail gwlad fwy ond, yn hytrach, hynodedd Lloegr a'r wladwriaeth Brydeinig. Nid cenedl gyffredin mo Loegr ac nid ymdeimlad cenedligol confensiynol mo Brydeindod ychwaith. Ac yn bendifaddau, perthyn nodweddion i'r wladwriaeth Brydeinig sy'n golygu ei bod yn greadur go wahanol i wladwriaethau datblygedig eraill. Cyfyd y nodweddion hyn yn anad dim o flaenoriaeth Lloegr; o'r ffaith mai Lloegr, yn nhermau moderniaeth, oedd y cyntaf-anedig.[72] Yn Lloegr y gwelwyd cenedlaetholdeb yn datblygu gyntaf. Gwladwriaeth Lloegr oedd y gyntaf

[72] Adlais bwriadol a geir yma o deitl pennod Liah Greenfeld ar Loegr yn *Nationalism*, sef 'God's firstborn: England', tt. 27–87.

i ddechrau ymgyffelybu i batrwm y wladwriaeth fodern. Ac yn Lloegr y gwelwyd yr economi fodern, gyfalafol yn gwreiddio'n llwyddiannus am y tro cyntaf. Cafodd y flaenoriaeth hon ddylanwad aruthrol ar ddatblygiad Lloegr/Prydain, a llywiodd a lliwiodd yr holl brofiad Cymreig yn ei dro.

Bu natur y wladwriaeth Brydeinig ynghyd â'r patrwm cymdeithasol sy'n gysylltiedig â hi, yn destun trafodaeth ddeallusol arbennig o fywiog ers y 1960au. Bryd hynny dechreuodd carfan o ddeallusion adain chwith a gyfrannai at gylchgrawn y *New Left Review* ddefnyddio syniadau a chysyniadau a oedd yn estron i'r traddodiad Prydeinig wrth ddadansoddi seiliau economaidd, gwleidyddol a diwylliannol yr union draddodiad hwnnw. Gorweddai gwreiddioldeb 'thesis Nairn-Anderson', fel y'i gelwid, ar ôl ei ddau brif ladmerydd, Tom Nairn a Perry Anderson, yn y ffaith ei fod yn olrhain achosion yr hyn a welsant fel 'argyfwng' economaidd a chymdeithasol Prydain yn ôl i wreiddiau economaidd a chymdeithasol y wladwriaeth yn y cyfnod modern cynnar.[73] Er i lawer wfftio'r dadansoddiad ar y pryd, wrth i broblemau Prydain ddod yn fwyfwy amlwg, daeth ffurf gyffredinol y ddadl – os nad ei chynnwys – yn ddylanwadol ar draws y sbectrwm gwleidyddol, gyda hyd yn oed sylwebwyr adain dde yn cydnabod bod gwreiddiau problemau Prydain yn gorwedd rhywle ym mherfeddion y gymdeithas a'i chyfundrefn lywodraethol.[74] Yn fwy diweddar fyth, daeth trafod hunaniaeth Seisnig a Phrydeinig yn ffasiynol dros ben – arwydd, mae'n debyg, o'r ansicrwydd mawr sydd wedi codi wrth i rwysg Prydain Fawr ildio'n raddol yn wyneb integreiddio Ewropeaidd a datganoli.[75] Serch hynny, nid oes dim

[73] Ailgyhoeddwyd cyfraniadau gwreiddiol Anderson – gyda diwygiadau a thrafodaeth bellach – yn ei gyfrol *English Questions* (London: Verso, 1992). Gweler y Rhagair, Pennod 1 a Phennod 4 yn arbennig. Ceir datganiad mwyaf cyhyrog Nairn ym mhennod gyntaf ('The twilight of the British state') ei *Break-up of Britain*. Mae trafodaeth Nairn ar natur Llafuriaeth hefyd o bwys sylfaenol i'r dadansoddiad; gweler 'The Nature of the Labour Party (Part I)', *New Left Review*, 27 (September/October, 1964), 38–65 a 'The nature of the Labour Party (Part II)', *New Left Review*, 28 (November/ December, 1964), 38–62, ynghyd â'i drafodaeth ar y frenhiniaeth yn *Enchanted Glass: Britain and its Monarchy* (London: Vintage, 1994).

[74] Mae'n debyg mai'r enwocaf o'r astudiaethau hyn yw Martin J. Weiner, *English Culture and the Decline of the Industrial Spirit, 1850–1980* (Cambridge: Cambridge University Press, 1981), a Corelli Barnett, *The Audit of War: The Illusion and Reality of Britain as a Great Nation* (London: Macmillan, 1986).

[75] Ymysg y mwyaf nodedig o'r astudiaethau hyn ceir Linda Colley, *Britons: Forging the Nation, 1707–1837* (London: Pimlico, 1994); Norman Davies, *The Isles: A History* (London: Papermac, 2000); Simon Schama, *A History of Britain*, cyf. 1–3, a gyhoeddwyd yn eu tro gan y BBC yn 2000, 2001 a 2002.

yn llenyddiaeth doreithiog y degawdau diwethaf yn cymharu ag ehangder a dyfnder dadansoddiad Nairn-Anderson.

Mae'r dadansoddiad a gynigiwyd ganddynt yn cwmpasu amrywiaeth eang o gwestiynau yn ymestyn o natur cyfalafiaeth ym Mhrydain a nodweddion diwylliant deallusol Lloegr, i nodweddion 'Llafuriaeth' (eu henw am ideoleg lywodraethol y Blaid Lafur a'r mudiad Llafur Prydeinig) a rôl y frenhiniaeth yn y Brydain gyfoes. Ac yn wir, mae bron pob agwedd o'u gwaith yn awgrymog tu hwnt o safbwynt deall Cymru. Yn y cyd-destun presennol, fodd bynnag, ni ellir gobeithio gwneud mwy na cheisio goleuo ambell bwynt o berthnasedd arbennig i ddatblygiad y mudiad cenedlaethol Cymreig. Y man cychwyn yn hyn o beth yw parhad yr hyn y gellir ei ddisgrifio fel gwahaniaeth Cymru.

Yn ei chyfrol arobryn *Britons*, noda Linda Colley fod Cymru'r bedwaredd ganrif ar bymtheg yn fwy gwahanol ar sawl ystyr i Loegr na'r Alban, er bod yr Alban wedi parhau'n wladwriaeth annibynnol hyd at 1707: 'Possessed of its own unifying language, less urbanised than Scotland and England – and crucially – less addicted to military and imperial endeavour, it [Cymru] could strike observers from outside as being resolutely peculiar to itself.'[76] Yn anffodus, nid yw'n ymhelaethu fawr ddim ar y sylw treiddgar hwn. Serch hynny, mae ei sylwadau'n fodd o dynnu ein sylw at un o nodweddion mwyaf trawiadol hanes Cymru, a nodwedd sydd o bwys aruthrol wrth geisio deall gwleidyddiaeth genedlaetholgar Gymreig, sef bod Cymru – er iddi gael ei choncro yn 1282, ei threfedigaethu'n ffurfiol yn 1284, ac yna ei hymgorffori yn y wladwriaeth Seisnig yn yr unfed ganrif ar bymtheg – wedi parhau'n wahanol ac, yn wir, yn estron (yn ieithyddol ac yn ddiwylliannol) i weddill poblogaeth Prydain hyd at y bedwaredd ganrif ar bymtheg a'r tu hwnt. O droi'r persbectif wyneb i waered, gellir mynegi'r un pwynt mewn termau gwahanol: er iddi feddiannu Cymru mor gynnar, mae'n ffaith drawiadol na welodd y wladwriaeth Seisnig/Brydeinig yr angen i geisio gorfodi unffurfiaeth oddi mewn i'w thiriogaeth trwy gymathu'r Cymry i'r diwylliant mwyafrifol. Mae hyn yn gwrthgyferbynnu â'r hyn a welwyd mewn dwy o'r gwladwriaethau modern cynharaf eraill, sef Ffrainc a'r Unol Daleithiau. Yn y gyntaf o'r rhain, gwelwyd ymdrech fwriadol i

[76] Colley, *Britons*, t. 394.

greu dinasyddion Ffrengig allan o'r amrywiaeth ieithyddol a diwylliannol a drigai yn y 'diriogaeth genedlaethol', ac yn achos yr ail, fe'i hadeiladwyd ar sail hil-laddiad y boblogaeth frodorol.[77] Ac fel y nodwyd eisoes, nid eithriadau mo'r ymdrechion hyn i gymathu ac unffurfio – dyma un o nodweddion gwleidyddiaeth yr oes fodern, genedlaethol.[78] Mewn gwrthgyferbyniad, er na ellir gwadu y cafwyd ambell ymdrech i orfodi'r Cymry i gymathu, nid oedd dileu eu gwahaniaeth a chreu unffurfiaeth yn bolisi bwriadus, cyson, er gwaethaf lle'r *Welsh Not* mewn chwedloniaeth genedlaetholgar.[79] Yn wir, fel y dangosodd Hywel Teifi Edwards, o blith y Cymry eu hunain yn hytrach nag yn *uniongyrchol* o gyfeiriad y wladwriaeth y daeth y pwysau mwyaf brwdfrydig o blaid cymathu.[80]

Sut y mae egluro hyn? A fu'r wladwriaeth Seisnig/Brydeinig yn arbennig o oleuedig a thosturiol? Go brin. Profodd ucheldiroedd yr Alban lid enbyd y wladwriaeth wedi gwrthryfel 1745 – fel yn wir y gwnaeth y Cymry eu hunain yn dilyn gwrthryfel Glyn Dŵr ganrifoedd ynghynt. Pan oedd bygythiad i'r wladwriaeth, bu'n fwy na pharod i ymateb yn gwbl fwystfilaidd. Nid oherwydd ei bod yn rhyw fath o werddon ddyngarol y methodd y Deyrnas Gyfunol ag ymddwyn yn debycach i wladwriaethau modern eraill. Yn hytrach, gorwedd yr eglurhad yn ffurfiant a ffurf y wladwriaeth. Yn benodol, gorwedd yn y ffaith fod ffurf y wladwriaeth Seisnig/Brydeinig yn adlewyrchu'r ffaith mai Lloegr/Prydain a arloesodd y llwybr tuag at y wladwriaeth fodern (gyda'r Deddfau Uno eu hunain ymhlith y camau cyntaf ar y daith honno) a'r modd y caniataodd y rôl arloesol honno i rai elfennau cyn-fodern yn ffurfiant y wladwriaeth oroesi. Dyma grynodeb Nairn o'r broses:

[77] Yn achos Ffrainc gweler astudiaeth glasurol, Eugen J. Weber *Peasants into Frenchmen: The Modernization of Rural France 1870–1914* (London: Chatto and Windus, 1977). Am ymdriniaeth â'r gyflafan a ddaeth i ran trigolion brodorol gogledd America gweler James Wilson, *The Earth Shall Weep: A History of Native America* (London: Picador, 1998).

[78] Michael Mann, *The Dark Side of Democracy: Explaining Ethnic Cleansing* (Cambridge: Cambridge University Press, 2004).

[79] Mae'n ffaith fod y 'Deddfau Uno' wedi gosod gofynion ieithyddol ar ddeiliaid swyddi llywodraethol a chyfreithiol. Mae'n arwyddocaol fodd bynnag mai canran fechan iawn – sef yr *elite* – a effeithiwyd arnynt gan y cymalau hyn. Ni chafwyd ymdrech systematig i newid iaith trwch y boblogaeth – naill ai yn ystod yr unfed ganrif ar bymtheg neu'n ddiweddarach.

[80] Hywel Teifi Edwards, *Codi'r Hen Wlad yn ei Hôl 1850–1914* (Llandysul: Gomer, 1994).

> Although a developmental oddity belonging to the era of transition from absolutism to capitalist modernity, its anomalous character was first crystallized and then protected by priority. As the road-making state into modern times, it inevitably retained much from the mediaeval territory it left behind: a cluster of deep-laid archaisms still central to English society and the British state. Yet the same developmental position encouraged the secular retention of these traits, and a constant return to them as the special mystique of the British Constitution and way of life. Once the road-system had been built up, for other peoples as well as the English, the latter were never compelled to reform themselves along the lines which the English revolution had made possible. They had acquired such great advantages from leading the way – above all in the shape of empire – that for over two centuries it was easier to consolidate or re-exploit this primary role than to break with it.[81]

Deilliodd cymaint o fanteision o gael bod 'y cyntaf i'r felin', fel petai, yn nhermau moderniaeth nes i'r wladwriaeth Brydeinig gael ei nodweddu gan lawer iawn mwy o barhad nag a welwyd yn achos y cymdeithasau hynny a deithiodd yr un daith ar ei hôl.

Gwelir gwaddol yr oes gynharach hon yn treiddio trwy'r gyfundrefn lywodraethol a threfn gymdeithasol y Deyrnas Gyfunol: yn y modd y cedwir penderfyniadau hollbwysig allan o ddwylo Tŷ'r Cyffredin oherwydd fod y llywodraeth yn gwasanaethu'r Goron yn hytrach na'r bobl; yn y ffaith na cheir y math o wahaniaethu grymoedd eglur rhwng elfennau'r gyfundrefn lywodraethol ym Mhrydain a ystyrir yn gwbl angenrheidiol mewn gwledydd mwy democrataidd; yn y modd y cymathwyd yr *elite* cymdeithasol ac economaidd i fywyd a byd-olwg sydd dal wedi ei seilio, ar lawer ystyr, ar arferion a gwerthoedd yr hen ddosbarth tirfeddiannol, gwledig; ac yn y blaen. Yr hyn sy'n fwyaf uniongyrchol berthnasol yn y cyd-destun presennol, fodd bynnag, yw'r ffordd anarferol (o safbwynt cymharol) y mae'r Deyrnas Gyfunol wedi delio â llywodraethiant tiriogaethol (*territorial governance*).

Yn y rhan fwyaf o lyfrau gosod myfyrwyr gwleidyddiaeth dynodir y Deyrnas Gyfunol fel 'gwladwriaeth unedol' – *unitary state*. Mae'n ddynodiad camarweiniol. Go brin y gellir disgrifio gwladwriaeth sydd, er enghraifft, yn meddu ar dair cyfundrefn gyfreithiol wahanol (i'r Alban, Gogledd Iwerddon ac un i Loegr a

[81] Nairn, *The Break-up of Britain*, tt. 64–5.

Chymru) yn nhermau unedol.[82] A dyma'r un wladwriaeth sydd yn gartref i ddwy eglwys wladol wahanol (yn Lloegr a'r Alban), tra bo dau ddarn o'i thiriogaeth (Cymru a Gogledd Iwerddon), heb eglwys wladol o gwbl. Gwladwriaeth Unedol? Yn ddiweddar, mae arbenigwyr ar wleidyddiaeth yr Alban wedi mabwysiadu dynodiad gwahanol ar gyfer y Deyrnas Gyfunol, sef un a ddatblygwyd gan yr ysgolhaig Norwyaidd Stein Rokkan.[83] Yn ôl y deipoleg hon, nid gwladwriaeth unedol mo Phrydain ond 'gwladwriaeth gyfunol' – *union state*. Disgrifir nodweddion gwladwriaeth o'r fath yn y termau canlynol:

> The union state does not enjoy direct political control everywhere. Incorporation of parts of its territory has been achieved through treaty and agreement; consequently integration is less than perfect. While administrative standardization prevails over most of the territory, the union structure entails the survival in some areas of variations based on pre-union rights and infrastructures.[84]

Gwelir yn syth sut y mae'r Deyrnas Gyfunol yn ei holl odrwydd – a chyda'i holl adleisiau o oes a fu – yn cydymffurfio'n well o lawer â'r disgrifiad hwn nag y mae â model y wladwriaeth unedol, fodern. Petai Prydain wedi gorfod dygymod â'r trawsnewidiad poenus tuag at ffurf mwy trwyadl-fodern o'r wladwriaeth, dichon y byddai trefn diriogaethol sydd mor gwbl echreiddig o safbwynt theori gyfansoddiadol wedi cael ei sgubo o'r neilltu, a threfn mwy unffurf a 'rhesymol' wedi ei gosod yn ei lle. Ond oherwydd manteision blaenoriaeth, yn anad dim, nid felly y bu.

[82] Yn wir, gellir dadlau bellach fod tair cyfundrefn gyfreithiol a hanner yn y Deyrnas Gyfunol, wrth i'r Gymru ddatganoledig ddechrau datblygu ei chyfraith gyhoeddus ei hun ac wrth i elfennau mwyaf goleuedig y Farnwriaeth ymateb i'r broses trwy roi ffocws mwy cenedlaethol Gymreig i'n sefydliadau cyfreithiol. Gweler Richard Rawlings, *Delineating Wales: Constitutional, Legal and Administrative Aspects of National Devolution* (Cardiff: University of Wales Press, 2003), tt. 458–94.

[83] Mae Cymru yn ymddangos yn gyson yng ngwaith Rokkan, un o gewri'r astudiaeth o wleidyddiaeth. Fel aelod o genedl fechan ar gyrion Ewrop gellir disgwyl bod ganddo ddiddordeb yn hynt cenhedloedd ymylol eraill. Ond roedd hefyd yn briod â Chymraes – Elizabeth – a olygai ei fod yn treulio cyfran o'i wyliau bob blwyddyn yn Nhyddewi. Dychwelodd ei weddw i Gymru yn barhaol wedi ei farwolaeth annhymig.

[84] Stein Rokkan a Derek Urwin, *Economy, Territory, Identity: Politics of Western European Peripheries* (London: Sage, 1983), t. 181. Yn y cyd-destun Cymreig, defnyddir y dynodiad gan Jonathan Bradbury yn Jonathan Bradbury a John J. Mawson (goln), *British Regionalism and Devolution* (London: Jessica Kingsley, 1997).

Yn eironig ddigon, felly, mae diffygion Prydain o'i gosod yn erbyn ffon-fesur safonau democrataidd cyfoes, a'r ffaith fod y wladwriaeth honno heb fynd ati mewn modd systematig i unffurfio a chymathu ei thrigolion, yn nodweddion cysylltiedig. Maent yn tarddu o'r un ffynhonnell. Ac wrth gwrs, parhad gwahaniaeth Cymru a olygai, yn ei dro, fod tir yn bodoli y gallai'r mudiad cenedlaethol Cymreig wreiddio ynddo. Yn wir, ar un ystyr, gwnaeth y ffurf wladwriaethol a geir yn y Deyrnas Gyfunol hi'n haws i'r mudiad cenedlaethol hwnnw fwrw gwreiddiau a thyfu'n llwyddiannus. Hyn oherwydd na fu'n rhaid i genedlaetholwyr Cymreig wynebu gwladwriaeth sy'n meddu ar y math o ragdybiaethau egwyddorol a rhwystrau cyfansoddiadol a olygai fod diwygio sylfaenol yn un rhan o'r gyfundrefn lywodraethol (e.e. sicrhau mesur o hunanlywodraeth) yn dibynnu ar chwyldroi'r holl gyfundrefn honno. Yn hytrach, oherwydd natur y wladwriaeth gyfunol, gellid ennill consesiynau blith-draphlith. Cymharer hyn â'r sefyllfa a wyneba cenedlaetholwyr y cenhedloedd bychain hynny sy'n byw dan gysgod y wladwriaeth Ffrengig, gwladwriaeth a wnaeth unffurfiaeth yn ddelw a delfryd i'w hun.

Wedi dweud hynny, ni ddylid delfrydu na rhamantu natur perthynas Cymru â gwladwriaeth Lloegr (y wladwriaeth Brydeinig ar ôl 1707) yn y cyfnod modern. Yn ddiau mae'n well i bobl gael eu trin yn nawddoglyd, eu dilorni a'u hanwybyddu, na'u gormesu mewn ffyrdd mwy uniongyrchol a gwaedlyd. Serch hynny, mae patholegau'r berthynas – yn eu holl gymhlethdod – yn parhau i daflu eu cysgod ar Gymru hyd heddiw.[85] Fe'i gwelir ar ei mwyaf eglur, efallai, ym mhatrwm datblygu economaidd yng Nghymru.

Mae tueddiad ymhlith rhai o'n cydwladwyr i ymfalchïo yn rôl ganolog Cymru yn natblygiad y chwyldro diwydiannol. Yn wir, clywyd rhai o arweinwyr Plaid Cymru hwythau'n adleisio'r un gred ar adegau.[86] Ysywaeth, mae'n rhaid gweld yr haeriadau hyn fel un wedd ar y cyfuniad o'r 'collective inferiority complex and national megalomania' sydd, yn nhyb yr hanesydd Pwylaidd Jerzy Jedlicki, yn nodweddu pobloedd yr ymylon, oblegid dengys y

[85] Richard Wyn Jones, 'The colonial legacy in Welsh politics', yn Jane Aaron a Chris Williams (goln), *Postcolonial Wales* (Cardiff: University of Wales Press, 2005), tt. 23–38.

[86] 'Every visitor to Wales should travel to Dowlais Top and look out over Merthyr. Here, with only a breath of imagination, can be seen the birthplace of the modern industrial world', Phil Williams, *Voice from the Valleys* (Aberystwyth: Plaid Cymru, 1981), t. 34.

dystiolaeth yn eglur fod diwydiannu wedi'i gyfyngu i ambell ardal gymharol fechan yng Nghymru yn y cyfnod oddeutu 1830 pan oedd eisoes wedi dechrau cael effaith llawer mwy eang a phell-gyrhaeddol yn Lloegr.[87] Yn wir, mewn ysgrif bwysig yn dwyn y teitl gogleisiol 'Was Wales industrialised?', mae L. J. Williams yn cyffelybu dibyniaeth economi Cymru'r bedwaredd ganrif ar bymtheg ar '*primary production*' (cloddio glo, llechi, ac ati), a diffyg datblygiad (cymharol) ei sector diwydiant cynhyrchu, i sefyllfa economïau llai-datblygedig y Trydydd Byd cyfoes.[88] Fel yn achos y gwledydd hyn, darparu deunyddiau crai i ardaloedd eraill oedd prif rôl Cymru yn yr economi ryngwladol. Ni ddatblygodd yn ganolfan twf a datblygiad yn ei rhinwedd ei hun. Yn yr ystyr hwn, rôl ymylol a dibynnol a chwaraeodd Cymru yn y chwyldro diwydiannol, hyd yn oed os cafodd hynt a helynt yr economi diwydiannol ddylanwad pellgyrhaeddol ar bob agwedd o fywyd Cymru.[89]

Ond bu economi Cymru hyd yn oed yn fwy ymylol nag y mae'r disgrifiad byr uchod yn ei awgrymu, oblegid un agwedd holl-bwysig y mae trafodaethau ar natur datblygiad economaidd yng Nghymru yn tueddu i'w hanwybyddu yw hynodedd datblygiad economaidd yn y Deyrnas Gyfunol. Fel y dangosodd Geoffrey Ingham yn eglur: 'it [Prydain] constitutes a unique case . . . in which international commercial capitalism has been dominant, and has had a determinant impact on its class and institutional structure'.[90] Hynny yw, y sector hwnnw o'r economi sy'n ymwneud â masnach ryngwladol a bancio – 'Y Ddinas' a defnyddio llaw-fer gyfarwydd – ac nid y sector diwydiannol sydd wedi dominyddu datblygiad economaidd cyfalafol yn y wladwriaeth Brydeinig. Yn wir, dengys y dystiolaeth yn eglur fod dominyddiaeth 'Y Ddinas' wedi bod yn niweidiol i ddatblygiad diwydiannol.[91] Ac unwaith

[87] Jerzy Jedlicki, *A Suburb of Europe: Nineteenth-century Polish Approaches to Western Civilization* (Budapest: CEU Press, 1999), t. xiii. Diolchaf i Iver Neumann am ddwyn y gyfrol hon i'm sylw.

[88] John Williams, *Was Wales Industrialised? Essays in Modern Welsh History* (Llandysul: Gomer, 1995), tt. 14–36.

[89] Gweler, er enghraifft, y dystiolaeth ystadegol drawiadol a gyflwynir gan Brinley Thomas yn ei ysgrif enwog 'Wales and the Atlantic economy', yn y gyfrol *The Welsh Economy: Studies in Expansion* (Cardiff: University of Wales Press, 1962), tt. 1–19.

[90] Geoffrey Ingham, *Capitalism Divided? The City and Industry in British Social Development* (London: Macmillan, 1984), t. 6.

[91] Yn ogystal â chyfrol Ingham, gweler ysgrif ddefnyddiol John A. Hall, 'The tyranny of history: an analysis of Britain's decline', yn Armand Cleese a Christopher Coker (goln), *The Vitality of Britain* (Amsterdam: Rozenberg Publishers, 1997), tt. 5–20.

yn rhagor, fel y mae Anderson a Nairn wedi ei ddadlau, rôl ymerodraethol Prydain oedd i'w chyfrif am y ffurf unigryw hon ar ddatblygiad modern. Llifodd cymaint o fanteision o rôl ddominyddol Prydain yn ei hymerodraeth a'r economi ryngwladol drwyddi draw, ac o rôl y bunt (*Sterling*) fel y cyfrwng ariannol ar gyfer masnach ryngwladol, fel bod buddsoddi ac ailfuddsoddi yn 'Y Ddinas' wedi profi'n ffordd haws, sicrach a mwy proffidiol o wneud elw na datblygiad diwydiannol. Afraid yw dweud mai prin iawn, iawn fu rhan Cymru a'r Cymry yn y sector hwn.

A siarad yn gyffredinol, gwelwn felly fod proses ymylu ddeublyg ar waith. Roedd Cymru'n ymylol i ddatblygiad diwydiannol. Cyflenwr defnyddiau crai i ardaloedd eraill oedd Cymru, yn hytrach na chanolfan datblygiad a thwf yn ei hawl ei hun. Ond ar ben hynny, ar y lefel Brydeinig, roedd diwydiant yn ei dro yn chwarae rôl eilradd i sector arall o'r economi. Er gwaetha'r niferoedd cymharol gyfyngedig a gyflogid ynddi, 'Y Ddinas' fu'r grym economaidd-wleidyddol pwysicaf yn nhermau llywiant a gyriant datblygiad economaidd ym Mhrydain. Roedd (ac mae) hwn yn sector o'r economi na chwaraeodd Gymru nemor unrhyw ran ynddo.

Roedd Cymru, felly, yn rhan o'r byd modern. Nid oedd modd i diriogaeth wedi'i chysylltu mor agos yn ddaearyddol ac yn hanesyddol ag arloeswr moderniaeth osgoi hynny. Ond cael ei chipio gan y llif a wnaeth Cymru heb na rhwyf na hwyl. Pan oedd y cerrynt a'r gwynt yn garedig, bu ffyniant, a hwnnw'n sylweddol iawn ar adegau. Ond pan gododd gwyntoedd croes a thonnau mawrion – heb sôn am dymhestloedd y Dirwasgiad Mawr – nid oedd modd iddi hyd yn oed ceisio gosod ei chwrs ei hun heb sôn am ganfod hafan fwy cysgodol. Nid oedd cynllwyn bwriadol ar waith yn hyn oll, dim mwy nag y mae cynllwyn bwriadol i lesteirio datblygiad y Trydydd Byd. Yn hytrach, adlewyrchiad o'r realiti strwythurol fu ffurf datblygiad economaidd yng Nghymru. Adlewyrchiad o'r ffaith fod Cymru yn rhan ymylol o'r wladwriaeth gyntaf i ymdebygu i ffurf y wladwriaeth fodern, a gwladwriaeth a lwyddodd i ddatblygu i fod y grym ymerodraethol cryfaf ar wyneb daear, a hynny i raddau helaeth oherwydd y flaenoriaeth hon.

Yn naturiol ddigon, bu'r ymerodraeth hefyd yn ganolog i'r hunaniaeth genedlaethol a ddatblygodd oddi amgylch y wladwriaeth honno. Yr hyn sy'n drawiadol o graffu ar hunaniaeth Brydeinig yw ei hyblygrwydd a'i hamwysedd. Nid yw'r rhain yn nodweddion anghyffredin mewn hunaniaeth genedlaethol. Eto i gyd, hyd yn oed os derbynnir hynny, mae'n ymddangos bod hunaniaeth genedlaethol Brydeinig yn fwy hyblyg ac amwys na'r rhelyw. Felly, yn Lloegr, hyd yn ddiweddar iawn bu'r rheini sy'n ceisio defnyddio dulliau meintiol i fesur (yn ystadegol) hunaniaeth genedlaethol yn cael eu gwaith yn arbennig o anodd oherwydd fod cymaint o'r boblogaeth yn cyfystyru hunaniaeth Seisnig â hunaniaeth Brydeinig.[92] I lawer iawn o Saeson, ymddengys mai ymestyniad daearyddol o'r hunaniaeth genedlaethol (a chenedlaetholdeb) Seisnig, a oedd wedi gwreiddio mor gadarn erbyn yr ail ganrif ar bymtheg, yw Prydeindod. Mewn gwrthgyferbyniad llwyr, ychydig iawn yng Nghymru a'r Alban a fyddai'n cyfystyru hunaniaeth Brydeinig â Seisnigrwydd. Hyd yn oed os nad oes unrhyw gydsyniad clir ynghylch ystyr Cymreictod nac, yn wir, hunaniaeth Albanaidd, ceir consensws cyffredinol nad yw bod yn Gymro neu'n Albanwr yn gyfystyr â bod yn Sais, a bod mwy i Gymreictod ac Albandod na Phrydeindod yn unig (hyd yn oed os yw carfan sylweddol yn credu bod modd coleddu Cymreictod/hunaniaeth Albanaidd a Phrydeindod ar yr un pryd).[93] Yng ngogledd Iwerddon, mae pethau'n wahanol eto. Yno, mae coleddu hunaniaeth Brydeinig yn golygu coleddu byd-olwg a symboliaeth na fyddai'r rhan fwyaf o drigolion Lloegr, yr Alban na'r Gymru gyfoes yn eu deall heb sôn am eu rhannu.

Unwaith yn rhagor, y ffaith na cheisiodd y wladwriaeth unffurfiaeth fewnol sydd wrth wraidd yr amrywiaeth hwn. Yn yr un modd ac, yn wir, oherwydd y gellid goddef amrywiaeth sefydliadol, gellid hefyd dderbyn amrywiol fersiynau o hunaniaeth genedlaethol – cyn belled nad oeddynt yn bygwth parhad y drefn. Ac fel y dywed Colley, un o'r pethau pwysicaf oedd yn dal y bobl amrywiol hyn at ei gilydd, yn arbennig trigolion Lloegr a'r Alban, oedd yr Ymerodraeth. '[T]he triumph, profits and Otherness represented by a massive overseas empire', ynghyd â'r modd yr oedd yr holl ryfela

[92] Anthony F. Heath, Bridget Taylor, Lindsay Brook and Alison Park, 'British national sentiment', *British Journal of Political Science*, 29(1) (1999), 155–75.

[93] Mae ysgrifau Dafydd Glyn Jones yn ein hatgoffa o ganlyniadau gwleidyddol a chymdeithasol cyfnod pan fu'r Cymry yn cyfystyru Cymreictod â Phrydeindod. Erbyn y dwthwn hwn, fodd bynnag, mae'r dystiolaeth o wahanol arolygon meintiol yn awgrymu'n gryf iawn fod y rhan fwyaf o ddigon o drigolion Cymru yn ystyried y rhain yn hunaniaethau gwahanol (*distinct*) hyd yn oed os yw'r mwyafrif yn parhau i gredu bod modd bod yn Gymro ac yn Brydeiniwr ar yr un pryd.

a oedd yn angenrheidiol ar gyfer creu a chynnal yr ymerodraeth honno'n uno'r boblogaeth, oedd sail Prydeindod.[94] Efallai fod Colley yn gywir wrth nodi, fel y gwelwyd eisoes, nad oedd y Cymry, at ei gilydd, mor gyfrannog yn yr anturiaethau ymerodraethol hyn erbyn canol y bedwaredd ganrif ar bymtheg ag yr oedd poblogaeth Lloegr a'r Alban. Ond mater o raddfa'n unig oedd hyn mewn gwirionedd. A hyd yn oed os yn gymharol hwyr y gafaelodd y mania ymerodraethol yn y Cymry – ac roedd elfen wrth-ymerodraethol gref yn rhan bwysig o fywyd cyhoeddus Cymru hyd at Ryfel y Boer – nid oedd hynny'n mennu dim ar ei eithafiaeth pan ddaeth.[95] Yn wir, tybed a oedd elfen o ormodiaith nodweddiadol y dröedigaeth ynghlwm yn y modd y coleddodd Cymru holl symboliaeth ac ideoleg Prydeindod yn yr ugeinfed ganrif – yn enwedig felly y modd cwbl daeogaidd y syniwyd am y frenhiniaeth, sefydliad na wnaeth lawer i guddio ei ddifaterwch ynglŷn â Chymru? Yn fwy cyffredinol, hyd yn oed ymysg Llafurwyr adain chwith, roedd Mawrder Prydain yn fater o falchder ac yn nodwedd y teimlid yr oedd yn rhaid ei gwarchod a'i dyrchafu. Yn wir, beth bynnag y gwahaniaethau rhwng byd-olwg y dde a'r chwith Brydeinig, tuedda Mawrder Prydain i fod yn dir cyffredin hollbwysig rhyngddynt: cymerwyd yn ganiataol fod gan Brydain rôl arweinyddol hollbwysig ac anhepgor i'w chwarae ar y llwyfan rhyngwladol.

Nid dyma'r lle i drafod trai'r Ymerodraeth Brydeinig – mae pryd a sut y dechreuodd y llanw droi, a pham ei fod wedi llifo mor gyflym oddi ar hynny, yn faterion o'r diddordeb mwyaf ond, o safbwynt yr astudiaeth bresennol, y cyfan sy'n rhaid ei nodi yw bod goblygiadau pellgyrhaeddol i'r wladwriaeth wedi dilyn dirywiad ei hymerodraeth. Gan fod y manteision a lifodd o'i grym rhyngwladol wedi lliwio cymaint ar ei sefydliadau gwleidyddol, ei heconomi ac yn wir ei threfn gymdeithasol, roedd yn anochel y byddai ymddatod llawer iawn o'r grym hwnnw yn cynnig her enfawr i'r holl gyfundrefn. Yn ail hanner yr ugeinfed ganrif – ac yn enwedig ers y 1960au – bu Adferiaeth yn thema gyson yn rhethreg

[94] Colley, *Britons*, t. 6.

[95] Gweler, *inter alios*, Edwards, *Codi'r Hen Wlad yn ei Hôl 1850–1914*; D. Tecwyn Lloyd, *Drych o Genedl* (Abertawe: Tŷ John Penry, 1987); E. G. Millward, *Yr Arwrgerdd Gymraeg: Ei Thwf a'i Thranc* (Caerdydd; Gwasg Prifysgol Cymru, 1998); Hywel Teifi Edwards ac E. G. Millward, *Jiwbilî y Fam Wen Fawr* (Llandysul: Gomer, 1989).

wleidyddol arweinwyr megis Wilson, Thatcher a Blair. Prydain bellach, yw'r 'hen wlad' sydd angen 'ei chodi yn ei hôl' – tro ar fyd a fyddai wedi syfrdanu Cymry'r bedwaredd ganrif ar bymtheg. Cynigiwyd pob math o feddyginiaeth i sicrhau atgyfodiad: 'golau gwyn' technoleg; chwalu grym yr undebau; chwalu grymoedd ceidwadaeth; diwygio; y ffetish cyson a wnaed o'r 'newydd'; glynu'n dynn wrth Ewrop, neu'r Gymanwlad, neu'r Amerig – hyd yn oed diwygio cyfansoddiadol, sef arwydd sicr bod pethau'n wael. Eto, profodd symptomau'r claf yn styfnig. Mae datblygiad y mudiad cenedlaethol Cymreig hefyd yn un o'r symptomau hyn ac at syniadaeth y mudiad hwnnw y trown yn awr.

Rhan Dau

CENEDLAETHOLWYR

2

CARIAD ANGERDDOL AT WAREIDDIAD SEFYDLOG: CYFNOD SAUNDERS LEWIS

I'r sawl sydd am fynd i'r afael â theithi cenedlaetholdeb Cymreig cyfoes, mater o raid yw ceisio cloriannu cyfraniad Saunders Lewis.[1] Mae ei gorff eiddil, trwynfain yn taflu clamp o gysgod dros y cyfan. Ef, trwy ohebiaeth â H. R. Jones, a wnaeth y gwaith paratoadol ar gyfer y cyfarfod enwog hwnnw a gynhaliwyd ym Mhwllheli ar 5 Awst 1925, pan unodd *Plaid Genedlaethol Cymru* Jones â'r *Mudiad Cymreig*, cymdeithas gudd yr oedd Lewis yn aelod ohoni, i ffurfio'r Blaid Genedlaethol bresennol. Ef, yn ddi-os, a gafodd ei ffordd wrth benderfynu i ba gyfeiriad syniadaethol ac ymarferol yr âi'r Blaid honno. Flwyddyn yn ddiweddarach, ef a olynodd Lewis Valentine yn ail lywydd y Blaid Genedlaethol gan ddyfod yn brif ladmerydd ei hachos. Yn ystod ei gyfnod fel arweinydd, daliodd ei afael yn dynn ar yr awenau gan sicrhau bod y gwerthoedd a'r syniadau a fynegid yng nghyhoeddiadau'r mudiad yn agosach o lawer at ei galon ef nag yr oeddynt, yn ôl pob tebyg, i fyd-olwg y mwyafrif o aelodau a chefnogwyr y Blaid. Yn ystod yr un cyfnod, Saunders Lewis hefyd oedd prif anogwr un o'r digwyddiadau symbolaidd pwysicaf yn hanes cenedlaetholdeb Cymreig y cyfnod modern – ac yn wir, unrhyw gyfnod – sef y Tân yn Llŷn.[2] Hyd yn oed wedi iddo ildio'r llywyddiaeth yn 1939, nid oedd ei gyfraniad ar ben.

[1] Ni ragorwyd ar gyflwyniad gorchestol Dafydd Glyn Jones i syniadau gwleidyddol Saunders Lewis yn ei bennod 'His politics', yn Alun R. Jones a Gwyn Thomas (goln), *Presenting Saunders Lewis* (Cardiff: University of Wales Press, 1973), tt. 23–78. Ceir peth wmbredd o ddeunydd diddorol yng nghofiant D. Tecwyn Lloyd, *John Saunders Lewis: Y Gyfrol Gyntaf* (Dinbych: Gwasg Gee, 1988). Yn anffodus, mae'r cofiant yn anorffenedig ac nid â'r gyfrol gyntaf â ni lawer ymhellach nag 1933. Ar ben hynny, ni ellir osgoi clywed tinc ambell gyllell yn cael ei hogi. Ymddangosodd cofiant Robin Chapman – *Un Bywyd o Blith Nifer* (Llandysul: Gomer, 2006) – o'r wasg wrth i'r gyfrol hon gael ei chwblhau.

[2] Ceir cadarnhad o rôl ganolog Saunders Lewis wrth gynllunio a gweithredu'r cynllun i ddifrodi'r adeiladau ym Mhenyberth mewn llythyr dadlennol a anfonodd at Harri Pritchard Jones yn 1975. Wrth drafod rhan D. J. Williams yn y weithred, dywed Lewis: 'Fe aeth [D.J.] i'r carchar yn 1937 heb roi dim ar dân, heb gynnau matsen, heb hyd yn oed gymeradwyo'r weithred, ond yn unig o benderfyniad na châi 'Saunders bach' mo'i adael pan oedd ef yn galw am gynorthwywyr.' Gweler Harri Pritchard Jones, 'D. J. Williams', yn Derec Llwyd Morgan (gol.), *Adnabod Deg* (Dinbych: Gwasg Gee, 1977), t. 62.

Bu cysgod Lewis yn drwm tros lywyddiaeth ei olynydd, J. E. Daniel (a fu'n llywydd rhwng 1939 a 1943). Yn wir, cymaint fu dylanwad Lewis ar genedlaetholdeb Daniel, heb sôn am ei wraig, Catherine Daniel, fel nad oes unrhyw ddiben gwahaniaethu rhwng cyfnodau llywyddol y ddau o safbwynt syniadaethol.[3] Ac o safbwynt gwleidyddiaeth ymarferol, bu ymgeisyddiaeth Saunders Lewis yn yr isetholiad enwog hwnnw am sedd Prifysgol Cymru yn gyfrwng i roi ail wynt i'r Blaid Genedlaethol yn ystod cyfnod llwm yn ei hanes. Plaid Saunders Lewis oedd Plaid Genedlaethol Cymru i raddau helaeth iawn gydol yr Ail Ryfel Byd.

Mater mwy cymhleth yw olrhain dylanwad Lewis yn ystod cyfnod hirfaith Gwynfor Evans fel llywydd. O safbwynt syniadaethol ac ar lefel bersonol, mae'n debyg, perthynas ddigon sgitsoffrenig oedd rhwng y ddau. Ar y naill law – fel y trafodir yn y bennod nesaf – cawsai Gwynfor Evans ei ddylanwadu'n drwm gan rai o elfennau mwyaf canolog syniadaeth Lewis, ac i raddau, felly, gellir cyfrif Evans yn ddisgybl i'w ragflaenydd amlycaf. Ar y llaw arall, datblygodd cryn densiwn rhwng y ddau ddyn (a'u gwersylloedd), tensiwn a ddwysaodd gyda threigl amser. Yn wir, ymdrech i danseilio llywyddiaeth Gwynfor Evans yn anad dim oedd gweithred wleidyddol fawr olaf Lewis, sef traddodi darlith radio 'Tynged yr Iaith' yn Chwefror 1962, a hynny mewn cyfnod pan oedd cryn anghytuno yn y rhengoedd ynglŷn â chyfeiriad y Blaid.

Fel pe na bai hyn oll yn ddigon ynddo'i hun i hawlio lle canolog i Saunders Lewis mewn unrhyw drafodaeth ar syniadaeth Plaid Cymru, dylid dwyn i gof ddau ffactor ychwanegol. Yn gyntaf, er y byddai'n amhosibl ei gloriannu'n gyflawn, heb sôn am ei fesur mewn unrhyw fodd sicr, pwy a wad na fu dylanwad gwaith llenyddol Saunders Lewis ar genedlaethau o genedlaetholwyr yn aruthrol fawr. Naill ai'n uniongyrchol, trwy weithiau megis *Buchedd Garmon*, neu'n anuniongyrchol, trwy weithiau eraill a ysbrydolwyd gan ei waith ef – ystyrier, er enghraifft, emyn cenedlaethol mawr Lewis Valentine, 'Dros Gymru'n Gwlad', a'i ddelwedd ganolog o'r 'winllan wen a roed i'n gofal ni' – bu syniadau, delweddau ac,

[3] Ceir trafodaeth gynhwysfawr ar syniadau gwleidyddol a diwinyddol J. E. Daniel yn rhagymadrodd D. Densil Morgan i *'Torri'r Seiliau Sicr': Detholiad o Ysgrifau J. E. Daniel* (Llandysul: Gomer, 1993), tt. 9–91. Mawr fydd ein dyled i'r sawl a gynhyrcha astudiaeth o Catherine Daniel – testun gwirioneddol ddiddorol a dadlennol.

yn wir, drosiadau Saunders Lewis yn gyfrwng i genedlaetholwyr Cymreig ddeall y byd o'u hamgylch a'u lle hwythau oddi mewn iddo.

Yn ogystal, ac ar drywydd llai dyrchafedig o lawer, ni ellir gwadu ychwaith na fwriodd y cyhuddiadau mynych o 'Ffasgaeth', a glywyd yn erbyn Saunders Lewis a rhai o'i gydweithwyr agosaf, gysgod tywyll dros y Blaid, a hynny o ddiwedd y 1930au hyd yn oed at y dwthwn hwn. Buont yn achos embaras ac annifyrrwch i genedlaetholwyr Cymreig ac yn fêl ar fysedd eu gelynion a'u gwrthwynebwyr (ceir trafodaeth fanwl ar hyn oll yn yr ail gyfrol). Gall cysgod warchod a meithrin yn ogystal â mygu ac ystumio tyfiant yr hyn sy'n gorwedd oddi tano, ac felly hefyd y cysgod a daflodd Saunders Lewis dros ddatblygiad Plaid Cymru.

Ni ellir fyth obeithio gwneud cyfiawnder â phob agwedd o ddylanwad Saunders Lewis ar y Blaid Genedlaethol, a'r mudiad cenedlaethol yn fwy cyffredinol, o fewn cwmpas un bennod yn unig – yn wir, ni fyddai cyfrol gyfan yn ddigon. Nid yw'n syndod, felly, fod enw Saunders Lewis yn codi'n gyson drwy'r penodau sy'n dilyn. Yr hyn a wneir yn y bennod hon yw cyflwyno a dadansoddi'r etifeddiaeth syniadaethol a roddwyd i'r Blaid gan Saunders Lewis yn ystod ei gyfnod fel llywydd. Mae pum cam i'r ddadl. Yn gyntaf, dangosir sut y llwyddodd Lewis i gipio'r awenau syniadaethol ym moreddydd y Blaid. Yna'n ail, eir ati i ddisgrifio a dadansoddi cynnwys dogfen syniadaethol sylfaenol Plaid Cymru, sef *Egwyddorion Cenedlaetholdeb*, testun araith Saunders Lewis gerbron Ysgol Haf gyntaf y Blaid ym Machynlleth yn 1926. Y trydydd cam fydd trafod sut y gosododd Saunders Lewis sylfeini syniadaethol y Blaid gan sefydlu, yn y broses, rai nodweddion syniadaethol y daethpwyd i'w hystyried yn ddiweddarach yn briodoleddau sylfaenol cenedlaetholdeb Cymreig. Yn bedwerydd, dangosir sut y daliodd Saunders Lewis ei afael ar agenda bolisi'r Blaid pan geisiodd lleisiau eraill oddi mewn iddi ei llywio i gyfeiriad gwahanol, yn enwedig wedi methiant yr ymgyrch yn isetholiad Caernarfon yn 1929. Yn olaf, trafodir llosgi'r ysgol fomio ym Mhenyberth, Pen Llŷn ym Medi 1936 – neu'n fwy penodol, methiant y weithred honno, oblegid, er ei bod bellach yn rhan greiddiol o fytholeg y Blaid a'r mudiad cenedlaethol, tân siafins oedd y Tân yn Llŷn, o leiaf yn llygaid prif ladmerydd y weithred. Dangosir yn y drafodaeth sut yr oedd methiant aelodau'r Blaid – heb sôn am bobl Cymru – i ymateb i'r arweiniad a gynigiwyd iddynt gan y gweithredwyr, yn arwyddo'r modd yr aeth yr agendor, a'r bwlch syniadaethol yn enwedig, a fodolai rhwng aelodau a chefnogwyr y Blaid ar y naill law, a'i harweinyddiaeth ar y llaw arall, yn rhy lydan i'w bontio.

Cipio'r agenda

Ychydig iawn o Bleidwyr cyfoes a glywodd sôn erioed am Evan Alwyn Owen. Ychydig o sôn sydd amdano yn archifau'r Blaid wedi gaeaf 1924/25, ac ar wahân i un ysgrif goffa gan Gwilym R. Jones yn rhifyn Rhagfyr 1933 o'r *Ddraig Goch*, prin iawn yw'r cyfeiriadau ato yng nghyhoeddiadau'r Blaid.[4] Nid trwy fwriad yr aeth yn angof. Roedd Owen, cyn-chwarelwr o Ryd-ddu, yn byw dan warchae'r diciâu a diweithdra. Ni chafodd adnoddau corfforol nac ariannol a oedd yn gyfesur â'i weledigaeth wleidyddol. Serch hynny, os gellir ystyried un person fel sylfaenydd Plaid Genedlaethol Cymru, i Evan Alwyn Owen y perthyn yr anrhydedd hwnnw. Mae'n werth oedi am ennyd uwchlaw gweledigaeth Owen ar gyfer ei blaid. Gwneir hyn nid yn unig fel cyfraniad bychan at adfer y cof amdano, ond yn bwysicach o safbwynt y drafodaeth bresennol, oherwydd fod gwahaniaeth mawr rhwng y weledigaeth wreiddiol hon a'r weledigaeth y llwyddodd Saunders Lewis i'w gosod fel rhaglen swyddogol i'r blaid newydd yn ystod 1925 a 1926.

Sefydlwyd Plaid Genedlaethol Cymru ar 21 Rhagfyr 1924 pan benderfynodd carfan a sylfaenwyd dri mis ynghynt, yn dwyn yr enw lliwgar Byddin Ymreolwyr Cymru, newid enw a chyfeiriad.[5] Roedd y fyddin, a oedd wedi ei chanoli yn Sir Gaernarfon, yn gasgliad digon anghymarus o unigolion: rhai'n garedigion yr iaith yn anad dim, eraill yn bleidwyr 'hunanlywodraeth' yn y modd niwlog hwnnw a nodweddai'r cyfnod, ond ambell un arall yn awyddus i efelychu agweddau a hyd yn oed dulliau *Sinn Féin* yng Nghymru. Un a berthynai i'r garfan olaf oedd prif symbylydd y mudiad, a'i ysgrifennydd, sef H. R. Jones.

4 Gwilym R. Jones, 'Un o sefydlwyr y Blaid: Evan Alwyn Owen', *Y Ddraig Goch*, Rhagfyr 1933, 9.

5 Ceir mwy o drafodaeth ar y sefydlu yn Gerald Morgan, 'Dannedd y ddraig', yn John Davies (gol.), *Cymru'n Deffro* (Talybont: Y Lolfa, 1981), tt. 7–30, ac mewn dwy ysgrif gan J. Graham Jones yng nghyfrolau 22 a 23 o *Gylchgrawn Llyfrgell Genedlaethol Cymru*.

Er gwaethaf sêl Jones, nid oedd mwy o siâp ar y fyddin nag a fu ar lu o fudiadau tebyg, megis Byddin yr Iaith a Chymru Well. Mudiadau byrhoedlog oedd y rhain: mudiadau a ffurfiwyd ac a ailffurfiwyd yn gyson gan adlewyrchu'r rhwystredigaeth a deimlai cenedlaetholwyr Cymreig y cyfnod, ond a fethodd bob gafael â bwrw gwreiddiau'n llwyddiannus.[6] Niwlog oedd syniadaeth Byddin Ymreolwyr Cymru, y tu hwnt i estyn cefnogaeth gyffredinol i'r iaith ac i hunanlywodraeth. Nid oedd ei dulliau o weithredu yn rhai amgen ychwaith. Yn wir, petai llywydd y fyddin, Walter S. Jones (Gwallter Llyfnwy), wedi cael ei ffordd, hawdd y gallasai'r mudiad fod wedi dirwyn i ben yn bur gyflym.[7] Diwylliannol oedd pwyslais W. S. Jones. Gobeithiai weld ymgyrch yn datblygu er mwyn 'gorfodi'r Gymraeg' ochr yn ochr â'r Saesneg yn yr ysgolion, ac i sicrhau bod holl athrawon ysgolion elfennol Cymru â'r gallu i 'ddarlithio' yn Gymraeg.[8] Yn rhannol, o leiaf, er mwyn gosod y seiliau ar gyfer ymgyrch o'r fath, yr oedd Jones yn dra awyddus i weld y fyddin yn uno â chymdeithas 'Y Tair G' – y Gymdeithas Genedlaethol Gymreig – sef cymdeithas o fyfyrwyr yn bennaf, wedi ei chanoli yng Ngholeg y Brifysgol ym Mangor. Gyda'r 'Tair G' yn cynnwys ymysg ei haelodau ffigyrau o faintioli Lewis Valentine a Thomas Parry, ymddangosai uniad o'r fath yn gwbl synhwyrol o safbwynt W. S. Jones.[9] Ond nid pawb yn y fyddin a gytunai ag ef.

Gwrthwynebwyd cynlluniau Jones yn ffyrnig gan y trysorydd, sef Evan Alwyn Owen. Roedd yntau'n daer o'r farn y dylid nid yn unig cadw'r mudiad yn annibynnol, ond y dylid ei droi'n blaid wleidyddol o'r iawn ryw dan yr enw Plaid Genedlaethol Cymru.

6 Ceir cipolwg dadlennol ar weithgaredd cenedlaetholgar y cyfnod yn Marion Löffler, *'Iaith nas Arferid, Iaith i Farw Yw': Ymgyrchu dros yr Iaith Gymraeg rhwng y Ddau Ryfel Byd* (Aberystwyth: Canolfan Uwchefrydiau Cymreig a Cheltaidd, 1995).

7 Ar Walter S. Jones gweler Dewi Jones, 'Walter Sylvanus Jones (Gwallter Llyfnwy) 1883–1932', *Trafodion Cymdeithas Hanes Sir Gaerfyrddin*, 50 (1989), 71–85. (Diolchaf i Bleddyn Huws am dynnu'r ysgrif i'm sylw.) Gŵr braidd yn anwadal ei wleidyddiaeth 'Gwallter'. Erbyn 1929 roedd yn ymgyrchu'n frwd dros ymgeisydd Llafur yn etholaeth Caernarfon. Y flwyddyn ganlynol, fodd bynnag, gwnaeth gais (aflwyddiannus) am swydd trefnydd y Blaid wedi marwolaeth H. R. Jones. Ceir peth o hanes H. R. Jones ei hun yn Gwilym R. Jones, 'H. R. Jones', yn Morgan, *Adnabod Deg*, tt. 31–44.

8 W. S. Jones at H. R. Jones, 2 Hydref 1924 (Archif Plaid Cymru, Llyfgell Genedlaethol Cymru [APC] B1).

9 Ceir cipolwg ar 'Y Tair G' a'r *milieu* a ddeilliodd ohoni yn Lewis Valentine, 'Cyfnod Bangor', yn J. T. Jones a Harri Parri (goln), *Cyfrol Deyrnged: I Gofio J.P.* (Caernarfon: Gwasg Tŷ ar y Graig, 1971), tt. 24–35.

Rhoes Owen fynegiant i'w syniadau mewn nifer o lythyrau a ddanfonodd at H. R. Jones, un a oedd, bid siŵr, yn aderyn o'r unlliw.

Gŵr a thipyn o dân yn ei fol oedd Owen. 'Y mae gennym lawer i'w ddysgu gan y Gwyddelod,' meddai mewn un llythyr, 'a phe ceid dipyn o Sinn Feinners yn [*sic*] Nghymru byddai yn well erddynt.'[10] Ysgrifennodd drachefn at H. R. Jones gan ddadlennu nid yn unig ei awydd i droi'r fyddin yn Blaid Genedlaethol, ond hefyd y nod y dymunai i'r blaid honno ei chyrchu:

> Yr wyf yn fwy cadarn nag erioed dros gael Plaid Genedlaethol Gymreig gan y credaf yn ddibetrus mai trwyddi hi, a hi yn unig y sicrha Cymru y mesur llwyraf o Ymreolaeth: hefyd gwelaf ynddi – ar ôl trwytho y trigolion â'r ysbryd Cenedlaethol – foddion rhagorol i ymladd am Annibyniaeth Lwyr.[11]

Dychwelir at arwyddocâd y cyfeiriad at 'annibyniaeth' yn y man. Ond yn y cyd-destun presennol, noder mai cyfansoddiadol ac nid diwylliannol yw'r prif nod y gesyd Owen ar gyfer y blaid. Pryder mawr Owen oedd mai mudiad ieithyddol yn hytrach na mudiad â'i fryd ar ennill hunanlywodraeth fyddai canlyniad uno â'r myfyrwyr ym Mangor.

Ond, ar ben hynny, mae'n amlwg fod Owen yn pryderu am y math o fudiad a fyddai'n deillio o ymuno â'r 'Tair G'. Mewn llythyr arall at H. R. Jones a anfonwyd ychydig ddyddiau'n unig cyn y cyfarfod ar 21 Rhagfyr 1924, pan benderfynodd y fyddin ddilyn argymhelliad ei thrysorydd yn hytrach na'i llywydd ac ailwampio'i hunan yn Blaid Genedlaethol Cymru, ceir y sylwadau dadlennol canlynol:

> Ar ôl newid yr enw yr oeddwn i yn meddwl y byddai i ni symud rhag blaen i gynnal cyfarfodydd ym mhob ardal – i gael dynion ieuainc y cymoedd i ymuno, a chael cangen y [*sic*] mhob ardal, ac yna gynrychiolydd ohonynt ar bwyllgor gweithiol pob sir – ac yn y blaen. Yn ddi-os, dyna fuasai y ffordd fwyaf gwerinol i symud ymlaen. Ac os ydym eisiau cefnogaeth y werin y mae yn rhaid gweithio i fyny ar linellau hollol werinol . . .

[10] Evan Alwyn Owen at H. R. Jones, 2 Medi 1924 (APC B1).
[11] Evan Alwyn Owen at H. R. Jones, 24 Tachwedd 1924 (APC B1).

> Wedi ymuno fel hyn â chymdeithas o'r fath ni chaiff y gwerinwr lais o gwbl: bydd y cwbl yn nwylaw rhyw ychydig bach fydd yn rhy *respectable* i wneud dim byd beiddgar. Y mae eisiau gwaed newydd, a gadael i'r gwerinwyr ieuainc ymladd a gweithio eu hunain i fyny.[12]

Er iddo gael ei ffordd ar fater y 'Tair G,' yr eironi mawr yw bod yr ymdrech i wireddu breuddwyd fawr Evan Alwyn Owen a sefydlu plaid genedlaethol go iawn wedi cadarnhau rhai o'i ofnau gwaethaf ynglŷn â'r uniad arfaethedig, oblegid esgorwyd ar fudiad a oedd, am gyfnod pur sylweddol, yn rhoi mwy o bwyslais ar iaith nag ar hunanlywodraeth, a hynny diolch yn anad dim i ddylanwad Saunders Lewis arno. Ac er na ellir ystyried unrhyw fudiad yr oedd Saunders Lewis yn llywydd arno'n 'respectable' yn ôl safonau (gwyrdroëdig) y dydd, nid oedd ychwaith yn blaid y teimlai llawer o werinwyr yn gyfforddus yn ei rhengoedd.

Gyda Lewis Valentine yn llywydd cyntaf arni, cychwynnodd y Blaid Genedlaethol ar ei gwaith.[13] Un o'r tasgau a osodwyd i H. R. Jones, a barhaodd fel ysgrifennydd, oedd cysylltu â chenedlaetholwyr amlwg eraill er mwyn sicrhau aelodaeth, a chreu strwythur gwirioneddol genedlaethol. Y cysylltiadau hyn a arweiniodd maes o law at y cyfarfod hwnnw ym Mhwllheli a gyfrifir bellach fel man geni'r blaid gyfoes.

Er nad oes modd gwybod i sicrwydd, gellir bod yn hyderus fod enw Saunders Lewis yn agos at frig unrhyw restr o ddarpar aelodau a luniwyd gan Jones a'i gydweithwyr. Daeth safbwyntiau gwleidyddol Lewis yn hysbys eisoes trwy gyfrwng cyfres o areithiau, ysgrifau a llythyrau i'r wasg, yn enwedig wedi haf 1923.[14] Trwyddynt gwelwyd Saunders Lewis yn ei sefydlu ei hun fel un o brif lefarwyr ton newydd o genedlaetholdeb Cymreig, cenedlaetholdeb milwriaethus wedi'i galedu gan brofiadau cenhedlaeth iau o ladd ac adladd y Rhyfel Mawr. Roedd datganiadau Lewis yn

[12] Evan Alwyn Owen at H. R. Jones, 15 Rhagfyr 1924 (APC B1).

[13] Mae'r ffaith fod Valentine wedi ymgymryd â'r llywyddiaeth, ynghyd â'r ffaith fod y rhan fwyaf o aelodau'r gymdeithas wedi dewis ymuno â rhengoedd y Blaid Genedlaethol newydd, yn tueddu i awgrymu mai di-sail oedd ofnau Evan Alwyn Owen ynglŷn â'r 'Tair G.' Yn wir, o ystyried pa mor ynysig ydoedd Owen yn Rhyd-ddu – rhywbeth a ddaw'n amlwg o'i ohebiaeth â H. R. Jones – tybed faint a wyddai am y gymdeithas a'i haelodau mewn gwirionedd? Yr hyn sy'n arwyddocaol, fodd bynnag, yw bod Owen wedi mynnu mai sefydlu plaid wleidyddol o'r iawn ryw, gyda chyrchu hunanlywodraeth yn nod iddi, a oedd yn bwysig, a'i fod yn gwrthwynebu unrhyw gam a allai, yn ei dyb ef, esgor ar fudiad ac iddo ffocws diwylliannol-ieithyddol yn unig.

[14] Lloyd, *John Saunders Lewis*, tt. 218–41.

arbennig o herfeiddiol ac eofn. Fel y gellid disgwyl efallai, fe'i cystwywyd o'u herwydd yn y wasg, ac yn enwedig yn y wasg Saesneg ei hiaith. Ond ymddengys yn ogystal i sylwadau Lewis – ynghyd â rhai tebyg iddynt gan eraill o blith y to newydd hwn – brofi'n ormod i'w llyncu gan ambell i genedlaetholwr Cymreig o'r hen frîd. Mewn ysgrif yn y *South Wales Daily News*, cwynodd Beriah Gwynfe Evans, cyn-ysgrifennydd Cymru Fydd, am sefyllfa lle y gwelwyd 'De Valera compared and contrasted with Lloyd George, to the latter's disadvantage'.[15] Ond, wrth gwrs, i ŵr fel H. R. Jones, nid nodwedd i waredu rhagddo oedd y fath *Sinn Féin*-iaeth. Dyma yn hytrach ddeunydd crai tan gamp ar gyfer y Blaid Genedlaethol.

Pan gysylltodd H. R. Jones â Saunders Lewis yn Chwefror 1925 i'w wahodd i ymgyfranogi yn y fenter newydd, nid yw'n gwbl eglur ai cysylltu ag ef fel unigolyn yn unig a wnâi, ynteu a gawsai achlust fod Lewis eisoes yn rhan o'r Mudiad Cymreig? Er mai mudiad cudd oedd y Mudiad Cymreig, o ystyried y we o gysylltiadau a glymai'r genhedlaeth newydd o genedlaetholwyr Cymreig wrth ei gilydd, ni fyddai'n syndod petai swyddogion y Blaid Genedlaethol wedi clywed am fodolaeth rhyw fath o drefniadaeth ymysg rhai o genedlaetholwyr y de.[16] Bid a fo am hynny, bu'r Mudiad yn cyfarfod yn achlysurol er Ionawr 1924. Cynhaliwyd y cyfarfod cyntaf yng nghartref G.J. ac Elisabeth Williams ym Mhenarth. Yn gyd-sylfaenwyr â hwy yr oedd Saunders Lewis ac Ambrose Bebb.[17] Maes o law, ymunodd eraill

[15] Dyfynnir yn Lloyd, *John Saunders Lewis*, t. 241 troed. Mae'n anodd credu nad oedd ehofnder gwŷr megis Lewis a Valentine wrth herio'r farn gonfensiynol yn adlewyrchu eu profiadau yn ffosydd Ffrainc yn ystod y Rhyfel Mawr. Beth, wedi'r cyfan, oedd gwawd cymdeithas barchus o'i gymharu â'r erchylltra a welsant ac a brofasant yno?

[16] Er na cheir unrhyw arwydd pendant o hyn yn Archif Plaid Cymru, ceir awgrym cynnil yng nghyfrol lachar D. Hywel Davies ar hanes blynyddoedd cynnar y Blaid y gallasai H. R. Jones fod wedi clywed am fodolaeth y Mudiad Cymreig trwy Mai Roberts. Gweler D. Hywel Davies, *The Welsh Nationalist Party 1925–1945: A Call to Nationhood* (Cardiff: University of Wales Press, 1983), tt. 47–8. Boed hynny'n gywir ai peidio, saif Mai Roberts fel un arall o'r merched hynny yn hanes y mudiad cenedlaethol Cymreig sy'n haeddu astudiaeth deilwng. Yn un peth, roedd Roberts yn ddolen gyswllt uniongyrchol rhwng y cyfnod olaf o ymgyrchu o blaid hunanlywodraeth i Gymru cyn y Rhyfel Byd Cyntaf – hi oedd ysgrifenyddes E. T. John – a Phlaid Cymru.

[17] Am argraffiadau o'r cyfarfod cyntaf gweler Ambrose Bebb, *Lloffion o Ddyddiaduron 1920–1926*, gol. Robin Humphreys (Caerdydd: Gwasg Prifysgol Cymru, 1996), tt. 170–2. Nid oes awgrym o arwyddocâd y cyfarfod yn y llythyr a anfonodd Saunders Lewis at Margaret Gilcriest yn cofnodi'r achlysur: 'I had to sleep on a big couch in the study, but we had a great time all together, talking till dawns and sleeping till noons.' Saunders Lewis, *Letters to Margaret Gilcriest*, goln Mair Saunders Jones, Ned Thomas a Harri Pritchard Jones (Cardiff: University of Wales Press, 1993), tt. 520–1.

â hwy, megis D. J. Williams, Fred Jones a Ben Bowen Thomas. Fel mudiad *vanguard* y bwriedid y Mudiad Cymreig, gyda'i aelodau'n darparu'r *elite* a fyddai'n rhoi cyfeiriad newydd i genedlaetholdeb Cymreig ac felly i Gymru. Beth bynnag am roi cyfeiriad i Gymru, buan y sefydlodd Saunders Lewis gyfeiriad y Blaid Genedlaethol newydd, oblegid, wrth ymateb i wahoddiad Jones, gosododd Lewis un amod hollbwysig y byddai'n rhaid i Jones ei dderbyn cyn ei fod yn fodlon ymaelodi. Mynnodd, yn syml, fod y blaid newydd yn mabwysiadu ei agenda bolisi ef.[18] Pan dderbyniwyd yr amod, cychwynnwyd ar gyfnod o bymtheng mlynedd pan lwyddodd Saunders Lewis i gadw rheolaeth ar bolisïau'r Blaid.

Ym mha ffordd yn benodol y mynnai Saunders Lewis ei ffordd ei hun? Yn un peth, roedd am sicrhau mai ei ddealltwriaeth ef o egwyddor 'Gorfodi'r Gymraeg' a dderbynnid gan y Blaid, sef y dylai pob awdurdod lleol gael eu gorfodi i weithredu trwy gyfrwng y Gymraeg yn unig, ac mai'r Gymraeg a ddylai fod yn gyfrwng addysg ym mhob un o ysgolion Cymru. Ar ben hynny, roedd am sicrhau ymrwymiad i weithredu trwy'r awdurdodau lleol a boicotio San Steffan. Yn hyn oll, lladmerydd syniadau'r Mudiad Cymreig oedd Saunders Lewis, canys dyma elfennau canolog y rhaglen y cytunwyd arni gan ei haelodau. Ac yn wir, nid yw'n eglur a oedd angen llawer o berswâd ar H. R. Jones i'w derbyn ychwaith. Er bod W. S. Jones, fel y gwelwyd, yn ffafrio sicrhau statws cydradd i'r Gymraeg ochr yn ochr â'r Saesneg, mae'n bosibl y gallasai hawlio Cymru uniaith fod yn fwy at ddant H. R. Jones, a oedd, bid siŵr, o anian mwy 'eithafol' nag ef. A go brin y byddai 'Sinn Feinner' fel H. R. Jones wedi gwgu gormod yn wyneb ymrwymiad i fabwysiadu tacteg y boicot.

Os felly, ai teg yw personoli'r hyn a ddigwyddodd trwy haeru mai Saunders Lewis a gipiodd yr agenda? Onid yw'n fwy cywir, yn hytrach, i ddweud mai deallusion y Mudiad Cymreig a ddaeth i ddominyddu agenda bolisi'r Blaid Genedlaethol newydd? Mae o leiaf ddau reswm dros gredu bod y personoli'n gywir. Yn gyntaf, nid oes fawr o amheuaeth mai Lewis oedd arweinydd y Mudiad Cymreig. Heb os – a chan osod Ben Bowen Thomas o'r neilltu fel rhyw fath o 'achos arbennig' – Saunders Lewis oedd y mwyaf 'gwleidyddol' ohonynt. O'r herwydd, go brin fod rhywun yn

18 Saunders Lewis at H. R. Jones, 1 Mawrth 1925 (APC B2).

gwneud gormod o gam wrth awgrymu mai Saunders Lewis oedd y prif ddylanwad wrth lunio rhaglen y Mudiad (cymaint ohoni ag a fodolai).

Ond yn bwysicach fyth, gellir dangos bod syniadau cyfansoddiadol Saunders Lewis yn wahanol i eiddo rhai, o leiaf, o blith aelodau'r Mudiad Cymreig, ac yn bendant yn tynnu'n groes i'r hyn y deisyfai sylfaenwyr y Blaid Genedlaethol eu gosod yn nod i'r blaid newydd. Serch hynny, syniadau Saunders Lewis a orseddwyd fel polisi – ac yn ddiweddarach, dogma – ar gyfer y Blaid. Yng nghyd-destun ei pholisi cyfansoddiadol yn anad dim arall, efallai, y gellir mesur hyd a lled tra-arglwyddiaeth Saunders Lewis dros y blaid newydd yn ei blynyddoedd cyntaf – ac wedi hynny yn ogystal.

Creu plaid a fyddai'n cyrchu hunanlywodraeth i Gymru, a hwnnw'n arwain, ymhen y rhawg, at 'Annibyniaeth Lwyr', oedd bwriad Evan Alwyn Owen wrth argymell sefydlu Plaid Genedlaethol Cymru. Roedd H. R. Jones yn gwbl gytûn â'r farn hon. Ymddengys yn ogystal fod un, o leiaf, ymhlith sylfaenwyr y Mudiad Cymreig yn gosod pris go uchel ar annibyniaeth. Yn y cofnod yn ei ddyddiadur ar gyfer y cyfarfod sefydlu ym Mhenarth, nododd Bebb, 'ddechrau'r Blaid Genedlaethol Gymreig ac annibyniaeth Cymru'.[19] Chwe diwrnod wedi'r cyfarfod ysgrifennodd Bebb at D. J. Williams i'w hysbysu am fodolaeth y mudiad ac i'w wahodd i ymaelodi. Yn ôl ei gennad, 'Gweithio am annibyniaeth yr ym, a hynny trwy bob moddion a dâl.'[20]

Fodd bynnag, fel yr awgrymai llythyr o'i eiddo a gyhoeddwyd yn y *Western Mail* ym mis Awst 1923, nid oedd Saunders Lewis yn rhannu'r un farn â Bebb, H. R. Jones ac Evan Alwyn Owen. Yn y llythyr hwnnw, ar ôl dadlau bod yn rhaid cynnal traddodiadau a gwareiddiad Cymreig trwy gynnal breichiau'r Gymraeg, ac amddiffyn tiriogaeth Cymru, ceir datganiad o'i syniadau cyfansoddiadol. Gan fod y datganiad yn bwrw goleuni hynod ddiddorol ar ei safbwyntiau diweddarach, ac yn arbennig ar yr hyn a geir ganddo yn *Egwyddorion Cenedlaetholdeb*, mae'n werth ei nodi'n llawn:

[19] Bebb, *Lloffion o Ddyddiaduron 1920–1926*, tt. 171–2.

[20] Dyfynnir yn Robin Chapman, *W. Ambrose Bebb* (Caerdydd: Gwasg Prifysgol Cymru, 1997), t. 63.

> Now, if these safeguards of civilisation be impossible without some form of self-government, we must have it, or we must try to win it. But whatever form will provide these safeguards satisfies me, even a 'glorified county council'. What is any government but a glorified county council? And I add that if these safeguards can be assured without any radical change in the relation of Wales and England, then I for my part will be content. I agree that we cannot go back to 1282. But we can in some matters go back to pre-Tudor conditions.[21]

Nid oedd Saunders Lewis yn dyheu am weld Cymru'n genedl annibynnol, hynny am na welai unrhyw werth mewn annibyniaeth fel cyflwr cyfansoddiadol yn ei hawl ei hun. Yn wir, ymddengys yn ddilornus o gyfundrefnau cyfansoddiadol o unrhyw fath. Onid fersiwn ar gyngor sir yw pob llywodraeth, yw ei gwestiwn rhethregol. Gwareiddiad nid cyfundrefnau llywodraethol sy'n cyfrif iddo. Yn 1923, mynegiant o safbwynt un dyn oedd sylwadau Saunders Lewis. Ond yn 1925 gwelwyd y farn hon yn cael ei throsglwyddo'n safbwynt plaid wleidyddol.

Ceir llythyr yn awgrymu sut y digwyddodd hyn yn Archif Plaid Cymru. Llythyr ydyw a anfonwyd gan Saunders Lewis at H. R. Jones ddechrau Ebrill 1925 yn ymateb i ddrafft o bamffled arfaethedig ar gyfer y Blaid a oedd yn nodi 'mynnu hunan-lywodraeth i Gymru' ymysg ei hamcanion.[22] Cwynai Lewis fod y gosodiad hwn yn rhy niwlog. Yn wir, aeth mor bell â bygwth y byddai'n datgysylltu ei hunan o'r holl fenter cyn ei chychwyn, pe na bai'n cael ei ffordd ei hunan: 'O'm rhan i, yn bendant, ni allwn ymaelodi mewn mudiad sy'n dechrau mor ddi-syniad ac amhendant.' Dichon mai'r bygythiad hwn sy'n egluro pam na cheir unrhyw gyfeiriad at hunanlywodraeth yn y rhestr gyntaf o amcanion a gyhoeddwyd gan y Blaid Genedlaethol yn dilyn cyfarfod Pwllheli, rhestr sy'n tystio'n huawdl i lwyddiant ymdrech Saunders Lewis i gipio'r agenda syniadaethol:

> Amcan: Cael Cymru Gymreig. Y mae hynny'n cynnwys:– (a) Sicrhau'r diwylliant Cymreig yng Nghymru. (b) Sicrhau'r Gymraeg yn unig iaith swyddogol Cymru, ac felly yn iaith orfod yn holl drafodaethau yr awdurdodau lleol, ac yn iaith orfod ar bob swydd a gwas dan bob awdurdod lleol yng Nghymru. (c) Sicrhau'r Gymraeg fel cyfrwng addysg Cymru o'r Ysgol elfennol hyd at y Brifysgol.[23]

21 *Western Mail*, 17 Awst 1923. Dyfynnir yn Lloyd, *John Saunders Lewis*, t. 224.
22 Saunders Lewis at H. R. Jones, 1 Ebrill 1925 (APC B2).
23 *Y Ddraig Goch*, Gorffennaf 1926, 2.

Druan o Evan Alwyn Owen. Wrth droi'r Blaid Genedlaethol yn fudiad cenedlaethol, drylliwyd ei obeithion o roi cychwyn ar fudiad a fyddai'n rhoi blaenoriaeth i faterion cyfansoddiadol-wleidyddol yn hytrach na materion ieithyddol-ddiwylliannol. Dim ond yn Ysgol Haf 1926 y cyflwynodd Saunders Lewis ei fersiwn cymeradwy ei hun o ystyr hunanlywodraeth. Fel y gwelwn, fodd bynnag, go brin fod y syniadau a gyflwynodd yr adeg honno yn llai niwlog na'r gosodiad a wrthwynebodd mor chwyrn flwyddyn ynghynt. A dim ond yn 1931 yr ymgorfforwyd hunanlywodraeth yn rhestr amcanion swyddogol y Blaid.

Egwyddorion Cenedlaetholdeb

Egwyddorion Cenedlaetholdeb oedd y ddarlith gyntaf i'w thraddodi yn Ysgol Haf gyntaf y Blaid Genedlaethol a gynhaliwyd ym Machynlleth yn Awst 1926: ymddangosodd yn ddiweddarach fel ei chyhoeddiad cyntaf. Mae'n ddogfen gwbl greiddiol yn hanes y Blaid a chenedlaetholdeb Cymreig modern. Trwyddi gosododd Saunders Lewis farc ar ei blaid sydd wedi parhau hyd at heddiw mewn ambell ffordd hollbwysig (fel y dengys y cyfrolau hyn). O ran ei gweledigaeth a'i harddull, mae'r ddarlith yn gwbl nodweddiadol o feddwl gwleidyddol Saunders Lewis. Nid oes ddadl nad yw'n waith athrylithgar ar sawl ystyr. Hyd yn oed a bwrw bod areithiau gwleidyddol y cyfnod yn tueddu i ddarparu mwy o saig i'w gwrandawyr na bwyd llwy ein hoes ni, mae'n rhaid cydnabod pa mor eithriadol o uchelgeisiol oedd *Egwyddorion Cenedlaetholdeb*. Gwareiddiad Ewrop trwy'r oesoedd, a lle Cymru oddi mewn iddi, ddoe, heddiw ac yfory, yw ei thestun. Trwy'r cyfan mae'r gyfeiriadaeth yn gyfoethog odiaeth, a'r deallusrwydd yn ddiedifar. Mae'n gampwaith. Mae hefyd yn gampwaith ffaeledig. Mae'r ddarlith yn llawn o osodiadau cwbl ysgubol – llawer iawn ohonynt yn anghynaladwy. Mae'r dehongliadau hanesyddol a geir ynddi yn rhai echreiddig, a dweud y lleiaf. Ac er gwaethaf holl bwyslais Saunders Lewis ar yr angen i fod yn bendant ynglŷn â hanfodion, mae'r athroniaeth wleidyddol a ymgorfforir yn *Egwyddorion Cenedlaetholdeb* yn amwys ac yn ddryslyd, a hynny yn rhannol, mae'n debyg, oherwydd fod Saunders Lewis yn gweld ei hun yn codi uwchlaw materion mor fas (ond hanfodol) â gwleidyddiaeth cyfansoddiadau a pholisïau cymdeithasol. Wrth ddarllen y ddarlith, am yn ail ag edmygu athrylith y darlithydd, daw dyn i synnu ac i ryfeddu sut y gallai datganiad o'r fath gael ei ystyried gan unrhyw un fel sail addas ar gyfer troi cenedlaetholdeb Cymreig gwleidyddol yn rym yng Nghymru'r ugeinfed ganrif, oblegid roedd y safbwyntiau a gaed ynddi yn troi talcen caled yn glogwyn enfawr.

Cipolwg bras ar hanes Cymru a geir yn rhan gyntaf y ddarlith. Hawlir bod Cymru wedi etifeddu gwareiddiad Lladin Ewrop oherwydd ei rhan yn Ymerodraeth Rufain, ac iddi geisio adeiladu ei bywyd ar sail y traddodiad hwnnw hyd yn oed wedi chwalu'r ymerodraeth honno. Ac yn wir, er bod Cymru wedi'i darostwng a'i choncro gan Loegr erbyn diwedd y drydedd ganrif ar ddeg, ym marn Saunders Lewis 'ni wnaeth hynny ddrwg mawr iddi', oherwydd er colli 'pob rhith annibyniaeth', cadwodd Cymru ei rhyddid i ddatblygu ei gwareiddiad yn ei modd ei hun.[24] Gellir egluro'r paradocs ymddangosiadol hwn trwy graffu ar y cysyniad o awdurdod a fodolai yn Ewrop yr Oesoedd Canol. Bryd hynny, roedd Ewrop yn unedig: 'Yr eglwys Gristnogol oedd pennaeth Ewrop, a deddf yr eglwys oedd yr unig ddeddf derfynol.' Ond oddi mewn i'r fframwaith unedig hwn, cydnabyddid sawl haen arall o awdurdod, a chaniateid y mesur helaethaf o wahaniaeth a lluosogrwydd. Nid ystyrid gwahaniaethau ieithyddol, diwylliannol, cyfreithiol a gwleidyddol fel bygythiad i undod sylfaenol y gwareiddiad Cristnogol Ewropeaidd, 'oblegid mai moesol oedd yr unoliaeth honno, yn seiliedig ar ddeddf foesol a chredo gyffredin.' Oherwydd hyn, er ei choncro, 'yr oedd y gwareiddiad Cymreig yn ddiogel, a'r iaith Gymraeg a'r dulliau neilltuol Cymreig mewn cymdeithas a bywyd'.

Ond gan mai '[P]eth eiddil ac ansicr yw deall dyn', daeth oes y llaeth a'r mêl i ben. 'Yn yr unfed ganrif ar bymtheg, oes Luther yn yr Almaen, Machiavelli yn yr Eidal, a'r Tuduriaid ym Mhrydain, fe ddinistriwyd unoliaeth foesol gwledydd cred, ac yn lle Cristnogaeth daeth egwyddor arall i deyrnasu, sef cenedlaetholdeb.' O ganlyniad i dwf cenedlaetholdeb, yn lle bod 'un awdurdod yn Ewrop, cododd degau,' pob un yn ceisio cael rheolaeth absoliwt oddi mewn i ddarn penodol o diriogaeth. Mewn cyd-destun o'r

24 Saunders Lewis, *Egwyddorion Cenedlaetholdeb* (Machynlleth: Plaid Genedlaethol Cymru, Pamffledi'r Ysgol Haf, Rhif 1, dim dyddiad [ond 1926]).

fath, daethpwyd i ystyried pob arwydd o wahaniaeth fel bygythiad i undod y diriogaeth. 'Rhaid bod unffurfiaeth dan unbennaeth, un ddeddf, un iaith, undonedd.' Cenedlaetholdeb felly, neu'n benodol, y cenedlaetholdeb materol a phaganaidd a ddatblygodd ers yr unfed ganrif ar bymtheg, a arweiniodd at wanychu a thanseilio gwareiddiad Cymru.

Ar sail ei ddadansoddiad, dadleuodd Saunders Lewis fod yn rhaid i genedlaetholwyr Cymreig wrthwynebu'r cenedlaetholdeb modern a dinistriol hwn â math amgen ar genedlaetholdeb: cenedlaetholdeb sydd yn 'mynd yn ôl at egwyddor yr Oesoedd Canol.' Priod nod y Blaid, felly, oedd, 'Nid brwydro dros annibyniaeth Cymru ond dros wareiddiad Cymru. Hawlio rhyddid i Gymru, nid annibyniaeth iddi.' Yn hytrach nag annibyniaeth – cyflwr 'nad yw'n werth ei chael' – deisyfai Saunders Lewis weld Cymru'n ennill 'ymreolaeth'. Nid oedd manylion cyfansoddiadol cyflwr o'r fath yn poeni dim arno. Yn wir, pe medrid sicrhau mesur helaeth o ddatganoli (fel y'i gelwir bellach) oddi mewn i'r gyfundrefn Brydeinig, 'gall Cymru hithau foddloni [*sic*] ar gydnabod unbennaeth Lloegr. Nid dyna'r drwg mwyaf. Cofiwn fel y bu rhwng y drydedd ganrif ar ddeg a'r unfed ganrif ar bymtheg. Gallwn ninnau heddiw godi gwareiddiad Cymreig heb annibyniaeth.' Y maen prawf ar gyfer unrhyw gyfundrefn wleidyddol, felly, oedd nid egwyddorion cyfansoddiadol 'haniaethol', ond gallu Cymru i dorri ei chwys ei hun. Pe meddai Cymru'r hawl honno, byddai Saunders Lewis yn gwbl fodlon.

Ond er iddo ymwadu ag annibyniaeth fel nod ddilys, ac er y pwyslais a rydd ar natur amodol gofynion cenedlaetholdeb Cymreig, mae'n bwysig nodi bod y raddfa o ymreolaeth a ddeisyfa Lewis ar gyfer cyfundrefn lywodraethol Gymreig amgen yn eang ac yn bellgyrhaeddol tu hwnt. Mynna fod yn rhaid 'Gwneud y Gymraeg yn unig gyfrwng addysg o'r ysgol elfennol hyd at y Brifysgol.' Yn wir,

> Rhaid i'r iaith honno fod yn unig iaith swyddogol Cymru, yn iaith y llywodraeth yng Nghymru, yn iaith pob cyngor sir a thref a dosbarth. Rhaid i bob cyfrwng cyhoeddus sy'n lledaenu gwybodaeth, yn dysgu neu ddiddori'r wlad . . . fod hwnnw hefyd yn Gymraeg, a'i defnyddio er mwyn cadarnhau a dyrchafu'r drychfeddwl Cymreig.

Yn ogystal, fel un o 'amodau' ymreolaeth, mynna fod Lloegr yn cydnabod hawl Cymru yn Seiat y Cenhedloedd (sef enw yr ystyriai'n fwy Cymreig na *Chynghrair* y Cenhedloedd ar gyfer y corff a adwaenid yn Saesneg fel y *League of Nations*) fel y 'gall Cymru a'r drychfeddwl Cymreig ddylanwadu ar Ewrop a'r byd'.

Mae'n ddadlennol, na chyfeiria'r ddarlith at unrhyw genedl na gwladwriaeth arall fel enghraifft o'r cyflwr y deisyfa Saunders Lewis ar gyfer Cymru. Hyn oherwydd nad oedd y fath le yn bodoli, naill ai'r adeg honno, na heddiw, nac erioed o'r blaen. Nid oedd (ac nid oes) gan gyfraith ryngwladol mo'r eirfa gysyniadol i ddisgrifio'r cyflwr y dyheai amdano. Ond i Lewis dyma'r holl bwynt, fel petai, oblegid gwelai genedlaetholdeb Cymreig fel rhan o ymdrech ehangach i chwyldroi holl natur bywyd gwleidyddol, economaidd a chymdeithasol Cymru, Ewrop a'r byd.[25] Byddai, fe fyddai'r bywyd hwn yn ymgorffori rhai o'r *egwyddorion* yr haera Lewis eu bod yn nodweddu'r Oesoedd Canol, ond camarweiniol yw'r ddadl honno a glywir yn fynych gan rai o feirniaid mwy amrwd Saunders Lewis i'r perwyl ei fod am weld Cymru ac Ewrop yn mynd yn ôl i gyflwr yr Oesoedd Canol; cyflwr o 'wareiddiad sefydlog' chwedl Lewis yn ei werthfawrogiad o Dafydd Nanmor.[26] Yr oedd, yn ddi-os, yn euog o ramantu'r cyfnod hwnnw.[27] Ond gwyddai, serch hynny, nad oedd modd troi'r cloc yn ôl. Ac yn wir, fel y dengys ei ddefnydd hynod flaengar o ddamcaniaethau diweddaraf Freud ar y *psyche* dynol yn ei waith beirniadol tua'r un adeg â thraddodi *Egwyddorion Cenedlaetholdeb*, roedd Saunders Lewis ymhell o fod yn ddall i bosibiliadau datblygiadau cyfoes.[28] Yn hytrach na throi'r cloc yn ei ôl, ceisiai ffordd newydd o fyw

[25] Dyma hefyd ergyd Grahame Davies, *Sefyll yn y Bwlch: R. S. Thomas, Saunders Lewis, T. S. Eliot, a Simone Weil* (Caerdydd: Gwasg Prifysgol Cymru, 1999).

[26] Saunders Lewis, 'Dafydd Nanmor', *Y Llenor*, Hydref 1925, 141. Wrth gyfeirio at Dafydd Nanmor, sonia Lewis at ei 'gariad angerddol at wareiddiad sefydlog', ymadrodd sydd hefyd yn crisialu byd-olwg Saunders Lewis ei hun i'r dim.

[27] Tanlinellir y tueddiad hwn mewn enghraifft glasurol, ac anfwriadol ddoniol, o ormodiaith a geir yn y bennod ar 'Y ganrif fawr', sef y cyfnod o 1435 i'r Deddfau Uno, yn ei *Braslun o Hanes Llenyddiaeth Gymraeg. Y Gyfrol Gyntaf: Hyd at 1535* (Caerdydd: Gwasg Prifysgol Cymru, 1932). Ar ôl ein sicrhau bod 'rhan helaeth iawn' o boblogaeth Cymru ar y pryd yn 'fân gyfalafwyr annibynnol a rhydd', ac felly'n uchelwyr (t. 116), honna Saunders Lewis fod beirdd y cyfnod – a thrwy estyniad yr uchelwyr (hynny yw, 'rhan helaeth iawn' poblogaeth Cymru') – yn gyfarwydd ag 'amheuthion bwyd a llyn', megis 'gwinoedd Rhôn a Rhein' ac ati (t. 119). Tybed?

[28] Saunders Lewis, *Williams Pantycelyn* (Llundain: Foyle's Welsh Depot, 1927).

yn yr oes fodern, ffordd a fyddai'n adfer iddi elfennau mwyaf gwerthfawr y traddodiad 'clasurol', fel y'i geilw.[29]

Nid adweithiwr mo Saunders Lewis, felly, ond creadur mwy cymhleth, paradocsaidd, ac, ie, diddorol na hynny. 'Modernydd gwrth-fodern' yw'r disgrifiad gorau, efallai, oherwydd tra coleddai lawer o'r hyn a oedd yn fwyaf beiddgar ac anturus am yr oes fodern, megis Freud a Joyce, roedd hefyd yn ffieiddio at lawer agwedd ohoni, a'i chael yn brin o'i chymharu â'i fersiwn (delfrydol) ei hun o egwyddorion, teithi ac anian oes gynharach. Ar y pryd, nid oedd safbwynt o'r fath mor anarferol â hynny. Câi ei goleddu gan amryw o lenorion, beirdd ac artistiaid. Gellir enwi Yeats, Eliot, Pound, Weil (erbyn diwedd ei hoes fer o leiaf), a hyd yn oed Graham Greene, fel enghreifftiau o feddylfryd o'r fath ar adain dde'r sbectrwm gwleidyddol. Ac yn wir, er nad oeddynt hwy, bid siŵr, yn rhamantu'r Oesoedd Canol, ni fuasem yn gwneud cam â chewri adain chwith, megis Adorno, Benjamin a Bloch, wrth eu gweld hwythau fel 'modernwyr gwrth-fodern' ychwaith.

Yr hyn a oedd yn anarferol ac efallai'n unigryw am sefyllfa Lewis, fodd bynnag, oedd y ffaith iddo geisio troi syniadau o'r fath yn rhaglen i blaid wleidyddol, ac yn yr ymdrech hwn, cododd problemau dybryd, oherwydd tra gallai'r dadansoddiad hanesyddol a chymdeithasol a goleddai danio celfyddyd amheuthun – ac ni raid ond cyfrif gwaith celfyddydol Lewis ei hun yn hyn o beth – sail dila ydoedd ar gyfer adeiladu rhaglen wleidyddol apelgar ac ymarferol. Ac yn bendifaddau roedd elfennau o fyd-olwg Lewis yn rhwym o wneud pethau'n anos fyth i'r achos cenedlaethol o fewn cyd-destun penodol Cymreig. Gwelir hyn yn eglur wrth graffu'n fanylach ar ddwy elfen gysylltiedig a chreiddiol bwysig yn syniadaeth Lewis, sef ei hanesyddiaeth a'i agwedd at anghydffurfiaeth.

Hanesyddiaeth

Er mai braslun ar hanes a ddarperid yn *Egwyddorion Cenedlaetholdeb*, roedd Saunders Lewis yn ddi-os yn ystyried bod y dehongliad a gynigia o hanes Cymru a dirywiad ei gwareiddiad yn un ffeithiol gywir. Hynny yw, fel hanes confensiynol y'i bwriedid: naratif yn cysylltu nifer o ddigwyddiadau ffeithiol mewn modd a wnâi synnwyr o gydberthynas, ac arwyddocâd, y digwyddiadau hynny.

[29] Gweler, yn y cyd-destun hwn, y datganiad digamsyniol a geir yn niweddglo Lewis, *Williams Pantycelyn*, tt. 236–7.

Ond hawdd fyddai pentyrru enghreifftiau, rhai Cymreig a rhai o gyfandir Ewrop, i ddangos bod seiliau ffeithiol darlun Lewis o'r gorffennol yn bur simsan. Yn sicr, anodd iawn (a dweud y lleiaf) yw cynnal ei haeriad i'r perwyl fod Cymru (ac Ewrop) wedi mwynhau cyfnod o ryddid rhwng cyfnod y goncwest a'r unfed ganrif ar bymtheg.

Caredicach yw ystyried dadleuon Saunders Lewis yn nhermau hanes syniadol – neu hanes cysyniadol hyd yn oed. Yn y cyd-destun hwn, mae ei ddehongliad o'r newid a fu rhwng yr Oesoedd Canol a'r cyfnod modern ynglŷn â mater awdurdod – neu 'sofraniaeth' i ddefnyddio term sy'n fwy cyfarwydd i efrydwyr gwleidyddiaeth – yn fwy synhwyrol o lawer. Hyd nes i Gytundeb Westphalia ddileu unrhyw gysyniad o awdurdod goruwchwladwr-iaethol (am y tro) yn 1648, nid oedd cyfraith a chonfensiwn rhyngwladol yn cydnabod sofraniaeth absoliwt gwladweinwyr Ewrop oddi mewn i'w tiriogaeth eu hunain. Ni ellir gwadu, felly, na welwyd newid pwysig yn y ddealltwriaeth ffurfiol o sofraniaeth ar ddiwedd yr Oesoedd Canol.

Dadl Saunders Lewis, wrth gwrs, oedd mai cam gwag oedd y newid. O'r herwydd, roedd am sicrhau bod y Blaid yn brwydro tros lais i Gymru oddi mewn i Ewrop a byd lle'r oedd cyd-ddibyniaeth yn hytrach nag annibyniaeth yn egwyddor lywodraethol mewn gwleidyddiaeth ryngwladol, a'r gyd-ddibyniaeth honno yn seiliedig ar barchu gwahaniaeth yn hytrach na'i ddileu. Mae'n athrawiaeth ddeniadol. Yn wir, o safbwynt y dwthwn hwn, gall syniadau Saunders Lewis ynglŷn ag unoliaeth trwy luosogrwydd ymddangos yn oleuedig, yn flaengar ac yn syfrdanol o gyfoes. Ond tybed?

Un o'r problemau sylfaenol ynglŷn â'i ddadansoddiad yw tuedd Saunders Lewis i gyfystyru a chymysgu hanes syniadau â hanes go iawn. Oherwydd hyn, gwahaniaethai yn llawer rhy haearnaidd rhwng yr Oesoedd Canol a'r cyfnod modern ar fater sofraniaeth neu awdurdod. Y gwir (ffeithiol) amdani yw mai mewn enw yn unig y perchid awdurdod goruwchlywodraethol ymhell cyn i'r awdurdod hwnnw gael ei ddileu'n ffurfiol yn Westphalia – os yn wir y perchid ef erioed yn y modd yr honna Saunders Lewis. Yn ogystal, parhaodd cyd-ddibyniaeth yn ffaith ymarferol yn oes y wladwriaeth sofran; yn wir, yn ôl pob mesur, fe ddwysaodd. Gyda threigl amser, ac yn herciog ddigon bid siŵr, cafodd y cyd-ddibyniaeth hwn ei ffurfioli gyda thwf corpws mwyfwy sylweddol o gyfraith ryngwladol. Hynny yw, ni phrofodd y cyflwr cyfansoddiadol a adwaenir fel 'annibyniaeth' yn rhwystr i gyd-ddibyniaeth a chydweithredu, ac nid oedd cydnabod awdurdod goruwchlywodraethol ynddo'i hun yn ddigon i sicrhau goddef-garwch. Gan hynny, o bersbectif hanesyddol, castell wedi'i adeiladu ar dywod yw'r gwahaniaeth mawr a dynnwyd rhwng 'rhyddid' ac 'annibyniaeth'. Wrth wahaniaethu rhwng y ddau, a chondemnio'r ail mewn termau mor hallt, creodd Saunders Lewis broblem ymar-ferol sylweddol i'w blaid. Wrth reswm, byddai dadlau o blaid 'annibyniaeth' yn dasg anodd o ystyried hanes Cymru, ond o leiaf byddai'n golygu dadlau tros gyflwr a oedd yn gyfarwydd ac yn ystyrlon mewn termau cyfraith ryngwladol ac arfer cyfansoddiadol. Ond wrth dderbyn haeriad Saunders Lewis fod gwahaniaeth moesol o bwys rhwng annibyniaeth a rhyddid, mater o raid wedyn oedd ceisio canfod beth yn union a olygai 'rhyddid' mewn termau gwleidyddol-gyfansoddiadol diriaethol? Fel y gwelir yng ngweddill yr astudiaeth hon, go brin mai gormodiaith yw dweud bod pob datblygiad a welwyd ym mholisi cyfansoddiadol Plaid Cymru hyd at heddiw yn ymdrech i gysoni syniadau Saunders Lewis ynglŷn â sofraniaeth, a ddatgelwyd yn *Egwyddorion Cenedlaetholdeb*, â realiti.

Ond os draenen arbennig o styfnig a adawyd yn ystlys y Blaid gan ddylanwad hanesyddiaeth ffansïol Saunders Lewis ar ei pholisi cyfansoddiadol, daeth effeithiau elfen arall o'i hanesyddiaeth yn agos at ei thagu'n gyfan gwbl. Digwyddodd hynny oblegid fod dadansoddiad Lewis o hanes Cymru, a amlinellwyd yn *Egwyddorion Cenedlaetholdeb*, ac yr ehangwyd arno mewn nifer o weithiau eraill a gyfansoddodd tua'r un cyfnod, yn herio'r farn gonfensiynol mewn modd mor bellgyrhaeddol a phryfoclyd nes cael ei ystyried yn sarhad gan lawer iawn o'r Cymry hynny yr anelai Lewis eu dwyn i'r gorlan genedlaetholgar. Er mwyn iawn ddeall maint yr anesmwythyd – a gwaeth – a grëwyd gan fersiwn Saunders Lewis o hanes Cymru rhaid yn gyntaf fwrw golwg ar y fersiwn dominyddol o hanes Cymru a fodolai ar y pryd, sef yn absenoldeb enw mwy addas, yr 'hanesyddiaeth Cymru Fydd-aidd' a ddatblygodd tua throad yr ugeinfed ganrif dan ddylanwad O. M. Edwards.

Wrth drafod dylanwad hanesyddiaeth O. M. Edwards dad-leuodd Alun Llywelyn-Williams y dylid

> cyfrif fod y dehongliad a ganfu o'r gorffennol Cymreig, ac a gynigiodd i'w gydwladwyr, mor chwyldroadol ei gynnwys a'i effeithiau yng Nghymru ag y bu syniad Marx yn y byd yn gyffredinol. Iddo ef yr ydym yn ddyledus am lawer, onid am y rhan fwyaf, o'r mythau a fu'n cynnal Cymru, neu o leiaf y gymdeithas Gymraeg yng Nghymru, am hanner canrif a mwy.[30]

Nid un i ymollwng i ormodiaith oedd Llywelyn-Williams ac mae'r ffaith fod sylwebydd mor braff yn sôn am ddylanwad Edwards yn y fath fodd yn tanlinellu pwysigrwydd Edwards wrth lunio a lliwio'r ffordd y deallai'r Cymry eu hanes a'u lle yn y byd.

Llwyddodd Edwards i ailwampio dealltwriaethau cynharach o hanes Cymru, gan eu hidlo o rai o'r elfennau mwy amlwg-broblematig a nodweddai hanesyddiaeth Gymreig cyn 'proffesiynoli' yr astudiaeth o'r pwnc yn y prifysgolion, ychwanegu elfennau eraill at y gynhysgaeth, a chreu un naratif cysylltiedig a gwmpasai hanes Cymru o'r gorffennol pell hyd y presennol. Mae'r pwynt olaf hwn yn arbennig o bwysig oherwydd, fel y dywed R. T. Jenkins, tuedd hanesyddiaeth Gymreig cyn dyddiau Edwards oedd ymrannu'n ddwy garfan. Ar y naill law, ceid y rheini a oedd â golwg ar hanes yr 'hen Gymru' yn unig – Oes y Cywyddau, Oes y Tywysogion, Oes y Seintiau. Ar y llaw arall, ceid ysgol a dueddai fod yn ddibris o unrhyw beth yn hanes Cymru cyn dyfodiad Protestaniaeth ac anghydffurfiaeth, hyd yn oed. Camp fawr O. M. Edwards oedd cyfuno'r ddau draddodiad.[31] Gwnaeth hynny trwy gyfrwng 'Y Werin'.[32]

[30] Alun Llywelyn-Williams, 'Owen M. Edwards: hanesydd a llenor', yn *Nes Na'r Hanesydd: Ysgrifau Llenyddol* (Dinbych: Gwasg Gee, 1968), t. 13. Gweler, yn ogystal, Hazel Walford Davies, *O. M. Edwards* (Cardiff: University of Wales Press, 1988); J. E. Caerwyn Williams, 'Cenedlaetholdeb haneswyr Cymru gynnar Rhydychen', yn Geraint H. Jenkins (gol.), *Cof Cenedl, XIII* (Llandysul: Gomer, 1998), tt. 1–32.

[31] R. T. Jenkins, 'Owen M. Edwards', *Y Llenor*, IX (Gwanwyn 1930), 17. Yr un oedd ergyd Puleston Jones pan ddywedodd mai camp fawr Edwards oedd 'cadw'r hen a'r newydd ym mywyd Cymru yn un' – John Puleston Jones, *Ysgrifau*, gol. R. W. Jones (Bala: Gwasg y Bala, 1926), t. 53. Mae'n bosibl fod Jenkins yn gwneud cam â hanesyddiaeth flaenorol wrth ei darlunio mewn termau mor ddu a gwyn. Dyma'r dystiolaeth a geir yn Dafydd Glyn Jones, 'Saith math o hanes', yn Geraint H. Jenkins (gol.), *Cof Cenedl, XIV* (Llandysul: Gomer, 1999), tt. 69–103. Serch hynny, credaf fod trafodaeth Jenkins o Edwards yn parhau'n werthfawr.

[32] Ceir y trafodaethau clasurol ar y werin yn Alun Llywelyn-Williams, *Y Nos, y Niwl, a'r Ynys: Agweddau ar y Profiad Rhamantaidd yng Nghymru, 1890–1914* (Caerdydd: Gwasg Prifysgol Cymru, 1960), a Prys Morgan, 'Gwerin Cymru, y ffaith a'r ddelfryd', *Transactions of the Honourable Society of Cymmrodorion*, 1967 (Part 1), 117–31.

Trwy sbectol 'Y Werin' y deallai O. M. Edwards arwyddocâd digwyddiadau yn hanes Cymru. Roedd y werin hon yn ddigymar. Soniai, fel pe bai ar berlewygu, am 'ei ffyddlondeb a'i gonestrwydd, am ei hawydd i wneud yr hyn sy'n iawn, am ei chariad at feddwl, am gywirdeb ei barn, am dynerwch ei theimlad a chadernid ei phenderfyniad'.[33] Gwelai hanes y wlad fel prawf digamsyniol o wydnwch ac urddas ei gwerin-bobl, a hynny yn wyneb pob gormes ac anhawster. Ac er i O. M. Edwards, yn ôl a ddywed R. T. Jenkins, herio'r rhagfarnau anghydffurfiol ynglŷn â'r oes 'dywyll' cyn dyfod Protestaniaeth, nid oes modd osgoi'r ffaith mai'r cyfnod diweddar a glodforai Edwards yntau. Yn wir, cymaint oedd ei awydd i ddyrchafu 'Cymru'r Werin' nes mentro rhoi mynegiant i ambell ddyfarniad sy'n ddoniol o gibddall. 'Ni fu gogoniant Cymru'r tywysogion,' meddai unwaith, 'yn debyg i ogoniant Cymru'r Werin. Ni fu yn y deffroad cyntaf fardd fel Ceiriog, ac ni welodd y Cyfnod Aur un mwy nag Islwyn.'[34] Yng nghlorian y presennol y pwyswyd a mesur maintioli ffigyrau oes a fu, a thueddwyd i gael y mwyaf ohonynt yn brin o'u cymharu â mawrion y Werin Ryddfrydol ac anghydffurfiol gyfoes. Os cyfuno'r ddau draddodiad oedd camp fawr O. M. Edwards, daliai, serch hynny, i goleddu byd-olwg, rhagdybiaethau ac, ie, rhagfarnau'r hanesyddiaeth anghydffurfiol.[35]

Wrth gyfosod syniadau hanesyddiaethol Saunders Lewis yn erbyn y cefndir hwn gwerthfawrogir pa mor ddieithr, heriol a herfeiddiol oeddynt. Yn *Egwyddorion Cenedlaetholdeb* a chyfres o lyfrau ac ysgrifau eraill a gynhyrchodd mewn cyfnod syfrdanol o ffrwythlon rhwng canol y 1920au a'r 1930au, troes ddealltwriaeth O. M. Edwards a'i gynghreiriaid o hanes Cymru ar ei phen. Fel Edwards, roedd diddordeb Lewis yn cwmpasu holl rawd hanes Cymru, ond tra oedd y cyntaf yn dyrchafu'r presennol, ystyriai'r

33 O. M. Edwards, 'Y nodyn lleddf', *Er Mwyn Cymru* (Wrecsam: Cyfres Gwerin Cymru, IV, 1922), t. 65.

34 O. M. Edwards , *Trem ar Hanes Cymru* (Llanuwchllyn: Y Llyfrau Bach, 1893).

35 Gwelir enwadaeth O. M. Edwards ar ei mwyaf eglur yn y llyfrau taith hynny a gynhyrchodd yn sgîl ei deithiau tramor. Ceir trafodaeth ddeifiol ohonynt yn Emlyn Sherrington, 'O. M. Edwards, culture and the industrial classes', *Llafur*, 6 (1) (1992), 28–41. Roedd dyfarniad (aeddfed) Saunders Lewis yn fwy cynnil. Mewn gwerthfawrogiad o O. M. Edwards awgrymodd na châi darllenwyr cyfoes lawer o fudd o ddarllen ei argraffiadau o'i deithiau tramor. Gweler Saunders Lewis, 'Owen M. Edwards', yn *Triwyr Penllyn* (Caerdydd: Plaid Cymru, 1956), t. 34.

ail fod y Gymru gyfoes wedi cwympo'n arswydus o bell o ogoniannau ei gorffennol.

Tra ymserchai O. M. Edwards (hyd at fopio'n llwyr) yn ei 'werin', 'pendefigaeth' oedd un o themâu canolog Lewis. Roedd Edwards yn un o brif ladmeryddion y fersiwn Cymreig o un o fythau mwyaf cyfarwydd cenhedloedd diwladwriaeth trwy Ewrop yn ystod y bedwaredd ganrif ar bymtheg, sef myth y genedl ddiddosbarth. Iddo ef, rhywbeth i'w ddathlu oedd y nodwedd (dybiedig) hon; arwydd o ragoriaeth foesol y Cymry o'u cymharu â phobloedd llai ffodus na hwy. I Lewis, fodd bynnag, cenedl anghyflawn oedd cenedl heb ei phendefigaeth ei hun – hyn oblegid y rôl arweinyddol ac addysgiadol anhepgor a chwaraeai'r dosbarth hwn mewn unrhyw gymdeithas iach. Dirywiad y bendefigaeth uchelwrol Gymreig, felly, oedd trasiedi fawr ein hanes. Nid oedd twf dinasyddiaeth a democratiaeth yn sgîl datblygiad y ddealltwriaeth fodern o awdurdod/sofraniaeth yn ddigon o bell, bell ffordd i wneud iawn am y golled honno.

At hynny, un o brif themâu trafodaethau Saunders Lewis ar lenyddiaeth y cyfnod modern oedd llwyddiant neu aflwyddiant gwahanol awduron wrth drosgynnu'r grymoedd annynol a gwrthgelfyddydol a'u hamgylchynai. Pwysleisir y pwynt pan gofir mai 'Yr Artist yn Philistia' oedd yr enw anghynnil braidd a osododd ar y 'gyfres' o ddwy gyfrol a gyhoeddodd yn trafod dau o ffigyrau mawr llenyddiaeth y bedwaredd ganrif ar bymtheg, *Ceiriog* (1929) a *Daniel Owen* (1935).[36] Ond efallai mai yn ei gyfrol fwyaf (os yr addefir dyfarniad Saundersaidd o ysgubol!), sef *Williams Pantycelyn* (1927), y gwelir dylanwad hanesyddiaeth Lewis ar ei mwyaf beiddgar. Yn ei dyb ef, gorweddai mawredd Williams yn y modd y llwyddodd 'ef a'i gyfeillion yn y Diwygiad Methodistaidd ailddarganfod rhai arferion a rhai egwyddorion a fuasai'n gyfran Cymru ac Ewrop Gristnogol cyn bod Protestaniaeth'.[37] Hynny yw, safonau Catholig y gorffennol a osododd yn ffon fesur yn erbyn un o brif eilunod anghydffurfiaeth Gymreig. Yn wir, trwy gyfrwng fframwaith cysyniadol, wedi ei dynnu o gyfriniaeth

[36] Yn ogystal â'r rhain, gweler Saunders Lewis, *Straeon Glasynys: Detholiad gyda Rhagymadrodd* (Dinbych; Gwasg Gee, 1943). Yn y Rhagair, gwneir yn eglur bod y rhagymadrodd yn cymryd lle trydedd gyfrol arfaethedig yn yr un gyfres.

[37] Saunders Lewis, *Williams Pantycelyn*, t. 23. Pwysaf yn drwm yma ar Meredydd Evans, 'Saunders Lewis a Methodistiaeth Galfinaidd', *Y Traethodydd*, 630 (Ionawr 1994), 12–13.

Gatholigaidd glasurol, y dadansoddwyd gwaith Williams ganddo. Ac os nad oedd hyn oll yn ddigon i dynnu blew o drwyn y Gymru anghydffurfiol, ôl-Fictorianaidd, roedd ei werthfawrogiad o waith Pantycelyn hefyd yn pwysleisio drosodd a thro gnawdolrwydd bywyd. Yn sicr, nid Piwritan mo awdur y gyfrol hon, a'i haeriad (herfeiddiol ar y pryd) oedd nad Piwritan sychdduwiol mo gwrthrych ei astudiaeth ychwaith.

Anghydffurfiaeth

Daw hyn â ni wyneb yn wyneb â'r agwedd o fyd-olwg cyffredinol Saunders Lewis a bechai fwyaf yn erbyn syniadau llywodraethol yr oes, sef ei agweddau a'i ymrwymiadau crefyddol. Cefnodd Saunders Lewis ar anghydffurfiaeth gan raddol goleddu Catholigiaeth nes dyfod yn gyflawn aelod o'r eglwys honno yn 1933. Nid proses o gefnu a choleddu preifat yn unig mohono ychwaith – nid megis y tu ôl i ddrysau caeedig y teithiodd tuag at Rufain ond yn llygaid yr haul fel petai.[38] Ar dudalennau'r *Llenor* yn 1927 y cynhaliwyd y ddadl enwog honno rhyngddo ef a W. J. Gruffydd ynghylch Catholigiaeth. Ond roedd barn gyffredinol Lewis eisoes yn wybyddus cyn hynny. Onid oedd wedi bod mor hy ag awgrymu mewn araith yn 1923 y 'Byddai'n dda pe ddarllenai diwinyddion Cymru sylabus y Pab Pius IX ar "Brif gyfeiliornadau ein hoes ni" fel y gwelant gadernid a harddwch meddwl pendant a chlir'?[39]

Ar ben hynny, roedd ei agweddau crefyddol yn amlwg – er nad yn allblyg – yn y braslun o hanes Ewrop a gynigiodd yn *Egwyddorion Cenedlaetholdeb*. Ar ysgwyddau Luther, yn ogystal â Machiavelli a'r Tuduriaid, y llwythwyd y bai am i Ewrop grwydro oddi ar y llwybr cul yn ystod yr unfed ganrif ar bymtheg. Ac er bod y feirniadaeth o Luther wedi ei saernïo yn y modd a fyddai'n creu'r lleiaf o dramgwydd i anghydffurfwyr Cymreig – Luther amddiffynnydd yr eglwys wladol ac nid Luther tad Protestaniaeth a syrthiodd dan lach Lewis – roedd ei ergyd, serch hynny, yn eglur. Colli undod crefyddol trwy wadu goruchafiaeth Eglwys Rhufain fu'r cam gwag mawr yn hanes y cyfandir gan iddo arwain yn uniongyrchol at ymrannu, ymgecru a rhyfel. A hyd yn oed pe

[38] Ceir tystiolaeth ynglŷn â rhai o agweddau personol y daith honno yn Lewis, *Letters to Margaret Gilcriest*.

[39] Dyfynnir yn John Emyr, *Dadl Grefyddol Saunders Lewis a W. J. Gruffydd* (Pen-y-bont ar Ogwr: Gwasg Efengylaidd Cymru, 1986), tt. 7–8.

gellid cyfrif anghydffurfiaeth yn welliant ar Brotestaniaeth wladol yr Eglwys Anglicanaidd, roedd hyn oherwydd fod ei gweledigaeth ddiwinyddol (yn nhyb Lewis o leiaf) yn nes at Gatholigiaeth yn hytrach nag at graidd Protestaniaeth, fel y credai'r anghydffurfwyr eu hunain. Afraid yw trafod safbwyntiau diwinyddol Lewis yn fanwl yma. Digon yw nodi sut yr oedd sawl agwedd ohonynt yn dân ar groen llawer iawn o'i gyd-Gymry yn y blynyddoedd hynny y bu Saunders Lewis yn arwain Plaid Cymru.

I genhedlaeth a brifiodd mewn cyfnod pan welwyd Cymru'n dyfod yn wlad fwyaf digrefydd ynysoedd Prydain, mae'n anodd iawn amgyffred pa mor ganolog yr oedd anghydffurfiaeth i hunanddelwedd a byd-olwg y Cymry. Anodd hefyd yw llawn werthfawrogi'r angerdd a daniai enwadaeth y cyfnod. Anos fyth, efallai, yw deall a dirnad yr elfen wrth-Gatholig a oedd yn ddi-os ynghlwm wrth anghydffurfiaeth filwriaethus cyfnodau blaenorol.[40] Dychwelir at y pwynt hwn drachefn yng nghyd-destun y drafodaeth ar y cyhuddiadau o Ffasgaeth a wnaed yn erbyn Plaid Cymru yng nghyfrol II. Ar hyn o bryd mae'n rhaid bodloni'n unig ar nodi bod ymdrech Saunders Lewis i droi O. M. Edwards ar ei ben a gosod y Gymru Gatholig uwchlaw'r Gymru Brotestanaidd anghydffurfiol yn fwy na beiddgarwch – nid oedd yn ddim llai na chabledd.

Dwysawyd y cabledd gan gefndir Saunders Lewis. Clywyd llawer iawn o sôn am Lewis fel dieithryn; fel gŵr a safai ar y cyrion heb fod yn 'un ohonom ni', fel petai. Mae'n thema ganolog yng nghofiant D. Tecwyn Lloyd ac roedd yn elfen hollbwysig yn y gerdd fawr honno a ysgrifennwyd i'w gyfarch gan ei gyfaill R. Williams Parry.[41] Yn ddi-os, mae llawer iawn o wirionedd ynghlwm yn y darlun hwn ac nid oes amheuaeth nad oedd Saunders Lewis yn gweld ei hun fel llais (a llais gwrthodedig at

[40] Gweler Trystan Owain Hughes, *Winds of Change: The Roman Catholic Church and Society in Wales, 1916–1962* (Cardiff: University of Wales Press, 1999).

[41] Y llinellau creiddiol yn y gerdd yw'r canlynol:

> Buost ffôl, O wrthodedig, ffôl; canys gwae
> Aderyn heb gâr ac enaid digymar heb gefnydd;
> Heb hanfod o'r un cynefin yng nghwr yr un cae –
> Heb gorff o gyffelyb glai na Duw o'r un defnydd.

R. Williams Parry, 'J.S.L.' yn Alan Llwyd a Gwynn ap Gwilym (goln), *Blodeugerdd o Farddoniaeth Gymraeg yr Ugeinfed Ganrif* (Llandysul: Gomer, 1998), t. 53.

hynny) ar ymylon bywyd Cymru.[42] Serch hynny, mae'r darlun confensiynol hwn yn colli un agwedd hollbwysig ar ei *impact* cyhoeddus, yn enwedig yn y blynyddoedd hynny ar ddechrau'r 1920au pan ddaeth i amlygrwydd: cynnyrch anghydffurfiaeth Gymreig oedd Lewis, cynnyrch teulu y gellir ei gyfrif fel y peth agosaf at bendefigaeth a esgorwyd arno gan y traddodiad hwnnw.[43] Roedd ei dad yn weinidog gyda'r Hen Gorff, tra oedd ei fam yn hanu o deulu adnabyddus a gynhyrchodd 'ddau o dywysogion y pulpud Cymraeg yn y bedwaredd ganrif ar bymtheg', sef ei thad, Owen Thomas, a'i thaid, William Roberts.[44] Dyma'n wir deulu a oedd fel petai'n ymgorffori'r ddelfryd o werin Gymraeg y gwnaeth O. M. Edwards gymaint i'w dyrchafu a'i phoblogeiddio. Cyn ennill parch a bri fel pregethwyr, roedd taid a hen-daid Lewis wedi ennill eu tamaid fel seiri meini – gyda'r ddau ohonynt yn gweithio ar bont Telford dros Afon Menai.[45] Nid un o wŷr y cyrion o ran ei dras oedd Saunders Lewis, felly, ond un a wrthododd y traddodiad o'r tu mewn. Mae cofio'r ffaith hon yn allweddol os ydym am lawn ddirnad y chwerwedd a'i hamgylchynodd.

Ar ben hynny, ac fel sydd mor gyffredin ymhlith y sawl sy'n profi tröedigaeth, roedd agwedd Saunders Lewis at yr anghydffurfiaeth y cefnodd arni yn ddigon dirmygus. Gwir na chafwyd yr un math o sylwadau cyhoeddus difrïol ag a welir yn ei ohebiaeth breifat. (Ymysg yr enghreifftiau mwyaf cofiadwy yn ei lythyrau at Margaret Gilcriest ceir sôn am 'black barbarism' anghydffurfiaeth![46]) Serch hynny, roedd ei ddatganiadau cyhoeddus, megis yr araith yn 1923 y cyfeiriwyd ati eisoes, yn dangos yn gwbl eglur nad

[42] Gweler, er enghraifft, Lewis, *Letters to Margaret Gilcriest*, t. 180, a Saunders Lewis, 'Dylanwadau: Saunders Lewis mewn ymgom ag Aneirin Talfan Davies', *Taliesin*, 2 (Nadolig 1961), 13.

[43] Soniodd Saunders Lewis ei hun am y weinidogaeth anghydffurfiol yn nhermau 'pendefigaeth y pulpud' a gwelai ei datblygiad yn rhan allweddol o 'ailgread' y genedl Gymreig. Ysywaeth, oherwydd amgylchiadau ei datblygiad, pendefigaeth 'dlawd ac amherffaith' ydoedd. Gweler Saunders Lewis, 'Y deffroad mawr', yn Saunders Lewis, *Meistri a'u Crefft* (Caerdydd: Gwasg Prifysgol Cymru, 1981), t. 292. Hefyd Branwen Jarvis, 'Saunders Lewis: golwg Gatholig Gymreig ar ferched', yn D. Ben Rees (gol.), *Ffydd a Gwreiddiau John Saunders Lewis* (Lerpwl: Cyhoeddiadau Modern Cymreig, 2002), t. 78.

[44] R. Geraint Gruffydd, 'Portread', yn Rees, *Ffydd a Gwreiddiau John Saunders Lewis*, t. 9. Gweler hefyd ysgrif D. Ben Rees yn yr un gyfrol, sef 'Gwreiddiau J. Saunders Lewis ar Lannau Mersi', tt. 13–41.

[45] Rees, 'Gwreiddiau J. Saunders Lewis ar Lannau Mersi', t. 23.

[46] Lewis, *Letters to Margaret Gilcriest*, t. 441. Hefyd tt. 468, 471.

oedd rhyw lawer o olwg ganddo ar y Gymru anghydffurfiol. Gyda threigl amser, daeth yn fwy gwerthfawrogol o'r traddodiad hwnnw. Yn benodol, mentraf awgrymu iddo ddod i weld mwy o werth yn y traddodiad yn ei hawl ei hunan ac nid yn unig am y modd (honedig) y dygodd y Cymry yn ôl at y llwybr cul Catholig.[47] Ond yn ddiweddarach y digwyddodd hyn, wedi i'w gyfnod fel arweinydd y Blaid Genedlaethol ddod i ben. Yn ystod ei gyfnod fel llywydd, ac o safbwynt y Gymru anghydffurfiol, dafad ddu oedd Saunders Lewis: un a gablodd yn erbyn ffydd, gwerthoedd a bydolwg y tadau. Eto, dyma'r dyn a oedd â'i fryd ar ddyfod yn arweinydd gwleidyddol arni.

Gosod seiliau

Yn y flwyddyn 2000, dathlodd y Blaid Lafur Brydeinig ei chanmlwyddiant. Hyn er gwaetha'r ffaith na ffurfiolwyd bodolaeth y blaid cyn 1918. Ymddengys yn achos Llafur yr ystyrir bod plaid wleidyddol o fath yn bodoli ymhell cyn drafftio iddi gyfansoddiad a rheolau sefydlog, cyn i restrau aelodaeth gael eu llunio ar ei chyfer, ac yn y blaen. Mewn gwrthgyferbyniad, yn achos Plaid Cymru, yr awgrym a glywir yn fynych yw bod fframwaith ffurfiol plaid yn bodoli cyn bod plaid wleidyddol o'r iawn ryw wedi'i chreu i'w llenwi. Yn wir, daeth ceisio dynodi a dyddio'r pwynt y troes Plaid Cymru yn blaid wleidyddol 'go iawn' yn un o themâu canolog y llenyddiaeth ysgolheigaidd sy'n trafod ei datblygiad a'i hynt a'i helynt. Gellir amau, mewn gwirionedd, faint yn union o

[47] Yma rwyf yn ymwrthod i ryw raddau â'r arweiniad a gynigir yn ysgrif bwysig Meredydd Evans, 'Saunders Lewis a Methodistiaeth Galfinaidd', gan nad yw'r ysgrif honno'n pwysleisio digon – i'm tyb i o leiaf – y newid a'r datblygiad a fu yn safbwyntiau Saunders Lewis. Roedd agweddau Saunders Lewis tuag at anghydffurfiaeth erbyn iddo ysgrifennu *Merch Gwern Hywel* (1964), dyweder, yn wahanol i'w agweddau cynharach, a braidd yn gamarweiniol yw awgrymu bod ei farn aeddfetach yn cynrychioli ei safbwynt gydol ei oes. Yn fwy cyffredinol, credaf fod gormod o bwyslais wedi'i roi ar gysondeb ac unplygrwydd Saunders Lewis a hynny ar draul gwerthfawrogiad o'r modd y newidiodd ei farn mewn rhai ffyrdd arwyddocaol yn ystod ei oes. A nodi un enghraifft arall yn unig, erbyn iddo gyhoeddi ei ysgrif enwog 'Gyrfa filwrol Guto'r Glyn' yn 1976, roedd ei ddehongliad o ddatblygiad cenedlaetholdeb wedi newid yn bur sylfaenol o'r dehongliad a gafwyd yn *Egwyddorion Cenedlaetholdeb* hanner can mlynedd ynghynt. Erbyn hynny, yn hanner cyntaf y bymthegfed ganrif, ac yn Lloegr a Ffrainc, y lleolai darddiad y genedl fodern. Nid Luther, Machiavelli a'r Tuduriaid a oedd ar fai wedi'r cyfan, felly! Gweler Saunders Lewis, 'Gyrfa filwrol Guto'r Glyn', *Meistri a'u Crefft* (Caerdydd: Gwasg Prifysgol Cymru, 1981) tt. 120–1.

oleuni a ddeilliodd o'r gwahanol ymdrechion a gafwyd i ddynodi'r adeg pan ddaeth Plaid Cymru i oed, fel petai.[48] Fel cymaint yn y byd cymdeithasol, categori digon hyblyg a phenagored yw'r hyn a elwir yn 'blaid wleidyddol': categori sy'n cwmpasu'r amrywiaeth mwyaf rhyfeddol o ffurfiau. Ofer felly, mae'n debyg – achos o dorri glo mân yn glapiau – yw ymboeni gormod ynglŷn â phryd yn union y daeth cymal cyntaf enw *Plaid* Cymru i ddisgrifio realiti yn hytrach nag yn arwydd o ddeisyfiad yn unig.

Serch na cheir consensws ymysg sylwebwyr ynglŷn â'r trobwynt (honedig) hwn yn hanes y Blaid – 1945? 1958/9? 1966? 1999, hyd yn oed? – mae cydsyniad gweddol eang ynglŷn â'r hyn a'i rhagflaenodd. Cyn i'r Blaid Genedlaethol ddyfod yn blaid wleidyddol o'r iawn ryw, meddir, fel math o fudiad diwylliannol, neu hyd yn oed grŵp pwyso ieithyddol, y dylid synio amdani. Mewn geiriau eraill, amlygiad ar genedlaetholdeb diwylliannol ydoedd. Dim ond wedi iddi brifio y gellir ei hystyried yn blaid wleidyddol sy'n hybu cenedlaetholdeb gwleidyddol. Ni ellir gwadu bod peth gwirionedd yn perthyn i'r darlun hwn. Yn wir, ceir digon o dystiolaeth fod pryder yn rhengoedd y Blaid ei hunan fod yr elfennau diwylliannol, a hyd yn oed cymdeithasol, yn ei gweithgareddau yn tueddu i fynd yn drech na'r wleidyddiaeth a oedd yn briod waith iddi. Mor ddiweddar â haf 1956, roedd Tudur Jones, un o brif ysweiniaid Gwynfor Evans ar y pryd, yn cyfeirio at Ysgol Haf y flwyddyn honno mewn llythyr at D.J. a Noëlle Davies yn y termau canlynol: 'Credaf iddi fynd yn dda – ond yn wir, rhaid inni gael darlithiau gwleidyddol y flwyddyn nesaf.'[49] Nid di-sail, felly, yw haeriadau i'r perwyl fod y blaid yn ymdebygu'n fwy ar adegau i gylch llenyddol na mudiad gwleidyddol.

Wedi cydnabod hynny, fodd bynnag, mae'n bwysig cydnabod yn ogystal mai rhan yn unig o'r gwirionedd a gyfleir gan y darlun. Yn sicr ddigon, portread cwbl annigonol yw hwnnw sy'n awgrymu mai cenedlaetholdeb diwylliannol ac nid gwleidyddol a nodweddai flynyddoedd cyntaf y Blaid. Gwelwyd eisoes yn y bennod flaenorol pa mor broblematig yw unrhyw ymdrech i wahaniaethu'n haearnaidd rhwng y gwleidyddol a'r diwylliannol yn y

[48] Davies, *The Welsh Nationalist Party 1925–1945*, tt. 260–8, yw'r gorau o ddigon o'r trafodaethau hyn.

[49] Tudur Jones at D.J. a Noëlle Davies, 8 Awst 1956. Papurau Noëlle Davies, Llyfrgell Genedlaethol Cymru.

fath fodd. Fel cymaint o gategorïau eraill a ddefnyddir wrth drafod cenedlaetholdeb, mae'r ddeuoliaeth honedig hon yn tueddu i gymylu a drysu yn hytrach na goleuo. Yn wir, un o'r themâu a friga i'r wyneb yn fwyaf cyson yn llenyddiaeth y Blaid yn y blynyddoedd cyn yr Ail Ryfel Byd yw annigonolrwydd cenedlaetholdeb diwylliannol *heb* genedlaetholdeb gwleidyddol. Daeth ffigwr y 'Cymro Gŵyl Dewi' yn gocyn hitio.[50] Ystrydeb o genedlaetholwr diwylliannol oedd hwn: gŵr a fyddai, ar 1 Mawrth, yn ymollwng i sentimentaleiddio bloesg ynglŷn â champau Gwalia Wen, heb deimlo bod ymrwymiadau gwleidyddol mwy pellgyrhaeddol yn deillio o hyn weddill y flwyddyn. Lloyd George, yn anad neb, mae'n debyg, a ystyrid yn arch-enghraifft o'r duedd hon. Yn nhyb y to newydd o genedlaetholwyr, dim ond cenedlaetholdeb gwleidyddol a gynigiai ddyfodol i'r diwylliant Cymreig. Ar ei ben ei hun, roedd cenedlaetholdeb diwylliannol yn waeth na diwerth.

Cofier, yn ogystal, mai un o'r pethau a wnaethai sefydlu Plaid Genedlaethol Cymru yn ddatblygiad gwirioneddol newydd yn hanes cenedlaetholdeb Cymreig oedd y ffaith i'r blaid honno fynnu na ddylai cenedlaetholwyr Cymreig berthyn i unrhyw blaid ar wahân iddi hi. Cyn lansio'r Blaid, ceid pobl a ddisgrifiai eu hunain gyda balchder fel 'cenedlaetholwyr Cymreig' yn aelodau o bob un o'r pleidiau gwleidyddol yng Nghymru (hyd yn oed ambell Dori). Un o brif ddadleuon y Pleidwyr oedd bod yr ymdrechion a gafwyd i hybu'r achos cenedlaethol trwy'r pleidiau eraill wedi methu'n llwyr ac nad oedd gobaith am waredigaeth o gyfeiriad y 'pleidiau Seisnig'. Yr unig ffordd o wthio'r maen i'r wal oedd trwy ymddifrifoli, ymgilio oddi wrth y pleidiau eraill, a sefydlu plaid genedlaethol a fyddai'n blaenoriaethu'r achos cenedlaethol – plaid a fyddai'n rhoi Cymru'n gyntaf. Safbwynt dadleuol iawn oedd hwn ym mlynyddoedd cyntaf y mudiad newydd. Ceir cydnabyddiaeth yng nghyfnodolion y Blaid y gellid casglu llawer iawn mwy i'w rhengoedd pe bai'n fodlon llacio'r rheol na châi aelodau o'r Blaid Genedlaethol berthyn i unrhyw blaid wleidyddol arall.[51] Serch hynny, dal yn dynn at y rheol a wnâi'r Blaid yn y gred mai dim ond plaid wleidyddol a allai gynnig achubiaeth i Gymru.

[50] Gweler, er enghraifft, y cartŵn gan Gwilym R. Jones yn rhifyn Mawrth 1927 o'r *Ddraig Goch*, 7.

[51] Gweler, er enghraifft, *Y Ddraig Goch*, Mehefin 1926, 2; *Y Ddraig Goch*, Gorffennaf 1929, 1.

Cwbl annigonol, felly, yw synio am y Blaid Genedlaethol yn nhermau mudiad diwylliannol neu grŵp pwyso ieithyddol, hyd yn oed yn ei blynyddoedd cynharaf un.

Wrth ddarllen cyfnodolion Plaid Cymru yn ystod llywyddiaeth Saunders Lewis, gwelir bod cryn drafod ar gyflwr, statws a dyfodol y Gymraeg. Ond gwelir hefyd fod hyn yn mynd law yn llaw â ffocws llawer iawn ehangach. Yn wir, mor rhyfeddol o eang yw rhychwant y pynciau a drafodir fel ei bod, efallai, yn fwy priodol sôn am ddiffyg ffocws yn hytrach na gorbwyslais ar y wedd ieithyddol. Craffer, er enghraifft, ar gynnwys colofn olygyddol *Y Ddraig Goch* – 'Nodiadau'r mis' – colofn a roes fynegiant i farn a rhagfarn Saunders Lewis ei hun rhwng Medi 1926 ac Ionawr 1937.[52] Tueddwyd i drafod pedwar neu bump o wahanol faterion pob mis, ac mae'r amrywiaeth a geir oddi mewn i bob colofn – heb sôn am rhyngddynt – yn drawiadol. I nodi un enghraifft gynrychioladol yn unig, ym mis Hydref 1926 rhoddwyd y prif sylw i gyfarfod diweddar o Seiat y Cenhedloedd yng Ngenefa (sef 'prif ddigwyddiad y mis diwethaf') a rhoes hyn gyfle i nodi annigonolrwydd y wasg yn Lloegr a Chymru. Ergyd y dadansoddiad oedd mai 'Un o anghenion y wasg Gymreig heddiw yw addysg Ewropeaidd mewn gwleidyddiaeth.' Yn ogystal, bachodd Lewis ar y cyfle i annog hybu rygbi ar draul pêl-droed yn ysgolion Cymru, a hynny gan fod pêl-droed yng Nghymru mor Seisnig ei golygon ('I ffwrdd â'r bêl droed o Gymru!'). Pwysleisiodd hefyd yr angen i ofalu am fynwentydd Cymru a chefnogi galwadau i warchod hen bont Caerfyrddin. Ond wrth gwrs, y digwyddiad mwyaf o ddigon yng Nghymru ym misoedd haf a hydref 1926 oedd streic y glowyr, streic eithriadol o chwerw a gâi effaith enbydus ar chwarter miliwn o lowyr Cymreig a'u teuluoedd. Sylw wrth basio, fel petai, a dderbyniodd y streic gan y golygydd. Ar ôl condemnio'r naill ochr a'r llall, ei gasgliad oedd bod yn rhaid llunio cynllun economaidd i Gymru ar sail egwyddorion y Blaid, 'sef rhoi pethau'r ysbryd yn

[52] Ambrose Bebb oedd golygydd cyntaf *Y Ddraig Goch*. Bu ynglŷn â'r swydd am gyfnod byr rhwng y rhifyn cyntaf ym Mehefin 1926 a Medi 1926. Fe'i holynwyd gan bwyllgor golygyddol o dri, sef Saunders Lewis, Iorwerth Peate a Prosser Rhys. Ildiodd Peate ei le yn Ionawr 1927. Nid yw'n eglur (i mi beth bynnag) pryd yn union y daeth rôl Rhys i ben, ond yr awgrym a geir gan ei gofiannydd yw iddo ymwneud ag ochr fusnes y papur yn unig yn ystod ei gyfnod fel aelod o'r pwyllgor (Rhisiart Hincks, *E. Prosser Rhys 1901–45* (Llandysul: Gomer, 1980), t. 132). Erbyn rhifyn Ebrill 1928 cyfeirir at Saunders Lewis y golygydd ar y ddalen gyntaf. Parhaodd i weithredu fel golygydd felly hyd at ei garchariad yn Ionawr 1937 am ei ran yn y Tân yn Llŷn.

gyntaf a phob aelod o gymdeithas i gydweithio er lles y gymdeithas gyfan'.

Ni fyddai'n deg defnyddio'r ansoddair 'anwleidyddol' i ddisgrifio cynnwys y nodiadau golygyddol hyn oblegid fod y materion hyn i gyd yn ymwneud mewn rhyw ffordd neu'i gilydd â gwleidyddiaeth. Annheg hefyd fyddai cyhuddo Saunders Lewis a'i gymrodyr o ddiffyg difrifoldeb. Wedi'r cwbl, nid ar chwarae bach mae mynd ati i sefydlu plaid, cyhoeddi cyfnodolion, trefnu ac annerch cyfarfodydd lu, ac ymroi i'r holl lafur caled y bu'n rhaid wrtho er mwyn gosod y Blaid ar ei thraed. Serch hynny, mae naws ddiletantaidd yn nodweddu tudalennau'r *Ddraig Goch* yn ystod ei blynyddoedd cyntaf. Tueddid i neidio o'r naill bwnc i'r llall: er enghraifft, dylanwad Hegeliaeth ar ddiwinyddiaeth Cymru a oedd dan y lach yn rhifyn Chwefror 1927, datblygiadau yn Tsieina a gafodd y flaenoriaeth ym mis Ebrill. Ac er bod Saunders Lewis yn ŵr anghyffredin o eang ei ddysg, go brin y gallai hawlio gwybodaeth arbenigol ynglŷn â'r cyfan y lleisiai farn mor hyderus a thalog yn eu cylch yn y nodiadau golygyddol. Bron na ellir dweud mai chwarae â gwleidyddiaeth oedd peth fel hyn.

Fodd bynnag, o safbwynt rhagolygon y Blaid, efallai mai elfen fwyaf niweidiol y cywair a fabwysiadwyd ar dudalennau'r *Ddraig Goch* oedd yr elfen o bellter, a hyd yn oed *insouciance*, a nodweddai'r drafodaeth o ddigwyddiadau yn y Gymru gyfoes. Agwedd y llywydd a'i blaid at streic y glowyr sy'n darparu'r enghraifft orau. Melltithio'r ddwy ochr yn yr anghydfod a wnâi 'Nodiadau'r mis' yn *Y Ddraig Goch*, gan ddadlau wedi buddugoliaeth ysgubol y meistri ddiwedd 1926, mai ffolineb arweinwyr y glowyr a fu'n gyfrifol am y canlyniad.[53] Dichon i'r glowyr gael eu harwain yn wael, a chyfiawn, mae'n debyg, oedd y driniaeth ddirmygus a dderbyniodd arweinydd y glowyr, A. J. Cook, yn nhudalennau'r *Ddraig Goch*. Serch hynny, mae'r diffyg ymdeimlad – heb sôn am gydymdeimlad – â dioddefaint diamheuol y glowyr a'u teuluoedd yn drawiadol.[54] Roedd trasiedi ar droed ym meysydd glo de Cymru; trasiedi a gâi effaith drychinebus ar ganran sylweddol o

53 *Y Ddraig Goch*, Ionawr 1927, 1–2.

54 Mae hefyd yn gwrthgyferbynnu gyda'r hyn a wyddom o'i lythyrau preifat ynglŷn ag agwedd Saunders Lewis ar adeg streic gynharach yn 1921. Gweler Saunders Lewis, *Letters to Margaret Gilcriest*, t. 449: 'it is amazing that with so much provocation to riot in the display of soldiers in south Wales, the strikers have yet behaved like angels of peace'.

gyd-Gymry Lewis. Eto, roedd ymdriniaeth Saunders Lewis â'r cyfan yn ymylu ar y dideimlad. O gofio'r fath bris a osodai ar weithredu'n *anrhydeddus*, mae'n syndod na ddangosai fwy o edmygedd o undod ac unplygrwydd glowyr de Cymru dan amgylchiadau mor ddifrifol o llwm. Ond nid felly y bu. Wrth ddarllen ei sylwadau, ceir yr argraff nad oedd Saunders Lewis yn teimlo bod a wnelo eu brwydr ddim oll â'i frwydr a'i weledigaeth yntau. A ydyw'n syndod, felly, fod cymaint o bobl Cymru wedi ymateb i agweddau o'r fath trwy benderfynu nad eu hachos hwy oedd achos Saunders Lewis?

Newid fu hanes 'cywair' cyhoeddiadau'r Blaid: ciliodd y ddiletantiaeth flaenorol. Fel y dengys D. Hywel Davies yn ei drafodaeth feistraidd o flynyddoedd cyntaf y Blaid Genedlaethol, mewn ymateb i'w methiant i wneud unrhyw argraff ar wleidyddiaeth llywodraeth leol, ac yn arbennig efallai yn sgîl ei chanlyniad siomedig yn isetholiad Caernarfon yn 1929, gwelwyd y Blaid yn graddol ddatblygu'n blaid wleidyddol fwy 'confensiynol'.[55] Datblygodd a mabwysiadodd bolisïau mwy manwl a diriaethol yn lle safbwyntiau bras a haniaethol y blynyddoedd cynharaf. Fel rhan o'r broses hon, daeth ffigyrau eraill yn ddylanwadol oddi mewn i'r Blaid – D. J. Davies gyda'r amlycaf yn eu plith. Serch hynny, ni ddylid gorbwysleisio maint na chyflymder y newid. Newid graddol ydoedd: newid mewn 'cywair' yn hytrach na chwyldroad. Yn ogystal, roedd Saunders Lewis yn parhau i sefyll ben ac ysgwydd uwchlaw arweinwyr eraill y mudiad o ran ei ddylanwad. Trwy gyfrwng ei reolaeth lwyr dros y Blaid yn ystod ei blynyddoedd cyntaf, sefydlodd agweddau a phriodoleddau a gysylltwyd â chenedlaetholdeb gwleidyddol Cymreig am flynyddoedd maith wedi hynny. Mewn geiriau eraill, agorodd Lewis gwys (neu rigol os mynnir); cwys a gafodd effaith bellgyrhaeddol ar gyfeiriad y Blaid, ac y câi yn anodd iawn dianc rhagddi.

Beth felly oedd yr agweddau a'r priodoleddau cyffredinol hynny a sefydlwyd gan Saunders Lewis yn ystod blynyddoedd cyntaf y Blaid? Mae tri ohonynt yn hollbwysig.

Cenedlaetholdeb fel crwsâd dros wareiddiad. Nid er mwyn ei hunan yn unig y dylid 'achub Cymru', ond oherwydd cyfran fechan ond amheuthun Cymru yng ngwareiddiad y Gorllewin. Dyma graidd

[55] Gweler yn arbennig Davies, *The Welsh Nationalist Party 1925–1945*, tt. 71–151.

ymrwymiad Saunders Lewis i genedlaetholdeb Cymreig – gwelai'r mudiad cenedlaethol Cymreig fel rhan o grwsâd ehangach i gynnal gwareiddiad yn erbyn y grymoedd hynny ('materoliaeth' yn bennaf oll) a oedd yn ei fygwth. Fel y gwelsom eisoes, mae elfen o grwsâd yn perthyn i bob mudiad cenedlaethol sy'n ceisio rhyddhau cenedl 'gaeth'. Maent oll yn cynnwys elfennau diwylliannol yn ogystal ag elfennau cul-wleidyddol; maent oll yn herio sefydliadau sylfaenol gwladwriaeth a chymdeithas a'r gwahanol hanesion a chwedlau sy'n eu cynnal. Yn yr ystyr hwn, o leiaf, mae eu hamcanion yn hynod bellgyrhaeddol ac, yn wir, yn chwyldroadol. Addas, felly, yw synio amdanynt yn nhermau crwsâd. Ond roedd gweledigaeth Saunders Lewis yn mynd gam ymhellach. Iddo ef, nid oedd cenedlaetholdeb yn ddim llai na rhan o'r frwydr gyffredinol i gynnal yr hyn a oedd yn wirioneddol werthfawr mewn cymdeithas ddynol. Gweledigaeth eang a hynod uchelgeisiol o wleidyddiaeth, os bu un erioed. Ar y pryd, wrth gwrs, nid oedd y fath weledigaeth yn eithriadol o bell ffordd. Beth, wedi'r cwbl, oedd comiwnyddiaeth ond crwsâd i weddnewid cymdeithas? Erbyn degawdau olaf yr ugeinfed ganrif, fodd bynnag, ac yn enwedig yng ngwledydd y Gorllewin, daeth synio am wleidyddiaeth yn y fath fodd i ymddangos yn anacronistig: gweledigaeth fwy crintachlyd a chrebachlyd o bwrpas gwleidyddiaeth yw'n heiddo ni. Ac i'r graddau y mabwysiadwyd y ddealltwriaeth hon o genedlaetholdeb fel crwsâd gan wŷr megis Gwynfor Evans, daeth Plaid Cymru i ymddangos fel plaid a nofiai yn erbyn llif gwleidyddiaeth gyfoes.

Rôl ganolog yr iaith Gymraeg mewn gwareiddiad Cymreig. Ystyriai Saunders Lewis fod yr iaith Gymraeg, a'i diwylliant, yn gwbl ganolog i wareiddiad Cymreig ac felly i gyfraniad Cymru at wareiddiad yn fwy cyffredinol. O'r herwydd, gwelai gynnal Cymreictod Cymru fel pennaf ddyletswydd gwleidyddion Cymru. Oni wneid hyn yn llwyddiannus, yna byddai pobl Cymru yn euog o gyfrannu at niweidio a thanseilio gwareiddiad drwyddo draw.

Un o ganlyniadau'r dybiaeth hon, o leiaf fel y'i dehonglwyd gan Saunders Lewis, oedd amwysedd sylfaenol ei agwedd tuag at y Gymru ddi-Gymraeg. Os y Gymraeg oedd sail gwareiddiad Cymreig, i ba raddau y gellid ystyried Cymry di-Gymraeg fel cyfranogwyr o'r gwareiddiad hwnnw? Ond i ba raddau wedyn y gellid gobeithio achub gwareiddiad Cymru heb gefnogaeth y

Cymry di-Gymraeg? Ac a ellid fyth ennill y gefnogaeth honno heb ddinistrio'r union beth yr oedd cenedlaetholdeb Cymreig yn ceisio ei achub? Amwysedd a nodweddai agwedd Saunders Lewis at gwestiynau o'r fath, ac at y Gymru ddi-Gymraeg yn fwy cyffredinol. Amwysedd, noder, nid gelyniaeth, na chasineb, na difaterwch.[56] Am bob datganiad o eiddo Saunders Lewis sy'n ddilornus o ddiwylliant Cymreig Saesneg ei iaith, gellir canfod datganiad – neu weithred – arall o'i eiddo sy'n fynegiant o agwedd llawer iawn mwy positif. Serch hynny, o safbwynt gwleidyddol, go brin fod llawer i'w ddewis rhwng amwysedd ac ymagweddu mwy cyson elyniaethus, oblegid fod yr amwysedd hwn yn ddigon ynddo'i hun i beri ei bod hyd yn oed yn anos i'r Blaid Genedlaethol sicrhau cefnogaeth trwch ei chydwladwyr.

Mae paradocs trawiadol yma: gwelwn fod yr elfennau mwyaf deniadol a'r elfennau lleiaf deniadol yng ngweledigaeth wleidyddol Saunders Lewis i gyd yn tarddu o'r un ffynhonnell. Ei gonsýrn â gwareiddiad sy'n arwain Saunders Lewis i goleddu fersiwn amodol o genedlaetholdeb a ddeil mai'r unig gyfiawnhad dros genedlaetholdeb yw ei gyfraniad i wareiddiad yn ei ystyr ehangaf. Fodd bynnag, yr un consýrn â gwareiddiad sy'n gyfrifol am yr amwysedd sy'n nodweddu ei agwedd tuag at gyfran sylweddol o boblogaeth Cymru.

Er bod rhai, yn ddi-os, yn gweld llygad yn llygad â Saunders Lewis ynglŷn â'r mater, nid pawb o bell ffordd yn rhengoedd y Blaid Genedlaethol a rannai'r amwysedd hwn. Hyd yn oed yn nyddiau cynharaf y Blaid, roedd rhai ffigyrau blaenllaw megis D. J. Davies yn dadlau'n frwd mai efengylu ymhlith y Cymry Saesneg eu hiaith oedd ei chenhadaeth bwysicaf. Fodd bynnag, roedd Davies, fel mwyafrif llethol Pleidwyr ddoe a heddiw, yn derbyn haeriad sylfaenol Saunders Lewis fod i'r Gymraeg le canolog yn yr hyn a adnabyddir bellach fel 'hunaniaeth' Gymreig, ac y byddai marwolaeth y Gymraeg yn ergyd i wareiddiad yn gyffredinol.

Cenedlaetholdeb fel ideoleg wleidyddol gyflawn. Un o elfennau mwyaf trawiadol syniadaeth wleidyddol Saunders Lewis – a'r etifeddiaeth

[56] Ysywaeth, mae llawer o sylwebwyr yn parhau i bortreadu Saunders Lewis mewn modd cwbl unochrog a chamarweiniol. Yr enghraifft ddiweddaraf a mwyaf gwaradwyddus o hyn oedd y rhaglen deledu amrwd a deallusol anonest ar Saunders Lewis a ddarlledwyd gan HTV Cymru yn 2001 fel rhan o'r gyfres *Tin Gods*.

syniadaethol a waddolodd i'w blaid – oedd ei ymgais i ddadlau bod cenedlaetholdeb yn ideoleg wleidyddol gyflawn ynddo'i hun. Hynny yw, haera fod cenedlaetholdeb yn darparu'r arfogaeth syniadaethol ac egwyddorol angenrheidiol nid yn unig er mwyn gosod ffiniau'r drefn wleidyddol, ond i sefydlu ffurf a chynnwys polisi cyhoeddus oddi mewn i'r ffiniau hynny yn ogystal.

Nid Saunders Lewis oedd y cenedlaetholwr cyntaf o bell ffordd i ddadlau bod cenedlaetholdeb yn cynnig moddion i ymdrin â phob agwedd ar fywyd cymdeithas. Fel y gwelir yn y man, nid ef fyddai'r cenedlaetholwr Cymreig olaf i gredu hynny ychwaith. Er bod y ddadl ddeallusol o blaid deall cenedlaetholdeb fel ideoleg sy'n bodoli mewn perthynas symbiotig gydag ideolegau eraill yn eithriadol o gryf (fel y gwelwyd yn y bennod flaenorol), bu, a bydd, rhai cenedlaetholwyr am wadu bod eu byd-olwg wedi ei halogi gan ddylanwad ideolegau gwleidyddol, fel y deellir ystyr y term hwnnw'n arferol, megis rhyddfrydiaeth neu sosialaeth. Yn yr un modd, byddai llaweroedd o'r rheini sy'n ystyried eu hunain yn sosialwyr, rhyddfrydwyr, ac yn y blaen, am wadu bod eu syniadau gwleidyddol wedi eu halogi â rhagdybiaethau cenedlaetholgar.

Gellid tybio mai mater o ddiddordeb academaidd yn unig a fyddai'r ffaith fod Lewis wedi ceisio dadlau bod cenedlaetholdeb yn ideoleg gyflawn. Ond yr hyn a'i gwna yn fater o'r pwys mwyaf wrth geisio olrhain datblygiad syniadaethol Plaid Cymru oedd y modd y ceisiodd Lewis ddiffinio cenedlaetholdeb mewn gwrthgyferbyniad â 'sosialaeth' ac mewn gwrthwynebiad iddi.[57] I Lewis, roedd sosialaeth a chenedlaetholdeb yn rymoedd a dynnai'n gwbl groes i'w gilydd. Ar sawl ystyr, roedd hwn yn ddatblygiad newydd yn hanes cenedlaetholdeb Cymreig. Yn sicr, roedd elfennau sosialaidd amlwg ac allblyg yn syniadau tad cenedlaetholdeb Cymreig, Michael D. Jones, er enghraifft, a chyfunwyd elfennau na ellir ond eu hystyried yn sosialaidd yn rhaglen Cymru Fydd. Ar ben hynny, roedd llawer iawn o aelodau'r Blaid Genedlaethol yn gyn-aelodau o'r Blaid Lafur a'r Blaid Lafur Annibynnol, ac yn bobl a oedd yn parhau i goleddu gwerthoedd adain chwith hyd yn oed wedi iddynt newid eu lliwiau gwleidyddol. Eto, mynnodd

57 Ar adegau, roedd Saunders Lewis yn amodi ei gondemniad o 'sosialaeth' gan nodi mai 'sosialaeth wladwriaethol' – cyfuniad o Lafuriaeth a Marxaeth (gwelai'r olaf fel pen draw rhesymegol y cyntaf) – oedd targed ei lid. Ond fel y gwelir trwy ddarllen colofnau'r *Ddraig Goch*, ni wnâi hynny'n gyson o bell ffordd. Yn hytrach, tuedda ei gondemniad o 'sosialaeth' fod yn hynod gyffredinol.

Lewis ddadlau bod y syniadau hyn yn anghyson â syniadau sylfaenol y blaid yr oeddynt bellach yn perthyn iddi. Daeth yr haeriad fod cenedlaetholdeb yn ideoleg gyflawn, wrth-sosialaidd yn fodd i Saunders Lewis – a'i olynwyr – wrthsefyll y sawl a oedd am geisio tynnu rhaglen y Blaid i gyfeiriad a oedd yn fwy cyson ag anian y rhan fwyaf o'i haelodau a thrwch yr etholaeth Gymreig.

Os yw pob cenedlaetholdeb yn bodoli mewn perthynas symbiotig ag ideolegau eraill, sut yna y dylid disgrifio'r syniadau a'r gwerthoedd a gymysgodd Saunders Lewis â themâu cenedlaetholaidd i greu ei fyd-olwg gwleidyddol? Ceidwadaeth, mae'n debyg, yw'r disgrifiad moel gorau – dim ond i ni gofio nad yw ceidwadaeth y Blaid Geidwadol Brydeinig yn cynrychioli'r unig ffurf bosibl ar yr ideoleg honno. Camp fawr y blaid honno fu addasu i ddatblygiadau moderniaeth, gan gadw'i dwylo ar yr awenau er mwyn gwarchod buddiannau'r mwyaf grymus mewn cymdeithas. Ceidwadaeth ramantaidd oedd ceidwadaeth Lewis: un a safai yn erbyn prif dueddiadau'r oes fodern, megis twf y wladwriaeth ganolog a datblygiad cyfalafiaeth, yn hytrach na'u coleddu. Ac eithrio Iwerddon, prin fu dylanwad y math yma o geidwadaeth yn ynysoedd Prydain wedi canol y bedwaredd ganrif ar bymtheg. A phrin y gellir meddwl am unman lle roedd y rhagolygon ar gyfer y math hyn o syniadau yn llai gobeithiol na Chymru'r ugeinfed ganrif. Dyma'r wlad, wedi'r cwbl, a droes at y wladwriaeth am waredigaeth rhag y problemau lu a etifeddwyd ganddi o ganlyniad i'w statws economaidd ymylol. Serch hynny, dyma'r math o syniadau y ceisiodd Saunders Lewis eu hybu dan fantell ei haeriad fod cenedlaetholdeb yn ideoleg gyflawn.

Dyma, felly, rai o brif briodoleddau'r ffurf ar genedlaetholdeb y defnyddiodd Saunders Lewis ei ddominyddiaeth ar agenda bolisi'r Blaid Genedlaethol ifanc i'w hybu. Fel y gwelir yn y penodau canlynol, daliodd y rhain i ddylanwadu'n drwm ar y Blaid ymhell ar ôl i Saunders Lewis gilio o'r llwyfan gwleidyddol. Mae sawl rheswm pam na ymddihatrwyd oddi wrthynt ynghynt. Un eglurhad syml, wrth gwrs, yw bod y rheini a olynodd Saunders Lewis yn cytuno ag ef ynglŷn â'r materion hyn. Yn ogystal, tuedd unrhyw sefydliad – ac mae plaid wleidyddol yn sefydliad – yw dilyn patrymau blaenorol, beth bynnag yw tarddiad y patrymau hyn. Ond hefyd, profodd Saunders Lewis yn barod i ymladd yn ddygn i sicrhau ei fod yn dal ei afael ar yr agenda bolisi.

Dal gafael

Gwelwyd eisoes sut y mynnodd Saunders Lewis ei ffordd wrth lywio agenda syniadaethol y Blaid Genedlaethol yn ystod ei dyddiau cynharaf. Profodd yr un mor benderfynol wrth fynnu ei ffordd ei hun gydol ei gyfnod llywyddol. Gellir gweld hyn wrth olrhain datblygiad rhai o bolisïau canolog – a mwyaf dadleuol – y Blaid: ei safbwynt ieithyddol; ei pholisi economaidd; a'i pholisi ynglŷn â dyfodol cyfansoddiadol Cymru.

Un iaith neu ddwy?

Cymru a'r Gymraeg yn unig iaith swyddogol ynddi oedd un o amcanion creiddiol y Mudiad Cymreig. 'Sicrhau'r iaith Gymraeg yn unig iaith swyddogol Cymru', oedd yr amcan canolog a fabwysiadwyd ar gyfer y Blaid Genedlaethol yng nghyfarfod Pwllheli, a thros yr egwyddor hon y dadleuodd Saunders Lewis yn *Egwyddorion Cenedlaetholdeb*. Go brin, fodd bynnag, fod hwn yn safbwynt cynaladwy i unrhyw fudiad gwleidyddol a oedd â'i fryd ar ennill cefnogaeth dorfol yng Nghymru'r ugeinfed ganrif. O'r herwydd, yn yr ymdrech i greu rhaglen wleidyddol fwy cyflawn a chredadwy yn sgîl canlyniad siomedig isetholiad Caernarfon yn 1929, aethpwyd ati i ailystyried safbwynt y Blaid ynglŷn â'r iaith.[58] Yn rhifyn Chwefror 1930 o'r *Ddraig Goch*, dadleuodd J. E. Jones, y gŵr a fyddai'n olynu H. R. Jones fel ysgrifennydd y Blaid yn ddiweddarach y flwyddyn honno, fod yn rhaid newid safbwynt y Blaid ar y mater. 'Y mae a wnelo'r Blaid Genedlaethol â'r holl Gymru,' meddai, 'canys rhaid iddi ennill clust a chalon Cymru gyfan cyn y llwydda.' Gallai ceisio gorfodi'r Gymraeg fel unig iaith swyddogol Cymru fod yn 'faen tramgwydd i laweroedd'. Ei awgrym oedd mai'r nod briodol ar gyfer y Blaid oedd sicrhau bod y Gymraeg a'r Saesneg ill dwy yn ieithoedd swyddogol Cymru. Rhywbeth i'w ystyried yn y dyfodol pell fyddai Cymru Gymraeg: 'Wedi cael Hunan-Lywodraeth, ac wedi ymdreiddio o'i ddylanwad, drwy addysg a bywyd y wlad am lawer o flynyddoedd,

[58] Ceir trafodaeth fanwl gan Davies, *The Welsh Nationalist Party*, tt. 73–9. Pwysaf yn drwm ar ei ddadansoddiad.

yna fe ddaw'r Cymry i gyd yn Gymraeg; ac fe ellir bryd hwnnw, sicrhau'r Gymraeg yn *unig* iaith swyddogol Cymru.'[59]

Nid oedd yr awgrym at ddant Saunders Lewis. Aeth mor bell ag atodi nodyn golygyddol at ysgrif J. E. Jones yn 'egluro polisi y Blaid' ynglŷn â'r iaith. Ni fyddai deiliaid swyddi cyhoeddus a apwyntiwyd cyn deddfu'r Gymraeg yn unig iaith swyddogol yn colli eu swyddi. Serch hynny, ni ellid gwyro o'r amcan sylfaenol gan mai 'felly yn unig y sicrheir diogelwch y Gymraeg'. Beth bynnag y trefniadau byrhoedlog y byddai eu hangen wrth gyflwyno'r newid, 'sicrheir y daw'r dydd yn weddol gynnar y bydd y Gymraeg nid yn unig yn "unig iaith swyddogol," ond hefyd yn "unig iaith ymarferol" bywyd cyhoeddus Cymru'.[60]

Mae'n amlwg i fwyafrif Pwyllgor Gwaith y Blaid ochri â Jones ynglŷn â'r mater oherwydd, yn Rhagfyr 1930, gofynnwyd i Lewis ailwampio drafft o ddatganiad newydd o amcanion y Blaid a gyfeiriai at gyrchu Cymru a'r Gymraeg yn unig iaith swyddogol iddi. Canlyniad yr ailwampio hyn oedd bod y cymal perthnasol yn y rhestr amcanion newydd, a ddadlennwyd am y tro cyntaf yn rhifyn Chwefror 1931 o'r *Ddraig Goch*, yn darllen fel a ganlyn: 'Sicrhau diogelwch diwylliant, iaith a thraddodiadau Cymru drwy roddi iddynt gydnabyddiaeth ac amddiffyn swyddogol y llywodraeth.'[61]

Mae'r geiriad yn drawiadol o annelwig. Ar y naill law, dilewyd y nod o greu Cymru Gymraeg o amcanion swyddogol y mudiad. Ar y llaw arall, fodd bynnag, ni choleddir y syniad o geisio statws cyfreithiol cyfartal i'r Gymraeg a'r Saesneg yng Nghymru. Manteisiodd Saunders Lewis a'i gynghreiriaid agosaf ar yr amwysedd i barhau i ddadlau'n gryf o blaid Cymru uniaith Gymraeg. Yn rhifyn Awst 1933 o'r *Ddraig Goch*, er enghraifft, cafwyd ysgrif gan Saunders Lewis yn dwyn y teitl 'Un iaith i Gymru' a oedd yn cystwyo'r rheini o fewn y Blaid a oedd am gefnu ar y nod o Gymru uniaith:

> Ie, hyd yn oed yn y Blaid Genedlaethol ofnwn fod rhai na thybiasant eto fod 'Cymru ddwy-ieithog' yn beth i'w ofni a'i ochel, bod lleihad yn nifer y Cymry uniaith yn drychineb, ac mai cael Cymru Gymraeg uniaith sy'n unig yn gyson â dibenion ac athroniaeth cenedlaetholdeb Cymreig.

[59] *Y Ddraig Goch*, Chwefror 1930, 3.
[60] *Y Ddraig Goch*, Chwefror 1930, 3.
[61] *Y Ddraig Goch*, Chwefror 1931, 7.

Aeth ymlaen i ddadlau mai 'Drwg, a drwg yn unig, yw bod Saesneg yn iaith lafar yng Nghymru. Rhaid ei dileu hi o'r tir a elwir Cymru: *delenda est Carthago*.'[62] Beth bynnag oedd safbwynt mwyafrif aelodau'r Pwyllgor Gwaith, a beth bynnag oedd union fanylion amcanion y Blaid, trwy ei reolaeth ef a'i gymrodyr agosaf dros gyhoeddiadau'r Blaid Genedlaethol, llwyddodd Saunders Lewis i sicrhau bod ymrwymiad at Gymru uniaith Gymraeg wedi parhau'n rhan ganolog o ddelwedd gyhoeddus y Blaid trwy gydol cyfnod ei lywyddiaeth.

'Three acres and a Welsh-speaking cow'

Economeg oedd testun ysgrif gyntaf Saunders Lewis yn *Y Ddraig Goch*, 'Cenedlaetholdeb a chyfalaf'. Condemniaeth gref o gyfalafiaeth gyfoes oedd ei byrdwn, ac er na fyddai'r awdur yn cymeradwyo'r fath gymhariaeth, mae elfennau o'i ddehongliad o ddrygau cyfalafiaeth yn ein hatgoffa o ddehongliad Marx. Mae cyfalafiaeth, meddai, yn ymddieithrio'r gweithiwr oddi wrth ffrwyth ei lafur ('Fe helpa i gynhyrchu cyfalaf, ond hed y cyfalaf hwnnw i chwyddo nerth y nerthol.'). Mae hefyd yn ymddieithrio dyn oddi wrth ei gyd-ddyn trwy greu cymdeithas ddosbarth ('Dan gyfalafiaeth fe rennir y genedl yn ddau ddosbarth.'). Yn ogystal, tuedd cyfalafiaeth yw crynhoi mwy a mwy o gyfalaf yn nwylo carfan llai a llai o gyfalafwyr mawrion.

Bydd syniadau o'r fath yn gyfarwydd i unrhyw un sydd wedi pori yng ngweithiau Marx. Ond roedd elfennau eraill yn nadansoddiad Lewis, megis pwyslais ar bwysigrwydd y genedl: 'A'r genedl sy'n creu cyfalafiaeth,' meddai, ac nid un dyn ar ei ben ei hun, na'r llywodraeth. Ac wrth gwrs, roedd y feddyginiaeth a gynigiai er mwyn sicrhau iachâd o aflwydd cyfalafiaeth gyfoes yn gwbl wahanol:

> oherwydd mai ffrwyth cydegni llawer yw cyfalaf a chydymwadiad llawer, fe ddylai fod yn wasgaredig ym mhlith lliaws aelodau'r genedl . . . Y mae'n briodol i fwyafrif gweithwyr cenedl fod hefyd yn gyfalafwyr. Hynny'n unig a wedda i urddas a dedwyddwch dyn. Hynny'n unig a sicrha iddo ryddid, fel y bo'n feistr arno'i hun, peth hanfodol i'w urddas, oblegid nid oes i'r caethwas ewyllys annibynnol. Hynny hefyd a rwyma ddyn â rheffynnau

62 *Y Ddraig Goch*, Awst 1933, 1–2. Roedd Saunders Lewis yn ddiedifar ynglŷn â'r farn hon – cynhwyswyd yr ysgrif yn ei gasgliad o ysgrifau gwleidyddol *Canlyn Arthur: Ysgrifau Gwleidyddol* (Aberystwyth: Gwasg Aberystwyth, 1938), tt. 57–63.

> etifeddiaeth wrth ei genedl, gan roddi iddo gyfalaf sydd ar unwaith yn arwydd rhyddid ac yn symbol dyled a thraddodiad, ac felly yn fagwrfa gwladgarwch a bonedd a chadernid a sefydlogrwydd bro.

Cymdeithas o 'fân gyfalafwyr', felly, a gynigia ddihangfa o grafangau cyfalafiaeth – sef cymdeithas debyg i'r hyn a fodolai yng Nghymru, yn nhyb Saunders Lewis, cyn y 'newidiodd y Tuduriaid bethau'.[63]

Serch iddo droi ei law at drafod cyfundrefnau economaidd, nid oedd Saunders Lewis, nac unrhyw un arall ymhlith sylfaenwyr y Blaid, yn meddu ar wybodaeth arbenigol ym maes economeg. Yn hyn o beth bu'r mudiad yn ffodus eithriadol fod D. J. Davies wedi ymuno ag ef yn ystod ei flynyddoedd cyntaf. Wedi bywyd hynod liwgar, roedd y cyn-löwr, -llongwr, -*hobo*, -pencampwr bocsio, -undebwr llafur tanllyd (ymysg pethau eraill) hwn o Sir Gaerfyrddin wedi dyfod i'r brifysgol yn Aberystwyth yn 1925 i astudio economeg (derbyniodd ei ddoethuriaeth am draethawd yn ymwneud ag agwedd ar economeg amaethyddol yn 1931).[64] Yng ngwanwyn 1927, dechreuodd gyfrannu i'r *Ddraig Goch* gan ddyfod yn un o'r cyfranwyr mwyaf toreithiog. Yn 1931 cyhoeddwyd pamffled ganddo yn dwyn y teitl *The Economics of Welsh Self-Government.* Roedd y pamffled, un o gyhoeddiadau Saesneg cyntaf y Blaid, yn crynhoi a chyfundrefnu'r dadansoddiad a ddatblygwyd ganddo mewn cyfres o ysgrifau yn *Y Ddraig Goch.*[65] Saif hyd heddiw yn un o'r ysgrifau pwysicaf – y gwreiddiolaf a'r mwyaf gwefreiddiol – a gyhoeddwyd gan y mudiad erioed.

Cynhwysai'r pamffled ddadansoddiad credadwy o wendidau strwythurol economi Cymru, ynghyd ag eglurhad o'r modd yr oedd y gwendidau hyn wedi deillio yn uniongyrchol o'i pherthynas â

[63] Saunders Lewis, 'Cenedlaetholdeb a chyfalaf', *Y Ddraig Goch*, Mehefin 1926, 3–4.

[64] Ceir bywgraffiad byr ohono yn Ceinwen H. Thomas, 'D. J. Davies', yn Morgan, *Adnabod Deg*, tt. 140–153. Gweler hefyd ysgrif bwysig Emyr Wynn Williams, 'D. J. Davies – a working class intellectual within Plaid Genedlaethol Cymru 1927–32', *Llafur*, 4 (4), 46–57.

[65] Erbyn cyhoeddi *The Economics of Welsh Self-Government* (Caernarfon: Welsh Nationalist Party) yn 1931 yr oedd wedi cyhoeddi nifer fawr o ysgrifau pwysig yn nhudalennau'r *Ddraig Goch* gan gynnwys: 'Agwedd economig ymreolaeth i Gymru', Ebrill 1927, 5; *parhad*, Mai 1927, 5; *parhad*, Gorffennaf 1927, 5; 'Cyfansoddiad Ulster a'r dalaith rydd', Medi 1927, 3, 7; 'Diffyndollaeth a diwydiannau Cymru', Chwefror 1929, 5; *parhad*, Mawrth 1929, 5, 7; 'Y Blaid Genedlaethol a diffyg gwaith', 4–5, 8; 'Canlyniadau llywodraeth estron', Ebrill 1930, 5–6; 'Glo caled dehau Cymru', Medi 1930, 5–8; *parhad*, Hydref 1930, 5–6; *parhad*, Rhagfyr 1930, 5, 8; 'Llywodraeth Gymreig: paham y mae yn rheidrwydd', Chwefror 1931, 4–5; *parhad*, Mawrth 1931, 4, 8.

Lloegr. Yn ogystal, a Chymru erbyn hynny'n dioddef yn enbyd yn nannedd y Dirwasgiad Mawr, aeth Davies ati i gynnig meddyginiaeth i'r aflwydd economaidd a wynebai. Dadleuodd dros sefydlu gwladwriaeth Gymreig a fyddai'n hybu datblygiad mentrau cydweithredol oddi mewn i economi gymysg, fodern. Denmarc oedd y model y pwysai drymaf arno am ysbrydoliaeth ar gyfer ei fraslun o bolisi economaidd amgen i Gymru. Yn wir, roedd y cynllun economaidd a argymhellai yn debyg i'r hyn a fabwysiadwyd drwy wledydd Llychlyn yn y 1930au ac a osododd seiliau'r gwladwriaethau lles llewyrchus a ddatblygwyd yno wedi'r Ail Ryfel Byd. Mae'n arwydd o gamp Davies wrth lunio'r pamffled – yn ogystal â methiant polisi economaidd yng Nghymru dros gyfnod o dri chwarter canrif a mwy – fod ei syniadau'n parhau i ymddangos yn gyfoes a chyffrous hyd yn oed heddiw. Wrth gwrs, ni ellir fyth brofi'r naill ffordd neu'r llall beth fyddai'r canlyniadau pe gwnaed ymdrech deg i weithredu syniadau Davies ddechrau'r 1930au. Ond ni ellir gwadu nad oedd sylfaen polisi economaidd credadwy wedi'i osod yn y pamffled hwn ac yn ysgrifau eraill D. J. Davies a'i briod Noëlle Davies.[66] A'r pleidiau traddodiadol fel petaent wedi'u parlysu yn wyneb cyflafan economaidd a chymdeithasol y Dirwasgiad, roedd D. J. Davies wedi cynnig moddion i'r Blaid ymddangos fel grym blaengar ym mywyd Cymru yn hytrach nag fel math o adlais o gyfnod a fu. Yn Ysgol Haf y Blaid yn 1932, pleidleisiodd yr aelodau dros ymrwymo y mudiad i sefydlu gwladwriaeth Gymreig ar seiliau cydweithrediad, gan awgrymu'n gryf eu bod yn barod i lyncu'r feddyginiaeth a gynigiai Davies. Ond beth am eu llywydd?

Ceir adolygiad o *The Economics of Welsh Self-Government* gan Saunders Lewis yn rhifyn Medi 1931. Mae ei ganmoliaeth o D.J. a Noëlle Davies yn hael. Ystyrir y ddau ganddo 'ymysg y dylanwadau pwysicaf' yn y mudiad cenedlaethol; hawlia, yn wir, '[nad] oes ychwaith neb dau yng Nghymru heddiw y mae eu cwmni am noswaith yn fwy o ysbrydiaeth a deffroad i wasanaeth ac ymgysegriad na'r ddau hyn'. Heb os, o enau Saunders Lewis, mae

66 Mae Noëlle Davies yn un arall o'r merched yn hanes Plaid Cymru na chafodd yn agos y sylw a haedda: sefyllfa ryfeddol o ystyried pa mor lliwgar oedd ei bywyd hithau yn ogystal. Yn ferch o deulu Eingl-Wyddelig cefnog, cyfarfu â'i gŵr yn Nenmarc cyn dychwelyd gydag ef i Gymru ac ymroi i'r achos cenedlaethol. Wedi marwolaeth annhymig D.J. yn 1956 dychwelodd drachefn i Iwerddon.

ieithwedd o'r fath, a'i adleisiau crefyddol amlwg, yn arwydd o barch gwirioneddol. Mae hefyd, fodd bynnag, yn arwydd o'r ffordd y troes ddŵr y dadansoddiad economaidd a chymdeithasol a gynhyrchwyd ganddynt i'w felin ei hun.

Er ei fod yn cytuno â phwyslais D.J. a Noëlle Davies ar gydweithrediad, haera Lewis mai 'tân cydymdeimlad ac eneidiad crefyddol' yw carreg sylfaen dadleuon y pamffled – hyn er gwaetha'r ffaith mai digon agnostig oedd agwedd D. J. Davies, o leiaf, tuag at grefydd ar y pryd! Ymhellach, wrth gloi'r adolygiad, haerir mai:

> Amcan y blaid [*sic*] Genedlaethol yw di-broletareiddio gwerin Cymru, gwneud Cymru fel y bu hi gynt yn wlad o ddynion annibynnol a chryf eu cymeriadau oblegid eu bod yn berchnogion eiddo, yn feistri arnynt eu hunain, ac nid yn weision cyflog yn unig. Nid hynny o gwbl yw amcan Sosialaeth, ond hynny yw amcan cydweithrediad cenedlaethol, a bydd pamffled y Dr. Davies yn symbyliad i hynny.[67]

Wrth grefyddoli gweledigaeth economaidd D.J. a Noëlle Davies i'r fath raddau, roedd Saunders Lewis yn ei hystumio – fel estyniad o foeseg yn hytrach na diwinyddiaeth y deallai'r ddau eu hathrawiaeth economaidd, ac mae hwnnw'n wahaniaeth sylfaenol. Ond yn fwy pwysig fyth o safbwynt sicrhau mantais wleidyddol i'r mudiad cenedlaethol, wrth ieuo gweledigaeth economaidd gymdeithasol sylfaenol flaengar y ddau Davies at ei weledigaeth ef o wlad o fân gyfalafwyr 'fel y bu hi gynt', cychwynnodd Saunders Lewis ar broses a fyddai'n tanseilio hygrededd unrhyw ddatganiad ar economeg a ddeuai o gyfeiriad y Blaid am flynyddoedd lawer.

Os am ddynodi'r foment pan ysbaddwyd potensial gwleidyddol syniadau D.J. a Noëlle Davies yn derfynol, yna mae'n rhaid troi at rifyn Mawrth 1934 o'r *Ddraig Goch*, a chyhoeddi 'Deg pwynt polisi' Saunders Lewis. Y 'deg pwynt' hyn, ynghyd â'r athrawiaeth a ddeilliodd ohonynt, sef 'perchentyaeth', a liwiodd amgyffrediad

67 Saunders Lewis, 'Economeg hunan-lywodraeth: pamffled pwysig Dr. D. J. Davies', *Y Ddraig Goch*, Medi 1930, 2–3. Teg yw nodi bod Saunders Lewis yn talu teyrnged i D.J. a Noëlle Davies fel ei gilydd, er mai dan enw D. J. Davies yn unig yr oedd yr ysgrifau economaidd wedi ymddangos hyd yna. Tybed a ellir dehongli hyn fel cadarnhad o argraff a gaiff llawer wrth ddarllen yr ysgrifau cynnar hyn, sef mai gwaith y ddau oeddynt mewn gwirionedd er mai enw D. J. Davies a geir arnynt? Yn ddiweddarach, gwelwyd enwau'r ddau ar lawer o ysgrifau a phamffledi. O ran daliadau crefyddol D. J. Davies, gweler ymdriniaeth fer Ceinwen H. Thomas, 'D. J. Davies', tt.152–3.

pobl o'r tu mewn a'r tu allan i'r Blaid am ei syniadau economaidd a chymdeithasol am gyfnod maith. Dyma'n amlwg oedd y bwriad, ac yn hyn o beth gellir ystyried cyhoeddi – ac ailgyhoeddi – y deg pwynt yn llwyddiant.[68] Ond, o safbwynt darbwyllo unrhyw un y tu allan i gylch y cadwedig rai fod gan y Blaid unrhyw beth i'w gynnig i bobl Cymru yn eu gwewyr, roeddynt yn ddi-os yn gwbl wrthgynhyrchiol.

Hyd yn oed a bwrw mai fel crynodeb y'u bwriedwyd, mae'r deg pwynt yn drawiadol o amrwd a haniaethol. Yn wir, o ystyried eu bod wedi ymddangos am y tro cyntaf bron i dair blynedd wedi cyhoeddi *The Economics of Welsh Self-Government*, mae'n eglur fod y Blaid wedi prifio'n ddigonol i allu cynnig rhywbeth llawer iawn gwell pe bai ei llywydd am wneud hynny. Yn wir, yr eironi mawr am y deg pwynt oedd bod y llywydd ei hun mewn sefyllfa i gynnig llawer iawn amgenach petai'n dymuno gwneud hynny. Mewn pamffled o'i eiddo a gyhoeddwyd flwyddyn yn gynharach, roedd Lewis wedi dadlau *The Case for a Welsh National Development Council*, gan argymell creu corff tebyg iawn i Awdurdod Datblygu Cymru. Yn hyn o beth roedd ei syniadau yn fwy na deng mlynedd ar hugain o flaen eu hamser.[69] Ond yn hytrach na cheisio cynnig atebion penodol i broblemau'r Gymru gyfoes ar sail y gwahanol argymhellion a gafwyd yng nghyhoeddiadau'r mudiad, yr hyn a gafwyd ganddo oedd naratif cyffredinol na ellir ei ystyried ond yn grancyddol.

Brawddeg gynta'r wythfed pwynt yw'r rhan enwocaf o ddigon o'r deg. Yn wir, efallai mai dyma'r frawddeg unigol enwocaf o holl ysgrifau gwleidyddol Saunders Lewis o'i gyfnod fel llywydd y Blaid. Gwelir, yn ogystal, odrwydd – ac ynfydrwydd – y deg pwynt yn eu cyfanrwydd wrth ddwyn i gof y frawddeg sy'n ei dilyn. Dyma'r ddwy:

> Er mwyn iechyd moesol Cymru ac er lles moesol a chorfforol ei phoblogaeth, rhaid yw dad-ddiwydiannu Deheudir Cymru. Y mae holl adnoddau

[68] *Y Ddraig Goch*, Mawrth 1937; fe'i hadargraffwyd drachefn fel yr ysgrif gyntaf yng nghasgliad Saunders Lewis, *Canlyn Arthur*, tt. 11–13. Tybia Emyr Wynn Williams fod penderfyniad Lewis i ymhél â syniadau economaidd o tua 1932 ymlaen yn rhan o ymdrech fwriadus ar ei ran i leihau dylanwad syniadau blaengar – megis rhai D. J. Davies – o fewn y Blaid; gweler Williams, 'D. J. Davies', 56.

[69] Am fwy o syniadau economaidd adeiladol o'i eiddo, gweler Saunders Lewis, *The Local Authorities and Welsh Industries* (Caernarfon: Welsh Nationalist Party, 1934).

naturiol Cymru yn gyfoeth i'w drin yn ddarbodus er budd y genedl Gymreig ac er cymorth ei chymdogion mewn rhannau eraill o'r byd.

Heb unrhyw amodi nac eglurhad pellach, anodd iawn yw dehongli'r frawddeg gyntaf fel dim ond ymosodiad ar ganran sylweddol iawn o boblogaeth Cymru, a hynny yn awr fawr eu hangen. Soniwyd eisoes am amwysedd sylfaenol agwedd Saunders Lewis tuag at y Gymru ddi-Gymraeg. Fodd bynnag, ar yr achlysur hwn, nid oes golwg o'r amwysedd hwnnw. Nid oes dim i liniaru'r awgrym pendant o ddirmyg: 'Er mwyn iechyd moesol Cymru.' Ac yna'r galw annirnadwy am 'ddad-ddiwydiannu' de Cymru? Nid dyma beth a geir yn *The Economics of Welsh Self-Government* nac, yn y ffurf amrwd yma o leiaf, ym mhamffledi economaidd Saunders Lewis ei hun. Felly pam dweud y fath beth mewn datganiad sylfaenol y gobeithiai – y bwriadai – Saunders Lewis ei weld yn cael cyhoeddusrwydd eang fel un o gerrig sylfaen syniadaethol y Blaid?

Ysywaeth, yn hytrach na chynnig eglurhad ar eiriau ffrwydrol y frawddeg gyntaf, dilynodd yr ail drywydd cwbl wahanol. Yn wir, mor amwys ac amhenodol yw goblygiadau ymarferol geiriau'r ail frawddeg nes y gellir yn hawdd ddychmygu eu clywed o enau unrhyw genedlaetholwr cymharol oleuedig o unrhyw genedl, o Masaryk i Blair. Ond wrth gwrs, ychydig sydd wedi sylwi ar y frawddeg hon. Mae'r frawddeg sy'n ei rhagflaenu yn ddigon i sicrhau bod gweddill y pwynt, a'r naw arall o ran hynny, yn mynd yn angof. Disgrifiwyd maniffesto'r Blaid Lafur ar gyfer Etholiad Cyffredinol 1983 fel 'the longest suicide note in history'; os felly, roedd brawddeg agoriadol yr wythfed o 'Ddeg pwynt polisi' Saunders Lewis gyda'r byrraf.

Oherwydd ymyrraeth Saunders Lewis daeth 'perchentyaeth' i ddiffinio amcanion economaidd a chymdeithasol y Blaid: cymdeithas wledig, Gymraeg ei hiaith, yn seiliedig ar fân berchnogaeth ac amaethyddiaeth, 'fel y bu hi gynt'. Crynhowyd yr athrawiaeth rywdro fel 'three acres and a Welsh-speaking cow'.[70] Sylw dychanol, wrth gwrs, ond un a oedd yn ddigon agos ati, serch hynny. Pa ryfedd na chymerwyd syniadau economaidd a chymdeithasol y Blaid o ddifrif?

[70] Gweler ysgrif olygyddol y *Western Mail*, 4 Rhagfyr 1942 (diolchaf i Rhys Evans am y cyfeiriad). Mabwysiadwyd y dyfyniad yn ddiweddarach gan Harri Webb wrth iddo gystwyo lladmeryddion 'perchentyaeth' yn rhengoedd y Blaid.

Statws dominiwn

O ystyried y sylwadau a nodwyd eisoes gan rai o'r bobl hynny a fu ynglŷn â sefydlu'r Blaid ac a hawliai mai annibyniaeth oedd ei phriod nod, nid yw'n syndod deall bod Saunders Lewis wedi creu peth anniddigrwydd pan fynnodd wrthwynebu annibyniaeth yn enw rhyddid. Cymaint oedd anfodlonrwydd H. R. Jones fel yr ysgrifennodd at Saunders Lewis i ddatgan ei fod yn ystyried ymddiswyddo o'i swydd yn y Blaid mewn protest. Ysgrifennodd Saunders Lewis yn ôl ato gan nodi'n fras ei resymau 'dros beidio ymladd dros annibyniaeth':

> 1. ni bu erioed yn egwyddor Gymreig mewn gwleidyddiaeth; ni cheisiodd na Hywel Dda na Llywelyn Fawr nac Owain Glyndŵr hynny;
>   Y mae cael ein harwain gan *Republicans* Iwerddon yn ffolineb plentynnaidd. Y gwleidyddion mawr Cymreig yn y gorffennol a'r traddodiad Cymreig a ddylai fod yn arweinwyr a symbyliad i ni;
> 2. y mae egwyddor annibyniaeth fel y dangosais ym mhamffled Machynlleth yn wrth-Gristnogol, ac ni allaf ei derbyn oblegid hynny;
> 3. y mae'n gwbl anymarferol, ac yn dangos diffyg gallu i feddwl a wynebu ffeithiau fel ag y maent.[71]

Sylwadau sy'n gyson â chywair dadleuon *Egwyddorion Cenedlaetholdeb* a geir yn y ddau bwynt cyntaf. Mae'r trydydd ychydig yn wahanol ac yn ddigon awgrymog, ond, ysywaeth, ni cheir ymhelaethiad pellach arno.

Gellid maddau i H. R. Jones petai wedi troi ei drwyn wrth glywed Saunders Lewis, o bawb, yn ei gyhuddo o ddiffyg ymarferoldeb ac o beidio â 'wynebu ffeithiau fel ag y maent'! Ni wyddom, fodd bynnag, beth oedd ei ymateb. Hyd y gwyddys, nid aeth y mater ymhellach. Yn sicr, fe gadwodd Jones at ei swydd, ac ni heriodd syniadau Saunders Lewis ar goedd. Serch hynny, go brin y'i bodlonwyd. Dadlennir ei wir agwedd mewn ysgrif o'i eiddo a ymddangosodd (dan ffugenw) yn *Y Darian* yn 1930. Ynddo, dengys gydymdeimlad amlwg â'r hyn a welai fel anfodlonrwydd Gwyddelod cyffredin ynglŷn â pharhad y cysylltiad rhwng y *Free State* a'r Goron Brydeinig: 'ni allant yn eu byw ddeall paham y rhaid iddynt hwy dderbyn brenin Lloegr fel eu brenin'.[72] Annibyniaeth lwyr o'r

[71] Saunders Lewis at H. R. Jones, dim dyddiad [ond Ionawr 1926?] (APC, B5).
[72] Dyfynnir gan Gwilym R. Jones, 'H. R. Jones', yn Morgan, *Adnabod Deg*, t. 43.

wladwriaeth Brydeinig oedd eu nod hwy, nod a rannwyd hyd ddiwedd ei oes gan y gŵr a wnaeth y gwaith caib a rhaw a arweiniodd at sefydlu Plaid Genedlaethol Cymru.

Canlyniad y croesdynnu rhwng safbwynt Saunders Lewis a dyheadau trwch yr aelodaeth yw bod agwedd y Blaid Genedlaethol tuag at y cwestiwn cyfansoddiadol wedi'i nodweddu gan elfen o sgitsoffrenia. Ar y naill law, roedd Saunders Lewis wedi mynnu hepgor unrhyw gyfeiriad at hunanlywodraeth o'r rhestr amcanion y cytunwyd arni yng nghyfarfod Pwllheli. Yn ogystal â hynny, er na roddwyd blaenoriaeth i hunanlywodraeth yn *Egwyddorion Cenedlaetholdeb*, roedd y ddarlith honno wedi ymrwymo'r Blaid i wrthwynebu annibyniaeth i Gymru yn enw 'rhyddid', cyflwr amwys ond un a oedd ar adegau yn ymdebygu i'r hyn a adwaenir bellach fel datganoli. Ar y llaw arall, fodd bynnag, roedd hunanlywodraeth yn fater o'r pwys mwyaf i lawer o aelodau'r Blaid ac yn rhan ganolog o'i chenhadaeth yn y myrdd o gyfarfodydd a drefnwyd ganddi i ledaenu'r efengyl, yn enwedig, mae'n debyg, yn y rhai hynny a drefnwyd gan H. R. Jones.

Dyma blaid, felly, a osododd hunanlywodraeth yng nghanol ei neges gyhoeddus ond a'i hepgorodd o'i rhestr amcanion. Ac felly y bu am nifer o flynyddoedd. Roedd llythyr Lewis Valentine at etholwyr Caernarfon cyn etholiad 1929, er enghraifft, yn hawlio mai ef oedd yr 'ymgeisydd seneddol cyntaf yn holl hanes Cymru i gymryd rhyddid Cymru ac ymreolaeth i Gymru yn unig sail apêl mewn etholiad seneddol'. Yn wir, roedd y 'rhifyn etholiad arbennig' o'r *Ddraig Goch* a gyhoeddwyd fis Mai 1929 i gefnogi ymgyrch Valentine yn llawn cyfeiriadau at ymreolaeth. 'Sut i gael ymreolaeth' oedd teitl un ysgrif, 'Ymreolaeth i Gymru: paham?' oedd teitl un arall ac is-deitl erthygl olygyddol Saunders Lewis yntau oedd 'Mynd ati i gael ymreolaeth' (er nad oedd gair am ymreolaeth yng nghorff yr ysgrif ei hun!). Ond beth yn y byd a olygid wrth 'ymreolaeth' neu 'hunanlywodraeth'? Bu'n rhaid aros pum mlynedd wedi cyfarfod 'sefydlu' Pwllheli cyn y gallai'r Blaid gynnig ateb swyddogol i'r cwestiwn hwnnw.

Ym mlynyddoedd cyntaf *Y Ddraig Goch,* cyhoeddwyd cyfres o ysgrifau yn trafod gwahanol fodelau cyfansoddiadol posibl ar gyfer Cymru gan gynnwys ffurfiau ar ddatganoli, ffederaliaeth a statws dominiwn. Yn eu plith, cafwyd cymhariaeth ddylanwadol gan D. J. Davies o rymoedd datganoledig senedd Stormont yng Ngogledd

Iwerddon â statws dominiwn 'Talaith rydd' y de. Ei gasgliad oedd mai statws dominiwn yn unig a fyddai'n estyn digon o rym i ganiatáu i lywodraeth Gymreig leddfu rhywfaint ar broblemau economaidd y wlad.[73] Ond yn ogystal, cafwyd hefyd gydnabyddiaeth fod diffyg eglurder y Blaid ar y mater tyngedfennol o ymreolaeth yn faen tramgwydd. Eglurwyd y sefyllfa yn y termau canlynol yn nodiadau golygyddol Chwefror 1927: 'Ys gwir na phenderfynodd y Blaid eto ar ffurf Mesur Ymreolaeth i Gymru. Nid ar chwarae bach y gwneir hynny, a rhaid wrth astudiaeth lwyr.' Erbyn Ionawr 1930, fodd bynnag, ymddengys fod ambell un yn rhengoedd y Blaid yn dechrau amau bod 'astudiaeth lwyr' yn gyfystyr â llusgo traed. Mewn llythyr digon pigog at *Y Ddraig Goch,* nododd J. E. Jones y 'Bu son droeon yn rhengau'r Blaid Genedlaethol y llunid mesur o ymreolaeth i Gymru gan ei gwŷr cyfarwydd . . . Hyd y gallaf gasglu, ni wnaethpwyd hynny.'[74] Roedd hi'n bryd i'r Pwyllgor Gwaith fwrw'r maen i'r wal.

Yn rhifyn Mawrth 1930, dychwelodd Saunders Lewis ei hun at y pwnc yn ei nodiadau golygyddol. Roedd cywair ei sylwadau yn gwbl wahanol i'r hyn a gafwyd ym Machynlleth yn 1926, ac yn hyn o beth, maent yn dysteb i ddatblygiad ei syniadau gwleidyddol yn ystod y cyfnod. Ceir ymosodiad eithriadol o chwyrn ganddo ar gefnogaeth y Rhyddfrydwyr i ddatganoli ('trosglwyddiaeth' yw bathiad Lewis). 'Nid er mwyn dibenion mor wacsaw â hynny y ffurfiwyd y Blaid Genedlaethol a'i pholisi.' Yn wir, 'Yr ydym yn ei chwydu o'n genau.' Pam? Yn eironig ddigon, ymddengys mai sofraniaeth oedd wrth wraidd y mater!

> Amcan y Blaid Genedlaethol yw rhoddi i Gymru nid 'ymreolaeth mewn materion lleol' [h.y. datganoli], eithr rhoddi iddi 'Gyfansoddiad'. Ystyr hynny yw y byddai gan Gymru senedd a llywodraeth na allai senedd Loegr na'u newid na'u dileu nac ymyrryd â hwynt. Sicrheid annibyniaeth foesol a rhyddid y Cyfansoddiad Cymreig drwy fod gan Gymru reolaeth lwyr ar ei holl drethi gan gynnwys y dreth incwm yn bennaf. Yn wir, os gofyn rhywun inni am ddiffiniad cryno o amcan y Blaid Genedlaethol, ni allem roi gwell ateb na hyn: 'Cyfansoddiad Dominiwn i Gymru ac annibyniaeth ariannol'.[75]

[73] *Y Ddraig Goch,* Ebrill 1927, 5. Gweler hefyd D. J. Davies, 'Cyfansoddiad Ulster a'r dalaith rydd', 3, 7.

[74] *Y Ddraig Goch,* Ionawr 1930, 7. Flynyddoedd yn ddiweddarach, fodd bynnag, roedd J. E. Jones wedi llwyr anghofio'r rhwystredigaeth a deimlai ar y pryd. Yn hytrach, broliai ddull 'pwyllog' y Blaid o lunio polisi yn ystod ei blynyddoedd cyntaf; gweler *Tros Gymru: J.E. a'r Blaid* (Abertawe: Gwasg John Penry, 1970), t. 72.

[75] 'Nodiadau'r mis', *Y Ddraig Goch,* Mawrth 1930, 1, 2.

I raddau, roedd Saunders Lewis yn siarad yn ei gyfer gan nad oedd statws dominiwn eto wedi'i fabwysiadu'n bolisi swyddogol bryd hynny. Ond, o ystyried ei afael ar y Blaid, nid yw'n syndod mai buan y newidiodd hynny. Yn Chwefror 1931, cyhoeddwyd rhestr newyddion o amcanion swyddogol ar gyfer y Blaid Genedlaethol:

> Amcanion
>
> 1. ennill i Gymru yr unrhyw safle a chyfansoddiad o fewn y gyfundrefn o genhedloedd a elwir yn Ymerodraeth Prydain ag y sydd yn awr yn feddiant Dominiwn Newfoundland, Canada, ac Awstralia a Deheudir Affrica a Gwladwriaeth Rydd Iwerddon, etc.;
>
>   Ennill i Gymru SENEDD a chanddi awdurdod llawn i ddeddfu er budd a mantais Cymru ynghyd â LLYWODRAETH a fo'n gyfrifol i'r Senedd honno;
> 2. sicrhau diogelwch diwylliant, iaith a thraddodiadau Cymru drwy roddi iddynt gydnabyddiaeth ac amddiffyn swyddogol y llywodraeth;
> 3. ennill i Gymru yr hawl i ymaelodi yng NGHYNGHRAIR Y CENHEDLOEDD.[76]

Dyma, felly, orseddu sicrhau statws dominiwn i Gymru fel ei phrif amcan cyfansoddiadol.

Er gwaethaf sylwadau Lewis yn ei lythyr at H. R. Jones i'r perwyl fod ceisio dilyn esiampl Iwerddon yn blentynnaidd, dilyn esiampl Iwerddon (fel yr oedd pethau'n sefyll yno cyn 1937, beth bynnag) a wnaeth y Blaid yn y diwedd wrth lunio ei pholisi cyfansoddiadol. Mantais fawr 'statws dominiwn' oedd ei fod yn gallu pontio'r gwahanol safbwyntiau a fodolai oddi mewn i'r Blaid. Ar y naill law, roedd yn bodloni'r rheini a oedd am weld Cymru yn mwynhau'r mesur helaethaf o hunanlywodraeth – carfan a gynhwysai fwyafrif llethol aelodau'r Blaid. Iddynt hwy roedd 'statws dominiwn' yn gyfystyr i bob pwrpas ymarferol ag annibyniaeth, ac yn wir, ar ôl arwyddo Statud Westminster yn 1931, dyna oedd y ddealltwriaeth gyffredin. Ond, ar y llaw arall, roedd yr elfen oruwchlywodraethol a ddeilliai o gadw'r cysylltiad â'r

[76] *Y Ddraig Goch*, Chwefror 1931, 7.

ymerodraeth Brydeinig yn gyson â chondemniad Saunders Lewis o'r cysyniad modern o sofraniaeth yn *Egwyddorion Cenedlaetholdeb*.[77] Felly, o'i safbwynt yntau, roedd mynnu statws dominiwn yn berffaith gyson â dadl egwyddorol o blaid 'rhyddid' yn hytrach nag 'annibyniaeth'. Roedd y term 'statws dominiwn' yn ddigon llac i ganiatáu sawl dehongliad. Canlyniad hyn yn ei dro yw na chafodd athrawiaeth *Egwyddorion Cenedlaetholdeb* ei herio: fel y gwelir yn y penodau sy'n dilyn, cadwodd y ddarlith ei statws fel y datganiad creiddiol ynglŷn â seiliau syniadaeth gyfansoddiadol y Blaid.

Ni fyddai'n deg rhoi'r argraff fod Saunders Lewis wedi cael ei ffordd ei hun ynglŷn â phopeth. Brwydrodd yn hir i gynnal polisi'r Blaid Genedlaethol o wrthod cymryd seddau yn Nhŷ'r Cyffredin. Ond ofer fu ei ymdrechion ac, yn y diwedd, bu'n rhaid iddo ildio ar y mater. Ond eithriad oedd hyn. Y gwir amdani yw iddo lwyddo i ddal ei afael ar agenda bolisi'r Blaid i raddau rhyfeddol. Yn ddi-os, hefyd, ef yn anad neb a liwiodd y canfyddiad cyhoeddus o'r agenda honno. O ystyried bod cymaint o'i syniadau yn tynnu'n groes i reddfau blaengar, adain chwith trwch aelodau'r mudiad, mae'r ffaith iddo ddal ei afael cyhyd yn tystio'n huawdl i'w sgiliau gwleidyddol yn ogystal â'r parch a fodolai tuag ato ymhlith y rhengoedd. Ond roedd pen draw i deyrngarwch a hyblygrwydd syniadaethol aelodau'r Blaid.

Tân siafins

Daeth y Tân yn Llŷn yn rhan ganolog o chwedloniaeth cenedlaetholdeb Cymreig. Mae'n debyg mai digon niwlog yw gwybodaeth y rhan fwyaf o genedlaetholwyr ynglŷn â'r hyn a ddigwyddodd cyn, yn ystod ac ar ôl gweithred 'Y Tri' ym Mhenyberth.[78] Felly y mae'n tueddu i fod yn achos y digwyddiadau symbolaidd hynny

[77] Noda D. Hywel Davies yn ogystal fod cyrchu statws dominiwn hefyd yn gyson â daliadau brenhingar Saunders Lewis. Ceir trafodaeth feirniadol ar agweddau Lewis tuag at y frenhiniaeth yn Lloyd, *John Saunders Lewis*, tt. 329–33, ond cymharer sylwadau mwy cymesur a thecach Pennar Davies, 'His criticism', yn Jones a Thomas, *Presenting Saunders Lewis*, tt. 100–1.

[78] Ceir yr hanes yn Davies, *The Welsh Nationalist Party*, tt. 154–66; 207–10. Gweler yn ogystal ymdriniaeth ddifyr tu hwnt Karl Davies, *Beth am gynna tân . . . Hanes Llosgi'r Ysgol Fomio* (Llanrwst: Gwasg Carreg Gwalch, 1986) ac argraffiadau llygad-dyst yn O. M. Roberts, *Oddeutu'r Tân* (Caernarfon: Gwasg Gwynedd, 1994).

sy'n britho hanes amryfal fudiadau gwleidyddol. Nid union amgylchiadau 'Merthyron 1868' a oedd yn bwysig i Ryddfrydwyr Cymreig yr oes o'r blaen, a go brin y byddai parchusion y mudiad Llafur Cymreig am wybod gormod am hanes Terfysg Tonypandy! Nid manylion, na ffeithiau hyd yn oed, sy'n cyfrif mewn achosion o'r fath. Mae grym chwedlau yn llawer rhy fawr i gael ei gyfyngu gan ryw fanion felly. I Gymry Cymraeg o genedlaetholwyr, yn arbennig, mae arwyddocâd y weithred yn parhau i atsain hyd at heddiw, ac anodd, onid cwbl amhosibl, yw gwerthuso pwysigrwydd hynny.

Serch hynny, o safbwynt bwriadau'r gweithredwyr a'u cynorthwywyr ar y pryd, tân siafins oedd y Tân yn Llŷn. Er iddo greu goleuni a gwres am ychydig, byrhoedlog iawn oedd ei effeithiau gwleidyddol. Do, bu llawer iawn o ganmol ar 'Y Tri' mewn cylchoedd cenedlaetholgar, ond prin iawn fu'r gwaith gwleidyddol a ddeilliodd o'u gweithred. Dyma ddyfarniad D. Tecwyn Lloyd ynglŷn â'r ymateb:

> methodd beri i aelodau'r Blaid wneud dim mwy na gosod y Tri ar bedestal ar ôl eu rhyddhau, canu eu clodydd a'u gwahodd i'r fan hyn a'r fan acw i ddarlithio'n ddifyr a doniol ar eu profiadau yng ngharchar Wormwood Scrubs; rhoi cyfle i'r sawl a wrandawai arnynt gau llygaid ar eu haberth a'i arwyddocâd trwy ymddiddanu a rhyfeddu at droeon bywyd mewn carchar a manion dibwys tebyg.[79]

Darlun sinigaidd? Efallai'n wir, ond y mae yn llygad ei le. Er bod 'Y Tri' yn y carchar ar y pryd, dim ond naw a oedd yn fodlon sefyll yn lliwiau'r Blaid yn etholiadau cyngor sir Mawrth 1937. Ac ar ôl cynnydd yn 1936 a 1937, siomedig dros ben oedd y cyfraniadau ariannol i Gronfa Gŵyl Dewi'r Blaid yn 1938 a 1939. Yn wir, fel yr edrydd D. Hywel Davies, erbyn 1939 roedd amheuaeth ynglŷn â dyfodol y Blaid.[80] Os felly yr oedd hi ymysg yr aelodau, pa ryfedd na welwyd mwy o'r dyrfa enfawr o 12,000 a ddaeth ynghyd yng Nghaernarfon yn Awst 1937 i groesawu Lewis, Valentine a Williams yn ôl o'r carchar, yn ymroi i'r achos?

Gwyddai Saunders Lewis yn dda mai methiant oedd y weithred. A chydag yntau'n cael ei hel o'i swydd yn Abertawe a'i alltudio o

[79] D. Tecwyn Lloyd, 'Dwy wedd ar bethau', *Y Traethodydd*, Ionawr 1989, 30.
[80] Davies, *The Welsh Nationalist Party*, tt. 208–9, 164, 210.

academia o ganlyniad iddi, ac felly'n wynebu amgylchiadau personol anodd tu hwnt, nid yw'n syndod iddo benderfynu ildio'r llywyddiaeth. Ceisiodd wneud hynny mewn cyfarfod o'r Pwyllgor Gwaith adeg y Pasg 1938. Er nad oedd, yn ôl tystiolaeth Ambrose Bebb, gefnogaeth unfrydol iddo hyd yn oed yn y cylch cyfrin hwnnw, llwyddwyd i ddarbwyllo Lewis na ddylai ildio'i swydd yn syth. Ond rhoes wybod ei fod yn gwbl benderfynol na fyddai'n derbyn ei ailenwebu i'r llywyddiaeth pan ddeuai ei dymor pedair blynedd diweddaraf i ben yn 1939.[81] Wrth egluro ei benderfyniad, cyfeiriodd at y diffyg gweithgaredd yn sgîl y Tân, a diffyg teyrngarwch yr aelodau mewn cyfnod o feirniadaeth. Mewn araith gerbron Ysgol Haf y Blaid yn Abertawe yn ddiweddarach yn 1938, soniodd Lewis 'mai'r siomedigaeth fwyaf a gafodd ef erioed' oedd i'r aelodau fethu â medi'r cynhaeaf a heuwyd ym Mhenyberth.[82] Cadarnhaodd droeon drachefn fod ei siom yn wyneb y diffyg ymateb ymarferol i'r arweiniad a gynigiodd drwy ei weithred yn ffactor canolog yn ei benderfyniad i ildio'r llywyddiaeth. Mewn llythyr at Kate Roberts ddeng mlynedd yn ddiweddarach, er enghraifft, nododd mai '<u>Un</u> rheswm y penderfynais i fynd allan o fywyd cyhoeddus y Blaid oedd ei fod yn eglur na ddilynid polisi Penyberth; nid yr unig reswm, yr oeddwn i erbyn hynny'n rhy wan yn ariannol i fedru cadw'r arweiniad.' Flwyddyn yn ddiweddarach, mewn llythyr arall at yr un gyfeilles, dychwelodd at yr un thema: 'Gweld nad oedd gobaith am i'r Blaid ddilyn esiampl y tân yn Llŷn a wnaeth i mi fynd allan o fywyd cyhoeddus yn llwyr – hynny a'r ffaith na allwn fforddio mwyach aros yn y llywyddiaeth.'[83]

Pam na chydiodd y Tân? Crafu ei ben a wna J. E. Jones yn ei gofiant: 'Ym mrwdfrydedd y dyrfa fawr yn y Cyfarfod Croeso yng Nghaernarfon, yr oedd awgrym y ceid cynnydd cyflym enfawr. Ni ddigwyddodd hynny. Bu llawer o ystyried pam; ni welais ac ni chlywais eglurhad boddhaol.'[84] Ond tybed. Wrth graffu ar hanes

[81] Gweler Chapman, *W. Ambrose Bebb*, tt. 111–12 a Davies, *The Welsh Nationalist Party*, tt. 196, 215 troed.

[82] *Baner ac Amserau Cymru*, 16 Awst 1938, t. 1. Mewn fersiwn talfyredig o'i araith lywyddol yn rhifyn Medi 1938 (5) o'r *Ddraig Goch* sonnir am '[g]olli cyfle mawr ym Mhorth Neigwl'.

[83] Dafydd Ifans (gol.), *Annwyl Kate, Annwyl Saunders* (Aberystwyth: Llyfrgell Genedlaethol Cymru, 1992), tt. 145, 152.

[84] J. E. Jones, *Tros Gymru*, t. 188.

y Blaid yn ystod 1938 – hynny yw, ychydig fisoedd yn unig wedi rhyddhau 'Y Tri' o'r carchar, gwelir digon o dystiolaeth fod bwlch sylweddol wedi agor rhwng y llywydd a'i gyd-aelodau, er gwaetha'r ffaith fod teyrngarwch personol yr aelodau i Lewis yn golygu mai ychydig o feirniadu uniongyrchol a fu arno.

Yn ogystal â'r diffyg ymgeiswyr a'r diffyg cyfraniadau ariannol y cyfeiriwyd atynt uchod, tystia Ambrose Bebb mai ymateb llugoer a gafodd Lewis gan yr aelodau wrth draddodi ei ddarlith ar 'Y Blaid Genedlaethol a Marxiaeth' gerbron cynhadledd a drefnwyd gan y Blaid yng Nghaernarfon yn Chwefror 1938 (testun rhyfedd ar y naw, gellid meddwl, i ŵr a oedd yn pwysleisio'r angen i fedi cynhaeaf Penyberth).[85] Ni chafodd Saunders Lewis ei ffordd ei hun yn yr Ysgol Haf ychwaith. Yn ei adroddiad 'swyddogol' ar gyfer darllenwyr *Y Ddraig Goch*, haerodd trysorydd y Blaid, Francis Jones, mai dim 'ond ychydig o ddadlau' a gafwyd yn Abertawe, 'a hynny, mae'n debyg, am fod mesur mor helaeth o unfrydedd wedi ei gyrraedd ar bolisi llywodraeth y Blaid fel nad oes bellach angen treulio llawer o amser i'w ymdrafod'.[86] A gwir mai dim ond ychydig iawn o gefnogaeth a dderbyniodd aelodau ifanc Mudiad Gwerin o Brifysgol Bangor pan geisiasant herio polisïau'r Blaid o safbwynt sosialaidd digymrodedd. Yn hytrach, pasiodd y gynhadledd gynnig yn datgan mai 'cydweithrediad a perchentyaeth' oedd sail polisi economaidd a chymdeithasol y Blaid, y tro cyntaf i 'berchentyaeth' dderbyn *imprimatur* yr aelodaeth yn y fath fodd.[87] Ond er mai ychydig o argraff a wnaeth sialens Mudiad Gwerin, roedd elfennau eraill yng ngweithgareddau'r Ysgol Haf a oedd yn ddigon i dynnu blewyn o drwyn Saunders Lewis.

Traddododd D. J. Davies ddarlith a fynnai fod yn rhaid canolbwyntio sylw ac adnoddau'r Blaid ar y de, cartref mwyafrif mawr pobl Cymru, gan gynnwys mwyafrif y Cymry Cymraeg eu hiaith yn ogystal.[88] Golygai hyn symud swyddfa ganolog y Blaid i'r ardal yn ogystal â gwneud llawer mwy o ddefnydd o'r Saesneg yn nhrefniadaeth fewnol a gwaith y mudiad. Roedd safbwynt Davies ar y mater hwn eisoes yn hen gyfarwydd. Serch hynny, roedd y

85 Gweler Chapman, *W. Ambrose Bebb*, t. 110. Cyhoeddwyd y ddarlith dros dri rhifyn o'r *Ddraig Goch*, Saunders Lewis, 'Y Blaid Genedlaethol a Marxiaeth', Mawrth 1938, 12, 14; *parhad*, Ebrill 1938, 9, 10; *parhad*, Mai 1938, 12, 14.

86 'Argraffiadau o'r Ysgol Haf', *Y Ddraig Goch*, Medi 1938, 4.

87 Ceir rhestr o'r cynigion a basiwyd yn yr Ysgol Haf yn *Y Ddraig Goch*, Medi 1938, 10.

88 Ceir crynodeb o'i sylwadau yn *Y Ddraig Goch*, Awst 1938, 5.

ffaith fod gŵr a oedd mor deyrngar i Saunders Lewis ar lefel bersonol yn barod i fynegi syniadau a oedd yn tynnu'n gwbl groes i ddaliadau'r llywydd, a hynny mewn modd di-flewyn ar dafod, ac ar gyfnod pan oedd y wasg eisoes yn rhoi sylw i rwygiadau oddi mewn i rengoedd y Blaid, yn arwyddocaol.

Yn ogystal, a rhyfel byd yn prysur agosáu, roedd tueddiadau heddychaidd bellach wedi meddiannu'r Blaid bron yn gyfan gwbl. Nid oedd Lewis yn heddychwr, wrth gwrs – ffaith a oedd yn wybyddus i aelodau'r Blaid ar y pryd, a ffaith a fu'n boendod i ambell anghydffurfiwr o genedlaetholwr tynn ei staes fyth ers hynny. Serch hynny, prin fod ganddo achos i wrthwynebu cynnig a roddwyd gerbron yr Ysgol gan Gwynfor Evans, ac a basiwyd yn unfrydol, yn ymrwymo'r Blaid i ddefnyddio dulliau heddychlon i sicrhau hunanlywodraeth. Wedi'r cwbl, roedd yntau wedi ei gwneud yn gwbl eglur na welai gyfiawnhad i ddefnyddio trais yn erbyn pobl yn y frwydr dros ryddid Cymru. Serch hynny, mater o bolisi neu dacteg ac nid egwyddor oedd hyn iddo, ac yn sicr ni fynnai weld y Blaid yn troi ei hun yn fudiad a goleddai safbwynt heddychol fel egwyddor sylfaenol. Yn ogystal, ymboenai y gallai ymrwymiad i ddulliau heddychol droi'n dawedogrwydd. Yn ei araith lywyddol, pwysleisiodd drosodd a thro nad oedd ymrwymiad i ddulliau heddychlon yn gyfystyr ag ymrwymo i ddefnyddio dulliau cyfansoddiadol yn unig. Drwy garchardai Lloegr, meddai, y gorweddai'r llwybr i ryddid.[89]

Beth oedd y rheswm am y pellter cynyddol a oedd, yn ddi-os, yn nodweddu perthynas arweinydd y Blaid â'i haelodau? Yn syml, gwahaniaeth syniadaethol sylfaenol. Er gwaethaf haeriadau Saunders Lewis i'r gwrthwyneb, nid ideoleg wleidyddol ynddi'i hun yw cenedlaetholdeb. Yn hytrach, fel y gwelsom yn y bennod flaenorol, ideoleg yw cenedlaetholdeb sy'n bodoli mewn perthynas symbiotig ag ideolegau eraill. Ac er mai cynhysgaeth o themâu cenedlaetholaidd a cheidwadaeth ramantaidd oedd 'cenedlaetholdeb' Saunders Lewis, cynhysgaeth o themâu cenedlaetholaidd a syniadau economaidd a chymdeithasol blaengar oedd cenedlaetholdeb y mwyafrif llethol o drwch aelodau'r Blaid. Wrth i'r rhuthr mawr tuag at ryfel yn Ewrop yn y 1930au hybu polareiddio ideolegol cynyddol ar draws y sbectrwm gwleidyddol, nid oedd

[89] *Y Ddraig Goch*, Medi 1938, 5.

hyd yn oed y parch aruthrol a fodolai yn rhengoedd y Blaid tuag at Saunders Lewis fel person, fel llenor, ac fel dyn a roes Gymru'n gyntaf mewn modd nas gwelwyd ers cenedlaethau, yn ddigon i gelu'r agendor syniadaethol rhyngddynt hwy a'u harweinydd. Dyma'r rheswm sylfaenol pam nad oedd aelodau'r Blaid, heb sôn am bobl Cymru yn gyffredinol, yn fodlon derbyn arweiniad gwleidyddol Saunders Lewis. Yn anad dim arall, dyna paham mai tân siafins oedd y Tân yn Llŷn.

Nid doethineb drannoeth mo hyn ychwaith. Roedd Prosser Rhys, golygydd *Baner ac Amserau Cymru*, ac un a oedd wedi ymuno â'r Blaid cyn cyfarfod Pwllheli hyd yn oed, yn gwneud yr un pwynt yn union ym mis Mawrth 1938.

> Am y mwyafrif o aelodau'r Blaid, – pobl o dueddiadau gwerinol a radicalaidd ydynt, o duedd Chwith os mynnwch. Daeth llawer ohonynt i'r Blaid Genedlaethol o'r Blaid Lafur, daeth llawer o'r Blaid Ryddfrydol, ac yr oedd y mwyafrif o'r gweddill yn bobl na pherthynent i'r un blaid, ond yr oeddynt yn sicr o dueddiadau Radicalaidd. Ni ddaeth neb i'r blaid o ddisgyblion Arglwydd Rothermere a'r 'Daily Mail', ac eto, i fesur, agwedd y 'Daily Mail' yw'r agwedd a fabwysir ym mhapurau'r Blaid ar lawer o gwestiynau ar wahân i broblemau cartref Cymru. Y mae hyn yn gwbl groes i dueddfryd mwyafrif aelodau'r Blaid . . . Y mae aelodau [*sic*] Blaid, laweroedd ohonynt, yn anesmwyth ar gyfrif hyn, ond yn rhy daerngar, ac yn enwedig felly yn rhy deyrngar yn bersonol i Mr. Saunders Lewis, i ddywedyd na sgrifennu rhyw lawer ar y mater.[90]

Ond os oedd yr aelodau'n rhy deyrngar i Saunders Lewis i'w wrthwynebu'n uniongyrchol, nid oeddynt yn fodlon dilyn y trywydd y ceisiodd ei agor ar eu cyfer. Pa ryfedd, felly, fod Saunders Lewis yn rhwystredig?

Llwyddodd Saunders Lewis yn rhyfeddol i gipio a llywio agenda syniadaethol Plaid Genedlaethol Cymru. Ond tra oedd ei gydaelodau yn rhannu ei sêl dros Gymru, ni lwyddodd gafael Saunders Lewis dros y mudiad i ddarbwyllo'r mwyafrif ohonynt i gefnu ar eu gwerthoedd gwleidyddol blaengar. Ac yn yr awyrgylch arbennig a nodweddai'r misoedd a'r blynyddoedd hynny cyn toriad yr Ail Ryfel Byd, cyfnod pan ddaeth yn gynyddol amlwg fod dyfodol gwareiddiad mewn darn o dir llawer iawn mwy na Chymru yn y fantol, bu'n amhosibl celu nac anwybyddu'r gwahaniaethau hyn.

[90] *Baner ac Amserau Cymru*, 8 Mawrth 1938, t. 5.

Yn 1938, felly, gwelwyd cychwyn o ddifrif ar broses o ddieithrio rhwng Saunders Lewis a'r blaid yr oedd wedi ei dominyddu bron yn llwyr ers misoedd cyntaf 1925. O safbwynt trwch pobl Cymru, fodd bynnag, prin fod dim o hyn yn berthnasol. Llwm oedd y rhagolygon ar gyfer unrhyw ymdrech i sefydlu plaid wleidyddol a fyddai'n cario baner cenedlaetholdeb Cymreig yng Nghymru'r 1920au pan ystyrir yr holl rymoedd oddi mewn i'w chymdeithas a oedd yn hybu gafael cenedlaetholdeb Prydeinig. Ond wrth ganiatáu i Saunders Lewis dra-arglwyddiaethu dros ei hagenda syniadaethol i'r graddau ag a wnaeth, sicrhaodd y Blaid na fyddai'r rhan fwyaf o bobl Cymru fyth yn ei gweld fel dim amgen na llais amherthnasol ar gyrion y llwyfan gwleidyddol. Dichon fod Saunders Lewis yn cymryd Cymru o ddifrif, mae hanes ei fywyd yn dysteb huawdl i hynny. Serch hynny, tra câi ei harwain gan ŵr o anian wleidyddol Saunders Lewis, nid oedd gobaith y byddai pobl Cymru yn cymryd ei blaid o ddifrif.

3

CYMOD Â'I THEG ORFFENNOL HI: CYFNOD GWYNFOR EVANS

Mae'r gŵr rhesymol, meddai George Bernard Shaw rywdro, yn addasu ei hun i'r byd, tra bo'r gŵr afresymol yn ceisio addasu'r byd i'w hunan. Ar wŷr afresymol, meddai drachefn, y dibynnwn am ddatblygiad a chynnydd. A bwrw bod Shaw yn gywir, yna rhaid cyfrif fod y ddau arweinydd pwysicaf yn hanes Plaid Cymru yn wŷr cwbl neilltuol o afresymol. Cafwyd cip eisoes ar afresymoldeb Saunders Lewis: y modd y mynnodd dynnu'n gwbl groes i feddylfryd ei gyfnod a mynnu gan y Cymry gydnabyddiaeth, pa mor anfoddog bynnag y bo, fod math arall o Gymru a byd-olwg Cymreig yn bosibl. Torrwyd Gwynfor Evans o'r un brethyn. Ymgysegrodd ei fywyd i ddyfod yn brif ladmerydd achos a oedd yn boenus o anffasiynol am gyfnod helaeth o'i yrfa wleidyddol; achos a oedd, yn wir, yn gwbl wrthodedig ac ysgymun yn amlach o lawer nag y cofir bellach. Ac i raddau oherwydd ei ddyfalbarhad a'i styfnigrwydd y newidiwyd cwrs hanes Cymru.

Bu Gwynfor Evans yn llywydd Plaid Cymru rhwng 1945 a 1981, cyfnod o dri deg a chwech o flynyddoedd. Mae'r ystadegyn moel hwn yn unig yn ddigon i beri syfrdan. Bu pum gŵr gwahanol yn arwain y Blaid Lafur yn ystod yr un cyfnod. O'u plith, Harold Wilson, y gŵr a'n hatgoffodd fod wythnos, hyd yn oed, yn gyfnod maith mewn gwleidyddiaeth, a dreuliodd y cyfnod hwyaf yn y swydd, sef tair ar ddeg o flynyddoedd. Churchill oedd arweinydd y Ceidwadwyr pan ymgymerodd Gwynfor Evans â llywyddiaeth Plaid Cymru; roedd Thatcher yn fawr ei rhwysg fel prif weinidog pan ildiodd ei le i Dafydd Wigley. Tri deg a chwech o flynyddoedd! Ond dim ond megis dechrau mesur hyd a lled ei ymroddiad a'i gyfraniad a wneir wrth gofnodi'r ffaith hon, er mor syfrdanol ydyw. Cofier mai llywydd mewn enw yn unig (i bob pwrpas) oedd Abi Williams rhwng 1943 a 1945 ac mai Gwynfor Evans, fel is-lywydd, a oedd yn ysgwyddo llawer o faich gweithredol y llywyddiaeth bryd hynny hefyd.[1] Yn wir, chwaraeodd ran ganolog yng nghynadleddau blynyddol Plaid Cymru am gyfnod o drigain mlynedd. Rhoes gynnig gerbron Cynhadledd y Bala yn 1937 yn galw am statws swyddogol i'r iaith Gymraeg; yn 1997, yn sgîl y bleidlais ar ddatganoli, fe'i tywyswyd i'r llwyfan yn Aberystwyth i gyfarch, ac i gael ei gyfarch gan neuadd lawn o gynadleddwyr emosiynol.

Cofier yn ogystal mai brau iawn oedd trefniadaeth y Blaid am gyfnodau go helaeth yn ystod ei lywyddiaeth, ac mai prin iawn, iawn oedd ei haelodau a'i hadnoddau.[2] Ar adegau, ymddangosai fel pe bai Gwynfor Evans yn gwneud llawer mwy nag arwain y Blaid; yn hytrach, ef, 'Gwynfor', oedd y Blaid. Teithiodd Gymru benbaladr gan annerch miloedd lawer o gyfarfodydd cyhoeddus a mynychu pwyllgorau rif y gwlith. Amcangyfrifodd iddo '[g]locio deg ar hugain i bymtheg ar hugain o filoedd o filltiroedd yn gyson bob blwyddyn, yn bennaf er mwyn y Blaid'.[3] Os felly, golyga hyn ei fod wedi gyrru oddeutu miliwn a chwarter o filltiroedd 'dros Gymru'. Ychydig llai na chwarter miliwn o filltiroedd sydd rhyngom â'r lleuad! Afraid yw dweud, nid ar chwarae bach yr oedd crwydro cymaint. Roedd ffyrdd Cymru'r 1950au a'r 1960au hyd yn oed yn llai hwylus nag y maent heddiw, a cheir yn llai moethus a dibynadwy o lawer.[4] Ar ben hynny, arfer Gwynfor Evans oedd dychwelyd adref at ei deulu – ac at ei dai gwydr – ar ôl ei gyfarfodydd fin nos. Roedd y tai gwydr eu hunain, wrth gwrs, yn arwydd o'i ymroddiad at yr achos. Fe'u defnyddiodd ar gyfer ei fusnes tyfu tomatos – gyrfa annisgwyl i ŵr a raddiodd yn y gyfraith, ond un a ddewiswyd ganddo er mwyn hwyluso gwaith a ystyriai'n bwysicach o lawer nag unrhyw yrfa gonfensiynol, sef ei lafur diarbed dros Blaid Cymru.

Petai angen cadarnhad pellach o ddycnwch sy'n ymylu ar y goruwchnaturiol, ystyrier yn ogystal gyfraniad Gwynfor Evans

[1] Mae'n debyg i Abi Williams ymgymryd â'r llywyddiaeth yn 1943 fel *stop gap* gan na theimlai Gwynfor Evans y gallai fynd i'r swydd tra bo siop ei dad yn y Barri yn dioddef ymosodiadau yn sgîl safiad cyhoeddus ei fab yn erbyn y rhyfel fel cenedlaetholwr a heddychwr.

[2] Roedd y blynyddoedd yn union ar ôl i Gwynfor Evans ymgymryd â'r llywyddiaeth yn arbennig o llwm. Fel y cydnabu ef ei hun yn ei hunangofiant: 'Digon dilewyrch i'r Blaid oedd y blynyddoedd yn union wedi'r rhyfel', Gwynfor Evans, *Bywyd Cymro*, gol. Manon Rhys (Caernarfon: Gwasg Gwynedd, 1982), t. 135.

[3] Evans, *Bywyd Cymro*, t. 88.

[4] Ceir hanes ambell dro trwstan ar deithiau Gwynfor Evans yn *Bywyd Cymro*; gweler, er enghraifft, tt. 88–9 a 209–10.

wrth hyrwyddo achos cenedlaetholdeb Cymreig trwy ei wahanol gyhoeddiadau. Yng nghefn y cyfieithiad Saesneg o'i hunangofiant, cofnodir teitlau un llyfr ar bymtheg a ysgrifennwyd ganddo, pob un ohonynt yn ymdrech yn y pen draw i ledaenu ei efengyl wleidyddol.[5] Daeth mwy o'r wasg ar ôl llunio'r rhestr honno. Nodir yn yr un man deitlau cynifer â hanner cant o bamffledi o'i eiddo. Ni chafwyd ymdrech hyd yn hyn i gofnodi ei gyhoeddiadau eraill, ac nid gorchwyl hawdd a wyneba'r sawl a geisia wneud hynny. Cyfrannodd benodau i wahanol gyfrolau golygedig, heb sôn am erthyglau di-rif i bapurau a chylchgronau, a chyfnodolion mawr a mân. Er ei bod yn deg dweud bod elfen sylweddol o ailgylchu yn nodweddu'r amryfal gyhoeddiadau hyn, y maent, serch hynny, yn cynrychioli ffrwyth llafur aruthrol ar ran eu hawdur. Clywyd llawer o sôn am *garisma* Gwynfor Evans, ond tybed nad ei *stamina* yw'r man cychwyn priodol ar gyfer unrhyw ymdrech i gloriannu ei gyfraniad i'r mudiad cenedlaethol?

Gwobrwywyd ymdrechion afresymol Gwynfor Evans i geisio gorfodi'r byd, neu un cilcyn bychan ohono o leiaf, i gydymffurfio â'i weledigaeth ef ar ei gyfer, â mesur o lwyddiant; llwyddiant llawer mwy amlwg nag a brofodd Saunders Lewis erioed. Yn ystod cyfnod Gwynfor Evans fel llywydd y prifiodd ei blaid, a'r digwyddiad a ganiataodd iddi ddod i oed oedd buddugoliaeth ei harweinydd mewn isetholiad ar gyfer sedd Caerfyrddin ar 14 Gorffennaf 1966. Go brin y gallasai unrhyw ymgeisydd arall fod wedi cipio'r sedd honno i'r gorlan genedlaethol: cyfuniad amheuthun (a ffodus!) o berson neilltuol mewn cyd-destun unigryw yn creu canlyniad ysgytwol. Yn sicr, dyna oedd y teimlad oddi mewn i Blaid Cymru. Yn adroddiad blynyddol y Blaid ar gyfer 1966, dathlodd yr ysgrifennydd, Elwyn Roberts, ganlyniad Caerfyrddin fel buddugoliaeth bersonol i Gwynfor Evans:

> Yn anad neb arall, goruchafiaeth ein llywydd oedd hon. Ei bersonoliaeth gadarn, ei allu a'i ddi-dwylledd, ei weledigaeth eglur, ei wasanaeth di-flino, ei arweiniad dewr, ei ddyfalbarhad dros hir flynyddoedd yn ei sir ei hun a thrwy Gymru, y pethau hyn yn bennaf oll a gariodd y dydd.[6]

5 Gwynfor Evans, *For the Sake of Wales: The Memoirs of Gwynfor Evans*, cyf. Meic Stephens gyda rhagair gan Dafydd Elis-Thomas (Caernarfon: Welsh Academic Press, 1996), tt. 243–4. Meic Stephens a Beti Jones a oedd yn gyfrifol am y rhestr gyhoeddiadau.

6 *Adroddiad Blynyddol Plaid Cymru 1966*, t. 1c (adran 6).

Câi'r teimlad hwn ei ategu hyd yn oed ymhlith y garfan gymharol niferus honno o genedlaetholwyr a oedd, erbyn canol y 1960au, wedi dechrau amau strategaeth Gwynfor Evans ac wedi dyfod yn ddrwgdybus o ddylanwad y cylch cyfrin o ymgynghorwyr a'i hamgylchynai (yn fynych, cyfeiriwyd at y cylch fel 'Llys Llangadog', ar ôl lleoliad cartref y llywydd).[7]

Am gyfnod wedi 'Caerfyrddin', ymddangosai fod popeth yn bosibl i genedlaetholdeb Cymreig – er mawr lawenydd i'w ddilynwyr ac er loes calon i'w elynion gwleidyddol. Yng ngeiriau'r sylwebydd syber hwnnw, Alan Butt Philip: 'In a day, the political complexion of Wales was radically altered, its new face revealed. *Plaid Cymru* had established its credibility as an alternative party, and all the other political parties began to assess seriously its challenge and its objectives.'[8]

Dilynwyd buddugoliaeth Caerfyrddin gan ganlyniadau trawiadol mewn cyfres o isetholiadau yng Ngorllewin y Rhondda, Caerffili a Merthyr Tudful. Yn Etholiad Cyffredinol 1970 sicrhaodd Plaid Cymru 175,016 o bleidleisiau, nifer na ragorwyd arni yn y cyfnod cyn sefydlu Cynulliad Cenedlaethol Cymru. Roedd Gwynfor Evans ei hun yn hoff o ddwyn i gof fod y Ffrancwyr yn dathlu Dydd Bastille ar 14 Gorffennaf. Gan adleisio geiriau enwog Wordsworth yn sgîl y Chwyldro Ffrengig, ystyriai fod Dydd Bastille 1966 megis toriad gwawr i genedlaetholdeb Cymreig. Wedi iddo ymlafnio cyhyd mewn amgylchiadau mor ddilewyrch, gellir maddau iddo os oedd ambell i gymhariaeth o'i eiddo yn mynd dros ben llestri. Serch hynny, hyd yn oed os pylu fu hanes yr hyder gwreiddiol, a hyd yn oed os cafwyd sawl noson go dywyll arall yn hanes y Blaid a chenedlaetholdeb Cymreig, roedd Caerfyrddin yn fath o flaenbrawf a dystiai nad ofer oedd dyfalbarhau. Yn hyn o beth, nid gormodiaith yw dweud i'r canlyniad hwnnw

[7] Ceir trafodaeth ar y tensiynau oddi mewn i Blaid Cymru cyn buddugoliaeth Caerfyrddin gan Alan Butt Philip, *The Welsh Question: Nationalism in Welsh Politics 1945–1970* (Cardiff: University of Wales Press, 1975) . Is-deitl dadlennol y bennod sy'n trafod hynt a helynt y Blaid yn y cyfnod rhwng 1959 a 1966 yw 'Drift and fragmentation' (tt. 85–104). Dylid nodi, fodd bynnag, fod Phil Williams yn dehongli'r un cyfnod mewn modd tra gwahanol yn ei bennod 'Plaid Cymru a'r dyfodol', yn Davies, *Cymru'n Deffro*, tt. 121–46. Serch hynny, mae ef hyd yn oed yn cydnabod y rhagflaenwyd llwyddiant Caerfyrddin gan 'gyfnod anodd a rhwystredig' (t. 123). Aelodau 'Llys Llangadog' oedd J. E. Jones, Elwyn Roberts, D. J. Williams, Tudur Jones, Pennar Davies, Wynne Samuel a thad-yng-nghyfraith Gwynfor Evans, Dan Thomas. Talodd Gwynfor Evans deyrnged bersonol iawn iddynt yn ei gyfrol *A National Future for Wales* (Plaid Cymru, 1975), tt. 68–79.

[8] Philip, *The Welsh Question*, t. 109.

gael effaith barhaol ar *psyche* cenedlaetholwyr Cymreig: bellach roeddynt yn *gwybod* fod modd iddynt ennill.

Ond fel yr awgryma geiriau Alan Butt Philip, nid ar Blaid Cymru yn unig y gadawodd buddugoliaeth Gwynfor Evans ei ôl. Wrth gwrs, amhosibl yw profi'n derfynol beth fyddai hynt hanes Cymru ac, yn wir, yr Alban a'r Deyrnas Gyfunol drwyddi draw, pe na bai wedi ennill. Yn sicr, nid oedd 'Caerfyrddin' yn ddigon ynddo'i hun i sbarduno'r camau tuag at sefydlu *proto*-wladwriaeth Gymreig a welwyd oddi ar ganol y 1960au. Hynny yw, nid yw'n fater o 'oherwydd Caerfyrddin cafwyd Cynulliad Cenedlaethol'. Mae'r ffaith fod y Swyddfa Gymreig wedi'i sefydlu cyn yr isetholiad yn tanlinellu bod dylanwadau eraill o bwys ar waith hefyd – rhywbeth y mae cefnogwyr Plaid Cymru'n tueddu i'w anghofio'n fynych! Fodd bynnag, bu buddugoliaeth Gwynfor Evans yn gam anhepgorol ar y daith honno. Hynny yw, oni bai am Gaerfyrddin, go brin y byddem wedi troedio mor bell i lawr y llwybr ag yr ydym – rhywbeth y mae gelynion Plaid Cymru yn y Blaid Lafur a'r Blaid Ryddfrydol hefyd yn dueddol o'i anghofio.

Cyn cyhoeddi cofiant gorchestol Rhys Evans, *Gwynfor: Rhag Pob Brad*, yn 2005, mae'n deg dweud bod Gwynfor Evans yn gymeriad digon enigmataidd.[9] Gwir, roedd yn awdur toreithiog ac, yng ngeiriau Kenneth O. Morgan, yn 'lucid expositor of his own credo'.[10] Ond er gwaethaf ei enwogrwydd a'i amlygrwydd, digon arwynebol oedd ein gwybodaeth amdano mewn gwirionedd.[11] Beth a oedd yn ei gymell i ymladd â'r fath arddeliad dros achos a ymddangosai'n un mor ddilewyrch am gyfnod mor faith? Bellach, wrth gwrs, gwyddom sut y bu i'w dröedigaeth ddwbl – at yr Hollalluog a Chymru – blethu trwy'i gilydd gan greu delfryd o 'Gymru Gristnogol' y galwyd Gwynfor Evans i'w gwasanaethu gydol ei oes. Gwyddom hefyd sut yr oedd yr elfen ramantaidd amlwg ym mhersonoliaeth Evans wedi'i hieuo at elfen galetach a phengaled: ni ellir arwain unrhyw blaid wleidyddol yn llwyddiannus oni bai

[9] Rhys Evans, *Gwynfor: Rhag Pob Brad* (Talybont: Y Lolfa, 2005).

[10] Kenneth O. Morgan, 'From eulogy to elegy: Welsh political biography', yn *Modern Wales*, t. 472.

[11] Fe barhaodd yr enwogrwydd a'r amlygrwydd hyd ei flynyddoedd olaf (digon toredig). Maddeuer stori anecdotaidd yn y cyd-destun hwn ond tua dechrau'r degawd bûm ynglŷn â threfniadau darlith yn Aberystwyth a draddodwyd gan ffigwr amlwg yn y Blaid Lafur – gŵr na chaiff ei gyfrif ymhlith selogion datganoli oddi mewn i'r blaid honno. Pan ofynnwyd iddo pwy y carai i ni eu gwahodd i wrando ei ddarlith yr enw ar ben ei rhestr oedd Gwynfor Evans. Hyd yn oed yr adeg hynny yr oedd *aura* Evans yn parhau i hudo.

eich bod yn meddu ar *ego* digon datblygedig a rhyw gyfran o'r sgiliau gwleidyddol hynny a glodforwyd gan Machiavelli. Ar ben hynny, codwyd cwr y llen ar yr effaith a gafodd ei benderfyniad i gysegru ei fywyd i achos Cymru (fel y'i deallai) ar ei deulu. Diolch i ymdrechion Rhys Evans, felly, mae ein dealltwriaeth o Gwynfor Evans yn llawer iawn mwy crwn nag y bu. Yn y bennod hon, ni cheisir troedio'r un tirwedd a fapiwyd gyda'r fath gywreinrwydd yn *Gwynfor: Rhag Pob Brad*. Canolbwyntir yn hytrach ar syniadaeth wleidyddol Gwynfor Evans. Yn gyntaf, gwneir hyn drwy drafod y berthynas rhwng syniadau Gwynfor Evans â syniadau Saunders Lewis, cyn trafod cyfraniad neilltuol Gwynfor Evans ei hun i gynhysgaeth syniadaethol Plaid Cymru.

Fe'm gwrthodwyd . . .?

Deall y berthynas syniadaethol rhwng Saunders Lewis a Gwynfor Evans yw'r cwestiwn deallusol pwysicaf a wyneba'r sawl sydd am ddeall datblygiad syniadaethol Plaid Cymru. Wedi'r cyfan, os ystyrir bod 'cyfnod Saunders' yn hanes y Blaid wedi ymestyn o 1925 i 1943, a 'chyfnod Gwynfor' o 1943 i 1981, yna rhyngddynt, bu'r ddau'n dominyddu'r mudiad am ganran helaeth o'i fodolaeth. Mae graddfa a natur y dilyniant syniadaethol o'r naill i'r llall, a'r gwahaniaethau rhyngddynt, felly, yn fater o bwys allweddol. I ba raddau yr oedd dyrchafiad Gwynfor Evans i'r llywyddiaeth yn cynrychioli trobwynt yn hanes syniadaethol Plaid Cymru? Ynteu a yw 'trobwynt' yn drosiad gor-ddramatig i ddisgrifio proses o newid mwy graddol ac organig? Neu'n wir, ai dilyniant yn hytrach na newid yw nodwedd amlycaf y stori hon?

Nid mater syml, fodd bynnag, yw datguddio gwir natur y berthynas syniadaethol (a phersonol) rhwng y ddau gawr hyn yn hanes y mudiad cenedlaethol. Mae gwahanol ddarnau o dystiolaeth yn tueddu i dynnu'n groes i'w gilydd gan awgrymu dehongliadau tra gwahanol. Yn wir, tybed ai dim ond dramodydd o faintioli Saunders Lewis ei hun a allasai wneud gwir gyfiawnder â'r berthynas gymhleth, amlhaenog? Ond, er na all yr awdur presennol obeithio gwneud cyfiawnder â'r pwnc, gellir (gor)symleiddio'r berthynas fel hyn: roedd dyled syniadaethol Gwynfor Evans i Saunders Lewis yn llawer mwy nag yr oedd yr un o'r ddau ohonynt yn fodlon ei gydnabod. Hynny yw, mewn termau syniadaethol, roedd llawer iawn mwy o ddilyniant rhwng 'cyfnodau' arweinyddol y ddau nag yr oeddynt hwy yn fodlon ei addef a mwy nag y mae'r rhan fwyaf o sylwebyddion wedi'i sylweddoli.

Dyrchafwyd Gwynfor Evans i lywyddiaeth Plaid Cymru gyda sêl bendith frwdfrydig Saunders Lewis. Yn Hydref 1944, soniodd sut y 'dylai Gwynfor Evans gael ei gyfle i ddod yn llywydd, ac aros cyhyd ag y gwneuthum i yn y swydd nes magu awdurdod yn y wlad'. Erbyn 1947, edrydd Pennar Davies i Lewis mewn sgwrs breifat ag ef gyfeirio at y llywydd newydd fel 'sant'![12] Ymhen amser, fodd bynnag, daeth dadrithiad. Nid dyma'r lle i olrhain y broses honno. Digon yw cofnodi mai prin y ceisiai Saunders Lewis gelu ei siom erbyn dechrau'r 1960au, yn wyneb y modd y crwydrodd Gwynfor Evans a Phlaid Cymru, yn ei dyb ef o leiaf, oddi ar y llwybr cul y lluniodd ar eu cyfer. Crisialwyd ei chwerwedd yn ei sylwadau adnabyddus mewn cyfweliad ag Aneirin Talfan Davies yn 1961: 'Fe'm gwrthodwyd i gan bawb. Fe'm gwrthodwyd i ym mhob etholiad y ceisiais i fod yn ymgeisydd ynddo; mae pob un o'm syniadau – ddaru i mi ddechrau mewn cymdeithaseg, ac yng nghymdeithaseg cenedlaetholdeb – maen nhw i gyd wedi'u bwrw heibio.'[13] Fel y crybwyllwyd yn y bennod ddiwethaf, nid cwyno o ochr y llwyfan yn unig a wnaeth. Yn hytrach, bu Saunders Lewis wrthi'n ddyfal yn annog gwrthwynebwyr Gwynfor Evans oddi mewn i Blaid Cymru. Gwnaeth hynny'n gyhoeddus trwy weithredoedd megis traddodi darlith 'Tynged yr Iaith' ond bu hefyd yn weithgar y tu ôl i'r llenni yn cyfarfod, yn procio ac yn pryfocio. Ys dywed John Davies, 'Saunders Lewis . . . wnaeth fwy na neb, ddechrau'r chwedegau, i danseilio ffydd aelodau Plaid Cymru yn arweinyddiaeth Gwynfor Evans.'[14]

Nid cyfrinach felly mo'r ffaith fod Saunders Lewis yn teimlo ei fod ef a'i etifeddiaeth syniadaethol wedi cael eu gwrthod. Mater llai gwybyddus, yw'r modd y bu i Gwynfor Evans yntau ymbellhau ei hun oddi wrth Saunders Lewis. Gellir olrhain y broses hon wrth gymharu'r modd yr ymdrinnir â Saunders Lewis yn ysgrifau cynnar Gwynfor Evans â'r driniaeth ohono yn ei ysgrifau

[12] Dyfynnir gan Pennar Davies, *Gwynfor Evans* (Abertawe: Tŷ John Penry, 1976), tt. 9, 34.

[13] Lewis, 'Dylanwadau', 13.

[14] John Davies, *Plaid Cymru oddi ar 1960* (Aberystwyth: Llyfrgell Genedlaethol Cymru, 1996), t. 2.

diweddarach. Ym mlynyddoedd cyntaf Gwynfor Evans fel llywydd, roedd yn barod iawn i gydnabod rôl ganolog Saunders Lewis yn nau ddegawd cyntaf Plaid Cymru ac i achub ei gam yn wyneb ei feirniaid lu. Felly, mewn ysgrif a gyhoeddwyd yn 1950, ceir Gwynfor Evans yn datgan y canlynol:

> Mr Saunders Lewis oedd llywydd y Blaid o 1926 hyd 1939, ac arno ef y disgynnodd toreth y gwaith, nid o arwain o ddydd i ddydd yn unig, ond hefyd i esbonio polisi'r Blaid fel y datblygai. Os enynnodd ei erthyglau yn *Y Ddraig Goch* a'r *Faner* yn aml anghydweld anochel, eto ar y pryd mynasant sylw gelynion y Blaid yn ogystal â'i chyfeillion. Nid oes amheuaeth na fernir ei ysgrifau politicaidd yn ystod y blynyddoedd yma, ar bwys eu gwybodaeth a'u cysondeb a'u dwyster, ymysg y cyfraniadau mwyaf a wnaed erioed i'r meddwl gwleidyddol yng Nghymru. Ac o wladgarwyr mawr dwy ganrif, ym marn y lliaws, ef yw'r mwyaf.[15]

Dyma hanfod safbwynt Gwynfor Evans (yn gyhoeddus, o leiaf) ymhell i mewn i'r 1970au.

Mewn ymdriniaeth ar hanes y Blaid yn y gyfrol *Wales Can Win*, a gyhoeddwyd yn 1973, cyfeirir at Saunders Lewis fel 'true founder' ac 'outstanding figure' y Blaid, a cheir dyfyniad helaeth o'i araith fawr gerbron y llys yng Nghaernarfon wedi'r Tân yn Llŷn.[16] Dychwelodd eto at hanes y Blaid yn *A National Future for Wales* (1975) – yn wir, daeth yn thema gynyddol bwysig yn ysgrifau Gwynfor Evans o tua chanol y 1970au ymlaen. Ac unwaith eto, ymdrinnir â Saunders Lewis ('generally thought to be the greatest Welshman of the century') â phob dyledus barch.[17] Yma, fodd bynnag, gwelir dechrau tuedd a ddaw yn fwyfwy amlwg yn ysgrifau diweddarach Evans, sef ei duedd i ddyrchafu rôl D. J. Davies yn hanes cynnar Plaid Cymru a hynny ar draul Saunders Lewis. Yn *Wales Can Win*, ychydig o sylw a gawsai Davies, a'r rhan fwyaf yn canolbwyntio ar ei fywyd hynod liwgar, er y cyfeiriwyd ato hefyd fel prif awdur polisi cydweithredol y Blaid.[18] Erbyn *A National Future for Wales* ystyriai Gwynfor Evans mai D. J. Davies, ynghyd

[15] Gwynfor Evans, 'Yr ugeinfed ganrif a Phlaid Cymru', yn D. Tecwyn Lloyd (gol.), *Seiliau Hanesyddol Cenedlaetholdeb Cymru* (Caerdydd: Plaid Cymru, 1950), tt. 139–40.

[16] Gwynfor Evans, *Wales Can Win* (Llandybïe: Christopher Davies, 1973), tt. 52–86 ac yn arbennig tt. 55–9.

[17] Evans, *A National Future for Wales*, t. 71.

[18] Evans, *Wales Can Win*, yn arbennig tt. 55–6.

â Saunders Lewis, oedd y person a wnaeth 'the greatest contribution to developing party policy'.[19] Pan ddychwelodd at hanes y Blaid ganol y 1990au mewn ysgrif yn y gyfres *Cof Cenedl*, roedd y pendil wedi gogwyddo hyd yn oed ymhellach tua chyfeiriad D. J. Davies.[20] Er iddo nodi mai 'Saunders Lewis fu'r prif arweinydd o'r dechrau', Davies yw arwr y stori. Ef a ystyrir fel 'prif luniwr' polisïau economaidd y blaid ifanc ynghyd â'r dylanwad pwysicaf ar ei pholisi cyfansoddiadol.[21] Efallai'n wir y byddai'r Blaid wedi bod yn ddoethach pe bai wedi dilyn arweiniad Davies, ond fel y gwelwyd eisoes, nid yw'r dystiolaeth hanesyddol yn cefnogi'r fath haeriadau. Nid oedd hynny yn rhwystr i Gwynfor Evans, fodd bynnag. Yn ei ymdriniaeth olaf ar hanes y Blaid gwelir bod Gwynfor Evans wedi chwyddo rôl D. J. Davies hyd yn oed ymhellach: bellach, ystyriai fod D. J. Davies nid yn unig yn awdur polisïau economaidd a chyfansoddiadol y Blaid, ond hefyd yn ddylanwad o bwys ar bolisïau'r Blaid yn ymwneud â'r Gymraeg![22]

Yn hyn o beth, mae trafodaethau mwyaf diweddar Gwynfor Evans ar hanes Plaid Cymru yn dilyn patrwm a sefydlwyd yn ei hunangofiant *Bywyd Cymro*. Haelioni yw un o nodweddion amlycaf y gyfrol honno. Mae Gwynfor Evans yn hynod o barod i gydnabod dylanwad D. J. Davies, George M. Ll. Davies, G. D. H. Cole, Mazzini, Masaryk, a sawl un arall ar ei feddwl. Yn wir, mae ei ymdriniaeth ag ambell elyn gwleidyddol yn drawiadol o fawrfrydig. Dyna George Thomas, gŵr a fu'n sinachaidd o annifyr yn ei ymwneud â Gwynfor Evans ac aelodau seneddol eraill Plaid Cymru, ond un a ganmolir am fod mor 'hynod o hael a chynnes' tuag at lywydd y Blaid tra oedd yntau'n llefarydd y Tŷ yn ystod ail gyfnod Gwynfor Evans yn San Steffan rhwng 1974 a 1979.[23]

[19] Evans, *A National Future for Wales*, t. 76.

[20] Gwynfor Evans, 'Hanes twf Plaid Cymru 1925–95', yn Geraint H. Jenkins (gol.), *Cof Cenedl, X* (Llandysul: Gomer, 1995), tt. 153–83.

[21] Evans, 'Hanes twf Plaid Cymru 1925–95', t. 156.

[22] Gwynfor Evans, *The Fight for Welsh Freedom* (Talybont: Y Lolfa, 2000), tt. 141–2: 'Saunders Lewis . . . was influenced by him [D. J. Davies] even on the language issue' (t. 142).

[23] Evans, *Bywyd Cymro*, t. 305. Ceir un enghraifft o ymddygiad syfrdanol o annifyr George Thomas yn ystod cyfnod cyntaf Gwynfor Evans yn y Senedd ar tt. 272–3. Fodd bynnag, y gwir amdani yw i George Thomas ddefnyddio ei rôl fel llefarydd i droi'r gyllell yng nghynlluniau datganoli llywodraeth Lafur James Callaghan yn ystod eu hymdaith boenus drwy'r Senedd. Mae awgrym Evans i'r perwyl fod Thomas wedi codi uwchlaw'r fath driciau budr wedi iddo gael ei ddyrchafu'n llefarydd yn ddehongliad *hynod* garedig, a dweud y lleiaf.

Mewn cyd-destun o'r fath, trawiadol o brin yw cyfeiriadau Gwynfor Evans at y dylanwad a gawsai Saunders Lewis arno. Yn wir, dau gyfeiriad yn unig a geir yn *Bywyd Cymro*. Mae'r ddau'n awgrymog, ond yn fyr hyd at fod yn swta. Yn y cyntaf, wrth gyfeirio at ddwy gyfrol D. J. Davies – *Can Wales Afford Self-Government?* a *Towards an Economic Democracy* – dywed Evans sut y '[D]ylanwadodd y ddau lyfr hyn yn drwm arnaf,' cyn ychwanegu, 'yn ail yn unig i Saunders Lewis.'[24] Mewn man arall, cyfeiria ato'i hun fel 'Ewropead brwd', gan ychwanegu, 'ni allai neb y dylanwadodd Saunders Lewis cymaint arno fod yn wahanol'.[25] O'u tynnu o'u cyd-destun yn y modd yma, a'u cymryd yn gwbl llythrennol, maent yn gydnabyddiaeth ymddangosiadol hael o ddylanwad Lewis. Ond y ffaith amdani yw bod yn rhaid cribinio trwy 344 o dudalennau er mwyn canfod y ddwy hanner brawddeg a ddyfynnwyd. Ac nis ymhelaethir arnynt. Trwy pa ddulliau y dylanwadodd Lewis arno? A beth yn benodol yn syniadau a safiadau Lewis – heblaw Ewropeaeth – a apeliodd ato? Er gwaetha'r gydnabyddiaeth mai Saunders Lewis oedd y dylanwad mwyaf arno, mae Gwynfor Evans yn annodweddiadol dawedog wrth ymdrin ag ef; ac yn sicr ddigon, o osod y cyfeiriadau at Saunders Lewis yn eu cyd-destun, mae'n rhaid cydnabod nad ydynt yn arddangos yr un haelioni a chynhesrwydd ag a geir yng ngweddill y gyfrol.[26]

Yn wir, mae'r unig gyfeiriad sylweddol a geir yn yr hunan-gofiant at wrthwynebiad Saunders Lewis i'r trywydd a ddilynai fel arweinydd fel petai wedi'i gynllunio i arddangos ei ragflaenydd yn y golau gwaethaf posibl. Wrth gyfeirio at achos llys aelodau'r Free Wales Army yn 1969, dywed Gwynfor Evans i'r ffaith iddo wrthod cais Saunders Lewis iddo fynychu'r achos er mwyn cefnogi'r diffynyddion, 'gyfrannu at y dieithrwch a fu rhyngom ers rhai blynyddoedd'.[27] Heb os roedd cais Saunders Lewis ymysg ei saf-iadau mwyaf afresymol. Pe bai Gwynfor Evans wedi cydymffurfio byddai, yn ôl pob tebyg, wedi golygu chwalu'r Blaid. Ond noder

24 Evans, *Bywyd Cymro*, t. 111.
25 Evans, *Bywyd Cymro*, t. 266.
26 Er ceisio osgoi camddealltwriaeth, nodaf unwaith yn rhagor mai'r haeriad a wneir yma yw bod Gwynfor Evans wedi ymbellhau oddi wrth Saunders Lewis dros gyfnod o amser ac nid fod pellter rhyngddynt o gychwyn cyfnod Evans fel llywydd. Roedd Gwynfor Evans yn llawer mwy huawdl wrth gydnabod dylanwad Saunders Lewis arno mewn rhai ysgrifau cynharach; gweler, fel un enghraifft o blith nifer, Gwynfor Evans, *Plaid Cymru and Wales* (Llandybïe: Silurian Books, d.d. [ond 1950]), t. 3.
27 Evans, *Bywyd Cymro*, t. 275.

hefyd yr amwysedd cynnil yn y dyfyniad parthed pryd yn union a sut y dechreuodd y dieithrio rhyngddo ef a Saunders Lewis. Y gwir yw bod perthynas y ddau wedi mynd ar chwâl ymhell bell cyn bod unrhyw sôn am fodolaeth yr FWA a'i giamocs.[28] Ac er bod anghydweld ynglŷn â dulliau yn un o'r ffactorau wrth wraidd yr anghytuno mawr rhyngddynt, nid oedd Saunders Lewis erioed yn credu mewn difrif y dylai Plaid Cymru ymroi i gefnogi gwrthryfel arfog yn erbyn y wladwriaeth Brydeinig. Hynny yw, pa bynnag argraff a roddir gan *Bywyd Cymro*, nid oedd achos llys yr FWA nac yma nac acw mewn gwirionedd: symptom yn unig o gyflwr perthynas a oedd wedi hen chwerwi ydoedd y ffrae honno.

Pam y penderfynodd Gwynfor Evans ymbellhau oddi wrth Saunders Lewis, ac i fychanu, i'r graddau y gellir gwneud hynny, ei rôl ganolog yn nau ddegawd cyntaf Plaid Cymru? Gellir yn hawdd awgrymu nifer o ffactorau posibl a allasai fod wedi'i wthio i'r cyfeiriad hwnnw: awydd i ddial am ddiffyg teyrngarwch Saunders Lewis, ac annifyrrwch personol rhai o ddilynwyr mwyaf teyrngar y cyn-lywydd; awydd pragmataidd i geisio rhyddhau Plaid Cymru o afael rhai o'r cyhuddiadau mwyaf gwyllt a daflwyd i'w chyfeiriad oherwydd cydymdeimlad (honedig) Saunders Lewis tuag ar syniadau ffasgaidd; awydd i gyflwyno darlun o orffennol Plaid Cymru a oedd yn gyson â'i safbwyntiau presennol, sef fel mudiad a ogwyddai tua'r chwith-ryddfrydol. Ynteu ai yng ngeiriau Shakespeare y ceir yr allwedd? 'Two stars,' meddai yntau, 'keep not their motion in one sphere.' Yn ffurfafen (gyfyngedig) cenedlaetholdeb Cymreig, tybed ai gofod digonol ar gyfer un 'seren' yn unig a oedd ar gael, ac o'r herwydd, ni allai un dywynnu heb edwino peth ar oleuni'r llall?

Yn y pen draw, wrth gwrs, ni ellir gwybod i sicrwydd ai un o'r ffactorau hyn, ynteu cyfuniad ohonynt, neu'n wir cyfuniad o ffactorau cwbl wahanol, a fu'n bennaf cyfrifol am y modd y dewisodd Gwynfor Evans gyflwyno hanes ei blaid a chydnabod ei ddyled bersonol i'w ragflaenydd mwyaf a phwysicaf fel llywydd Plaid Cymru. Dyfalu yr ydym. Serch hynny, o ddarllen yn ofalus trwy ysgrifau Gwynfor Evans anodd yw osgoi'r casgliad ei fod yn

[28] Ceir rhyw fath o gydnabyddiaeth o hyn gan Gwynfor Evans yn ei gyfraniad ar y cyd ag 'Ioan Rhys' [Ioan Bowen Rees] i *Celtic Nationalism* (London: Routledge and Kegan Paul, 1968), y gyfrol gyfansawdd ryfedd honno sy'n cynnwys dau gyfraniad arall, y naill gan yr hanesydd Gwyddelig, Owen Dudley Edwards, a'r llall gan y Stalinydd o genedlaetholwr a bardd Albanaidd, Hugh MacDiarmid.

edrych dros ei ysgwydd yn gyson i gyfeiriad Penarth, ac mai yno, yng nghartref Saunders Lewis, y safai'r person y mesurai ei hun yn ei erbyn. Gellir dweud i sicrwydd fod Saunders Lewis yn llawer iawn mwy o ddylanwad ar Gwynfor Evans nag yr oedd ef, Saunders, yn fodlon ei gydnabod. Fel y gwelir yn y tudalennau sy'n dilyn, cymaint oedd y dylanwad hwn fel bod yn rhaid cymryd yr ychydig sydd gan Gwynfor Evans i'w ddweud am eu perthynas syniadaethol yn gwbl llythrennol: Saunders Lewis oedd y dylanwad mwyaf ar ei syniadau gwleidyddol. Oherwydd hyn, parhaodd Saunders Lewis yn ddylanwad (anuniongyrchol) aruthrol ar Blaid Cymru ymhell y tu hwnt i'r pwynt yr honnai ef iddo gael ei 'wrthod' ganddi.

Yr etifeddiaeth: syniadau creiddiol 'Saunders' a 'Gwynfor'

Mae tebygrwydd digamsyniol rhwng rhai o brif elfennau syniadaeth wleidyddol Saunders Lewis a Gwynfor Evans. Mae'r tebygrwydd hwn yn amlygu ei hun yng nghyd-destun y materion hynny sy'n fwyaf creiddiol ym myd-olwg a fframwaith moesol unrhyw genedlaetholwr gwleidyddol, sef natur y genedl a phwysigrwydd y cymundod cenedlaethol. Yr un, yn ogystal, yw eu syniadau ynglŷn â nodweddion penodol y genedl Gymreig a nod y mudiad cenedlaethol Cymreig. Wrth reswm, nid yw dangos tebygrwydd yn gyfystyr ynddo'i hun â phrofi dylanwad y naill ar y llall. Mae nifer o ffyrdd y gall unrhyw ddau unigolyn ddyfod i rannu'r un syniadau. Yn fwyaf amlwg, gallant gyfranogi o'r un *milieu* syniadaethol cyffredinol, neu gallai'r ddau ddod o dan ddylanwad rhyw feddyliwr neu ffynhonnell syniadaethol arall. A phan fo'r ddau unigolyn dan sylw yn aelodau o genedlaethau gwahanol – fel yn yr achos presennol – mae'n bosibl fod yr ieuengaf wedi'i ddylanwadu gan yr hynaf mewn modd sy'n ddiarwybod iddo (neu iddi) trwy ddylanwad mwy cyffredinol y ffigwr hŷn. Yma, fodd bynnag, siawns na ellir derbyn geiriau Gwynfor Evans ei hun yn ei hunangofiant, er prinned ydynt, fel gwahoddiad i ddehongli'r tebygrwydd rhwng ei syniadau ef a syniadau Saunders Lewis yn nhermau dylanwad uniongyrchol? Ond hyd yn oed yn absenoldeb y fath wahoddiad, dengys y tebygrwydd yn y modd y mynegir eu syniadau – yn yr union eiriau a ddefnyddir i gyfathrebu'r cysyniadau a'r gwerthoedd y ceisir eu cyfleu ganddynt – fod y dylanwad yn gwbl amlwg ac anwadadwy. Yn wir, os distyllir syniadau Lewis i'w hanfodion, gwelir yn eglur sut yr oedd syniadau Evans yn eu hadleisio gam wrth gam, gymal wrth gymal, ac yn aml, air am air.

Syniadau creiddiol Saunders Lewis

Fel 'cymuned o gymunedau' neu 'cymdeithas o gymdeithasau' y diffiniodd Saunders Lewis y genedl.[29] Mae ganddo gryn dipyn i'w ddweud am nifer o'r gwahanol 'gymunedau' hyn, megis undebau llafur. Ond nid oes unrhyw amheuaeth nad ydyw'n tadogi pwysigrwydd arbennig ar ddwy 'elfen' oddi mewn i'r genedl, sef y teulu a'r unigolyn. Iddynt hwy y priodolir y gwerth moesol uchaf. Yn wir, cyfraniad anhepgorol y genedl i gynhaliaeth y teulu a'r unigolyn sy'n cyfiawnhau cymryd y genedl o ddifrif ar ffurf cenedlaetholdeb.[30]

Pam fod y genedl yn bwysig i'r unigolyn a'r teulu yn arbennig, ac i'r cymunedau eraill sy'n bodoli oddi mewn iddi yn ogystal? Mae'n bwysig, yn nhyb Saunders Lewis, oherwydd fod y genedl fel math o gostrel. Y genedl sy'n darparu'r 'glud' sy'n sicrhau bodolaeth ymdeimlad o gyd-berthyn a chyd-gyfrifoldeb rhwng y gwahanol elfennau cymdeithasol hyn ac yn caniatáu iddynt ddatblygu a ffynnu.[31] Mewn byr eiriau, yr ymdeimlad o genedligrwydd sy'n creu cymuned o'r gwahanol gymunedau. Cynnwys neu sylwedd y 'glud' yw *diwylliant.* Trwy ddiwylliant y cyfleir a throsglwyddir gwerthoedd a hynny nid yn unig 'ar draws cymdeithas' ar unrhyw adeg hanesyddol benodol, ond o genhedlaeth i genhedlaeth. Trwy ddiwylliant y mae dyn yn mynegi ei ddynoliaeth. Trwy ddiwylliant y mae dyn yn gogoneddu ei Greawdwr. Oherwydd hyn, mae

[29] Diffiniad trawiadol o blwralaidd (*pluralist*) a ddylai fod yn ddigon ynddo'i hun i fwrw cryn amheuaeth ar unrhyw awgrym ei fod yn coleddu syniadau 'ffasgaidd' a 'thotalitaraidd' – dychwelir at y mater yma yn yr ail gyfrol.

[30] 'I ni, nid cymdeithas o unigolion ydyw cenedl, eithr cymdeithas o gymdeithasau . . . Ac oblegid mai cymdeithas o gymdeithasau ydyw cenedl y mae gwareiddiad cenedl yn gymhleth a chyfoethog, ac oblegid hynny hefyd y mae rhyddid yr unigolyn yn beth posibl . . . Dibynna rhyddid yr unigolyn ar ei fod yn aelod mewn nifer o gymdeithasau ac nid mewn un yn unig, ac y mae ymosod ar hawliau rhesymol y cymdeithasau bychain, megis y teulu, yr eglwysi, yr undebau cydweithredol a'r undebau llafur, yn golygu amddifadu'r unigolyn o'i amddiffynion naturiol.' Saunders Lewis, 'Undebau llafur a'r Blaid Genedlaethol', *Y Ddraig Goch*, Tachwedd 1932, 1.

[31] 'Y wlad neu'r genedl yw'r ffurf normal ar gymdeithas yn Ewrop. Honno a gafwyd bellach drwy brofiad cenhedloedd yn ddigon bach i'w hanwylo ac yn ddigon mawr i ddynion fyw'n llawn ynddi. Honno yw sylfaen gwareiddiad y gorllewin.' Saunders Lewis, 'Cenedlaetholdeb a chyfalaf', *Y Ddraig Goch*, Mehefin 1926, 3.

unrhyw athroniaeth wleidyddol sy'n ddi-hid o ddiwylliant – megis, ym marn Saunders Lewis, sosialaeth/Marxaeth – yn euog o ddi-ystyru'r hyn sy'n gwneud bywyd gwâr yn bosibl.

A yw hyn oll yn awgrymu, felly, fod Saunders Lewis yn gweld cenhedloedd fel unedau hunangynhaliol ac ynysig – megis 'peli billiards', i ddefnyddio trosiad sy'n gyfarwydd ym maes gwleid-yddiaeth ryngwladol? Dim o gwbl. Ac yn wir, sut y gallai fod felly i ŵr a oedd yn dathlu'r dylanwad Ewropeaidd ar ddiwylliant Cymraeg, ac a oedd yn collfarnu perthynas wasaidd Cymru â Lloegr oherwydd iddi ynysu Cymru o'r dylanwadau hyn? Gwelai ef gysylltiadau rhwng cenhedloedd a diwylliannau cenedlaethol Ewrop fel arwydd o'u hiechyd. (Ac fel cynifer o feddylwyr Ewrop-eaidd – ar y dde a'r chwith – ei genhedlaeth, nid oedd ganddo fawr o ddiddordeb yn y byd y tu hwnt i Ewrop.) Un amlygiad ar y diwylliant neu'r 'gwareiddiad' ehangach a geir ym mhob diwyll-iant cenedlaethol unigol. Ond – a dyma'r pwynt allweddol – ystyriai fod pob amlygiad yn amheuthun ac yn wir yn anhepgorol oherwydd ei rôl yn cyfoethogi'r cyfan. Ymddengys fod Lewis yn ystyried bod y cyfoethogi hyn yn digwydd ar sawl lefel. Yn fwyaf amlwg, mae diwylliannau cenedlaethol yn gallu cyfoethogi trwy eu dylanwad uniongyrchol ar ei gilydd megis, dyweder, yn achos dylanwad chwedlau Cymreig ar wareiddiad Ewrop drwy'r cwlt Arthuraidd. Ond yn ogystal, mae elfen ddiwinyddol hollbwysig i'w ddadl: mae diwylliannau unigol yn cyfoethogi oherwydd fod cenhedloedd ac amrywiaeth cenedlaethol, ym marn Saunders Lewis, yn rhan o'r drefn ddwyfol. Ac yn yr un modd ag y gwadai'n bendant hawl y genedl – neu'n fwy cywir, y wladwriaeth yn ym-ddwyn yn enw'r genedl – i amharu â sancteiddrwydd y teulu a'r person unigol, ystyriai unrhyw ymdrech i fychanu neu ddinistrio cenedl yn ddim llai na chabledd ac, yn wir, yn drosedd yn erbyn Duw. A siarad yn gyffredinol, felly, gorwedd pwysigrwydd y genedl yn y modd y mae'n cyfryngu: rhwng y cyffredinol a'r unigol, rhwng dynoliaeth a'r dwyfol, rhwng y person a'r gymdeithas o'i amgylch. Heb genedl y cwbl sy'n weddill yw gyr o unigolion di-gyswllt, di-ddiwylliant, di-wareiddiad, ac felly yn y pen draw, di-ddynoliaeth.

Gan symud o'r lefel gyffredinol i'r lefel ddiriaethol, Gymreig, gellir gweld yn weddol rwydd pam y priodolai Saunders Lewis gymaint o bwysigrwydd i'r iaith a'r diwylliant Cymraeg. O ddilyn rhesymeg ei ddadl, mae'n rhaid ystyried y diwylliant Cymraeg – sef prif ffrwd diwylliant Cymru – fel rhan o gynllun Duw. O'r herwydd, mae ei amddiffyn a'i adfer yn ddyletswydd gysegredig. Ond yn ogystal, heb y cwlwm cenedlaethol – cwlwm sydd wedi ei greu o rwymau diwylliannol yn anad dim – nid oes gobaith am achubiaeth oddi mewn i'r byd a'r bywyd hwn ychwaith. Oblegid y cwlwm hwn yn unig a all ddarparu'r grym angenrheidiol – yr ymdeimlad o gydgyfrifoldeb a'r parodrwydd i gyd-ymdrechu – i alluogi adeiladu bywyd llawn ac urddasol.[32]

Syniadau creiddiol Gwynfor Evans

Os derbynnir yr uchod fel crynodeb teg o syniadau creiddiol Saunders Lewis *vis-à-vis* y genedl, yna gwelir, yn ogystal, ei fod hefyd yn mynegi rhai o gredoau mwyaf sylfaenol Gwynfor Evans. Fel 'cymuned o gymunedau' neu 'gymdeithas o gymdeithasau' y cyfeiriodd yntau at y genedl Gymreig, a hynny droeon:

> Rhaid tanlinellu'r ffaith mai cymdeithas yw'r genedl. Cymdeithas yw hi sy'n gyfundod organaidd o gymdeithasau bach, yr ymdeimla ei phobl â'u pherthynas â hi, ac â'u gwreiddiau yn ei daear, ei hanes a'i thraddodiad.[33]

> He [dyn] is a member of many groupings, all of which contribute to the enriching of his personality . . . These communities cohere in the nation, which through her language, traditions, culture and history, safeguards the values of the past and transmits them to the future. The nation is a community of communities.[34]

Oddi mewn i'r gymuned genedlaethol hon, ystyriai ef mai'r teulu oedd y sefydliad pwysicaf, ac ar y person unigol y tadogai'r gwerth moesol uchaf:

[32] Rhoddwyd mynegiant trawiadol i'r ddadl hon gan un o ddilynwyr gwleidyddol ffyddlonaf Saunders Lewis, J. E. Daniel, yn ei bamffled *Welsh Nationalism: What it Stands for* (London: Foyle's Welsh Co, d.d. [ond 1937]), a hynny yn nannedd y Dirwasgiad Mawr: 'The fatal mistake of the rootless Marxist deraciné Socialism of South Wales is the supposition that fifteen centuries count for nothing in the rehabilitation of Wales. It is in the poetry of Taliesin and Dafydd Nanmor, in the ruling conceptions of the ancient laws of Wales, far more than in the Special Areas Act of the Five Year programmes that the salvation of Wales is to be found. There is a far closer connection between his language and his bread and butter than the Welshman has yet dreamed' (t. 40).

[33] Gwynfor Evans, *Rhagom i Ryddid* (Bangor: Plaid Cymru, 1964), t. 13. Noder hefyd y brawddegau sy'n dilyn: 'Y gymdeithas hon sy'n gwarchod ac yn trosglwyddo o genhedlaeth i genhedlaeth y gwerthoedd sy'n gwareiddio dyn. Yn achos Cymru y mae'r gwerthoedd hyn yn Gristnogol ac fe'u rhennir â gwledydd Ewrop, er bod y patrwm yn gwahaniaethu o wlad i wlad.'

[34] Evans, *Plaid Cymru and Wales*, tt. 10–11.

> The smallest of communities within the nation is fundamental in more ways than one. It is the family, which alone can be called a natural community. The structure of society depends more upon this than any other entity within it, and the ill-effects of weakening it are quickly visible.[35]

> Ac i'r cenedlaetholwr Cymreig, fel cenedlaetholwyr eraill, y mae gwerth mawr i'r genedl. Pam hyn? Yn fyr, o achos ei phwysigrwydd ym mywyd y person unigol. Nid y genedl yw'r gwerth uchaf, ond y bersonoliaeth ddynol. Er mwyn dyn y mae popeth yn bod, pob sefydliad a phob cymdeithas. Er ei fwyn ef y mae'r genedl a'r wladwriaeth yn bod; sicrhau iddo fywyd a bywyd helaethach yw eu swyddogaeth.[36]

Gorwedd pwysigrwydd neilltuol y genedl yn y modd y mae, trwy swyddogaeth diwylliant, yn cynnal ac yn traddodi gwerthoedd trwy gymdeithas ac 'o genhedlaeth i genhedlaeth.'[37] Pris colli golwg ar y ffaith sylfaenol hon yw dadafaeliad cymdeithasol: 'T]he nation is today our greatest medium for the transmission of human values from generation to generation. When it disintegrates community becomes a rootless mass, unresisting before the onrush of Hollywood.'[38]

Unwaith yn rhagor, ceir yn ysgrifau Gwynfor Evans bwyslais ar rôl y genedl fel rhan o'r drefn ddwyfol. Pwysleisir hefyd bwysigrwydd y genedl unigol a'i diwylliant penodol fel un rhan neu amlygiad o gyfundrefn ddiwylliannol ehangach. Ac er bod galwad 'Celtigiaeth' – y 'cwlwm Celtaidd' honedig – yn llawer mwy atyniadol iddo ef nag yr oedd i Saunders Lewis (fel y trafodir eto yn y man), fel rhan o wareiddiad Ewropeaidd yr ystyriai yntau ddiwylliant Cymru a chenhedloedd eraill y cyfandir:

> Un o genhedloedd Ewrop yw Cymru, un a gadwodd ei harbenigrwydd drwy ganrifoedd meithion hyd yn awr, er ei chlwyfo a'i gwanhau yn ddychrynllyd o ddiffyg sefydliadau i'w hamddiffyn a'i meithrin. Yn y cornelyn

[35] Gwynfor Evans, *Welsh Nationalist Aims* (Plaid Cymru, 1959), t. 9.

[36] Evans, *Rhagom i Ryddid*, t. 11; Hefyd, *inter alia*, 'The nation exists for man, not man for the nation. There is a moral law above all nations and states,' Evans, *Plaid Cymru and Wales*, t. 14; 'Ond offeryn yw hi [y wladwriaeth]. Nid tra-awdurdodi ar genedl yw ei lle, ond ei gwasanaethu, gan geisio sicrhau amgylchfyd addas i'r person unigol yntau fyw a ffynnu ynddo', Gwynfor Evans, *Cristnogaeth a'r Gymdeithas Gymreig* (Abertawe: Undeb yr Annibynwyr Cymreig, 1954), t. 9.

[37] Gwynfor Evans, *Aros Mae* (Abertawe: Tŷ John Penry, 1971), t. 277.

[38] Evans, *Plaid Cymru and Wales*, t. 13.

> hwn o Ewrop y'n rhoddwyd ni yn warcheidwaid y darn hwn o wareiddiad. Yma y mae ein cyfrifoldeb ni bobl Cymru.[39]

> Yn nhraddodiadau cenedlaethol Ewropeaidd y ceir y gwareiddiad Ewropeaidd, ac nid yn unman arall. Pan ddinistrir bywyd cenedl yn Ewrop, distrywir darn o'i wareiddiad. Dyletswydd cyntaf pob cenedl yw ymgadw'n genedl a gofalu am ei chornelyn hi o'r gwareiddiad ehangach.[40]

Unwaith yn rhagor, felly, nid fel ymdrech i ymgilio o'r byd, ac i osgoi cyfrifoldeb am ei ffawd, yr ystyriai Gwynfor Evans ei genedlaetholdeb ('Gristnogol') ef. Yn hytrach, gwelai genedlaetholdeb 'iach' fel cyfrwng anhepgorol rhwng y lleol a'r byd-eang; y person unigol a dynol-ryw.[41]

Tanlinellir ymhellach y tebygrwydd trawiadol rhwng syniadau Saunders Lewis a Gwynfor Evans – a dylanwad y naill ar y llall – pan ystyrir y pwyslais y rhoddai Gwynfor Evans ar weithredu'n wleidyddol i gynnal ac adfer diwylliant Cymraeg. Dyma briod waith ei Blaid, yn ei dyb ef. Tybiaeth uniongred o Saundersaidd Gwynfor Evans oedd: 'Gan fod dyn wedi ymweu mor glòs i ddiwylliant ei wlad, a chan fod ei bersonoliaeth mor ddibynnol arno am ei faeth, y mae problem adfer y person ac adfer ei gymdeithas ddiwylliannol ynghlwm yn ei gilydd.'[42] A chan mai'r Gymraeg yw 'gwaed a chalon y traddodiad cenedlaethol',[43] pa syndod ei fod yn diffinio cenhadaeth ei blaid yn y termau canlynol?

> Plaid Cymru . . . is more than a political party. It is a national movement and a moral crusade which has given much of its time to educate people in

[39] Evans, *Rhagom i Ryddid*, t. 16.

[40] Evans, *Aros Mae*, t. 223.

[41] Nodwyd eisoes fod Saunders Lewis wedi amodi cenedlaetholdeb y Blaid o'i dyddiau cynharaf. Cenedlaetholwr a oedd, yn bendifaddau, yn dra ymwybodol o beryglon cenedlaetholdeb pen-rhydd ydoedd Lewis – a go brin fod hynny'n syndod ac yntau wedi dioddef cymaint yn ystod y Rhyfel Mawr. Wedi'r Ail Ryfel Byd, ac ar ôl datgelu erchyllterau gwersylloedd difa'r Natsïaid, tueddai Gwynfor Evans i ddefnyddio ansoddeiriau megis 'iach' neu 'gristnogol' wrth gyfeirio at genedlaetholdeb Plaid Cymru, eto fel ymdrech i bwysleisio'r ffaith mai amodol yw'r hyn a hawlir yn enw'r genedl Gymreig. I genedlaetholwyr Cymreig mae rhai pethau'n bwysicach na'r genedl, ond ni ellir diogelu'r rheini heb sicrhau bywyd cenedlaethol iach. Mae defnydd Evans o'r ansoddeiriau hyn hefyd yn enghraifft arall o'r ffenomen a drafodwyd yn y bennod gyntaf, sef yr ymdrech gyson a welir i wahanu rhwng mynegiadau derbyniol ac annerbyniol ar genedlaetholdeb.

[42] Evans, *Cristnogaeth a'r Gymdeithas Gymreig*, t. 6.

[43] Evans, *Aros Mae*, t. 277.

> nationhood, awakening them to a sense of loyalty to their community and cultivating the incipient will to live a national life. Faced with anglicisation it is a resistence movement, confronted by English Government a freedom movement.[44]

I Gwynfor Evans, fel i Saunders Lewis, crwsâd 'lleol' ac iddo gymhellion a goblygiadau byd-eang oedd cenedlaetholdeb Cymreig.

Polisïau sylfaenol: yr etifeddiaeth a'i hesblygiad

Gwelir yn eglur, felly, pa mor ddibynnol ar syniadau Saunders Lewis yr oedd syniadau Gwynfor Evans ynglŷn â'r materion hynny sy'n greiddiol i gredo pob cenedlaetholwr gwleidyddol. Mae'n bwynt a nodwyd gan John Davies hefyd, yn ei lyfryn *The Green and the Red: Nationalism and Ideology in Twentieth-century Wales*: 'On a number of central issues, Evans's views differ little from those of Lewis.'[45] Tybiaf, fodd bynnag, fod dylanwad Lewis ar Evans hyn yn oed yn fwy pellgyrhaeddol nag y mae John Davies yn ei ganiatáu. Daw hyn yn amlwg wrth ddychwelyd at y meysydd polisi hynny a drafodwyd mewn peth manylder yn yr ail bennod, sef polisïau economaidd, cyfansoddiadol ac iaith y Blaid. Wrth wneud hyn tanlinellir gafael syniadau 'Saundersaidd' ar agenda bolisi'r Blaid ymhell y tu hwnt i'r pwynt yr oedd Saunders Lewis ei hun, heb sôn am y rhan fwyaf o sylwebwyr, yn credu iddo ddirwyn i ben. Ond wrth graffu'n fanylach ar y meysydd polisi hyn, mae modd dangos hefyd sut – yn raddol bach – y bu i Gwynfor Evans addasu'r etifeddiaeth syniadaethol a dderbyniodd gan ei ragflaenydd.

Y Gymraeg

Yn y bennod ddiwethaf gwelwyd pa mor ddylanwadol y bu Saunders Lewis wrth bennu agwedd Plaid Cymru tuag at yr iaith Gymraeg. Ef, ac ef yn unig, a fynnodd mai'r Gymraeg, ac nid hunanlywodraeth, oedd wrth graidd datganiad amcanion sylfaenol cyntaf y mudiad. Hyd yn oed wedi i'r amcanion hynny

44 Evans, *Wales Can Win*, t. 140.

45 John Davies, *The Green and the Red: Nationalism and Ideology in Twentieth-century Wales* (Aberystwyth: Plaid Cymru, 1980), t. 30.

gael eu diwygio, ei ddylanwad ef a oedd yn bennaf gyfrifol am sicrhau bod iechyd y diwylliant Cymraeg yn rhan mor ganolog o ganfyddiad cenedlaetholwyr Cymreig o natur eu hymrwymiad gwleidyddol. Dylanwad Saunders Lewis, yn anad dim arall, a arweiniodd at y tensiwn rhwng safbwynt swyddogol y Blaid parthed yr iaith Gymraeg, ar y naill law, a'r canfyddiad o'r safbwynt hwnnw, ar y llaw arall, a grëwyd gan ddatganiadau cyhoeddus ei llefarwyr amlycaf a huotlaf. Gellir mynegi'r tensiwn hwn yn nhermau tyndra rhwng yr ymrwymiad i Gymru ddwyieithog a'r dyhead am Gymru uniaith (Gymraeg). Yn nhermau polisi ffurfiol, buan y dychwelodd Plaid Cymru at yr ymrwymiad at ddwy-ieithrwydd a nodweddai ei hymgorfforiad cyntaf ym Mhlaid Genedlaethol Cymru H. R. Jones ac Evan Alwyn Owen. O ystyr-ied diffyg statws y Gymraeg ar y pryd, yr oedd i'r ymrwymiad hwn, wrth gwrs, oblygiadau pellgyrhaeddol os nad chwyldroadol – ac mae'n parhau felly hyd heddiw. Ond roedd Saunders Lewis am fynd ymhellach o lawer. 'Cymru Gymraeg' oedd ei amcan ef, sef Cymru a'r Gymraeg yn unig iaith ei bywyd sifig ac yn brif gyfrwng cyfathrach gymdeithasol mwy cyffredinol. Gallasai Cymru ddwyieithog fod yn gam ar y daith tuag at y nod hwnnw, ond cam yn unig ydoedd yn hytrach na diwedd y daith.

Un o ganlyniadau'r ymrwymiad yma i'r Gymraeg fel prif gyf-rwng diwylliant Cymreig oedd iddo esgor ar agwedd *amwys* at y Gymru ddi-Gymraeg. Gan fod hwn yn osodiad y bydd rhai'n fwy na pharod i'w gamddeall mae'n werth pwysleisio unwaith yn rhagor yr hyn a olygir. Nid yw'n golygu bod Saunders Lewis yn elyniaethus tuag at y Cymry di-Gymraeg *tout court.* Nid oes sail i haeriad o'r fath. Nid oedd ychwaith yn gwadu Cymreictod y Cymry hynny nad oedd yn siarad Cymraeg. Ond yr oedd yn eu hystyried yn fodau anghyflawn: fel bodau a gollodd ran o'r allwedd, o leiaf, i fywyd crwn, llawn a dedwydd. Teg yw gofyn – a dadlau rhwng cromfachau, fel petai – onid yw amwysedd o'r fath yn rhwym o nodweddu agweddau pob un ohonom sy'n edifar i'r Gymraeg golli cymaint o dir yn ystod yr ugeinfed ganrif, ac sy'n deisyf iddi ad-ennill cymaint â phosibl o'r tir a gollwyd yn y dyfodol? Wedi'r cwbl, onid un o brif gymhellion y rhieni di-Gymraeg hynny sy'n mynnu bod eu plant yn derbyn addysg cyfrwng Cymraeg yw'r ymdeimlad eu bod hwy wedi cael colled oherwydd na chawsant y cyfle i goleddu'r iaith? Eu bod hwy, felly, mewn rhyw ffordd yn anghyflawn heb y Gymraeg? O safbwynt goblygiadau gwleidyddol agwedd o'r fath, mae'n debyg fod llawer yn dibynnu ar y modd y mynegir yr 'amwysedd' hwn. Ac yn achos Saunders Lewis roedd dull y mynegi'n broblem. Y gosodiad ysgubol, bachog oedd *forte* Saunders y beirniad llenyddol a'r gwleidydd, yn hytrach na'r 'wên fêl yn gofyn fôt'. Defnyddiai eiriau megis ffrwydron i geisio chwalu'r argae hwnnw o ragfarn a difaterwch a oedd yn prysur foddi'r iaith Gymraeg a'i diwylliant. Ac o dynnu'r geiriau hyn yn eu holl daerineb heriol allan o'u cyd-destun ehangach, hawdd y gellid colli golwg ar y *nuance*, yr amwysedd agwedd y cyfeiriwyd ato eisoes, a oedd yn sail iddynt mewn gwirionedd.

Etifeddiaeth driphlyg, felly, a draddodwyd i Gwynfor Evans gan Saunders Lewis parthed agwedd Plaid Cymru tuag at y Gymraeg:

1. ymrwymiad i ddiogelu ac adfer y Gymraeg fel *sine qua non* Plaid Cymru;
2. tensiwn rhwng yr ymrwymiad ffurfiol i ddwyieithrwydd a dyhead am Gymru uniaith Gymraeg; ac, ynghlwm wrth hyn;
3. peth amwysedd yn y modd yr ymagweddai'r Blaid tuag at y Gymru ddi-Gymraeg.

A siarad yn gyffredinol, gellir haeru bod Evans wedi parhau'n ffyddlon i'r cyntaf o'r rhain (hyd yn oed os nad oedd Lewis yn ei gweld hi felly). Nid oes fawr o amheuaeth ychwaith nad oedd Gwynfor Evans yn rhannu'r un dyhead am Gymru uniaith yn ogystal, ond gyda threigl amser a dirywiad pellach yn sefyllfa'r Gymraeg, aeth y freuddwyd honno'n gynyddol amherthnasol. Yn sgîl hynny, aeth ati i ailddiffinio ystyr y term 'Cymru Gymraeg' i olygu Cymru ddwyieithog yn hytrach na Chymru uniaith Gymraeg. O safbwynt trydedd elfen yr etifeddiaeth, gwelir elfen o amwysedd (anorfod?) hefyd yn y modd yr ymagweddai Gwynfor Evans at y di-Gymraeg, hyd yn oed os nad oedd y modd y mynegwyd yr amwysedd hwnnw yn llawn mor niweidiol yn wleidyddol ag yr oedd yn achos Saunders Lewis.

Gyda hynny o ragymadroddi a chrynhoi, trown at ystyriaeth fanylach o le'r Gymraeg yn syniadaeth Gwynfor Evans a'i ddealltwriaeth o genhadaeth cenedlaetholdeb Cymreig. Nid oes unrhyw amheuaeth nad oedd sicrhau Senedd i Gymru – unrhyw fath o Senedd – yn flaenoriaeth aruthrol bwysig i Gwynfor Evans, ac fe'i trafodir ymhellach isod. Teg fyddai dadlau, hefyd, fod hyn yn fwy o flaenoriaeth iddo ef nag ydoedd i Saunders Lewis. Serch hynny, hyd yn oed i Gwynfor Evans, roedd achub ac adfer y Gymraeg yn flaenoriaeth bwysicach yn y pen draw, ac yn hyn o beth roedd ei agwedd yn debycach i safbwynt Saunders Lewis nag y mae llawer wedi'i sylweddoli.

Ceir cadarnhad o'r flaenoriaeth a roddai Evans i'r Gymraeg trwy bori yn ei amryfal gyfrolau. Ac arwyddocaol yw nodi yn y cyd-destun hwn fod yr un agwedd yn hydreiddio'r llyfrau a'r pamffledi Saesneg yn ogystal â'r rhai Cymraeg a gyhoeddodd. Un o'r pethau a'i gwnâi yn bosibl i Gwynfor Evans ailadrodd ei hun i'r fath raddau yn ei weithiau yw'r ffaith nad oedd yn ceisio newid ei neges na'i chywair wrth droi o un iaith i'r llall! Ond nid yw dangos bod sicrhau dyfodol i'r Gymraeg yn flaenoriaeth i Gwynfor Evans yn gyfystyr â dweud bod y Gymraeg yn flaenoriaeth bwysicach iddo na sicrhau hunanlywodraeth. Yn wir, un o'i brif ddadleuon yw bod y ddau beth yn mynd law yn llaw. Hynny yw, yn yr hirdymor, dim ond o sicrhau mesur o hunanlywodraeth y gellir sicrhau dyfodol i'r iaith. Yr hyn sy'n ei gwneud yn bosibl dadlau bod Gwynfor Evans yn ddilynwr ffyddlon i Saunders Lewis yw ei agwedd ar ddiwedd y 1960au pan ddatblygodd tensiwn rhwng y nod o gyrchu hunanlywodraeth a'r ymdrech i achub yr iaith. Pan oedd dewis yn anorfod, rhoddodd Gwynfor Evans flaenoriaeth i'r iaith.

Fel sy'n hysbys, erbyn canol y 1960au, roedd Cymdeithas yr Iaith Gymraeg wedi datblygu'n fudiad hynod weithgar a oedd yn herio'r gyfraith yn gyson yn enw'r iaith. Erbyn diwedd y degawd hwnnw, roedd y gweithredu cyson hwn, gweithredu mwy milwriaethus grwpiau ymylol fel Mudiad Amddiffyn Cymru a'r Free Wales Army, ynghyd â'r penderfyniad i arwisgo Charles yn dywysog Cymru mewn seremoni rwysgfawr yng Nghaernarfon – y cam cyntaf yn y broses o Ddiana-eiddio teulu'r Windsors – wedi cyfuno i greu awyrgylch o gryn argyfwng. Cydfodolai'r Blaid mewn perthynas symbiotig, os anfoddog braidd, â'r mudiad iaith. Ar y naill law, fe'i hymnerthwyd yn sylweddol gan frwdfrydedd ac ymroddiad y to newydd o genedlaetholwyr. Ar y llaw arall, deuai'n gynyddol amlwg fod yr adwaith a enynnai'r ymgyrchwyr iaith yn bygwth y momentwm a ddatblygodd y Blaid yn sgîl llwyddiant Caerfyrddin a chanlyniadau'r isetholiadau a'i dilynodd. Yn naturiol ddigon, felly, daeth pwysau ar arweinyddiaeth y Blaid i'w datgysylltu ei hun oddi wrth yr ymgyrchwyr iaith, ac yn wir i'w condemnio.

Rhoddwyd Gwynfor Evans mewn sefyllfa arbennig o anodd oblegid fod ei blant ei hun ymysg yr ymgyrchwyr, a'i ferch, Meinir, yn un o'r amlycaf ohonynt. Serch hynny, mae'n drawiadol fod ysgrifau Gwynfor Evans ar y pryd yn gwbl ddigyfaddawd yn eu cefnogaeth i'r ymgyrchwyr iaith. Yn wir, aeth o'i ffordd, dro ar ôl tro, i fynegi ei edmygedd o wrhydri'r protestwyr, a hynny hyd yn oed wedi i'w gweithredoedd gyfrannu, yn nhyb llawer o Bleidwyr, at golli sedd Caerfyrddin yn 1970. Ni ellir egluro ei agwedd yn nhermau teyrngarwch teuluol yn unig, er na ddylid diystyru teimladau o'r fath fel ffactor. Yn hytrach, ceir yr eglurhad am ei agwedd yn ei eiriau ef ei hun yn ei gyfrol *A National Future for Wales* a gyhoeddwyd yn 1975:

> There is no doubt that Plaid Cymru would have grown more quickly, perhaps very much more quickly, but for its adherence to the language. If it had been prepared to drop its struggle for the language, until Wales has her own parliament, as some of its foremost members have urged it to do, perhaps it would today at least be comparable in parliamentary strength to the SNP which does not have this problem [wedi etholiad cyffredinol Hydref 1974 roedd 11 aelod seneddol gan yr SNP]. Constantly we have evidence of the way the language is holding us back; and of course our opponents explicit, sometimes quite unscrupulously, the resentment and prejudices of some non-Welsh speaking people. But the Welsh language goes to the heart of what Plaid Cymru is trying to do. In the first place its struggle is for the civilisation of Wales, of which the language is the main medium. That is its *raison d'être*. If it abandoned the ancient tongue, even temporarily, it would be betraying its most fundamental purpose.[46]

Oherwydd natur sylfaenol a gwaelodol yr ymrwymiad i'r Gymraeg, roedd yn rhaid i genedlaetholwyr flaenoriaethu'r ymgyrch drosti hyd yn oed ar gost poblogrwydd a llwyddiant eu plaid. Byddai dilyn unrhyw drywydd arall yn golygu difa enaid y mudiad.

Wrth gwrs, gall ymrwymiad cyffredinol i'r iaith arwain at sawl farn wahanol ynglŷn â pha safle'n benodol y dylai'r Gymraeg ei mwynhau mewn bywyd cyhoeddus. 'Cymru Gymraeg' oedd

[46] Evans, *A National Future for Wales*, t. 84.

breuddwyd Saunders Lewis, sef 'Cymru uniaith' Gymraeg. Go brin fod honno'n freuddwyd ymarferol ar unrhyw adeg yn ystod yr ugeinfed ganrif, ond yn ddi-os golygodd y gostyngiad parhaol yn nifer siaradwyr yr iaith yn ystod y ganrif honno na allai'r syniad o 'Gymru uniaith' gael ei ystyried fel nod gredadwy ar gyfer plaid wleidyddol a obeithiai gael ei chymryd o ddifrif. Serch hynny, nid oes amheuaeth nad oedd Gwynfor Evans yn rhannu'r un gobeithion a'r rhai a oedd yn sail i ddyheadau Lewis yn y cyfeiriad hwn. Gwelir hyn yn fwyaf eglur efallai yn ei bamffled *Eu Hiaith a Gadwant* (1949), sef, yn arwyddocaol ddigon, y pamffled cyntaf a gyhoeddodd yn enw'r Blaid. Ynddo dadleuir o blaid dyrchafu'r Gymraeg 'yn [b]rif iaith Cymru ymhob rhan o'i bywyd, mewn masnach a difyrrwch yn ogystal ag addysg ac addoliad'. A pham hyn? 'Canys hi yw'r unig gyfrwng posibl i'r meddwl Cymreig a ffynnai; hi yn unig a fyddai yn rhan organig o'i bywyd.'[47]

Y Gymraeg yn brif iaith Cymru. A newidiodd Gwynfor Evans ei farn ynglŷn â'r mater yn ddiweddarach? Go brin. Arhosodd ei syniadau sylfaenol yn syndod o gyson gydol ei yrfa wleidyddol. Dyma a ddywed, er enghraifft, yn *Diwedd Prydeindod*, cyfrol a gyhoeddwyd yn 1981, tua therfyn ei yrfa wleidyddol: 'Rhaid i Blaid Cymru lynu wrth ei gweledigaeth o Gymru Gymraeg a Chymreig, yn ogystal â Chymru rydd a chyfiawn, er maint yr anawsterau. Rhaid i ddyfodol Cymru dyfu allan o gyfoeth ei thraddodiad.'[48] Dengys y dyfyniad hwn iddo arddel yr ymadrodd 'Cymru Gymraeg' i ddisgrifio nod y Blaid ar hyd ei yrfa wleidyddol. Ond, gan danlinellu'r cyfuniad rhyfedd o benstiffrwydd a phragmatiaeth a'i nodweddodd, mae'n bwysig nodi i'r cyflwr ieithyddol y cyfeirid ato newid yn raddol yn ystod ei gyfnod llywyddol. Yn hytrach na golygu Cymru uniaith Gymraeg, daeth i gynrychioli Cymru drwyadl ddwyieithog. Mewn pennod yn dwyn y teitl 'Cymru Gymraeg' yn ei gyfrol *Rhagom i Ryddid* (1964) dadleuodd fod 'ceisio safle swyddogol a chydradd â'r Saesneg i'r Gymraeg . . . yn rhan o bolisi Plaid Cymru' o'r cychwyn cyntaf.[49] Sylw sy'n llythrennol gywir ond sy'n anwybyddu'r ffaith mai fel cam yn unig at Gymru uniaith y synnid am sefyllfa o'r fath yn negawdau cyntaf

[47] Gwynfor Evans, *Eu Hiaith a Gadwant* (Caerdydd: Plaid Cymru, 1949), t. 4.
[48] Gwynfor Evans, *Diwedd Prydeindod* (Talybont: Y Lolfa, 1981), tt. 139–40.
[49] Evans, *Rhagom i Ryddid*, t. 114.

y Blaid! Erbyn y 1960au, fodd bynnag, ystyriwyd Cymru ddwyieithog yn nod ynddo'i hun yn hytrach nag fel modd i gyrraedd nod 'uwch'. Ond ni ddylid dod i'r casgliad mai dwyieithrwydd yn ystyr consensws swyddogol a chyfforddus y dwthwn hwn mohono. Yn *Wales Can Win* (1973) dadleuai mai 'The aim in Wales must be to give the people the opportunity to become bilingual within a generation.'[50] O'i chymryd o ddifrif – ac ni ellir amau nad oedd Gwynfor Evans o ddifrif – dyma nod ac iddo oblygiadau cwbl chwyldroadol. Er ei fod wedi (gorfod) rhoi heibio'r nod o Gymru uniaith, nid oedd hynny'n mennu dim ar y flaenoriaeth a roddai Evans i'r Gymraeg.

Roedd y flaenoriaeth hon, fodd bynnag, yn mynd law yn llaw ag amwysedd yn agwedd Gwynfor Evans tuag at y di-Gymraeg. Dyma nodwedd sy'n brigo i'r wyneb dro ar ôl tro yn ei ysgrifau. Ar y naill law, bu ei ddiffiniad o Gymreictod yn gynhwysol ymhell cyn i'r gair hwnnw ddod yn rhan o'r eirfa wleidyddol Gymreig. Yn ei farn ef, roedd Cymreictod yn ymdeimlad cwbl oddrychol o berthyn yn hytrach na chyflwr ieithyddol neu'n fater o ach a hil. Y Cymry, meddai yn 1963, oedd 'all those people, of whatever race, creed, religion or colour, who live in Wales and regard it as their home'.[51] Pwysleisiai allu Cymreictod i drosgynnu gwahaniaethau cymdeithasol o bob math:

> Symudwn ymlaen yn unol, yn deulu o Gymry yn ein gwahanol alwedigaethau a'n hamrywiol gylchoedd, boed ein hiaith yn Saesneg neu Gymraeg, canys un genedl ydym a chennym yr un gorffennol i ymfalchïo ynddo, yr un presennol i weithio ynddo, a'r un dyfodol i obeithio amdano.[52]

Ymhyfrydai'n arbennig yn y modd y daeth mewnfudwyr a'u plant – o gyfnodau cynharach a mwy cyfoes – i deimlo eu hunain yn Gymry.[53] Nid yw'n syndod deall ei fod, yn ddiweddarach, yn un o sylfaenwyr PONT, cymdeithas a geisiai gynorthwyo'r broses honno.

[50] Evans, *Wales Can Win*, t. 122.

[51] Gwynfor Evans, *Plan for a New Wales* (Plaid Cymru, 1963), t. 11.

[52] Gwynfor Evans, 'Yr ugeinfed ganrif a Phlaid Cymru', t. 143.

[53] Yr un yw ergyd trafodaeth Gwynfor Evans o ddisgynyddion y mewnfudwyr hynny a dyrrodd i Gymru adeg y Chwyldro Diwydiannol: 'Today, the majority of these immigrants, or their descendents, are proud to call themselves Welshmen; and since common membership of the Welsh community rather than language or descent is the test of nationality in Wales, nationalists are proud to know them as fellow-Welshmen.' Evans, *Plaid Cymru and Wales*, t. 17.

Wedi dweud hyn oll, mae hefyd yn gwbl amlwg ei fod o'r farn fod Cymry Cymraeg yn tueddu i fyw bywydau mwy dyrchafedig na Chymry di-Gymraeg, a hynny oherwydd eu meddiant o'r Gymraeg. 'Pan encilia Cymreigrwydd,' meddai, 'tlodir bywyd y Cymro unigol ac ni sylweddolir cymaint o'i bosibiliadau; y mae'n llai o ddyn nag y gallai fod.'[54] Cyferbyniai'r ardaloedd hynny lle roedd y Gymraeg yn parhau'n brif iaith â'r ardaloedd hynny lle y cafodd ei disodli gan Saesneg, gan farnu bod ardaloedd Cymraeg yn fwy gwâr:

> Er holl ddifrod y tair cenhedlaeth ddiwethaf y mae bywyd a chyfoeth mawr yn aros yn iaith a diwylliant Cymru, yn ddigon cryf o hyd i godi'r werin a gyfranoga ohonynt i lefel uwch o fywyd, fel y gwelwn yn glir wrth gymharu y rhannau o Gymru lle y ffynnant â'r rhannau a'u collodd.[55]

Cymhariaeth a ddefnyddiodd fwy nag unwaith er mwyn cadarnhau'r dybiaeth hon oedd honno rhwng Meirionnydd a Maesyfed: 'Dyma ddwy sir wledig nid annhebyg i'w gilydd yn ddaearyddol, ond tra cynhyrchodd y sir Gymraeg lu mawr o arweinwyr diwylliannol, addysgol a chrefyddol, tlawd iawn yw'r sir a Seisnigwyd: ni ddaeth neb ym mywyd Cymru oddi yno ers dyddiau Vavasor Powell.'[56] Ac yn aml, brigai rhagfarnau anghydffurfiol i'r wyneb wrth i Evans ganu clodydd ardaloedd Cymraeg ar draul yr ardaloedd hynny lle y daeth Saesneg yn brif iaith cyfathrach gymdeithasol: 'in whole anglicised areas the dominance of cultural and religious institutions is replaced to a great extent by club, pub and bingo'.[57]

Un o agweddau mwyaf diddorol tuedd Gwynfor Evans i gyfystyru Cymreictod â rhagoriaeth foesol (a go brin mai gormodiaith yw dehongli ei safbwynt yn y termau hyn) yw ei effeithiau ar wleidyddiaeth fewnol Plaid Cymru. Er na fwriedir trafod y mater hwn yn llawn yma, mae'n werth nodi'r modd yr oedd asesiadau Gwynfor Evans o'i gyd-Bleidwyr fel petaent yn ymdroi o amgylch eu gafael ar yr iaith. Gwelir hyn yn fwyaf eglur, efallai, yn *A National Future for Wales*. Ynddi, ceir cyfres o bortreadau byr o aelodau amlwg o'r Blaid. Bron yn ddieithriad, mae'r drafodaeth o unrhyw

54 Evans, *Rhagom i Ryddid*, t. 15.
55 Evans, *Cristnogaeth a'r Gymdeithas Gymreig*, tt. 13–14.
56 Evans, *Rhagom i Ryddid*, t. 14.
57 Evans, *A National Future for Wales*, t. 22.

un ohonynt a hannai o gefndir di-Gymraeg yn ymdroi o amgylch eu llwyddiant i feistroli'r iaith.[58] Yn wir, oherwydd cymaint y pwyslais a roddir ar hyn, ceir yr argraff fod Gwynfor Evans yn gosod mwy o bris ar awydd i ruglder nag ar unrhyw dalent benodol fel gwleidydd! O gofio bod yr holl gysyniad o 'ddysgwyr' yn un llawer mwy dieithr ddeng mlynedd ar hugain yn ôl nag y mae heddiw, gellir dehongli geiriau Gwynfor Evans fel ymdrech i annog eraill i ddysgu'r iaith trwy dynnu sylw at lwyddiannau enghreifftiol. Ond hawdd y gellid maddau i'r aelodau hynny na lwyddodd i feistroli'r Gymraeg neu'r rheini na theimlodd reidrwydd i geisio dysgu'r iaith os oeddynt yn teimlo bod agwedd Gwynfor Evans yn eu hallgau o gylch mewnol y 'cadwedig rai'. Yn sicr, mae darllen asesiadau Gwynfor Evans o'i gydaelodau yn tanlinellu arwyddocâd rhywbeth a ddywedwyd wrthyf gan y diweddar, ddireidus Phil Williams. Ei ddymuniad, meddai, oedd cael ei adnabod fel 'dysgwr parhaol' oblegid fod manteision mawr yn codi oddi mewn i'r Blaid o'r 'cyflwr' arbennig hwnnw. Ar y naill law, roedd y ffaith ei fod yn dysgu'r Gymraeg yn rhoi *cachet* iddo yn llygaid pobl fel Gwynfor Evans a'i debyg, ac ar y llaw arall roedd y ffaith nad oedd yn cael ei gyfrif yn siaradwr Cymraeg cwbl rugl yn golygu na fyddai'r elfennau hynny oddi mewn i'r Blaid a oedd yn ddrwgdybus o ddylanwad 'the bogs and the gogs' (a defnyddio ymadrodd cofiadwy Harri Webb) yn teimlo ei fod yn gwbl golledig!

Os oedd amwysedd agwedd Gwynfor Evans yn creu rhywfaint o densiwn oddi mewn i'r Blaid, anodd yw pwyso a mesur ei union effaith ar y canfyddiad cyhoeddus o'r llywydd. Fel y soniwyd eisoes, dull y mynegi sy'n bwysig, ac yn sicr ddigon, nid oes unrhyw awgrym ei fod yn 'beio' y di-Gymraeg am eu cyflwr. Yn hytrach, y gyfundrefn addysg Brydeinig, cyfundrefn a ddisgrifiai dro ar ôl tro yng ngeiriau enwog Padraig Pearse fel 'the murder machine', a syrthiai dan ei lach.[59] Ni ellid beio cynnyrch y peiriant hwn am eu cyflwr, yn hytrach, rhaid oedd eu cynorthwyo i ailafael yn yr etifeddiaeth a gollwyd. Ond yn ogystal â dull y dweud, mae cyd-destun y gwrando hefyd yn bwysig. Er bod modd i Eamonn De Valera sôn am y rhai a feddai'r iaith Wyddeleg mewn ffordd hynod o debyg i'r modd y syniai Gwynfor Evans am siaradwyr

[58] Evans, *A National Future for Wales*, er enghraifft, t. 75.
[59] Gweler, *inter alia*, Evans, *Diwedd Prydeindod*, tt. 19–22.

Cymraeg, tra oedd ar yr un pryd yn sefyll ben ac ysgwydd (yn llythrennol a throsiadol) uwchlaw pawb arall ar lwyfan gwleidyddol Iwerddon, nid felly yr oedd yng Nghymru.[60] Yma, mae'n debyg fod amwysedd Gwynfor Evans wedi cyfrannu at y broses honno a olygai fod ei Blaid wedi dyfod yn rym hegemonaidd ymysg y Cymry Cymraeg rhugl tra oedd yn parhau'n ymylol ymysg y di-Gymraeg. Ac er bod tröedigaeth y Gymru Gymraeg at genedlaetholdeb Cymreig wedi cyfrannu, yn ôl pob tebyg, at sadio peth ar sefyllfa'r iaith, ni heriwyd gafael cenedlaetholdeb Prydeinig ar drwch y mwyafrif.

Efallai y dylid gadael y gair olaf ynglŷn â'r mater hwn i Dafydd, un o feibion Gwynfor Evans. Mewn cofnod dyddiadur a ysgrifennwyd ar 22 Awst 1966, ychydig ddyddiau ar ôl buddugoliaeth Caerfyrddin, ceir hanesyn a aeth bellach yn angof ond sydd serch hynny'n dra dadlennol.

> Ar ddydd Gwener a dydd Sadwrn, bu'r Blaid yn ymdroelli drwy'r pentrefi yn y sir i ddiolch i'r bobl. Bu Dadi'n siarad yn Gymraeg yn unig, a chredaf fod hyn yn gamsyniad. Gwelais lawer o'r werin bobl ddi-Gymraeg yn dod i wrando yn llawen ac yn gadel [*sic*] mewn tymer ddiflas. Gobeithio na chaiff y fuddugoliaeth ei thaflu i ffwrdd.[61]

Bwriadol ai peidio, go brin y gellir gwadu'r sen.

Polisi economaidd

Erys yn ffaith ryfeddol fod cyhoeddiadau Gwynfor Evans yn parhau i grybwyll 'perchentyaeth' fel un o gonglfeini polisi'r Blaid ugain mlynedd ar ôl iddo gael ei ddyrchafu'n llywydd. Yn *Rhagom i Ryddid* (1964) atgoffir y darllenwyr fod y Blaid wedi credu erioed mai 'da oedd rhannu eiddo a chyfrifoldeb yn eang, ac afiach ei grynhoi yn nwylo ychydig. Credodd mai da yw i ddyn fod yn berchen ar ei gartref ei hun, a galwodd y rhan hon o'i pholisi mewn canlyniad yn "berchentyaeth".'[62] Mewn fersiwn o'r pamffled *Welsh Nationalist Aims*, a adargraffwyd rhywdro ar ôl buddugoliaeth Caerfyrddin, cysylltwyd y polisi â'r hen siboleth hwnnw ynglŷn â natur patrymau perchnogaeth yng Nghymru yng nghyfnod cyfraith Hywel:

60 Tim Pat Coogan, *De Valera: Long Fellow, Long Shadow* (London: Arrow, 1995).
61 Dafydd Evans, *Y Blew a Buddugoliaeth Gwynfor* (Talybont: Y Lolfa, 2003), t. 154.
62 Evans, *Rhagom i Ryddid*, t. 111.

> from its inception the party has been what can be called anti-capitalist. But it has believed that the abolition of property would lead to evils far greater even than those to which it has given rise in the past. Not abolition but thoroughgoing distribution is its remedy, and it has applied this to land as to all other forms of property. It has kept to the spirit of Welsh law, which knew nothing of primogeniture.[63]

Bum mlynedd ar hugain a mwy wedi i Saunders Lewis ildio'r llywyddiaeth, roedd rhethreg y tair erw a'r fuwch Gymraeg ei hiaith yn parhau'n fyw ac yn iach![64]

Mae'r ffaith fod perchentyaeth wedi parhau'n rhan o gynhysgaeth syniadaethol Plaid Cymru cyhyd yn brawf digamsyniol o ddylanwad hirhoedlog Saunders Lewis. Mae hefyd, mae'n debyg, yn arwydd o ddiffygion penodol Gwynfor Evans fel meddyliwr economaidd yn ystod cyfnod pan oedd gwendid y Blaid yn golygu bod disgwyl iddo fod yn lefarydd ar bopeth, gan gynnwys yr economi. Dengys ei ysgrifau drosodd a thro sut y bu iddo bwyso'n drwm ar gymorth eraill yn ei wahanol ymdrechion i drafod yr economi. Ym mlynyddoedd cyntaf ei lywyddiaeth, roedd i bob pwrpas yn gwbl ddibynnol ar wybodaeth ac arbenigedd D.J. a Noëlle Davies. Wedi marwolaeth annhymig y cyntaf yn 1956, ac ymadawiad ei gymar yn ôl i'r Iwerddon yn sgîl ei phrofedigaeth, troes Evans a'r Blaid at ddehongliadau a syniadau Edward Nevin.

Yn baradocsaidd ddigon, oherwydd ei anwybodaeth – a'i ddiffyg diddordeb? – bu ei ddatganiadau ar y pwnc yn gyfrwng, o bryd i'w gilydd, i fynegi dadansoddiadau hynod flaengar ac arloesol ynglŷn ag economi Cymru. Felly, yn ei gyfrol *Plaid Cymru and Wales* (1950), er enghraifft, cynigiodd 'Gwynfor Evans' ddadansoddiad hynod dreiddgar o sefyllfa economi Cymru wedi'r Ail Ryfel Byd. Cynhwysai drafodaeth o ddatblygiad economaidd Prydain (a'i oblygiadau i Gymru) sydd yn cynnig rhyw fath o ragflas o

[63] Ymddengys fod sawl argraffiad o'r pamffled arbennig hwn wedi'u cyhoeddi – y cyntaf ohonynt fel ysgrif yn rhifyn Gorffennaf 1957 o gylchgrawn a gyhoeddwyd yn Hyderabad, India yn dwyn y teitl *Mankind.* Yma, fodd bynnag, dyfynnir o Gwynfor Evans, *Welsh Nationalist Aims* (Cardiff: Plaid Cymru, d.d. ond nodir enw'r awdur fel Gwynfor Evans *M.P.*) t. 14. Dylid nodi bod y pamffled yn cydnabod nad oedd y term 'perchentyaeth' ei hun wedi ennill ei blwyf. Y rheswm am hynny? '[P]robably because the form of property to which it refers is too limited' (t. 14).

[64] Yn wir, roedd Gwynfor Evans wedi parhau i baldaruo ynglŷn â rôl canolog amaeth. Felly yn *Plaid Cymru and Wales* (1950) ceir trawiadau Saundersaidd megis: 'Welsh agriculture, which must always be the foundation of Welsh economic life' (t. 53); 'The development of Welsh agriculture is imperative for reasons of social, economic and physical health' (t. 54). Roedd llai na 10 y cant o weithlu Cymru yn gyflogedig yn y diwydiant amaeth erbyn hynny.

lawer iawn o'r drafodaeth am 'gwymp' Prydain a glywyd yn gyson wedi'r 1960au ac a drafodwyd eisoes yn y bennod gyntaf.[65] Roedd y themâu economaidd a godwyd – megis diffyg cydbwysedd economi Cymru a'r angen dybryd am ddargyfeirio, y pris a delid am rwysg rhyngwladol imperialaidd Prydain, yr angen economaidd am hunanlywodraeth – yn hen gyfarwydd i'r sawl a ddarllenodd waith D.J. a Noëlle Davies. Ac yn wir, yn rhagair y llyfr ceir y dysteb ganlynol gan yr awdur:

> I owe a heavy debt to Dr Noëlle Davies and Dr D. J. Davies, whose books and pamphlets I have used without burdening the text with acknowledgements in footnotes, and who generously placed at my disposal their valuable notes on the economic situation in Wales.[66]

Roedd y dweud yn briodol hael, gan fod dyled Gwynfor Evans i'r ddau yn wirioneddol drwm, yn enwedig ym maes economeg.

Mae'r ymateb brwd iawn a dderbyniodd gwaith arloesol Edward Nevin, a'i *The Social Accounts of the Welsh Economy*, mewn cylchoedd cenedlaetholgar yn awgrymu bod rhai yn y Blaid yn gobeithio y byddai Nevin yn camu i esgidiau D. J. Davies fel 'economegydd y Blaid'.[67] Daw pwysigrwydd canfod rhywun a oedd yn fodlon chwarae'r rhan yma'n fwy amlwg pan gofir mai prin iawn, iawn oedd yr ystadegau swyddogol ar yr economi Cymreig ar y pryd ac mai prin iawn, yn ogystal, oedd yr ymchwil academaidd i gyflwr yr economi Cymreig cyfoes. Hynny yw, oni bai fod gan y Blaid aelodau a chefnogwyr a oedd yn fodlon ac yn abl i wneud y gwaith ymchwil sylfaenol eu hunain, yna prin fod unrhyw ffynonellau amgen ar gyfer data a dadansoddiadau. Rhoddwyd sylw helaeth i ymchwil Nevin, darlithydd yn Adran Economeg a Gwleidyddiaeth Prifysgol Cymru, Aberystwyth, yn y *Welsh Nation* yn 1957.[68] Yn 1960 a 1961 cyhoeddwyd ysgrif hir gan Nevin dros ddau rifyn o *Triban* a oedd yn seiliedig ar ei brofiadau

[65] Evans, *Plaid Cymru and Wales*, tt. 28–36, ac yn arbennig yn y cyd-destun presennol, tt. 32–3.

[66] Evans, *Plaid Cymru and Wales*, t. 3.

[67] Edward Nevin (gol.), *The Social Accounts of the Welsh Economy, 1948 to 1956* (Cardiff: University of Wales Press for University College of Wales, Aberystwyth, 1957).

[68] Cafwyd cyfres o dair ysgrif gan E. M. Alexander a G. Richards yn nhudalennau'r *Welsh Nation*: 'Why social accounts?' March 1957, 6–7; 'Some implications for policy', April 1957, 3–5; 'Income, profits and the balance of payments', May 1957, 7. Gweler hefyd 'Y lleidr penffordd yn nacáu gwaith i Gymru', *Y Ddraig Goch*, Tachwedd 1957, 4.

yn gweithio fel ymgynghorydd i lywodraeth Jamaica wrth i'r wlad honno symud tuag at annibyniaeth.[69] Ysywaeth, er gwaetha'r ffaith fod y Blaid yn cynnig cynulleidfa werthfawrogol i'w waith, Rhyddfrydwr oedd Nevin. Ar ben hynny, dim ond un o blith nifer o'i ddiddordebau deallusol oedd economi Cymru a throes ei olygon at gyfeiriadau eraill.[70] O'r herwydd, wrth iddo ysgrifennu *Rhagom i Ryddid*, a gyhoeddwyd yn 1964, roedd Gwynfor Evans yn parhau i orfod dibynnu ar ddata a gasglwyd gan Nevin ar gyfer y blynyddoedd 1948 i 1956 wrth drafod perthynas gyllidol Cymru â'r wladwriaeth Brydeinig.[71] Yn wir, nid oedd ganddo unrhyw ystadegau economaidd diweddarach ar gyfer Cymru i'w cynnig. Go brin y gellid disgwyl i unrhyw un, ac eithrio'r mwyaf teyrngar o'r cadwedig rai, ystyried bod unrhyw hygrededd yn perthyn i ddatganiadau economaidd Gwynfor Evans a'i blaid erbyn canol y 1960au. Dim ond wrth ffurfio Grŵp Ymchwil Plaid Cymru dan arweinyddiaeth Dafydd Wigley a Phil Williams, ac yn arbennig yn dilyn cyhoeddi ffrwyth ei ymdrechion yn yr *Economic Plan for Wales* (1970) yr ailgyflwynwyd rhyw elfen o barchusrwydd deallusol i'w dadleuon yn y maes hollbwysig hwn.[72] Ar wahân i ofyn cwestiynau seneddol dirifedi, gan sicrhau bod staff ymchwil Tŷ'r Cyffredin yn gweithredu fel ymchwilwyr *proxy* i Grŵp Ymchwil y Blaid, bychan iawn oedd rôl uniongyrchol Gwynfor Evans yn y broses o lunio syniadau economaidd wedi hynny.[73] Mae dyn yn synhwyro ei fod yn hynod falch o gael trosglwyddo'r awenau.

[69] Edward Nevin, 'The monetary aspects of independence', *Triban*, 2 (1) (April 1960), 3–19; Edward Nevin, 'The problem of independence', *Triban*, 2 (3) (December 1961), 1–20.

[70] Gweler Esmond Cleary, 'Edward Nevin MA (Wales), PhD (Cantab)', yn Jeffery Round (gol.), *The European Economy in Perspective: Essays in Honour of Edward Nevin* (Cardiff: University of Wales Press, 1994), tt. 1–5.

[71] Evans, *Rhagom i Ryddid*, tt. 82–5. Noder hefyd fod Gwynfor Evans yn defnyddio troednodyn yn yr un gyfrol i ddiolch i Noëlle Davies, a oedd bellach wedi dychwelyd i Iwerddon, am ddwyn ystadegau am wariant milwrol y wlad honno yn 1963 i'w sylw (gweler t. 85). Dyma'r darn mwyaf cyfoes o ddata yn y bennod.

[72] Roedd sefydlu Grŵp neu Adran Ymchwil o'r fath yn hen freuddwyd. Gweler, er enghraifft, Wynne Samuel, 'Adran ymchwil i Blaid Cymru', *Triban*, 1 (2) (Hydref 1957), 56–9. Yma cysylltir yr angen am drefniant o'r fath yn uniongyrchol â'r bwlch a adawyd gan farwolaeth D. J. Davies a phenderfyniad ei briod i ddychwelyd 'i'w bro yn Iwerddon' (t. 56).

[73] Gwnaeth Gwynfor Evans ddefnydd effeithiol iawn o'r cyfle a roddir i aelodau seneddol holi cwestiynau, gan ddadorchuddio pentwr o wybodaeth nad oedd wedi'i gasglu ynghyd o'r blaen. Cyhoeddodd y Blaid nifer o bamffledi er mwyn ceisio rhannu'r wybodaeth yma (a darbwyllo etholwyr Caerfyrddin a gweddill Cymru ynglŷn â dycnwch ac egni aelod seneddol Plaid Cymru); gweler, *inter alia*, *Black Paper on Wales 1967* (Plaid Cymru, 1967); *Black Paper on Wales 1967 Second Series* (Plaid Cymru, 1967); *Black Paper on Wales Book 3* (Plaid Cymru, 1968).

Serch hynny, ac fel y nodwyd eisoes, roedd cyfnod estynedig pan oedd Gwynfor Evans yn brif lefarydd y Blaid yn y maes economaidd – fel ym mhob maes arall. Ac wrth reswm, ac yntau'n llywydd ac yn ffigwr mwyaf adnabyddus ei blaid, parhaodd ei ddatganiadau yn y maes hwnnw yn hollbwysig wrth lunio'r canfyddiad cyhoeddus o hygrededd Plaid Cymru, hyd at ei ymddeoliad. O ganlyniad, mae'n werth craffu rhyw gymaint ar y themâu canolog a nodweddai ei ddatganiadau.

Yn y blynyddoedd ar ôl yr Ail Ryfel Byd, pan oedd y llywodraeth Lafur yn dilyn polisi o wladoli, bu'r Blaid yn uchel ei chloch yn galw am drefnu y diwydiannau newydd ar sail tiriogaethol a fyddai'n cydnabod bodolaeth Cymru. Prin fu'r gwrandawiad a dderbyniodd. Fodd bynnag, gellir dadlau bod y Blaid wedi cael mwy o lwyddiant wrth geisio dylanwadu ar bolisi datblygiad rhanbarthol yng Nghymru. Roedd yr angen am bolisi rhanbarthol egnïol a oedd yn ymdrin â Chymru fel uned yn hen gri ganddi. Yn wir, fel y crybwyllwyd yn y bennod flaenorol, ymddengys mai Saunders Lewis ei hun oedd un o'r cyntaf i alw am sefydlu awdurdod datblygu economaidd i Gymru, a hynny mewn pamffled a gyhoeddwyd yn 1933 yn dwyn y teitl *The Case for a Welsh National Development Council* (ffaith sydd mor gwbl groes i'r darlun confensiynol – o'r WDA bondigrybwyll a Saunders Lewis fel ei gilydd – fel nad yw dyn yn synnu ei fod wedi mynd yn angof!). Yn ddiweddarach, tua chanol y 1940au, cyhoeddodd Plaid Cymru gyfres o bamffledi goleuedig a phroffwydol oll yn argymell awdurdod datblygu i Gymru ar batrwm y Tennessee Valley Authority (TVA), corff a sefydlwyd fel rhan o ymdrechion yr Arlywydd Roosevelt i liniaru effeithiau'r Dirwasgiad Mawr yn neheudir yr Unol Daleithiau.[74] Daeth yr angen am 'TVA i Gymru' yn dipyn o dôn gron yng nghyhoeddiadau'r Blaid yn y 1950au.

Pan aethpwyd ati yn ystod y 1960au i sefydliadoli economi Cymru trwy greu gwahanol gyrff a oedd yn ymdrin â Chymru fel endid economaidd, nid yw'n syndod fod Gwynfor Evans yn gweld hyn fel buddugoliaeth i Blaid Cymru. Eto'i gyd, mae'n anodd iawn gwybod beth yn union oedd dylanwad y Blaid yn y broses. Wedi'r cyfan, go brin y gellir disgwyl i'w gelynion gwleidyddol fod

[74] *Plan Electricity for Wales* (The London Branch of the Welsh Nationalist Party, 1944); *TVA for Wales* (Caernarfon: Welsh Party Offices, 1945); *TVA Points the Way* (Caernarfon: Welsh Party Offices, 1946).

yn orbarod i gydnabod ei chyfraniad. Rhaid cofio, hefyd, fod eraill yn dadlau o blaid camau tebyg, os am resymau gwahanol yn aml i'r rheini a oedd yn gyrru Plaid Cymru. Er enghraifft, roedd y syniad o sefydlu rhyw fath o awdurdod datblygu i Gymru yn rhan o faniffesto answyddogol ymgeiswyr Llafur yn seddau'r gogledd-orllewin yn etholiad cyffredinol 1945 (maniffesto a gafodd ei ddiarddel yn llwyr gan y Blaid Lafur yn ganolog).[75] Wrth gwrs, nid oedd unrhyw amheuaeth ym meddwl Gwynfor Evans. Aeth mor bell â dadlau mai 'llwyddiant mwyaf' y Blaid oedd gorfodi'r llywodraeth i ymdrin â Chymru fel uned economaidd trwy fesurau megis sefydlu Awdurdod Datblygu Cymru. 'Mewn canlyniad . . . mae degau o filoedd sydd mewn gwaith yn ein gwlad heddiw yn gallu diolch i'r Blaid am hynny.'[76] Nid oes tystiolaeth iddynt erioed wneud hynny! Serch hynny, nid oedd unrhyw gorff na mudiad arall mor daer ac mor fynych yn eu galwadau am ymdrin â Chymru fel uned economaidd â Phlaid Cymru, a siawns nad yw'n haeddu peth o'r clod o leiaf am i hynny ddigwydd.

Roedd un o themâu mawr eraill datganiadau economaidd Gwynfor Evans hefyd yn dilyn yn uniongyrchol o gyfnod Saunders Lewis, sef yr angen am economi lle roedd perchnogaeth eiddo a chyfalaf wedi'i wasgaru'n eang iawn trwy'r gymdeithas; 'mân-gyfalafiaeth' oedd term Saunders Lewis. Un amlygiad o'r agwedd hon oedd beirniadaeth lem Plaid Cymru ar y ffurf a gymerodd y broses o 'wladoli' a ddigwyddodd wedi'r Ail Ryfel Byd. Yn hytrach na pherchnogaeth a rheolaeth wladwriaethol, ffafriai Plaid Cymru gyfundrefnau cydweithredol gyda'r gweithwyr yn cymryd rheolaeth a chyfrifoldeb dros eu mentrau eu hunain. Haerai'r Blaid fod manteision ymarferol yn ogystal ag egwyddorol i gydweithrediad. Yn sicr, ni fu'r problemau sylweddol a nodweddai'r rhan fwyaf o'r diwydiannau gwladoledig yn syndod iddi. Hyd yn oed mor fuan â 1950, teimlai Gwynfor Evans fod ei amheuon ef a'i blaid eisoes yn cael eu cadarnhau:

> The Government had expected much from the nationalised industries and services, but the bureaucratic form of nationalisation adopted has done

[75] Nid yw hyn ynddo'i hun yn golygu nad oedd syniadau'r Blaid yn ddylanwadol. Wedi'r cwbl, roedd nifer o'r ymgeiswyr Llafur hyn â chysylltiadau blaenorol â'r Blaid, megis Cledwyn Hughes (cyn-aelod) a Goronwy Roberts (cyn-aelod o Mudiad Gwerin a geisiai bontio rhwng Pleidwyr adain chwith â sosialwyr o genedlaetholwyr Cymreig).

[76] Evans, *Diwedd Prydeindod*, t. 67.

> nothing to increase the sense of responsibility among the workers concerned, because they have in fact no greater share of responsibility and ownership than they had under the old order.[77]

Nid oedd symud perchnogaeth o gwmnïau cyfalafol i'r wladwriaeth wedi golygu unrhyw newid sylfaenol o ran sefyllfa'r gweithwyr. Dim ond yr ymdeimlad o gyfrifoldeb, ac yn wir o urddas, a ddaw yn sgîl perchnogaeth a rheolaeth uniongyrchol a allai wneud hynny.

Wrth edrych yn ôl, mae'n amlwg fod Plaid Cymru wedi gweld ymhell ar fater gwladoli. Ar y pryd, fodd bynnag, ychydig iawn a oedd yn fodlon gwrando arni. Yn hytrach, roedd cryfder y consenswS trawsbleidiol a fodolai wedi'r Ail Ryfel Byd ym Mhrydain, hyd yn oed ynglŷn â gwladoli (mewn rhai meysydd, o leiaf), yn golygu bod amheuon Plaid Cymru yn ymddangos yn gwbl gableddus ac echreiddig. Felly, er i Blaid Cymru geisio dro ar ôl tro i ddefnyddio penderfyniad dogmataidd y mudiad llafur i wrthod caniatáu sefydlu menter gydweithredol ym mhwll glo Cwmllynfell fel ffon i gystwyo'r Blaid Lafur, prin y cafodd ei hymdrechion unrhyw argraff o gwbl.[78] Erbyn i ddiwydiannau gwladoledig golli eu rhin yn gyfan gwbl, roedd y cyfle i wireddu syniadau amgen y Blaid wedi'i golli. Ers canol y 1970au dim ond atebion adain dde (hynny yw, ildio i 'ddisgyblaeth y farchnad' ac yna preifateiddio) a gafodd eu hystyried yn gredadwy.

Thema fawr arall yn natganiadau economaidd Gwynfor Evans oedd y ddadl honno, a gyflwynwyd gyntaf (yn gredadwy, o leiaf) gan D. J. Davies, i'r perwyl fod darostyngiad Cymru i Loegr wedi cael effaith drychinebus ar ddatblygiad economaidd y wlad.[79] Ond hyd yn oed a bwrw bod y berthynas â Lloegr wedi cael effaith drychinebus yn y gorffennol, nid oedd hyn yn golygu o anghenraid y byddai torri neu, o leiaf, weddnewid natur y berthynas honno trwy gyfrwng ymreolaeth, yn arwain at welliant economaidd. Wedi'r cwbl, gellid dadlau yn rhesymegol fod y 'claf' – oherwydd

[77] Evans, *Plaid Cymru and Wales*, t. 34.

[78] Mae cyfeiriadau at Gwmllynfell yn britho ysgrifau Gwynfor Evans – hyd yn oed mor ddiweddar â *Diwedd Prydeindod* (1981), t. 78.

[79] Gweler D. J. Davies, *The Economics of Welsh Self-government* (Caernarfon: Swyddfa'r Blaid Genedlaethol, 1931), tt. 3–12; D.J. & N. Davies, *Can Wales Afford Self-government?* (Caernarfon: Welsh Nationalist Party, 1939), tt. 22–52.

camdriniaeth yn y gorffennol, efallai – bellach mor llesg a gwantan fel nad oedd gobaith iddo sefyll ar ei draed ei hun fyth eto. Y gorau y gellid ei obeithio amdano fyddai gwell a charedicach gofal nag a gaed. (Ac onid dyma, mewn gwirionedd, yw agwedd llawer iawn o bobl Cymru tuag at y berthynas economaidd â Lloegr a'r wladwriaeth Brydeinig?) Fodd bynnag, dadl ganolog D.J. a Noëlle Davies oedd bod hunanlywodraeth yn gam anhepgorol os oedd Cymru am obeithio sicrhau ffyniant economaidd: 'self-government is a vital necessity for the restoration of prosperity to Wales.'[80] Yn eu mynegiant mwyaf trawiadol o'r gred, hawliant: 'The vital question is not, "Can Wales afford self-government?" but "Can Wales afford to be without self-government any longer, and survive?"'[81]

Atseiniwyd y gred hon yn gyson gan Gwynfor Evans. 'There is little doubt,' meddai unwaith, 'that no other country has faced the prospect of self-government with greater certainty of economic prosperity than we in Wales.'[82] Brithir ei waith gan ddatganiadau hyderus o'r fath. Yng nghanol y 1970au dadleuai'n daer y byddai'r ffyniant newydd hwn yn cael ei adeiladu ar seiliau sicr yr olew y credai'n daer a oedd ar fin llifo o'r moroedd oddi ar arfordiroedd Cymru.[83] Ni phylodd yr hyder pan brofwyd mai breuddwyd gwrach oedd y gobeithion hyn.[84] Ddechrau'r 1980au, â'r dirwasgiad Thatcheraidd yn brathu, gobaith Gwynfor Evans oedd y 'Gorfodir y bobl maes o law i weld mai Llywodraeth Gymreig sydd debycaf o ddatblygu economi a rydd waith iddynt.'[85] Rhyddid fyddai'r allwedd i borth ffyniant economaidd.

Fodd bynnag, roedd Gwynfor Evans yn pendilio rhwng y ddadl hon a dadl arall; dadl i'r perwyl nad oedd o bwys tragwyddol y naill ffordd neu'r llall pa un a fyddai rhyddid yn arwain at ffyniant

80 D. J. Davies, *The Economics of Welsh Self-government*, t. 12.
81 D.J. & N. Davies, *Can Wales Afford Self-government?*, t. 52.
82 Evans, *Plan for a New Wales*, t. 5.
83 Evans, *Wales Can Win*, tt. 85, 114–15.
84 Pan ddechreuodd y gobeithion am ganfod olew leihau, llwyddodd i roi gwedd bositif ar y datblygiad: 'One is glad that the serious exploration for Celtic Sea Oil is likely to be postponed for a decade, by when one hopes that Wales will have a Parliament strong enough to control the development of the Welsh sector in the best interests of the Welsh people.' Gwynfor Evans, *A National Future for Wales*, t. 112. Gallai Gwynfor Evans ganfod rhimyn arian ym mhob cwmwl!
85 Evans, *Diwedd Prydeindod*, t. 67.

economaidd ai peidio.[86] Yn hytrach, deuai bendithion eraill yn sgîl rhyddid – bendithion 'ysbrydol', os mynnir – fel y gwrthbwysid unrhyw golledion materol. Rhyddid, wedi'r cwbl, sy'n rhoi urddas i ddyn, tra bo diffyg rhyddid yn golygu nychdod ni waeth pa raddau o lewyrch economaidd a allai fod yn gysylltiedig â'r cyflwr hwnnw.[87] Mynegwyd y ddadl hon mewn sawl cywair gwahanol. Roedd un fersiwn yn atseinio'r safbwynt 'Saundersaidd' a goleddai'r Blaid yn ei degawdau cyntaf. Felly, yn 1959, roedd Gwynfor Evans yn dadlau yn y termau cyfarwydd canlynol:

> A great social heresy of the last 50 years has been to make the Economic the end of life. Throughout Europe society has been sacrificed to the imagined demands of economic factors. Society has been run as an adjunct of the market . . . This perversion of the right ordering of society sprang from a failure to apprehend man as a whole . . . For man is an essentially social creature whose humanity and dignity require a place in a fitting cultural environment at least as much as they require proper economic provision.[88]

Yn ddiweddarach, wrth i Evans yn ei ddull nodweddiadol, geisio priodi ei negeseuon creiddiol â syniadau mwy cyfredol er sicrhau trawiad mwy cyfoes, gwelwyd cyweiriau eraill yn cael eu defnyddio i fynegi'r un math o syniadau. Yn *Wales Can Win* (1973) fe'i gwelwyd yn ceisio ieuo syniadau'r Blaid wrth syniadau'r Chwith

[86] Rhoes Gwynfor Evans fynegiant doniol o *macho* i'r ddadl hon yn ei bamffled *Plan for a New Wales*: 'what sort of sissy would he be who, because he wasn't certain what the future held, because he was afraid that his wife's sponges might not be quite as good as his mother's, because he preferred red curtains to his wife's choice of yellow, decided to call it all off and remain tied to his mother's apron strings?' (t. 8). Rhaid pwysleisio, fodd bynnag, fod y dull hwn o fynegiant yn gwbl annodweddiadol o'i waith.

[87] Felly dadl Gwynfor Evans oedd y byddai gwrthod rhyddid i Gymru ar sail economaidd yn golygu y gwelid 'at best, a peninsula of well-fed, well-housed people perhaps, but no longer a community bound by the ties of two thousand years of history, and no longer stimulated by the traditions and thought-ways handed down through those centuries. At worst, it could be a peninsula of people to whom the word 'society' would not be applicable at all, the community atomised, the people a rootless mass, a proletariat.' Gwynfor Evans, 'Wales as an economic entity', *Wales* (September 1959), 38. Cyhoeddwyd yr ysgrif hon fel pamffled gan Blaid Cymru o dan yr un teitl y flwyddyn ganlynol. Noder y defnydd Saundersaidd o 'proletariat' fel sarhad.

[88] Evans, 'Wales as an economic entity', t. 37. Noder bod y fath yma o syniadau yn cael eu rhannu'n eang trwy'r Blaid yng nghyfnod llywyddiaeth Saunders Lewis. Felly, yn ôl D. J. Davies, 'we recognise spiritual rather than material factors as being of ultimate importance in the development of the life of the individual and the nation.' 'Economic nationalism', *Triban*, 5 (Haf 1939), 39. (Mae rhagarweiniad y rhifyn yn nodi bod yr ysgrif wedi'i chyfansoddi bedair mlynedd ynghynt.)

Newydd: roedd y ddau yn ymwrthod â'r meddylfryd hwnnw a ddyrchafai brynwriaeth (*consumerism*) uwchlaw'r pethau hynny sy'n ein gwneud yn wirioneddol ddynol. Yn ei gyfrol *A National Future for Wales* (1975) cafwyd apêl at werthoedd gwleidyddiaeth werdd: 'Plaid Cymru's aims and values put it in line with those who see that the conditions of our day compel changes from an expansionist to a stable society.'[89] Neges ganolog y ddwy gyfrol hon, a'i amryfal gyfrolau eraill, oedd bod pethau llawer pwysicach na ffyniant economaidd ac mai un o'r pwysicaf ohonynt yw rhyddid cenedlaethol.

Teg yw dweud, felly, fod elfen o amwysedd yn perthyn i'r negeseuon a drosglwyddai Gwynfor Evans – fel Saunders Lewis o'i flaen – ynglŷn â chanlyniadau economaidd hunanlywodraeth. Ar y naill law, mynnai fod ffyniant economaidd yn siŵr o ddilyn yn ei sgîl; ar y llaw arall, dadleuai nad oedd ffyniant economaidd o dragwyddol bwys, a hyd yn oed petai Cymru yn ffynnu'n economaidd *heb* ei rhyddid, byddai'n parhau'n dlawd mewn ffyrdd mwy arwyddocaol. Nid oes dim ynglŷn â'r ddau safbwynt hyn sydd o reidrwydd yn anghyson wrth gwrs. Gellir dadlau nad ydyw o bwys tragwyddol petai Cymru ar ei hennill yn economaidd ai peidio os y daw'n wlad rydd ond, fel mae'n digwydd, fe fyddai rhyddid yn golygu mwy o ffyniant.[90] Ond o safbwynt cyfathrebu gwleidyddol – propaganda – mae hon yn neges wan, aneglur. Yng nghyd-destun gwlad a greithiwyd mor ddwfn gan effeithiau adfydus y Dirwasgiad Mawr ac a oedd am ddau ddegawd a mwy wedi'r Ail Ryfel Byd yn mwynhau cyfnod o lewyrch, go brin y gellid disgwyl i'r etholwyr fod mor ddi-hid o'u dyfodol materol.

Pam, felly, na lynwyd wrth ddadl eglurach a mwy apelgar – petai modd darbwyllo'r gwrandawyr o'i chywirdeb – sef y byddai'r Cymry ar eu hennill yn faterol pe deuai'r wlad yn wladwriaeth? Gellir cynnig sawl eglurhad posibl. Tybed, er enghraifft, a oedd y ffaith fod sêl arweinwyr a chefnogwyr selocaf y Blaid dros eu gwlad mor gryf, i'r graddau eu bod yn fodlon dioddef yn faterol drosti, wedi'u dallu i ryw raddau i'r angen i gyfathrebu'n effeithiol â'r lliaws a oedd yn meddu blaenoriaethau tra gwahanol? Bid a fo am hynny, o gofio gwersi astudiaeth Hroch o fudiadau

89 Evans, *A National Future for Wales*, t. 99.

90 Yn wir, ceir yr union ddadl yn Rhagair Dafydd Wigley a Phil Williams i'r *Economic Plan for Wales* (Plaid Cymru, 1970).

cenedlaethol Ewrop yn ystod y bedwaredd ganrif ar bymtheg y rhoddwyd sylw iddynt ym Mhennod 1, gwelir bod y Blaid wedi colli cyfle drwy beidio ag ymdrechu'n fwy cyson i gysylltu'r frwydr o blaid hunanlywodraeth â dadl (argyhoeddiadol) ynglŷn â sut y byddai rhyddid yn gyfrwng i wella ansawdd bywyd yn faterol, yn ogystal ac ym mhob ffordd arall. Neges ganolog Hroch yw bod mudiadau cenedlaethol ymysg pobloedd bach Ewrop wedi profi llwyddiant i'r graddau y buont yn llwyddiannus yn ieuo'r achos cenedlaethol wrth fuddiannau materol. Gellid dadlau, wrth gwrs, fod y Blaid yn rhan o don newydd o wleidyddiaeth 'ôl-faterol' lle tadogir gwerth uwch ar faterion eraill. Gwelsom eisoes fod dadleuon o'r fath wedi eu clywed yn gyson yn rhengoedd y Blaid, ac mae nifer o sylwebwyr gwleidyddol wedi dweud pethau digon tebyg.[91] Ond y gwir amdani yw nad oes unrhyw fudiad cenedlaethol wedi llwyddo mewn gwlad ddatblygedig ar delerau ôl-fateroliaeth. Er gwell neu er gwaeth, mae buddiannau materol yn parhau'n allweddol.

Amcanion cyfansoddiadol

Mae polisi cyfansoddiadol Plaid Cymru yn ystod cyfnod llywyddiaeth Gwynfor Evans yn dysteb drawiadol i ddylanwad aruthrol Saunders Lewis ar syniadau ei olynydd. Yn wir, roedd yr ymlyniad wrth rethreg gyfansoddiadol unigryw ac echreiddig Lewis mor slafaidd nes i'r Blaid ganfod ei hun mewn dyfroedd dyfnion a dyrys o'i herwydd. Erbyn i Gwynfor Evans ildio'r llywyddiaeth roedd amcanion cyfansoddiadol hirdymor ei blaid yn niwlog, yn ddryslyd ac yn ddisynnwyr. O ystyried bod yr amcanion hyn yn un o gonglfeini pwysicaf gweledigaeth a rhaglen bolisi'r Blaid, go brin eu bod yn gwneud dim ond afles i'w hygrededd a'i rhagolygon.

Yn y bennod ddiwethaf trafodwyd y modd y mynnodd Saunders Lewis fframio amcanion cyfansoddiadol Plaid Cymru yn nhermau 'rhyddid nid annibyniaeth' a sut y llwyddwyd i gysoni'r ystum rhethregol hwn gyda daliadau mwy 'milwriaethus' nifer o

[91] Ceir man cychwyn y drafodaeth academaidd (helaeth) ar ôl-fateroliaeth yn Ronald Inglehart, *The Silent Revolution: Changing Values and Political Styles Among Western Publics* (Princeton: Princeton University Press, 1977). Ceir tystiolaeth o'r cyd-destun Cymreig yn Sydney A. Van Atta, 'Regional nationalist party activism and the new politics of Europe: the Bloque Nacionalista Galego and Plaid Cymru', *Regional and Federal Studies*, 13 (2) (Summer 2003), 30–56.

aelodau eraill y Blaid trwy gyfrwng polisi a hawliai 'statws dominiwn' i Gymru. Gellir dadlau bod y polisi yn anwybyddu'r ffaith fod nifer o'r dominiynau llai teyrngarol yn ystyried bod trafodaethau cyfansoddiadol y 1920au a'r 1930au, y trafodaethau a roes fod i Statud Westminster, wedi agor y drws i gyflwr a oedd yn gyfystyr (mewn termau gwleidyddol) ag 'annibyniaeth'. Serch hynny, roedd parchusrwydd deallusol yn perthyn i safbwynt y Blaid. Roedd y cysylltiad ymerodraethol yn parhau'n gryf, yn enwedig mewn mannau fel Seland Newydd lle roedd cyndynrwydd cyffredinol i weld y clymau'n breuo. Ac nid cysylltiad haniaethol a disylwedd mohono ychwaith. Ystyrier y pwyslais a roddai Churchill ar y dasg (anodd) o gysylltu â'r dominiynau a'u cydlynu yn ystod oriau duaf y Deyrnas Gyfunol ym mlynyddoedd cyntaf yr Ail Ryfel Byd. Ystyrier hefyd benderfyniad gweriniaethwyr Gwyddelig megis De Valera i dorri'r cysylltiadau hynny a oedd yn weddill hyd yn oed ar ôl i'w elynion gwleidyddol lwyddo i'w llacio trwy gyfrwng Statud Westminster a thrafodaethau eraill. Hynny yw, yn ystod llywyddiaeth Saunders Lewis, roedd modd dadlau'n gredadwy nad oedd statws dominiwn yn gyfystyr ag annibyniaeth. Nid oedd unrhyw anghysondeb mawr pan alwai'r Blaid am statws dominiwn tra, ar yr un pryd, yn ymwrthod ag 'annibyniaeth' yn enw 'rhyddid'. Nid oedd unrhyw anghysondeb ychwaith rhwng mynnu statws dominiwn a mynnu aelodaeth o Gynghrair y Cenhedloedd i Gymru gan fod y dominiynau eraill eisoes yn aelodau. At hynny, roedd statws dominiwn yn gyflwr cyfarwydd: beth bynnag oedd barn pobl Cymru amdano fel meddyginiaeth i broblemau eu gwlad, go brin fod llawer o amheuaeth ynglŷn â'r hyn a olygai cyflwr o'r fath mewn termau diriaethol. Yn ystod cyfnod llywyddiaeth Gwynfor Evans, fodd bynnag, wrth i'r byd a safle rhyngwladol y wladwriaeth Brydeinig newid, collodd dadleuon cyfansoddiadol Plaid Cymru eu parchusrwydd deallusol. Yn ogystal, collasant eu cysylltiad â realiti. Yn hytrach, nodweddwyd rhethreg y Blaid parthed ei hamcanion cyfansoddiadol i Gymru gan wrthddywediadau ac anghysondebau sylfaenol. Ymhen amser, fe'i nodweddid gan elfen o iwtopiaeth yn ystyr 'ddrwg' y gair hwnnw; hynny yw, nid oedd nemor ddim cysylltiad rhwng rhai o amcanion cyfansoddiadol hirdymor y Blaid ag unrhyw realiti posibl. Mewn gair, roeddynt yn anghredadwy. Mae'n hynod eironig o gofio haeriad Saunders Lewis fod ei Blaid ei hun wedi ei 'wrthod', mai ymlyniad defodol Gwynfor Evans wrth union eiriau Saunders Lewis ynglŷn ag amcanion cyfansoddiadol y Blaid yn Ysgol Haf Machynlleth 1926 a'i harweiniodd i'r fath sefyllfa.

Mabwysiadodd Gwynfor Evans rethreg Saunders Lewis parthed y cwestiwn cyfansoddiadol gydag arddeliad. Dro ar ôl tro datganodd fod ei blaid yn ymwrthod â sofraniaeth absoliwt neu ddiamod, sef 'annibyniaeth', ac yn ei lle yn hawlio rhyddid cenedlaethol i Gymru. *Rhagom i Ryddid* oedd teitl arwyddocaol ei gyfrol a gyhoeddwyd yn 1964 a bydd y darllenydd effro yn gweld dylanwad *Egwyddorion Cenedlaetholdeb* yn dew ar y modd y trafodir amcanion cyfansoddiadol yn y llyfr hwn ac ar holl ymdrechion eraill Gwynfor Evans i drafod y pwnc. 'Yr angen yw digon o ryddid i Gymru fyw ei bywyd ei hun' meddai Evans; roedd Lewis yn deisyf dim '[O]nd llawn cymaint o ryddid ag a fo'n hanfodol i sefydlu a diogelu gwareiddiad.'[92] Yr un yw'r ergyd. Fodd bynnag, roedd yr amgylchiadau gwleidyddol a wynebai Evans wrth geisio gwisgo cnawd cyfansoddiadol ar y sgerbwd 'egwyddorol' hwn yn dra gwahanol.

Yn y blynyddoedd wedi'r Ail Ryfel Byd troes yr Ymerodraeth Brydeinig yn Gymanwlad. Breuodd a llaciodd y clymau wrth i'r Gymanwlad ymgyffelybu fwyfwy i gasgliad o gydnabod yn hytrach na theulu clòs lle swatiai'r plantos dan adain rhiant doeth. Go brin fod sicrach arwydd o'r broses a oedd ar droed na'r penderfyniad yn 1949 i ganiatáu i India annibynnol ymuno â'r Gymanwlad, er gwaetha'r ffaith fod y wlad honno'n weriniaeth. Roedd deilydd y Goron yn parhau'n ben mewn enw ar y Gymanwlad ond y gwir amdani yw mai dyna swm a sylwedd y berthynas gyfansoddiadol â'r Fam Wen Fawr i ganran gynyddol o'r aelodau wedi hynny. Cymundod o wladwriaethau annibynnol oedd y Gymanwlad – dim mwy a dim llai. Er gwaethaf ei record anrhydeddus ef a'i blaid yn gwrthwynebu imperialaeth Brydeinig, mae'n drawiadol nodi pa mor gyndyn yr oedd Gwynfor Evans i gydnabod hynny. 'Statws cymanwlad' oedd amcan cyfansoddiadol Plaid Cymru hithau gydol y 1950au a'r 1960au a cheisiodd y llywydd bortreadu'r term fel dim mwy na bathiad newydd ar 'statws dominiwn'.

92 Evans, *Rhagom i Ryddid*, t. 61; Lewis, *Egwyddorion Cenedlaetholdeb*, t. 6.

Rhoddir mynegiant i safbwynt Gwynfor Evans yn ei bamffled *Welsh Nationalist Aims*:

> Setting its face against the concept of absolute sovereignty, the Party demanded the measure of freedom necessary to the full development of the nation's life, which implied control over both domestic and external relations. Within the Commonwealth there is only one status of freedom for nations, that which is called dominion or commonwealth status. That is the Party's aim for Wales.[93]

Mae'n werth craffu ar y dyfyniad gan fod y frawddeg gyntaf yn arwyddo 'llithriad' neu symudiad tra arwyddocaol yn syniadau cyfansoddiadol Gwynfor Evans a ddeuai'n fwyfwy amlwg gydol y 1960au a'r 1970au. Er yn ymwrthod â sofraniaeth absoliwt, mae Gwynfor Evans, serch hynny, yn mynnu 'control over both domestic and external relations'. Hynny yw, er ei fod yn ymwrthod â'r term sofraniaeth mae'n mynnu'r sylwedd a rydd cyflwr o'r fath, oblegid beth yw sofraniaeth os nad 'control'? Erbyn cyhoeddi *Rhagom i Ryddid* daw'r anghysondeb hwn yn amlycach fyth. Mewn trafodaeth ar y Gymanwlad, mae Gwynfor Evans yn cydnabod, ac yn wir yn dathlu, pa mor llac yw rhwymau'r 'Cyfundod' bellach. 'Ym mhopeth,' meddai, 'gwnâi pob gwlad ei phenderfyniad ei hun ym mhob mater; a hyd yn oed mewn polisi tramor gwelwyd gwahaniaeth barn.'[94] Unwaith yn rhagor, dethlir y sylwedd sy'n deillio o sofraniaeth ond gwrthodir yr enw cyfansoddiadol a roddir arno mewn cyfraith ryngwladol, disgwrs gwleidyddol ac iaith bob dydd.

Erbyn dechrau'r 1970au roedd Gwynfor Evans hyd yn oed wedi tanseilio'r sail hanesyddiaethol (dila) a osododd Saunders Lewis er mwyn cynnal y gwahaniaeth tybiedig rhwng annibyniaeth a rhyddid. Cofier bod Lewis wedi dadlau bod Cymru wedi parhau'n rhydd ar ôl marwolaeth Llywelyn ein Llyw Olaf, er colli ei hannibyniaeth. Dim ond yn dilyn pasio'r Deddfau Uno yr aeth rhyddid Cymru i ddifancoll. Ond mewn trafodaeth ynglŷn ag arwyddocâd 1282 yn *Aros Mae* (1971), dadl Evans oedd mai'r 'hyn a gollodd [Cymru] oedd ei rhyddid. O hyn allan cenedl heb

[93] Evans, *Welsh Nationalist Aims* (fersiwn 1959), t. 6. Gweler hefyd Gwynfor Evans, *Commonwealth Status for Wales* (Plaid Cymru, d.d. ond 1965).

[94] Evans, *Rhagom i Ryddid*, t. 61.

wladwriaeth fyddai: hynny yw, cenedl a fethai â llunio amodau bywyd ei hun: cenedl ar drugaredd digwyddiadau oddi allan iddi.'[95] Hynny yw, er bod rhyw rithyn o synnwyr a sylwedd i'r gwahaniaeth a dynnai Saunders Lewis rhwng rhyddid ac annibyniaeth, diflannodd yn llwyr o syniadau Gwynfor Evans. Iddo ef roedd rhyddid ac annibyniaeth yn gyfystyr â'i gilydd. Ysywaeth, gwrthododd gydnabod hynny. Canlyniad hynny oedd y dryswch deallusol sy'n amlygu ei hun yn y dyfyniad canlynol o *Wales Can Win* (1973):

> The Welsh State would be endowed with all the powers of modern statehood; but they would not exceed the powers recognised as being generally necessary for the well-being of any nation. There will be no old-fashioned insistence on 'sovereignty' and 'independence'. Nevertheless, the whole range of government, together with the assets, liabilities and functions of state enterprises in Wales, must be transferred to the Welsh State and its appropriate authorities.[96]

Disgrifiad o sylwedd annibyniaeth a sofraniaeth a geir yn y frawddeg gyntaf a'r drydedd, hyd yn oed os yw'r ail yn ceisio gwadu hynny!

Mae'r dyfyniad yn dadlennu datblygiad arwyddocaol arall yn y modd y trafodai Gwynfor Evans amcanion cyfansoddiadol o'i gymharu â Saunders Lewis. I Saunders Lewis y broblem ynghylch annibyniaeth oedd ei bod yn gysylltiedig â gwawrio'r byd modern; twf y wladwriaeth fawr, ganolig a'i thueddiadau unffurfiol, melltigedig ac anghristnogol. Mewn gwrthgyferbyniad, y broblem i Gwynfor Evans oedd bod annibyniaeth yn gyflwr 'henffasiwn'. Mae'r gwahaniaeth hwn yn adlewyrchu gwahaniaethau arwyddocaol a fodolai ym meddylfryd a byd-olwg y ddau. Dychwelir at hyn yn y man. Yn y cyfamser, fodd bynnag, teg yw cydnabod ei bod yn debygol i'r cywair tra gwahanol a fabwysiadodd Evans wrth gyfiawnhau amcanion cyfansoddiadol hirdymor y Blaid brofi'n fanteisiol iddi yng nghyd-destun y diwylliant gwleidyddol hunanymwybodol radicalaidd a nodweddai Gymru'r ugeinfed ganrif. Mewn cyd-destun o'r fath, mater bach oedd portreadu Saunders Lewis a'i syniadau fel mynegiant Cymreig o'r Adwaith – hyd yn oed os oedd hynny yn gwneud cam ag ef. Ond roedd

95 Evans, *Aros Mae*, t. 174.
96 Evans, *Wales Can Win*, t. 133.

Gwynfor Evans yn benderfynol o gyflwyno ei amcanion cyfansoddiadol mewn modd a oedd yn atseinio rhethreg (os nad gweithredoedd) rhyngwladol y chwith-ryddfrydol. Nid profiadau (honedig) y gorffennol Ewropeaidd ond dyheadau (gobeithiol) am y dyfodol byd-eang a ddarparai'r ffrâm ar gyfer polisi cyfansoddiadol y Blaid. Efallai fod hyn yn ei dro wedi golygu na chafodd y bylchau rhesymegol yn y polisïau hyn y sylw beirniadol a haeddasant.[97] Esboniad arall, wrth gwrs, yw bod Plaid Cymru mor ddibwys mewn termau etholiadol fel nad oedd rheswm i unrhyw un o'r tu allan i'r mudiad gymryd fawr o sylw o amcanion cyfansoddiadol nad oedd ganddynt obaith mul o gael eu gweithredu? Beth bynnag y rheswm, cafodd y Blaid yn gyffredinol, a Gwynfor Evans yn benodol, ddihangfa go ffodus, oblegid go brin y gallasai un o chwiwiau cyfansoddiadol y llywydd fod wedi gwrthsefyll hyd yn oed y gronyn lleiaf o ystyriaeth feirniadol.

Gan ddechrau tua chanol y 1950au, dychwelodd ysgrifau Gwynfor Evans dro ar ôl tro at ei obaith o weld creu rhyw fath o fframwaith cyfansoddiadol amgen ar gyfer Prydain – yn wir, ar gyfer ynysoedd Prydain. Yn 1956, ymddengys i'r Blaid gymryd y rôl flaenaf mewn proses a esgorodd ar gyhoeddi llyfryn ar y cyd â'r SNP a phlaid a aeth yn angof bellach, sef y Commonwealth Party. Dadl *Our Three Nations* oedd y dylid sefydlu 'Cofraternity' rhwng Lloegr, yr Alban a Chymru. Er i'r enw ar y greadigaeth wleidyddol newydd hon amrywio – erbyn 1960 roedd cynhadledd flynyddol y Blaid yn cefnogi ffurfio 'Marchnad Gyffredin' ymysg cenhedloedd ynysoedd Prydain, tra bo'r term 'Conffederaliaeth Frythonig' yn cael ei arddel erbyn dechrau'r 1970au – ac er nad oes fawr o dystiolaeth fod eraill wedi cymryd y syniad o ddifrif, daliodd Gwynfor Evans yn nodweddiadol driw iddo.[98] Hyd yn oed mor ddiweddar â 1981 syniai'n rhamantus ddigon am y posibilrwydd o 'greu yn yr ynysoedd hyn gymundod o genhedloedd rhydd a chydradd, heb fod yn israddol o gwbl y naill i'r llall mewn

[97] Un eithriad oedd trafodaeth y Mudiad Gweriniaethol o amcanion cyfansoddiadol Plaid Cymru. Ond tawedogrwydd a chymedroldeb y Blaid, ac yn anad dim heddychiaeth cymaint o'i haelodau ('a filthy and pharasical doctrine as far as it is comprehensible at all' chwedl Harri Webb), a oedd yn dân ar groen y Gweriniaethwyr; gweler Harry Webb, *No Half Way House: Selected Political Journalism 1950–1977* (Talybont: Y Lolfa, 1997), t. 34, a Gweriniaethwr, *The Young Republicans: A Record of the Welsh Republican Movement–Mudiad Gweriniaethol Cymru* (Llanrwst: Gwasg Carreg Gwalch, 1996).

[98] Gweler, er enghraifft, Gwynfor Evans, *Self-government for Wales and Common Market for the Nations of Britain* (Plaid Cymru, d.d. ond 1963) t. 9; Evans, *Aros Mae*, t. 315.

unrhyw wedd ar eu bywyd mewnol na'u perthnasau allanol, ond a gydweithredai'n glòs â'i gilydd mewn conffederaliaeth'.[99]

Ond beth fyddai sylwedd y math hwn o berthynas 'gonffederal'? Ymddengys fod Gwynfor Evans yn deisyf rhyw fath o ffederaliaeth tu chwith allan. Fel y gwyddys, caiff cyfundrefnau ffederal eu nodweddu gan amrywiaeth o ran eu polisïau economaidd, cymdeithasol a diwylliannol, ond undod o safbwynt polisïau tramor ac amddiffyn. Mewn gwrthgyferbyniad câi'r Conffederaliaeth Brydeinig ei nodweddu gan amrywiaeth ymysg yr aelodau yn yr union feysydd hynny lle ceir undod dan drefn ffederal, ac undod (neu rywbeth yn debyg iawn iddo) yn y meysydd lle mae gwladwriaethau ffederal yn caniatáu amrywiaeth. Yn nhyb Gwynfor Evans, canlyniad hyn fyddai uno 'the countries of Britain where union makes sense – at the economic level, while preserving sovereignty [*sic*] where national freedom makes sense – at the social, cultural and political levels'.[100] Pwysleisir graddau'r undod a ystyriai'n angenrheidiol yn un o'i ysgrifau eraill: 'inside the partnership it would be necessary to co-ordinate trade and budgeting policy and social services, and to ensure uniform levels of taxation, customs duties and social security benefits'.[101]

Mae'r syniad y gellid creu cyfundrefn lywodraethol a fyddai'n caniatáu cymaint o amrywiaeth mewn polisïau amddiffyn a rhyngwladol wrth gynnal ar yr un pryd undod mor llwyr mewn meysydd polisi eraill ('uniform levels of taxation') yn dadlennu rhywbeth na ellir ond ei ystyried yn naïfrwydd ar ran Gwynfor Evans. Byddai cyfundrefn o'r fath yn gwbl anymarferol; a chan ei fod ef ei hun wedi cystwyo cefnogwyr Ffederaliaeth Brydeinig droeon ar gorn eu 'hanymarferoldeb' hwythau, teg felly yw ei dafoli â'i ffon fesur ei hun.[102] Ond efallai mai'r arwydd mwyaf trawiadol o afrealaeth syniadau Gwynfor Evans parthed dyfodol yr ynysoedd hyn yw'r ffaith iddo gredu y gellid hudo Gweriniaeth Iwerddon i gorlan Conffederasiwn Frythonig. Prin y cyfeiriwyd at Iwerddon yn *Our*

[99] Evans, *Diwedd Prydeindod*, t. 142.

[100] Evans, *Self-government for Wales and a Common Market for the Nations of Britain*, t. 11.

[101] Evans, *Wales Can Win*, t. 132.

[102] Ymysg ei drafodaethau o broblemau creu Ffederaliaeth Brydeinig gweler *Plaid Cymru and Wales*, tt. 45–9; *Rhagom i Ryddid*, tt. 65–7; *Wales Can Win*, tt. 130–2. Hefyd Gwynfor Evans et. al., *Our Three Nations: Wales, Scotland and England* (Cardiff: Plaid Cymru, 1956), tt. 24, 49–50. Dylid nodi bod llawer iawn o synnwyr yn yr hyn a ddywedir yn y mannau hyn. Yn wir, codir problemau a ddychwelwyd atynt yn ddiweddarach gan Adroddiad Kilbrandon. Y pwynt yw bod syniadau Gwynfor Evans ynglŷn â Chonffederaliaeth Bryd-einig yn fwy problematig fyth.

Three Nations. Yn sicr, nis crybwyllwyd hi fel darpar aelod o'r 'Cofraternity'. Serch hynny, flwyddyn yn unig wedi ymddangosiad *Our Three Nations*, dyma Gwynfor Evans yn cyhoeddi'n dalog, 'The facts of geography and history dictate close co-operation with England, Scotland and Ireland, and it has therefore put forward, in conjunction with the Commonwealth Party of England and the National Party of Scotland [*sic*], a plan for a Cofraternity of the nations living in these islands.'[103] Ychydig flynyddoedd yn ddiweddarach, hawliodd ei bod yn debygol y byddai Gweriniaeth Iwerddon yn cael y syniad o ymuno â 'Marchnad Gyffredin Brydeinig' yn un deniadol.[104] Yn wir, noda yn ei hunangofiant iddo dderbyn cynnig i draethu ar y pwnc mewn cyfarfod o Fianna Fáil yn Nulyn.[105] Dyn a ŵyr beth a feddyliodd selogion y blaid weriniaethol honno o'r gwahoddiad i uno mewn cyfundrefn lywodraethol a fyddai'n cydnabod y Goron Seisnig yn ben symbolaidd arni! Serch hynny, yn 1973, â'r Weriniaeth wrthi'n ymaelodi â'r Farchnad Gyffredin Ewropeaidd, a Gogledd Iwerddon yn wenfflam unwaith yn rhagor, roedd Gwynfor Evans yn dal i wyntyllu ei obeithion am weld sefydlu 'Britannic Confederation', a fyddai'n derbyn 'the Crown as a symbolic link' a chynnwys 'both Ireland and the Six County State' yn aelodau.[106] Lol botes maip.

Mae cyferbyniad trawiadol rhwng brwdfrydedd Gwynfor Evans wrth ganlyn breuddwyd gwrach y Conffederasiwn Frythonig a'r hyn sy'n ymddangos fel difaterwch ar ei ran parthed datblygiad cyfansoddiadol tra arwyddocaol a oedd ar droed ar dir mawr Ewrop, sef esblygiad yr hyn a elwir bellach yn Undeb Ewropeaidd. Wrth gwrs, roedd yn llwyr ymwybodol fod y datblygiad hwn ar droed. Cyfeiriwyd ato, er enghraifft, fel model ar gyfer y Farchnad Gyffredin Brydeinig, ac roedd yn rhan o'r cyd-destun gwleidyddol cyffredinol y cyfeiriai Gwynfor Evans ato wrth gyflwyno ei ddehongliadau o'r sefyllfa wleidyddol mewn gwahanol ysgrifau. Ond nid oes tystiolaeth i ddangos bod ganddo unrhyw ddiddordeb arbennig yn hynt y Farchnad Gyffredin Ewropeaidd, na brwdfrydedd mawr yn ei chylch. Wrth reswm, roedd Gwynfor Evans

[103] Evans, *Welsh Nationalist Aims*, t. 7.

[104] Evans, *Self-government for Wales and a Common Market for the Nations of Britain*, t. 18.

[105] Evans, *Bywyd Cymro*, t. 95. O ystyried heddychiaeth a 'graddoldeb' cenedlaetholdeb Gwynfor Evans mae'n eironig, a dweud y lleiaf, ei fod yn nodi yn yr un man, wrth drafod gwleidyddiaeth y weriniaeth, mai 'Gyda Fianna Fáil yr oedd fy nghydymdeimlad i'.

[106] Evans, *Wales Can Win*, t. 132.

ymhell o fod yn unigryw yn hyn. Er gwaetha'r ffaith ei fod yn ystyried ei hun yn Ewropead brwd ac yn ymwrthod â rhwysg a thraha'r wladwriaeth Brydeinig, rhannai llywydd y Blaid lawer o'r un anwybodaeth parthed datblygiadau yng ngorllewin Ewrop ag a nodweddai mwyafrif llethol y dosbarth gwleidyddol Prydeinig; o'r herwydd ni sylweddolodd eu harwyddocâd.[107] Efallai na ddylai hynny ein synnu ychwaith. Wedi'r cyfan, nid oedd Gwynfor yn meddu ar yr un ffynonellau amgen o wybodaeth ynglŷn â datblygiadau ar gyfandir Ewrop ag a feddai Saunders Lewis, er enghraifft. Tra oedd hwnnw'n ymhyfrydu mewn darllen papurau newydd Ffrengig, roedd Evans yn pori (â chryn archwaeth) yn y wasg Gymreig a Phrydeinig.[108] Nid yw'n syndod, felly, mai amrywiaeth ar y byd-olwg Prydeinig a'i nodweddai yn hytrach na phersbectif cwbl wahanol.

Mewn araith a draddododd yn Nhŷ'r Cyffredin ym mis Mai 1967 mewn dadl ar aelodaeth Prydain o'r Farchnad Gyffredin y ceir y cipolwg manwl cyntaf ar syniadau Gwynfor Evans ynglŷn ag integreiddiad Ewropeaidd. Haerodd y byddai'r canlyniadau economaidd i Gymru o ymuno â'r Farchnad Gyffredin 'yn niweidiol, ac fe allent fod yn ddamniol'. O'r herwydd, 'ffolineb anfad' fyddai ymuno dan yr amgylchiadau presennol. Pam proffwydo'r fath wae? Oblegid y byddai ymaelodi'n golygu y byddai'r 'canolbwynt economaidd yn symud ymhellach eto tua'r dwyrain' gan wneud 'datblygu diwydiannau newydd yng Nghymru yn fwy anodd fyth'. Serch hynny, mae'n cydnabod 'Pe bai gan Gymru ei Llywodraeth ei hun, pe bai yn y Farchnad Gyffredin fel uned bolitic-aidd ar wahân' yna byddai 'lle i drafod yr effeithiau economaidd'. Yna, tua diwedd yr araith, cynigir gweledigaeth amgen sy'n haeddu ei dyfynnu *in extensio*:

> Ni fynnwn i ar unrhyw gyfri roi'r argraff fy mod yn erbyn y Farchnad Gyffredin fel syniad. Dweud yr wyf, os awn i mewn dan yr amodau

[107] Mae'r llenyddiaeth ar agweddau ym Mhrydain tuag at ddatblygiad y Farchnad Gyffredin yn enfawr. Ceir cyflwyniad sicr yn Stephen George, *An Awkward Partner: Britain in the European Community* (Oxford: Oxford University Press, 1998).

[108] Mewn cofnod o'i ddyddiadur, dyddiedig 17 Medi 1964, cynigia Dafydd Evans restr o'r 'papurau newydd y mae Dadi'n eu darllen yn rheolaidd', sef y *Western Mail*, *Y Cymro*, *Manchester Guardian*, *Y Tyst*, *The Economist*, *Y Faner*, *The Spectator*, *The New Statesman*, *Peace News*, *Tribune* a'r *Carmarthen Journal*. Noda ymhellach: 'Mae e wedi gorffen darllen y *Liverpool Daily Post* wedi rhyw anghydfod. Mae'n poeni fod Saunders Lewis yn dweud ei fod yn gynnyrch y *New Statesman*.' Dafydd Evans, *Y Blew a Buddugoliaeth Gwynfor*, t. 99.

presennol, y gallai'r effaith ar Gymru fod yn hollol drychinebus. Credaf y gallai'r Farchnad Gyffredin fod yn ddyfais effeithiol iawn er diogelu parhâd a datblygiad bywyd gwledydd bychain yn Ewrop, drwy sicrhau eu rhyddid politicaidd tra'n rhoi iddynt fanteision unedau economaidd mawr. Mae'n cynnig darlun lle bydd gwareiddiad Ewrop gymaint â hynny'n gyfoethocach o roi i'w gymdeithasau cenedlaethol yr amodau i ddatblygu eu posibiliadau i'r pen. Ewrop y cenhedloedd fydd hon, nid Ewrop y gwladwriaethau. Fe allai Cymru, Yr Alban, Llydaw a llawer cenedl arall fod ar eu mantais mewn Ewrop o'r fath, a byddai ganddynt gyfraniad mawr i'w wneud.[109]

Yn y frawddeg olaf ond un – 'Ewrop y cenhedloedd fydd hon, nid Ewrop y gwladwriaethau' – ceir egin yr hyn a dyfodd yn rhan ganolog o rethreg gyfansoddiadol Plaid Cymru wedi i Gwynfor Evans ymddihatru o gyfrifoldebau'r llywyddiaeth. Yr hyn sy'n ddiddorol ac arwyddocaol yw pa mor niwlog yw'r weledigaeth hon. Wedi'r cyfan, beth mewn termau cyfansoddiadol, diriaethol y mae hyn oll yn ei olygu? Mewn geiriau eraill, sut yn sefydliadol, yn gyfreithiol ac yn wleidyddol y byddai Ewrop y cenhedloedd yn wahanol i Ewrop y gwladwriaethau? Ni cheisiodd Gwynfor Evans ateb y fath gwestiynau. Yn hytrach, pan ddechreuodd geisio rhoi cig ar esgyrn ei weledigaeth Ewropeaidd tua diwedd ei gyfnod llywyddol, rhywbeth yn syndod o debyg i Ewrop y gwladwriaethau a ddaeth i'r golwg. Yn eironig ddigon, ond yn gwbl nodweddiadol o anghysondeb sylfaenol y modd y syniai ynglŷn â'r cwestiwn cyfansoddiadol, yr hyn a'i poenai oedd yr angen i warchod sofraniaeth y genedl yn wyneb gweledigaethau mwy integreiddiedig o ddyfodol Ewrop.

Pan gynigiwyd cyfle i etholwyr y Deyrnas Gyfunol benderfynu mewn refferendwm yn 1975 pa un ai a ddylid parhau'n aelod o'r Farchnad Gyffredin neu beidio, roedd Plaid Cymru yn argymell pleidlais nacaol. Cyflwynwyd cyfres o ddadleuon fel sail deallusol i'r safbwynt hwn mewn cyhoeddiad swmpus gan Grŵp Ymchwil Plaid Cymru yn dwyn y teil *Cymru a'r Farchnad Gyffredin*.[110] Ymysg

[109] Gweler Gwynfor Evans, *Gwynfor yn y Senedd* (Plaid Cymru, d.d. ond 1967), tt. 30, 33, 32, 30, 34. Ni nodir unrhyw fanylion ynglŷn â chyfieithydd yr areithiau a'r cwestiynau a gesglir ynghyd yn y llyfryn.

[110] Grŵp Ymchwil Plaid Cymru, *Cymru a'r Farchnad Gyffredin* (Plaid Cymru: Caerdydd, Ebrill 1975). Gweler hefyd E. Gwynn Matthews, *Cymru a'r Farchnad Gyffredin Ewropeaidd* (Caerdydd: Plaid Cymru, 1970), ac yn arbennig tt. 26–9 am grynodeb o safbwynt swyddogol Plaid Cymru.

y cyfraniadau pwysicaf i'r casgliad ceir ysgrif gan Robert Griffiths – a ddaeth i amlygrwydd yn ddiweddarach fel Gweriniaethwr Sosialaidd a Chomiwnydd – a ddadleuai mai 'Amcan sylfaenol Cytundeb Rhufain yw creu'r amgylchedd wleidyddol [*sic*] ac economaidd ryngwladol [*sic*] y gall cyfalafiaeth fonopoli ffynnu ynddi. Nid oes yna ddim tystiolaeth sy'n awgrymu y bydd economi Cymru'n ffynnu yn yr un modd mewn cymuned ehangach a reolir gan alwadau economaidd y farchnad.'[111] Casgliad Phil Williams oedd bod undeb gwleidyddol yn rhwym o olygu y 'bydd polisi tramor cyffredin a pholisi amddiffyn cyffredin, wedi eu seilio ar arfau niwclear'.[112] Er bod Griffiths a Williams ill dau yn cael eu hystyried yn aelodau o adain chwith y Blaid, rhannwyd eu consýrn ynglŷn ag effaith unedau mawrion ac arfau niwclear gan Gwynfor Evans. Pryder arall a rannai â'r chwith oedd y gallasai integreiddio Ewropeaidd gyfyngu ar ryddid yr aelodau i dorri eu cwysi eu hunain mewn meysydd polisi.

Pan bleidleisiodd Cymru a gweddill Prydain o blaid aelodaeth, ni wastraffodd Gwynfor Evans a'i blaid unrhyw amser cyn derbyn eu dyfarniad. Serch hynny, parhaodd y llywydd i boeni ynglŷn â'r trywydd yr oedd 'Ewrop' yn ei ddilyn. 'Costiodd y Farchnad Gyffredin yn ddrud i Gymru,' meddai ddechrau'r 1980au. 'Ond gan ei bod i mewn dylai fod yn aelod cyflawn, gyda chynrychiolwyr ar y Comisiwn, y Cyngor a'r pwyllgorau pwysig.' O fod yn aelod cyflawn, gallai Cymru wedyn godi ei llais 'yn erbyn y farn gref a geir o blaid creu gwladwriaeth Ewropeaidd ffederal': 'Yr angen ydyw conffederasiwn Ewropeaidd llac a fyddai'n amddiffyn a meithrin bywyd yr holl genhedloedd Ewropeaidd gan gynnwys y cenhedloedd bach sydd heddiw heb eu gwladwriaethau, ynghyd â rhanbarthau hanesyddol a fu unwaith yn hunanlywodraethol.'[113] Unwaith yn rhagor ystum rethregol yw'r cyfeiriad at gonffederasiwn Ewropeaidd yn hytrach na gweledigaeth gyfansoddiadol gadarnhaol. Yn wir, mae'r weledigaeth hyd yn oed yn fwy amwys ac annelwig na'r Conffederasiwn Frythonig. Yr unig beth sy'n sicr yw bod Gwynfor Evans yn amheus iawn o'r broses o integreiddio Ewropeaidd a hynny am nad oedd am ildio sofraniaeth.

[111] Robert Griffiths, 'Cyfalaf, diwydiant a chystadleuaeth yn y G.E.E.', yn Grŵp Ymchwil Plaid Cymru, *Cymru a'r Farchnad Gyffredin*. Dim rhifau tudalen.

[112] Phil Williams, 'Polisi amddiffyn a'r G.E.E.', yn Grŵp Ymchwil Plaid Cymru, *Cymru a'r Farchnad Gyffredin*.

[113] Evans, *Diwedd Prydeindod*, tt. 82–3.

Disgrifiodd Gwynfor Evans ddatblygiad polisi cyfansoddiadol y Blaid yn ystod ei gyfnod fel llywydd yn nhermau datblygiad naturiol a rhesymegol y safbwynt a goleddwyd yn y cyfnod rhwng y rhyfeloedd byd:

> The Empire was transformed into, first, the British Commonwealth and then the plain Commonwealth of Nations. Dominon status was re-baptised Commonwealth status, which remained Plaid Cymru's constitutional objective. As the Commonwealth fades, especially with Britain's entry into the EC, Plaid Cymru still seeks for Wales the status of freedom; our aim continues to be full national status.[114]

Yn sicr mae'r rhethreg Saundersaidd yn parhau'n ddolen gyswllt. Fodd bynnag, nid oedd unrhyw hygrededd i ddadl a haerai fod statws cymanwlad yng nghanol y 1950au, dyweder, yn gyfystyr â statws dominiwn ganol y 1930au. Yn hytrach, rhywdro yn ystod y newidiadau a ddisgrifir ym mrawddeg gyntaf y dyfyniad, daeth statws cymanwlad yn gyfystyr â bod yn wlad annibynnol. Ac wrth gwrs, dim ond gwledydd annibynnol a allai – ac a all – fod yn aelodau cyflawn o'r Gymuned Ewropeaidd. Mewn termau cyfansoddiadol, mae rhyddid neu 'statws cenedlaethol llawn' yn gyfystyr ag annibyniaeth, a beth bynnag am ei ymrwymiad i rethreg 'rhyddid nid annibyniaeth' dyna'n union a ddeisyfai Gwynfor Evans i Gymru. Cadarnheir hyn drachefn pan gofir ei fod wedi ymwrthod yn gyson ag unrhyw fath o gyfundrefn ffederal – boed ar lefel Brydeinig neu Ewropeaidd – a allasai darfu ar sofraniaeth Cymru, yn arbennig ym meysydd polisi tramor ac amddiffyn. Felly, er ei fod yn tueddu i goleddu ambell syniad cwbl iwtopaidd megis 'Cofraternity' ac 'Ewrop y cenhedloedd', digon confensiynol yw prif ffrwd ei syniadau cyfansoddiadol. Yn syml, roedd am weld Cymru yn dyfod yn genedl-wladwriaeth 'normal' a fyddai'n chwarae rhan ym mywyd a chyfundrefnau rhyngwladol Ewrop a'r byd. Yr hyn oedd yn anghonfensiynol a oedd ei amharodrwydd i alw'r cyflwr hwn wrth ei enw cyfansoddiadol cywir.

Y cwestiwn gwleidyddol sy'n codi yn sgîl y drafodaeth hon, fodd bynnag, yw a oedd yr anghysondeb a'r niwlogrwydd a nodweddai safbwyntiau cyfansoddiadol Gwynfor Evans a'i blaid o dragwyddol bwys? Hynny yw, onid oes perygl ein bod yn hollti blew neu dorri

[114] Evans, *A National Future for Wales*, t. 97.

glo mân yn glapiau wrth roddi cymaint o sylw i'r mater? Neu a gollwyd cyfle pwysig oherwydd methiant Plaid Cymru yn ystod cyfnod llywyddiaeth Gwynfor Evans i ystyried ei hamcanion cyfansoddiadol hirdymor mewn modd mwy deallusol-barchus a chredadwy? Awgrymaf mai'r ail ddehongliad sy'n gywir. Er mwyn deall pam, mae'n rhaid dychwelyd eto at y gymhariaeth â Saunders Lewis.

Fel y gwelwyd yn y bennod ddiwethaf, roedd Lewis yn perthyn i'r garfan honno a oedd yn dra amheus o'r cyfundrefnau a'r prosesau gwleidyddol, economaidd a chymdeithasol hynny a nodweddai'r hyn y mae haneswyr ac efrydwyr y gwyddorau cymdeithasol yn ei adnabod fel moderniaeth, tra, ar yr un pryd, yn coleddu'r dulliau a chyweiriau mynegiant diwylliannol hynny y mae efrydwyr y dyniaethau yn ei alw'n foderniaeth. Carfan fechan ond dylanwadol iawn oedd hon ym maes diwylliant. Carfan lai oedd honno ym myd gwleidyddiaeth, a charfan na chafodd fawr o ddylanwad yn unman.[115] Yn wir, o ystyried ei bod yn nofio'n erbyn llif hanesyddol mor nerthol, go brin y gallasai safbwynt o'r fath fyth obeithio tyfu'n rym gwleidyddol dylanwadol. Serch hynny, yr hyn sy'n gwneud Lewis yn ffigwr mor ddiddorol yw ei fod mwy neu lai'n unigryw yn y ffaith ei fod wedi ymdrechu o ddifrif i hybu'r safbwynt deallusol cymhleth hwn yn y byd celfyddydol a'r byd gwleidyddol fel ei gilydd. Teg dweud y bu ei ymdrechion yn y byd cyntaf yn fwy llwyddiannus na'r ail. Hyn yn anad dim, efallai, oherwydd ei fod yn ceisio ieithwedd a geirfa gysyniadol ar gyfer gwleidyddiaeth a oedd yn ymwrthod â llawer iawn o'r hyn a gymerwyd yn ganiataol ar draws y sbectrwm gwleidyddol ers y bedwaredd ganrif ar bymtheg tra'n dyrchafu gwerthoedd neu syniadau yr oedd cryn gonsensws wedi datblygu ynghylch eu hamherthnasedd. Ac ystyried bod cyn lleied o ddolen gyswllt rhwng yr hyn a bregethai a'r hyn a ystyriai etholwyr yn

[115] Byddai rhai am ddadlau, wrth gwrs, fod ffasgaeth yn enghraifft ddylanwadol o uwch-foderniaeth gwrth-fodern, neu, o leiaf, fod rhai elfennau o uwch-foderniaeth gwrth-fodern yn nodweddu credo'r Ffasgwyr. Ceir trafodaeth drylwyr o'r cyhuddiadau o 'ffasgaeth' a glywyd yn erbyn Saunders Lewis a Phlaid Cymru yng nghyfrol dau. Digon yw dweud yma fod y drafodaeth honno'n dangos yn eglur fod gwahaniaethau cwbl sylfaenol ym myd-olwg Lewis a Phlaid Cymru, ar y naill law, a byd-olwg Mussolini, Hitler a'u tebyg, ar y llaw arall. Yn wir, cesglir bod y cyhuddiadau yn dweud llawer mwy wrthym ynglŷn â natur diwylliant gwleidyddol Cymreig nag y maent am syniadau gwleidyddol cenedlaetholwyr Cymreig.

berthnasol ac yn gredadwy, roedd ei ymdrechion bron yn rhwym o fethu. O safbwynt y sawl sy'n ymddiddori mewn syniadaeth wleidyddol, wrth gwrs, nid yw hyn yn mennu dim ar ddiddordeb yr ymdrech. Yn yr ystyr yma, mae methiant syniadau Saunders Lewis i daro tant yn rhan o'u diddordeb deallusol. Ond o safbwynt rhagolygon y blaid yr oedd yn ei harwain roedd gafael Lewis dros ei hagenda syniadaethol yn hynod anffodus. Daw hyn yn gwbl eglur pan ystyrir amcanion cyfansoddiadol Plaid Cymru.

Gwelsom eisoes fod Saunders Lewis yn amheus o'r wladwriaeth fodern a'i holl weithredoedd. Yn yr un modd, roedd yn ddi-hid neu'n ddibris o'r datblygiadau blaengar hynny a ddaeth law yn llaw â'r wladwriaeth fodern. Yn benodol, prin fod ganddo ddim o gwbl i'w ddweud wrth y cysyniadau a'r arferion gwleidyddol hynny a ddaeth i fri trwy chwyldroadau'r ail ganrif ar bymtheg, ac a orseddwyd gan chwyldroadau'r ddeunawfed a'r bedwaredd ganrif ar bymtheg, sef *sofraniaeth boblogaidd* (hynny yw, democrat-iaeth) a'i gefeilles, *dinasyddiaeth*. Bu'r cysyniadau hyn yn rhan hanfodol o arfogaeth ddeallusol mudiadau cenedlaethol ledled y byd (fel y gwelwyd ym Mhennod 1). Prin iawn, mewn cymhariaeth, fu ymdrechion Plaid Cymru i'w mobileiddio dros achos Cymru. Yn wir, bu Plaid Cymru yn hynod anghyfforddus â rhethreg 'sofraniaeth' – gellir dadlau ei bod yn parhau felly o hyd. Ni cheisiodd ychwaith ddatblygu potensial gwleidyddol rhethreg sy'n pwysleisio dinasyddiaeth Gymreig. Gellir tadogi llawer iawn o'r cyfrifoldeb am y diffyg neu'r methiant hwn i afael rhethreg gyfansoddiadol Saunders Lewis ar Gwynfor Evans. Wrth bregethu efengyl 'rhyddid nid annibyniaeth' ac wrth greu cocyn hitio o 'sofraniaeth ddiamod' (canys lle'n union y tu allan i lyfrau ambell feddyliwr o'r bedwaredd ganrif ar bymtheg y bodolai cyflwr o'r fath?), crëwyd sefyllfa lle na allai'r Blaid fyth obeithio datblygu trafodaeth gyfansoddiadol aeddfed oddi mewn i'w rhengoedd ei hun heb sôn am Gymru benbaladr. Wedi'r cyfan, nid oes na hygrededd na difrifoldeb deallusol yn perthyn i blaid yn ymwrthod ag 'annibyniaeth' ond yn galw ar yr un pryd am sefydlu cyfundrefn wleidyddol y byddai pob cyfreithiwr rhyngwladol, pob gwladweinydd, ac yn wir pawb y tu allan i uchel-rengoedd y mudiad ei hun, yn ei galw'n statws annibynnol. Yn wir, y perygl sydd ymhlyg mewn sefyllfa o'r fath yw bod amcanion y Blaid yn gallu ymddangos yn llechwraidd ac yn llai na gonest.

Talcen caled ar y gorau fyddai brwydr gyfansoddiadol Plaid Cymru o ystyried hanes y berthynas rhwng Cymru a Lloegr a'r modd y llwyddodd y gyfundrefn wleidyddol Brydeinig i gladdu cwestiynau cyfansoddiadol dan haenau o fymbo-jymbo lled-gyfriniol trwy'r rhan fwyaf o'r ugeinfed ganrif. Fodd bynnag, gwnaeth y Blaid y dasg honno hyd yn oed yn anos i'w hun oherwydd ei methiant i synio am ei hamcanion mewn modd mwy credadwy, eglur a soffistigedig. Hirhoedledd dylanwad Saunders Lewis yw un o'r prif resymau pam na lwyddodd i wneud hynny. Yr hyn sy'n hynod eironig yw mai dim ond wedi iddo ymadael â'r llwyfan gwleidyddol y dechreuodd y problemau a grëwyd gan ei etifeddiaeth syniadaethol amlygu eu hunain. Yn ystod ei lywyddiaeth lleddfwyd sgîl-effeithiau negyddol 'rhyddid nid annibyniaeth' gan fodolaeth statws dominiwn, a gynigiai ddihangfa, a'r ffaith mai prin iawn oedd y drafodaeth ynglŷn â statws cyfansoddiadol Cymru yn ystod y cyfnod hwnnw. Yn ystod cyfnod Gwynfor Evans, fodd bynnag, datblygodd annigonolrwydd safbwyntiau cyfansoddiadol Plaid Cymru yn fater mwy pwysfawr a hynny i raddau helaeth yn sgîl llwyddiant ei ymdrechion ef a'i gymrodyr i atgyfodi pwnc dyfodol cyfansoddiadol Cymru ar yr agenda wleidyddol.

Ymgyrch Senedd i Gymru oedd un o ymgyrchoedd pwysicaf Plaid Cymru yn ystod y blynyddoedd wedi'r Ail Ryfel Byd. Mewn llythyr at D.J. a Noëlle Davies ym mis Gorffennaf 1949 gwelir yn eglur yr hyn a oedd ym meddwl Gwynfor Evans wrth ddefnyddio cymaint o adnoddau prin ei blaid i gefnogi'r ymgyrch:

> Gwelsoch ein bod am bwyso am Senedd o fewn cyfnod byr o flynyddoedd. Ymgais yw hwn i ddod â'r peth i lawr i'r ddaear. Gan fod ein sefyllfa mor druenus, a'r rhagolygon mor wael, teimlaf yn gryf fod yn rhaid inni fod yn barod i dderbyn unrhyw fath o senedd fel cam cyntaf, ond iddi fod yn senedd ddemocrataidd . . . Efallai mai ysbrydol neu 'seicolegol' fyddai prif werth y fath senedd.[116]

Yn wyneb gwendid Cymru a Phlaid Cymru fel ei gilydd, roedd unrhyw beth yn well na dim, oblegid o dderbyn rhywbeth gallai pobl Cymru ymgyfarwyddo â'r syniad o sefyll ar eu traed a magu'r hyder a fyddai'n caniatáu iddynt gamu ymlaen ar eu liwt eu

[116] Papurau Noëlle Davies, Llyfrgell Genedlaethol Cymru.

hunain. Y meddylfryd hwn fu'n sail i barodrwydd Plaid Cymru i ymroi mor ddygn i wahanol ymgyrchoedd 'aml-bleidiol' o blaid rhyw fesur o ddatganoli; ddwy waith yn ystod llywyddiaeth Gwynfor Evans (yn nechrau'r 1950au a thua diwedd y 1970au) ac unwaith wedi hynny yn ogystal (1997). Yn wir, cefnogwyr Plaid Cymru oedd y garfan fwyaf o ddigon o ran nifer – a'r garfan fwyaf gweithgar – ymhlith cefnogwyr yr ymgyrchoedd hyn, hyd yn oed os ffigyrau amlwg o'r pleidiau eraill a ddarparodd wynebau cyhoeddus iddynt. Prin iawn yw'r dystiolaeth, fodd bynnag, fod y Blaid wedi sicrhau unrhyw ddylanwad syniadaethol ar ffurf yr hyn a elwid amdano trwy gyfrwng yr ymgyrchoedd hyn. O ddefnyddio trosiad milwrol (digon amhriodol yng nghyd-destun heddychiaeth ronc Gwynfor Evans!) gellir dweud mai'r Blaid a ddarparodd y rhelyw o'r milwyr traed a llawer iawn o'r adnoddau ar gyfer y frwydr. At hynny, chwaraeodd y Blaid ran ganolog yn llunio'r strategaeth ar gyfer y frwydr, gan benderfynu pwy fyddai'n gwneud beth, sut a phryd. Ond eraill a fu'n bennaf cyfrifol am benderfynu amcanion y rhyfel, hynny yw, union ffurf yr hyn yr oedd yr ymgyrchoedd yn anelu ato.

Ni ellir gwadu nad oedd rhesymeg wleidyddol gref yn perthyn i'r feddylfryd a hawliai mai dyletswydd y Blaid oedd estyn cefnogaeth ddiamod a diarbed i unrhyw ymgyrch a allai ddod â Chymru'n nes at gamu dros riniog rhyw lun ar senedd etholedig. A diddorol a dadlennol yw nodi bod Gwynfor Evans a'i blaid, fel y gwelir yn y dyfyniad uchod, wedi sylweddoli'n burion arwyddocâd sicrhau corff a fyddai'n gynnyrch etholiad Cymreig: hyd yn oed os oedd rhethreg sofraniaeth boblogaidd a dinasyddiaeth yn peri anesmwythyd, roeddynt yn deall pwysigrwydd y sylwedd y cyfeirir ato drwy'r rhethreg honno. Ymhellach, mae'n amhosibl gwybod i sicrwydd beth fyddai wedi digwydd petai'r Blaid wedi mabwysiadu agwedd wahanol. Wedi dweud hyn oll, anodd os nad amhosibl yw gwadu mai digon eilradd fu'r drafodaeth gyfansoddiadol yng Nghymru. Eilradd, yn sicr, yn yr ystyr ein bod wedi tueddu i ddilyn yn ôl traed eraill. Y Gwyddelod a oedd yn dangos y ffordd adeg E. T. John. Yn ddiweddarach, camodd yr Alban i'r bwlch: 'For Wales, see Scotland' chwedl K. O. Morgan, mewn adlais bwriadol o'r *Encyclopaedia Britannica* gynt.

Ond bu'r drafodaeth hefyd yn ddigon eilradd o ran ei safon ddeallusol. Erthyl o beth oedd Mesur Cymru 1978, er enghraifft, ac o safbwynt cyfansoddiadol cul roedd yn haeddu'r ffawd ddi-anrhydedd a diurddas a ddaeth i'w ran yn refferendwm Gŵyl Dewi'r flwyddyn ganlynol. Mae llawer o resymau'n egluro pam na lwyddwyd i feithrin trafodaeth gyfansoddiadol fwy soffistigedig yng Nghymru, ac yn flaenllaw yn eu mysg – os nad yn flaenaf – patholegau penodol y Blaid Lafur Gymreig. Ond un ffactor arall a gyfrannodd at y sefyllfa oedd methiant y blaid genedlaethol i roddi arweiniad deallusol ynghylch y mater. Wrth lynu wrth amcanion cyfansoddiadol hirdymor mor niwlog a dryslyd; wrth gyfrannu nemor ddim at drafodaeth o'r strwythurau cyfansoddiadol-wleidyddol a allai fod yn gam cyntaf tuag at ymreolaeth (yn ei hawydd i gefnogi unrhyw gynnig o'r fath), caniataodd Plaid Cymru i'r drafodaeth ar ddyfodol cyfansoddiadol Cymru barhau'n un ddisylwedd. Bydd llawer am ddadlau na ddylid bod yn rhy llawdrwm ar y Blaid o ystyried pa mor llwm oedd y tir a wynebai am gyfnodau helaeth o'i bodolaeth: roedd dal ati'n ddigon o gamp ynddi'i hun. Ac onid oedd y dal ati'n gwbl anhepgorol er mwyn cadw fflam hunanlywodraeth ynghynn, waeth pa mor egwan y golau ar adegau? Dweud digon teg, efallai, ond ysywaeth, ni all y Blaid osgoi ei chyfran o'r cyfrifoldeb ychwaith. Wedi'r cyfan, a fyddai dal ati wedi profi'n anos petai disgwrs cyfansoddiadol Plaid Cymru yn fwy synhwyrol a rhesymegol nag ydoedd? Go brin. Yn wir, er mai dyfalu yr ydym, onid yw'n rhesymol i gredu y byddai wedi profi'n haws ennill cefnogaeth yr etholwyr (di-Gymraeg gan mwyaf) hynny sy'n bleidiol i hunanlywodraeth ond sy'n amheus (neu y gellir eu gwneud yn amheus) o agenda ddiwylliannol Plaid Cymru, pe bai'r Blaid yn fwy uniongyrchol ac eglur ei chredoau cyfansoddiadol? Bid a fo am hynny, nid oes rhaid dyfalu er mwyn canfod bod llawer iawn o'r cyfrifoldeb am fethiant Plaid Cymru i roddi arweiniad eglur ynglŷn â'r mater i'w briodoli i fethiant Gwynfor Evans i ymddihatru o ddylanwad Saunders Lewis. Yn hytrach, glynodd Evans wrth rethreg gyfansoddiadol ei ragflaenydd ymhell y tu hwnt i'r pwynt lle roedd y rhethreg honno'n ystyrlon.

O graffu fel y gwnaethpwyd yma ar ymagweddiad Gwynfor Evans tuag at rôl y Gymraeg, yr economi, ac ar fater amcanion cyfansoddiadol Plaid Cymru, gwelir pa mor bellgyrhaeddol yr oedd dylanwad syniadau Saunders Lewis arno. Nid yn unig y cafodd Evans lawer iawn o'i syniadau mwyaf sylfaenol ynglŷn â natur y cwlwm cenedligol yn gyffredinol, a phriodweddau penodol y genedl Gymreig, gan Lewis, ond yr oedd hefyd wedi mabwysiadu llawer iawn o'i syniadau a'i rethreg yn y meysydd polisi pwysicaf y bu'r Blaid yn ymwneud â hwy. Dim ond yn raddol bach y gwelwyd unrhyw esblygiad yn y rhethreg a'r syniadau hynny. Dwli, felly, oedd haeriad Saunders Lewis i'w etifeddiaeth syniadaethol gael ei 'bwrw heibio'. O ystyried pa mor echreiddig yr oedd cymaint o'r etifeddiaeth honno, yr unig syndod, efallai, yw na chafodd ei etifeddiaeth ei bwrw heibio yn llawer iawn ynghynt ac yn llawer iawn mwy systematig. Er gwaethaf amharodrwydd cynyddol Gwynfor Evans i roddi cydnabyddiaeth lawn i ddylanwad Lewis arno, a surni Lewis tuag at ei olynydd, y ffaith amdani yw mai syniadau Saunders Lewis oedd syniadau Evans i raddau helaeth iawn.

Nid dyna'r stori'n llwyr ychwaith. Oblegid er cymaint y dilyniant rhwng syniadau gwleidyddol creiddiol Saunders Lewis a daliadau Gwynfor Evans – a chymaint graddau'r dilyniant rhwng y syniadau a goleddai'r Blaid yn ystod ei dau ddegawd cyntaf a'i chredoau canolog yn y degawdau dilynol – roedd gwahaniaethau rhyngddynt, a'r rheini yn wahaniaethau arwyddocaol.

Un o'r ychydig bobl hyd yn hyn i gydnabod hyd a lled dylanwad Lewis ar Evans yw R. M. (Bobi) Jones. Yn ei dyb ef, bydd cenedlaethau'r dyfodol yn dyfod i ystyried Gwynfor Evans fel 'disgybl ar lawer cyfrif' i Saunders Lewis.[117] Mae'r ergyd yn gywir a'r trosiad yn un hynod awgrymog, oblegid nid yw disgybl da yn bodloni ar ailadrodd yn slafaidd waith ei athro. Yn hytrach, mae'n adeiladu ar seiliau dysg a dysgeidiaeth ei athro. Yn amlach na pheidio, gwneir hyn trwy gymhwyso dylanwadau amgen. Gellir hefyd geisio dulliau gwahanol o fynegiant. Ac, wrth gwrs, mae'r byd hefyd yn newid ac yn y broses yn newid persbectif a chyddestun a chydbwysedd (ac a welodd unrhyw ganrif fwy o newidiadau dramatig na'r ugeinfed?). Felly, nid perthynas statig mo perthynas yr athro a'r disgybl da. Nid perthynas o gyfeillgarwch mohoni ychwaith o anghenraid. Gan ddwyn hyn oll i gof, gwelir dilysrwydd a gwerth deall perthynas Saunders Lewis a Gwynfor Evans yn nhermau perthynas athro a disgybl.

117 R. M. Jones, *Ysbryd y Cwlwm: Delwedd y Genedl yn ein Llenyddiaeth* (Caerdydd: Gwasg Prifysgol Cymru, 1998), t. 331.

Hyd yn hyn trafodwyd yn eithaf manwl y gwersi a ddysgodd y disgybl wrth draed ei athro. Ond beth am gyfraniad y disgybl ei hun? Ym mha fodd yr adeiladodd ar y seiliau? Pa ddylanwadau eraill a goleddwyd ganddo? Sut y ceisiodd gymhwyso'r rhain at y gwaddol 'Saundersaidd'?

Aros Mae

O gymharu gwahanol ysgrifau ac areithiau gwleidyddol Saunders Lewis a Gwynfor Evans, daw'r gwahaniaeth mewn arddull a mynegiant i'r amlwg yn syth. Mae Evans yn ymdroi llai ym meysydd egwyddor a haniaeth. Yn hytrach, mae'n dweud ei ddweud yn fwy diriaethol ac uniongyrchol. Mewn gair, mae'n fwy gwleidyddol yn yr ystyr confensiynol. Amhosibl, er enghraifft, yw dychmygu Gwynfor Evans yn efelychu penderfyniad Saunders Lewis i neilltuo ei gyfraniad i gynhadledd o'r Blaid yn 1938 i ddarlith ar Farxaeth fel ffenomen syniadaethol, gyffredinol. Ymddengys fod hyd yn oed y selogion wedi cael hon yn saig ddigon anodd i'w threulio; gwyddai Evans yn burion nad ar sail darlithiau sychion yn ymdrin ag athroniaeth wleidyddol yr oedd adeiladu plaid dorfol. Roedd cyffyrddiad mwy poblogaidd a phoblyddol, hyd yn oed, i ddatganiadau Gwynfor Evans.

Ond amlygiad digon arwynebol o wahaniaeth mwy sylfaenol o lawer oedd y gwahaniaeth hwn mewn arddull. Roedd safbwyntiau gwleidyddol Lewis megis agwedd ar fyd-olwg ehangach a oedd, fel y gwelwyd, yn ymwrthod â llawer iawn o nodweddion gwleidyddol a chymdeithasol y byd modern. Nid yw'n syndod felly fod ei syniadau yn tueddu i beri anesmwythyd mawr hyd yn oed i'r sawl a oedd yn fodlon gwrando arnynt. Dyma ŵr a oedd fel petai'n siarad iaith wleidyddol cwbl ddieithr. Mewn cyferbyniad, roedd agenda wleidyddol Evans, er yn bellgyrhaeddol iawn o'i chymharu â gwleidyddion y pleidiau unoliaethol, yn fwy cyfyngedig o lawer na gweledigaeth Saunders Lewis. Yn hytrach, roedd ei genedlaetholdeb gwleidyddol yn cymryd ei le oddi mewn i fydolwg a rannai lawer iawn o ragdybiaethau carfan, o leiaf, o'i gyd-Gymry. Trawsblannodd Gwynfor Evans syniadau gwleidyddol Saunders Lewis o'r diriogaeth ddigon blin (o safbwynt ennyn cefnogaeth) y plannwyd hwy ynddynt yn wreiddiol a'u gosod mewn tir newydd; sef tiriogaeth y Gymru Gymraeg ei hiaith, anghydffurfiol ei buchedd, a chwith-ryddfrydol ei hanian wleidyddol. I'r graddau fod ffrwythlondeb yn parhau yn nodwedd o'r ddaear honno, llwyddodd Gwynfor Evans a'i blaid i fwrw gwreiddiau.

Tasg ddigon anodd yw canfod lle Saunders Lewis ar y sbectrwm gwleidyddol – o leiaf os ydym am geisio bod yn deg ag ef. Er bod ei bwyslais ar draddodiad, dyletswydd a phendefigaeth, heb sôn am ei atgasedd tuag at Farxaeth a sosialaeth, yn themâu adain dde cyfarwydd, mae ei ddrwgdybiaeth ddofn o gyfalafiaeth a'i amheuaeth batholegol bron o rym y wladwriaeth (unrhyw wladwriaeth) yn troi ein disgwyliadau arferol o'r dde wyneb i waered. Mater cymharol syml, fodd bynnag, yw gosod Gwynfor Evans ar y sbectrwm de–chwith. Mae'n syrthio'n dwt i brif ffrwd y chwith-ryddfrydol Gymreig. Yn ei bwyslais ar heddwch a chymod rhyngwladol, ei frwdfrydedd parthed gwladwriaethau llês y mannau gwyn man draw tua gwledydd Llychlyn, ac yn bennaf oll, efallai, yn ei barodrwydd i fynnu lle canolog ac anrhydeddus i Blaid Cymru yn y traddodiad radicalaidd Cymreig bondigrybwyll, adlewyrchai Gwynfor Evans lawer o ddyheadau a rhagfarnau'r 'brif ffrwd' wleidyddol yng Nghymru ei gyfnod. Ymdrechodd yn gyson i geisio cyflwyno ei neges ef mewn ffordd a allai atseinio'r elfennau mwyaf blaengar oddi mewn i'r brif ffrwd honno. Nid ffuantus mo'r ymdrechion hyn ychwaith. Yn hytrach, roedd yn gwbl gyson â greddf ac anian llywydd y Blaid ei hun.

Bydd rhai yn siŵr o ofyn sut y gellir cysoni'r ddadl a gafwyd yn swmp y bennod hon hyd yn hyn – sef bod Saunders Lewis yn ddylanwad syniadaethol aruthrol fawr ar Gwynfor Evans – a'r ddadl bresennol, sef bod Evans yn rhannu anian chwith-ryddfrydol y mwyafrif o'i gyd-Gymry tra oedd Lewis yn feddyliwr adain dde (o fath anarferol)? Gorwedd yr ateb i'r anghysondeb ymddangosiadol hwn yn y ffaith fod cenedlaetholdeb yn bodoli mewn perthynas symbiotig ag ideolegau gwleidyddol eraill (fel y nodwyd eisoes ym Mhennod 1). Yn wahanol i'r hyn yr hawliodd llawer iawn o genedlaetholwyr, nid yw cenedlaetholdeb yn ideoleg gyflawn ynddo'i hun. Dadl ydyw'n bennaf ynglŷn â hyd a lled y *demos* yn hytrach na dadl ynglŷn â sut y dylid llywodraethu oddi mewn i'r ffiniau hynny. Yn yr un modd, er gwaetha'r hyn a ddywed llawer ar chwith y sbectrwm gwleidyddol yn arbennig, mae deiliaid ideolegau gwleidyddol 'confensiynol' yn dibynnu ar ragdybiaethau cenedlaetholgar ynglŷn â ffiniau'r gymuned wleidyddol. O gofio hyn, syrthia'r darnau i'w lle. Nid oes unrhyw beth sydd o reidrwydd yn anghyson rhwng syniadau Saunders Lewis ynglŷn â natur a phwysigrwydd y cwlwm cenedlaethol neu bwysigrwydd yr iaith Gymraeg a daliadau gwleidyddol adain chwith; neu, a'i roi mewn geiriau eraill, gellir cytuno â Lewis ar fater pwysigrwydd diwylliant fel cyfrwng ar gyfer trosglwyddo gwerthoedd, dyweder, ac ar yr un pryd anghytuno'n chwyrn â'i wrthwynebiad i bresenoldeb meddygon a deintyddion yn ein hysgolion.[118] A dyma sefyllfa Gwynfor Evans. Mabwysiadodd Evans syniadau Lewis ynglŷn â natur a gwerth y gymundod genedlaethol, a phriodweddau penodol y genedl Gymreig, tra'n eu cyplysu ag anian wleidyddol dra gwahanol. Gwelsom enghraifft drawiadol o ganlyniadau ymarferol symudiad o'r fath yn y drafodaeth ar amcanion cyfansoddiadol Plaid Cymru. Er mai 'rhyddid nid annibyniaeth' oedd cri'r ddau, i Saunders Lewis moderniaeth y wladwriaeth sofran, annibynnol oedd y broblem. O ran Gwynfor Evans, fodd bynnag, asgwrn y gynnen oedd ei dybiaeth fod cyfundrefn o'r fath yn henffasiwn. Go brin fod y polisi creiddiol ('rhyddid nid annibyniaeth') yn gwneud llawer o synnwyr yn y naill gyd-destun na'r llall, ond roedd ergyd y neges wleidyddol a drosglwyddwyd gan y polisi yn sicr yn wahanol. Gwelir yr un broses ar waith yn y modd yr aeth Gwynfor Evans ati i genhadu dros achos hunanlywodraeth. Haerai y 'Buasai Cymru ymreolus mor gyson radicalaidd â Norwy neu Sweden; canys radicaliaeth a fu'r ffordd wleidyddol Gymreig o fyw, fel y bu ceidwadaeth yn nodweddiadol o Loegr.'[119] Mae'n gwbl amhosibl dychmygu Saunders Lewis yn cyflwyno'r ddadl o blaid ymreolaeth mewn termau o'r fath ac mae'n tanlinellu unwaith yn rhagor sut y llwyddodd Gwynfor Evans i symud rhai o syniadau gwleidyddol creiddiol Saunders Lewis o'u cyd-destun gwreiddiol i gyd-destun a oedd yn fwy cyson o lawer â phrif ffrwd yr anian wleidyddol Gymreig.

Nid safle Evans ar y sbectrwm de–chwith yn unig a oedd yn wahanol. Roedd ei safbwyntiau diwinyddol a'r modd y syniai am

[118] Gweler Saunders Lewis, 'Gwanhau rhwymau'r teulu: tueddiadau gwleidyddol y dydd', *Y Ddraig Goch*, Ionawr 1930, 1–2. Sail ei wrthwynebiad oedd ei dybiaeth fod eu presenoldeb yn arwydd o'r wladwriaeth yn ymwthio i feysydd nad oedd a wnelo hi ddim â hwy, gan danseilio priod rôl y teulu yn y broses.

[119] Evans, *Aros Mae*, t. 282.

hanes Cymru – ei hanesyddiaeth – hefyd yn llawer agosach at y brif ffrwd yng Nghymru; neu os nad y prif ffrwd, at duedd a oedd yn parhau'n weddol rymus a dylanwadol ym mywyd y wlad.

Yn yr oes seciwlar sydd ohoni, tueddir i ddiystyru'r cysylltiad rhwng diwinyddiaeth a gwleidyddiaeth. Yng ngorllewin Ewrop, o leiaf, tueddodd crefydd i gilio i beuoedd preifat bywyd. Bellach mae gwleidyddion megis Tony Blair, sy'n fodlon cydnabod y cysylltiad a welant rhwng eu credoau crefyddol a'u safbwyntiau penodol ar gwestiynau'r dydd, yn tueddu i'n gwneud yn anghyfforddus os nad yn anniddig. Cynnyrch cyfnod gwahanol oedd Gwynfor Evans, fodd bynnag. Nid mater o embaras neu fater i'w gelu ond yn hytrach mater i ymfalchïo ynddo oedd y ffaith fod ei ddaliadau gwleidyddol a'i argyhoeddiadau crefyddol yn cerdded law yn llaw â'i gilydd. A daeth Evans i'w brifiant mewn cyfnod lle roedd crefydd a diwinyddiaeth yn cyfrif. Fel y gwyddom, roedd canlyniadau hyn yn achos Saunders Lewis yn negyddol iawn, a neb yn fwy ymwybodol nag yntau o'r niwed a wnaeth ei dröedigaeth at Eglwys Rhufain i'w blaid. Mewn cyferbyniad llwyr, yr oedd anghydffurfiaeth frwdfrydig Gwynfor Evans yn rhan o'i apêl i garfan o'i gydwladwyr.

O ran ei gredo bersonol, ymddengys fod Gwynfor Evans yn syrthio'n weddol dwt i'r garfan fwy rhyddfrydol a ddaeth i amlygrwydd oddi mewn i anghydffurfiaeth Gymreig yn ystod ei machlud fel grym cymdeithasol. A barnu yn ôl tystiolaeth araith a draddododd pan yn llywydd Undeb yr Annibynwyr, nid oedd ganddo fawr i'w ddweud wrth athrawiaethau diwinyddol fel y cyfryw.[120] Yn hytrach, coleddai fath ar genhadaeth gymdeithasol, weithredol. Yn sicr, roedd yn ymwrthod yn llwyr ag unrhyw elfen o'r bietistiaeth a nodweddai anghydffurfiaeth Gymreig mewn cyfnodau cynharach. Yr hyn sy'n bwysig yn y cyd-destun presennol, fodd bynnag, yw'r ffaith fod Gwynfor Evans wedi ennyn cefnogaeth frwd ar draws y rhaniadau diwinyddol a nodweddai anghydffurfiaeth Gymreig yn y cyfnod wedi'r Ail Ryfel Byd. Os gellir gosod Pennar Davies a Tudur Jones ar naill begwn y drafodaeth ddiwinyddol oddi mewn i Annibynia – ac anghydffurfiaeth Gymraeg yn gyffredinol – mae'n drawiadol fod y ddau ymysg cynghorwyr a chyfeillion mwyaf clòs Gwynfor Evans. Unwyd prif gynrychiolwyr

120 Evans, *Cristnogaeth a'r Gymdeithas Gymreig.*

Calfiniaeth a neo-Belagiaeth y Gymru Gymraeg yn eu cefnogaeth i lywydd Plaid Cymru.[121]

Mae'n bwysig nodi'n ogystal nad oedd un o brif amlygiadau gwleidyddol cred grefyddol Gwynfor Evans, sef ei heddychiaeth ddigymrodedd, yn faen tramgwydd sylweddol i'w yrfa wleidyddol ychwaith.[122] Mae'n wir i ddweud y bu'n achos tensiwn cyson rhyngddo ef a Saunders Lewis, ac nid oes amheuaeth ychwaith nad oedd yn ffactor ym mhenderfyniad Gwynfor Evans i wrthod dyfod yn llywydd y Blaid cyn i'r Ail Ryfel Byd dynnu i'w derfyn. Ond, a chymryd golwg ehangach, roedd ei heddychiaeth a'i wrth-filitariaeth yn ddolen gyswllt rhwng Evans a charfan digon sylweddol ym mywyd Cymru – a charfan arwyddocaol iawn yn ei bywyd deallusol. Cofier, er enghraifft, sut yr oedd pobl ar draws y sbectrwm gwleidyddol yng Nghymru wedi uno i wrthwynebu ymrestru gorfodol (*conscription*) wedi'r rhyfel. Roedd hyd yn oed gwrth-genedlaetholwyr chwyrn ar chwith y Blaid Lafur ac yn rheng-oedd y Blaid Geidwadol yn derbyn bod gwedd 'genedlaethol' i'r ddadl y dylai Cymru gael ei heithrio o'r ddeddfwriaeth berthnasol.[123] Nid ystyriwyd heddychiaeth Gwynfor Evans yn estron a dieithr hyd yn oed gan y Cymry hynny a oedd yn anghytuno â'r safbwynt – yn wahanol iawn i'r ymateb a enynnid gan Gatholigiaeth Saunders Lewis. Roedd credoau a rhagfarnau anghydffurfiol Evans hefyd yn golygu y gallai lunio safbwynt hanesyddiaethol a oedd yn fwy derbyniol o lawer i'r rhelyw.

Cyn dyfodiad y gyfres deledu *The Dragon has Two Tongues* a chyhoeddi *magnum opus* John Davies, *Hanes Cymru*, nid oes amheuaeth nad Gwynfor Evans oedd hanesydd poblogaidd mwyaf

[121] Yn ogystal â theyrnged hael gan Gwynfor Evans i'r ddau yn *A National Future for Wales*, tt. 74–5, gweler trafodaeth orchestol D. Densil Morgan, *Pennar Davies* (Caerdydd: Gwasg Prifysgol Cymru, 2003).

[122] Am ddatganiad o'i argyhoeddiad heddychol, gweler Gwynfor Evans, *Cenedlaetholdeb Di-drais*, cyf. D. Alun Lloyd (Abertawe: Gwasg John Penry/Cymdeithas y Cymod, 1973). Gweler hefyd Colin H. Williams, 'Christian witness and non-violent principles of nationalism', yn Kristain Gerner et al. (goln), *Stat Nation Conflikt* (Lund: Bra Böcker, 1996), tt. 343–94. Fel rhan o'i weithgarwch heddychol yn ystod yr Ail Ryfel Byd roedd Gwynfor Evans yn olygydd *Tystiolaeth y Plant* fel rhan o gyfres 'Pamffledi heddychwyr Cymru' (Dinbych: Gwasg Gee, d.d.). Cynhwysai'r pamffled ysgrif fechan gan Pennar Davies (tt. 20–3) er ei fod yntau'n 'blentyn' pur aeddfed erbyn hynny (fe'i ganwyd yn 1911)!

[123] Gweler L. V. Scott, *Conscription and the Attlee Governments: The Politics and Policy of National Service 1945–1951* (Oxford: Oxford University Press, 1993), t. 123. Ymysg nifer fawr o ffynonellau posibl sy'n dadlennu agwedd Plaid Cymru ar fater ymrestru, gweler Gwynfor Evans, Tudur Jones, Emrys P. Roberts a Lynn Moseley, *Wales Against Conscription* (Cardiff: Plaid Cymru, 1956).

dylanwadol degawdau olaf yr ugeinfed ganrif. Yn sicr gwerthodd *Aros Mae* fel slecs wedi iddo ymddangos yn 1971 – sef, yn ôl addefiad rhyfeddol Gwynfor Evans ei hun, 'o fewn saith mis i'r diwrnod y dechreuwyd ei ysgrifennu'.[124] Gwerthwyd yr argraffiad cyntaf o bum mil o gopïau o fewn tri neu bedwar mis.[125] Yn 1973, cyfrannodd ddeg ysgrif ar hanes Cymru sy'n glynu'n glòs wrth themâu *Aros Mae* i'r *South Wales Echo*. Casglwyd yr ysgrifau hynny ynghyd mewn un gyfrol liwgar a dengar a werthodd ugain mil o gopïau; cafwyd fersiwn Gymraeg ohoni'n ddiweddarach.[126] Yna, yn 1974, cyhoeddwyd cyfieithiad o *Aros Mae* yn dwyn y teitl *Land of My Fathers*. Mae'r gyfrol honno'n parhau mewn print hyd heddiw.[127]

Aros Mae, yn ei gwahanol ffurfiau, yw cyfrol bwysicaf a mwyaf dylanwadol Gwynfor Evans, a dyma hefyd ei gyfrol fwyaf personol. Gellir ei darllen fel math ar gyffes ffydd. Nid llyfr i'r purydd mohono. Yn hytrach, yr hyn a geir ganddo yw golwg ar hanes Cymru sy'n gwbl ddiymddiheuriad yn ei hymlyniad at achos; goddrychol ag G fawr yw'r cywair. Cydnabu Gwynfor Evans hynny'n llawen trwy ddatgan yn y Rhagair '[nad] gwaith academaidd sy'n cymryd arno fod yn ddiduedd a geir yma'. Yn hytrach: 'Yr hyn sydd yma yw fy narlun i o hanes Cymru: braslun personol o'n stori genedlaethol.' Mae amcan y dweud yn gwbl amlwg: 'Gall trafod y gorffennol Cymreig roi nerth yn y penderfyniad i sicrhau dyfodol cenedlaethol.'[128] Llyfr sydd â'i olygon ar gyffroi ac annog yw hwn, a rhag bod unrhyw ddarllenydd mewn unrhyw amheuaeth o'r union gasgliadau y mae'r awdur am i'w ddarllenwyr eu cyrraedd, fe'i brithir gan foeswersi amlwg a braidd yn anghynnil. Ceir blas ohonynt wrth graffu ar 'gasgliad' Gwynfor Evans wrth iddo drafod sefyllfa gyfansoddiadol Cymru yn y cyfnod rhwng y ddegfed a'r ddeuddegfed ganrif:

> Yn y ddegfed ganrif yr oedd teyrnasoedd Cymru yn wledydd rhydd a chydradd, yn aelodau mewn partneriaeth laes. Yr hyn a oedd yn bwysig i

[124] Evans, *Aros Mae*, t. 14.
[125] Evans, *Bywyd Cymro*, t. 288.
[126] Gwynfor Evans, *History of Wales* (Cardiff: *Western Mail and Echo*, 1973). Ceir manylion y gwerthiant yn Evans, *Bywyd Cymro*, t. 289.
[127] Gwynfor Evans, *Land of My Fathers: 2000 Years of Welsh History* (Talybont: Y Lolfa, 2005). Dyma'r seithfed argraffiad o'r gyfrol.
[128] Evans, *Aros Mae*, t. 12.

> Hywel [Dda] oedd sylwedd rhyddid. Ni phoenai am dalu gwrogaeth i frenin Wessex am na thynnai ddim oll oddi wrth ei ryddid, fwy nag y mae cydnabod y goron heddiw yn lleihau rhyddid gwledydd y Gymanwlad.[129]

A rhag ofn bod yr ergyd yn parhau'n aneglur:

> y mae'r safle gwleidyddol yr amcanai'r tywysogion [Cymreig hyd at farwolaeth Llywelyn ein Llyw Olaf] ato yn drawiadol o debyg i'r hyn sy'n bolisi gan genedlaetholwyr Cymreig ein dydd ni. Ymwrthodant hwy ag annibyniaeth lwyr; ceisiant safle'r Gymanwlad (Commonwealth); cydnabuant y goron; ac ni fynnant na ffin filwrol na thollau rhwng Cymru a Lloegr. Canlyniad gweithredu'r polisi hwn fyddai creu partneriaeth glòs rhwng cenhedloedd rhydd a chydradd.[130]

Conffederasiwn Frythonig oedd y nod drwy'r cyfan!

Yn wyneb y fath anacronistiaeth, anhanesyddol – a gellid pentyrru enghreifftiau tebyg pe dymunid – nid yw'n syndod, efallai, mai tuedd haneswyr Cymreig 'go iawn' fu anwybyddu *Aros Mae*, neu dwt-twtio y tu ôl i ddrysau caeedig.[131] Yn sicr, ni wnaeth tueddiad Evans i gyhoeddi'n ffaith bethau nad oes tystiolaeth i'w dilysu ddim i'w hargyhoeddi ei bod yn gyfrol y dylid ei chymryd o ddifrif. Mynna, er enghraifft, fod Arthur yn ffigwr hanesyddol.[132] Ond, er gwaethaf hyn, camgymeriad yw anwybyddu hanesyddiaeth Gwynfor Evans. Yn un peth, bu'r naratif a gynigir ganddo o hanes Cymru, o ran y darlun eang a baentir os nad ei holl fanylion, yn ddylanwadol tu hwnt. A dyma'i union fwriad wrth gwrs. Braslun yw *Aros Mae*: 'ceisiais weld patrwm yn y stori a'i gwnâi'n haws ei chofio'.[133] Roedd Evans yn gwbl ymwybodol o'r ffaith mai math ar fyth – neu o leiaf ddarlun unochrog iawn – fyddai'n deillio o'r 'patrwm'. Serch hynny, credai 'fod grym maethlon i'w phobl mewn hanes cenedl, hyd yn oed i rai na fedd fwy na chrap bras ohoni ar ffurf myth. Ni ddylem ddiystyru'r gynhaliaeth a rydd myth cenedlaethol'.[134] Yn hyn o beth, mae'n rhaid cydnabod bod dealltwriaeth Gwynfor Evans o hanesyddiaeth yn dra

129 Evans, *Aros Mae*, t. 107.

130 Evans, *Aros Mae*, t. 137.

131 Dylid nodi bod Gwynfor Evans yn gweld pethau ychydig yn wahanol; gweler ei gyfeiriad at ganmoliaeth y tri Williams mawr yn y maes, Glanmor, David a Gwyn, yn *Bywyd Cymro*, t. 287.

132 Evans, *Aros Mae*, tt. 55–6.

133 Evans, *Bywyd Cymro*, t. 287.

134 Evans, *Bywyd Cymro*, t. 287.

soffistigedig, oherwydd nid ôl-fodernwyr yn unig sy'n cydnabod rôl goddrychedd o ran pennu'r ffurfiau a gymer unrhyw naratif hanesyddol. Yn hytrach, cydnabyddir hyn yn gyffredinol ymysg haneswyr bellach. Amcan Gwynfor Evans oedd gorseddu ei fyth ei hun uwchlaw y fersiynau eraill o hanes Cymru, megis y fersiynau unoliaethol a bregethir gan hanesyddiaethau poblogaidd Prydeinig a/neu sosialaidd – hanesyddiaethau sydd yn eu ffyrdd eu hunain yr un mor fythig.

Yma'n anad unman arall y gorwedd gwreiddioldeb a phwysigrwydd Gwynfor Evans fel meddyliwr. Mae dylanwadau eraill yn sicr yn dew ar destun *Aros Mae*. Fel y gellid disgwyl, mae dylanwad syniadaeth Saunders Lewis yn drwm.[135] O safbwynt hanesyddiaethol, gwelir dylanwad Wade-Evans ar ddehongliad Gwynfor Evans o'r cyswllt a'r dylanwad Rhufeinig, ac o berthynas Cymru â'r 'Saeson' cyn y filrif gyntaf.[136] Yn wir, gwelir dylanwad pob un o'r haneswyr hynny a gyfrannodd – ochr yn ochr ag Evans ei hun – at gyfrol a gyhoeddodd Plaid Cymru yn 1950 yn dwyn y teitl *Seiliau Hanesyddol Cenedlaetholeb Cymreig*, sef ffrwyth cyfres o ddarlithoedd a draddodwyd yn Ysgol Haf y Blaid yn 1946. Mewn mannau eraill ymddengys fod Gwynfor Evans dan ddylanwad Ioan Bowen Rees a'r pamffled gwirioneddol loyw a baratôdd i'r Blaid yn dwyn y teitl *The Welsh Political Tradition*.[137] Ond beth bynnag yw'r dylanwadau – a dichon y gellid rhestru llawer mwy – mae *Aros Mae* yn fwy o lawer na swm y dylanwadau hyn. Yn hytrach, mae'n ddatganiad croyw a phwysig o hanesyddiaeth genedlaetholgar; hanesyddiaeth genedlaetholgar a oedd yn llawer eglurach ei hergydion gwleidyddol ac fwy tebygol o daro tant poblogaidd na dim a'i rhagflaenodd.

Mewn ysgrif awgrymog, tynnodd Matthew Levinger a Paula Franklin Lytle sylw at batrwm triphlyg rhethreg genedlaetholgar, gan ddangos sut y mae cenedlaetholwyr yn ceisio cyflyru cefnogaeth drwy gyfrwng strategaeth rethregol sy'n portreadu hanes eu gwlad yn nhermau tri cham: Oes Aur y Gorffennol; Cyflwr Sathredig y Presennol; a Dyfodol Adferedig.[138] Dangosir ymhellach

[135] Gweler, er enghraifft, *Aros Mae*, tt. 223, 277.

[136] Gweler, er enghraifft, *Aros Mae*, tt. 33, 52–3.

[137] Ioan Bowen Rees, *The Welsh Political Tradition* (Cardiff: Plaid Cymru, 1962 – fe'i hailgyhoeddwyd yn 1975).

[138] Matthew Levinger a Paula Franklin Lytle, 'Myth and mobilisation: the triadic structure of nationalist rhetoric', *Nations and Nationalism*, 7 (2) (Ebrill 2001), 175–94.

sut y mae'r diagnosis o'r rhesymau am y gwymp o gyflwr gwynfydedig yr Oes Aur yn arwain yn uniongyrchol at y presgripsiwn ar gyfer sicrhau Adferiad. Amcan cenedlaetholwyr yw troi'r amodau a'r ffactorau hynny a arweiniodd at y gwymp wyneb i waered.

Wrth gwrs, go brin fod cenedlaetholwyr yn unigryw wrth ddarllen hanes yn nhermau trindod amseryddol o'r fath. Yn wir, ymddengys mai rhan o'r eglurhad am afael y strategaeth rethregol hon yw'r ffaith ei bod yn adleisio'r modd y mae'r traddodiad Iddewig-Gristnogol yn synio am amser – Purdeb a diniweidrwydd Eden, Pechod y presennol, yr Atgyfodiad olaf sydd eto i ddod. Bu rhaniad triphlyg tebyg yn sicr yn rhan bwysig iawn o'r strategaeth rethregol a fabwysiadwyd gan sosialwyr wrth iddynt hwythau efengylu yn negawdau cyntaf yr ugeinfed ganrif. Cofier, er enghraifft, sut y ceisiodd Keir Hardie gyflyru cefnogwyr yn y gwledydd Celtaidd i fynnu dyfodol gwell trwy gymharu caledi'r presennol â golud a gwareiddiad 'oes a fu' pan gâi eiddo ei ddal yn gyffredin gan y llwyth.[139] Ac wrth gwrs, mae adleisiau o'r patrwm triphlyg hwn i'w gweld yn eglur mewn hanesyddiaeth genedlaetholgar cyn cyfnod Gwynfor Evans. Gwelsom eisoes sut y beiai Saunders Lewis y broses o golli 'rhyddid' yn ystod yr unfed ganrif ar bymtheg, ar ddiwedd oes aur 'y ganrif fawr', am gyflwr sathredig Cymru. Gwelsom hefyd sut y dadleuodd mai'r moddion priodol ar gyfer gwaredu Cymru o'i thranc oedd trwy adennill y rhyddid hwnnw. Yr hyn sy'n ddiddorol ac yn anarferol (o safbwynt cymharol) am hyn, o'i ystyried fel strategaeth rethregol â'i bryd ar gyflyru cefnogaeth, yw bod yr oes aur yn dilyn y goncwest Seisnig yn hytrach na'i rhagflaenu. Yn ogystal, ymhlyg yn y diagnosis o'r cam gwag a gymerwyd yn ystod yr unfed ganrif ar bymtheg, ceir beirniadaeth o'r ffordd y cefnwyd ar yr hen ffydd Gatholig – hyn er gwaetha'r ffaith fod Protestaniaeth anghydffurfiol wedi dyfod yn un o gonglfeini hunaniaeth Gymreig. Hynny yw, er bod patrwm hanesyddiaeth Saunders Lewis yn cydymffurfio â phatrwm triphlyg o ran ei siâp cyffredinol, roedd manylion penodol ei ddadleuon yn ei gwneud yn dra annhebygol y byddent yn apelio at gynulleidfa Gymreig.

139 Wele Hardie ar gefn ei geffyl: 'The Celts can never drive out of their blood that element of communism placed there by their wild free wandering forefathers who loved song and poetry during the thousands of years they lived with everything in common.'

Gwelir yr un patrwm triphlyg ar waith yn y gyfrol synoptig *Wales* a gyhoeddwyd gan O. M. Edwards yn 1901.[140] Ond yn yr achos yma, patrwm triphlyg sydd yn cymell teyrngarwch i'r wladwriaeth Brydeinig a'i hymerodraeth a gafwyd yn hytrach na darlun o hanes Cymru sy'n ceisio tanseilio teyrngarwch o'r fath. Llywelyn Fawr yw un o arwyr mawr *Wales*. Yn nhyb O. M. Edwards, 'The policy of Llywelyn is more modern than that of any native prince of Wales', oherwydd, 'He foresaw the eventual political fate of the country he had consolidated.'

> He saw that unity was impossible as long as any chief could appeal to a hostile king of England, and that the independence of Wales must be its independence as a part of a more extensive kingdom. The experience of his long reign, so full in its intensity and variety, had enabled him to see very far into the future . . . He had seen that the independence which is natural to Wales, and the unity which is natural to the islands of Britain, are not inconsistent.[141]

Er y byddai'n ddi-os wedi dewis ei eiriau ychydig yn wahanol, onid yw hyn yn ein hatgoffa, ar yr olwg gyntaf o leiaf, o bwyslais Gwynfor Evans ar Gonffederasiwn Prydeinig? Ond ychydig o frawddegau yn unig yn ddiweddarach, gwelir yr agendor hanesyddiaethol – a gwleidyddol – a wahanai'r don gyntaf o genedlaetholdeb Cymreig fel y'i cynrychiolir ym mherson O. M. Edwards a'r ail don fel y'i dadlennir yng ngwaith Gwynfor Evans. '[T]he ideas of Llywelyn,' haerai O. M. Edwards,

> were finally realised by a statesman who may be regarded as one of his descendents. Llywelyn's daughter Gladys married Ralph Mortimer. Her descendant . . . became the true heir to the throne of England and Wales. In spite of Glendower's help, he did not get the throne. But his claim was carried by his sister Anne to the House of York. Elizabeth of York was the mother of Henry VIII, who gave Wales a new unity and a voice in the Parliament of England and Wales.[142]

[140] Owen M. Edwards, *Wales* (London: T. Fisher Unwin, 1901). Mynnai Gwynfor Evans mai *Aros Mae* oedd 'y cais cyntaf i roi darlun o hanes Cymru mewn un llyfr er pan gyhoeddwyd *Wales* gan O. M. Edwards yn 1901', Evans, *Bywyd Cymro*, t. 284. Priodol iawn felly yw cymharu'r ddwy gyfrol.

[141] Edwards, *Wales*, tt. 149–50.

[142] Edwards, *Wales*, tt. 150–1.

Ar faes Bosworth, cipiwyd coron Lloegr gan Harri Tudur, 'a Welshman leading a Welsh army'.[143] Gyda'r Deddfau Uno daeth Cymru'n gyfranogydd llawn – yn wir, drwy'r Tuduriaid, yn arweinwyr – mewn ymdaith at Fawredd Prydain.

Yn wleidyddol o leiaf, roedd y Cwymp a ddaeth yn sgîl colli delfrydau Llywelyn Fawr wedi ei Hadfer gan fuddugoliaeth y Cymry yn Bosworth. Wrth synio am hanes Cymru yn y modd yma, roedd O. M. Edwards yn agosach o lawer at hanesyddiaeth Gymreig draddodiadol y ddeunawfed a'r bedwaredd ganrif ar bymtheg nag yr oedd i'r hyn a boblogeiddiwyd gan Gwynfor Evans yn *Aros Mae*. Wrth gwrs, nid dyna ddiwedd y stori i Edwards ychwaith: nid 'diwedd hanes' mo'r Deddfau Uno. Ymddeffroad y Werin yw thema fawr ei ymdriniaeth â'r canrifoedd wedi hynny – ac, o safbwynt ei gyfnod ei hun, dyma ergyd wleidyddol bwysicaf o ddigon ei hanesyddiaeth. Ond o safbwynt goblygiadau *Wales* i ddealltwriaeth ei ddarllenwyr o'r bensaernïaeth gyfansoddiadol y bodolant oddi mewn iddi, ymddengys y wladwriaeth Brydeinig fel cyfrwng Adferiad yn hytrach na rhwystr. Nid dyma neges *Aros Mae*, wrth gwrs. Yn y gyfrol honno, ceir trafodaeth o hanes Cymru sydd, bid siŵr, yn ymgorffori agweddau ar hanesyddiaeth Gymreig gynharach, megis y pwyslais traddodiadol ar yr etifeddiaeth Rufeinig a phwyslais O.M.-aidd ar ddeffroad y Werin. Ac yn wir, mae gallu Evans i greu *synthesis* o'r gwahanol elfennau ymhlith cryfderau (gwleidyddol os nad hanesyddol) mawr ei waith. Nid gwrthod popeth a ddaeth o'i flaen a wnaeth ond yn hytrach ei ddehongli a'i ail-ddehongli o bersbectif sy'n gwbl wrthwynebus i'r wladwriaeth Brydeinig a'i dylanwad ar Gymru: persbectif sy'n glynu'n dynn wrth y patrwm triphlyg o Oes Aur–Cwymp– Adferiad.

Oes Aur – cyn dyfodiad 'y barbariaid' pan oedd y genedl yn rhydd i ddatblygu yn ôl ei theithi ei hun

Mewn llawer iawn o hanesyddiaeth Gymreig – yn enwedig hanesyddiaeth Brotestannaidd a oedd, am ei rhesymau ei hun, am ddyrchafu Oes yr Eglwys Geltaidd ar draul y cyfnod Catholigaidd a'i holynodd – portreadir Oes y Seintiau megis Oes Aur. Dyma'n sicr safbwynt Gwynfor Evans yn ogystal. Y bumed a'r chweched ganrif, meddai, oedd 'oes y saint ac oes datblygiad yr iaith Gymraeg;

[143] Edwards, *Wales*, t. 303.

yr oes a welodd y chwyldro ysbrydol ac oes y gloywder meddyliol mwyaf a brofodd Cymru erioed yn ei hanes.'[144] Yn wir, 'y ddau gant o flynyddoedd a ddilynodd ymado Macsen Wledig yw'r cyfnod tebycaf i oes aur yn holl hanes Cymru.'[145] Yr hyn a wna'r argraff ddyfnaf ar Gwynfor Evans yw ynni creadigol y cyfnod: 'Anhygoel oedd y gweithgarwch a welwyd yn wleidyddol, yn feddyliol a diwylliannol ac, uwchlaw dim, yn grefyddol.'[146] Mewn gwrthgyferbyniad llwyr i wareidd-dra Cymru, roedd cyflwr Lloegr yn ystod yr un cyfnod yn enbyd o dywyll a barbaraidd.

Cwymp – pan lwyddodd y gwylliaid i fylchu muriau'r genedl a'u bwrw i'r llawr

Un o'r pethau sydd wedi uno hanesyddiaeth Gymreig drwy'r oesoedd yw'r dirmyg tuag at y Sacsoniaid ac, yn bennaf oll, y Normaniaid yn eu hymwneud â Chymru. Mae Gwynfor Evans yn rhannu'r un rhagdybiaethau ag arddeliad. Clywir llais y cenedlaetholwr a'r heddychwr yn gwau trwy'i gilydd yn ei gondemniad o'r Normaniaid:

> Am ddwy ganrif gyfan rheolir hanes Cymru gan ornest dyngedfennol rhwng grym y Normaniaid, a loriodd Loegr fawr mor glau, a dau can mil pobl y genedl fach Gymreig . . . O holl wledydd yr oes yn Ewrop, Normandi a greodd y drefn gryfaf a'r fwyaf addas gogyfer â rhyfel . . . Prin oedd diwylliant y Normaniaid y pryd hwn: ni fedrai'r uchelwyr na darllen na sgrifennu; nid oedd dim cyfreithwyr yn eu plith a bron ddim gwŷr proffesiynol heblaw'r offeiriaid. Trefnu a hela, y gyfeddach a rhyfela; y rhain a lanwai fryd y gwŷr a laniodd yn ymyl Hastings ar Hydref 16, 1066.[147]

Ond mewn gwrthgyferbyniad llwyr â'r hanesyddiaeth boblogaidd a'i rhagflaenodd – hyd yn oed hanesyddiaeth anghydffurfiol, Cymru Fydd-aidd troad yr ugeinfed ganrif – roedd condemniad Gwynfor Evans o effeithiau'r Tuduriaid ar Gymru yr un mor chwyrn. Ceir blas ar ei lach, a'r moeswersu sy'n nodweddu *Aros Mae*, yn y dyfyniad estynedig canlynol:

[144] Evans, *Aros Mae*, t. 57.
[145] Evans, *Aros Mae*, t. 64.
[146] Evans, *Aros Mae*, t. 64.
[147] Evans, *Aros Mae*, t. 121.

> Yr hyn y methodd Edward I â'i wneud wrth orchfygu Llywelyn II; a'r hyn y methodd Henry V ei wneud wrth orchfygu Owain Glyndŵr: hynny a gyflawnwyd gan lwyddiant y Tuduriaid. Arweiniodd at y derbyniad dienaid o fydol-ddoeth a roddwyd i'r Ddeddf Uno, ac yng nghwrs y ddwy ganrif wedi'r Ddeddf honno dinistriodd bron yn llwyr ysbryd gwrol-genedlaethol y Cymry. Yn lle'r bobl ddewr, egnïol, hyderus a welir trwy ganrifoedd y canol oesoedd – pobl yn gwybod y gallent sefyll ar eu traed eu hunain a byw eu bywyd cenedlaethol eu hunain, ac yn mynnu gwneud hynny – cafwyd pobl wasaidd a di-urddas a feddyliai mai eu pennaf anrhydedd oedd marw fel cenedl ac fel unigolion er mwyn i Brydain fod yn fawr: pobl a gredai mai eu swyddogaeth a'u braint oedd cyfoethogi a chryfhau Lloegr: pobl a oedd mor ddiffygiol mewn urddas nes cefnu ar wychder ei hiaith: pobl mor brin o hyder nes credu eu bod fel cenedl yn anabl i gynnal hyd yn oed y radd o ryddid cenedlaethol sydd gan bob un o ddau ganton ar hugain y Swistr. Nid oes dim byd dirmygus yn rhaib imperialaidd y Saeson. Nid callach eu condemnio am hyn na chondemnio'r teigr am reibio anifeiliaid eraill; dyna'u natur. Yr hyn sy'n ddirmygus yw bod cynifer o'r Cymry eu hunain yn eu cynorthwyo i larpio'u cenedl.[148]

Nid oedd dim i'w ddathlu ym muddugoliaeth teulu Penmynydd ar faes Bosworth; nid Adferiad mohono. Yn hytrach cynrychiolai un o'r oriau duaf yn holl hanes Cymru.

Mae ymdriniaeth Gwynfor Evans â'r canrifoedd sy'n dilyn yn cynnwys adleisiau pwysig o'r fersiwn O.M.-aidd o hanes Cymru. Yn wir, go brin y gallai Edwards ei hun fod wedi rhagori ar y portread canlynol o'r ddeunawfed ganrif:

> Arwr mawr y ganrif . . . yw'r werin ei hun. Hi a sychedai am wybodaeth, gan dyrru i ysgolion Griffith Jones; hi a newynai am wirionedd, gan heidio i wrando ar Rowland, Harris a Williams. Fe'i gweddnewidiwyd yn gyfan gwbl. Collodd lawer, yn ddiau, o'i cherdd a'i dawns hyfryd; ond enillodd fwy mewn bywyd llawnach a mwy pwrpasol.[149]

Fodd bynnag, er na fu Evans yn brin neu'n grintachlyd ei glod o'r Werin, nid oedd hynodedd y dosbarth-sydd-uwchlaw-dosbarth

[148] Evans, *Aros Mae*, t. 204.

[149] Evans, *Aros Mae*, t. 236. Diddorol yw nodi'r modd y defnyddiai Gwynfor Evans y cysyniad o 'Bendefigaeth' megis pont rhwng hanesyddiaeth Saundersaidd a hanesyddiaeth O.M.-aidd. Wrth drafod bonedd y bedwaredd ganrif ar ddeg honna fod 'aelodaeth o'r dosbarth mawr hwn yn dibynnu yn gyfan gwbl ar dras, ac nid ar gyfoeth yn y lleiaf dim. Ymhen pedair canrif byddai llawer iawn o'r dosbarth hwn ymhlith y werin, er mawr les i'w hansawdd hi' (t. 179). Â ymlaen i ddadlau bod diwygiadau addysgiadol Griffith Jones ddechrau'r ddeunawfed ganrif wedi esgor ar gyfnod o ganrif a hanner pan gyflawnai'r Werin 'swyddogaeth pendefigaeth' (t. 224).

hwnnw yn ddigon i wrthbwyso effeithiau adfydus y dylanwad Prydeinig ar Gymru. Parhau ac yn wir dwysáu oedd hanes Cwymp Cymru o ganol y bedwaredd ganrif ar bymtheg a thrwy drigain mlynedd cyntaf yr ugeinfed ganrif, oblegid heb wladwriaeth Gymreig, nid oedd modd gwrthsefyll y llanw Seisnig-Brydeinig, yn enwedig wrth i'r wladwriaeth chwarae mwy a mwy o rôl ym mywyd cymdeithas. Priodolai bwysigrwydd arbennig i ddatblygiad y gyfundrefn addysg wladwriaethol wedi 1870. Yn wir, ystyria'r flwyddyn honno o'r herwydd 'yn flwyddyn dduach yn hanes Cymru na 1282, a hyd yn oed 1536'.[150] Seisnigwyd bywyd Cymru mewn modd trwyadl a systematig gan ddatblygiad y gyfundrefn addysg a hynny oherwydd ei bod yn ysglyfaeth i wladwriaeth nad oedd yn blaenoriaethu ei buddiannau.

Gwêl Gwynfor Evans barhad o'r un patrwm yn hanes Cymru'r ugeinfed ganrif: ymdrechion arwrol ar ran Cymry cyffredin i wella eu byd, ond ymdrechion sy'n profi'n ofer yn y pen draw oherwydd y methiant i sylweddoli mai dim ond trwy gyfrwng gwladwriaeth Gymreig y gellid sicrhau achubiaeth (bydol o leiaf) i'r genedl, ac y gallai'r genedl yn ei thro chwarae rhan gyflawn yn y frwydr fydeang dros urddas dyn. Yn sicr, cydnabyddai fawredd llawer o'r cymhellion a oedd yn sail i weithgaredd y mudiad llafur. Ysywaeth, trasiedi hanes Cymru yw nas ieuwyd 'ymdrech mudiad y gweithwyr – arwrol yn aml – dros gyfiawnder cymdeithasol wrth raglen wleidyddol genedlaethol Gymreig'. Pe bai hynny wedi digwydd yna byddai'r ddwy ochr wedi'u cryfhau'n anfesuradwy. Ond, gan nad felly y bu, 'parhau i gael ei hecsploetio fel talaith Brydeinig a wnâi Cymru trwy'r cenedlaethau, gyda chanlyniadau alaethus i'r gweithwyr ac i'r traddodiad cenedlaethol'.[151]

Beth bynnag oedd rhinweddau digamsyniol y Werin a'r dosbarth gweithiol, mewn byd o wladwriaethau, canlyniad y ffaith nad oedd Cymru yn meddu ar ei gwladwriaeth ei hun oedd ei bod yn ddiymgeledd. Ystumiwyd a llesteiriwyd ei datblygiad economaidd a chymdeithasol. Gadawyd y genedl yn gwbl ddiamddiffyn yn wyneb stormydd geirwon hanner cyntaf yr ugeinfed ganrif, cyfnod o ryfela gwaedlyd a chyni mawr. O ganlyniad, fe'i clwyfwyd bron hyd angau.

150 Evans, *Aros Mae*, t. 276.
151 Evans, *Aros Mae*, t. 254.

Adferiad – pan lwydda'r genedl i adennill ei hurddas a'i hunan-barch a chychwyn ar y gwaith o greu cymdeithas a fydd yn ymgorffori rhagoriaethau'r Oes Aur a fu

Gan ei fod o'r farn mai colli annibyniaeth/rhyddid fu'n gyfrifol am y Cwymp, mae Gwynfor Evans yn credu mai trwy sicrhau ymreolaeth yn unig y cychwynnir o ddifrif ar yr Adferiad. Serch hynny, ystyriai fod Cymru wedi cychwyn ar y daith tuag at ragluniaeth yn sgîl 'deffroad cenedlaethol' ail hanner y bedwaredd ganrif ar bymtheg, ac yn arbennig felly yn dilyn datblygiad y mudiad cenedlaethol wedi 1925. Nid yw'n syndod fod llywydd Plaid Cymru yn ystyried sefydlu ei blaid ei hun fel arwydd o dro ar fyd, ond yr hyn sy'n drawiadol o ddarllen pennod olaf *Aros Mae* yw'r pwyslais a rydd ar gyfraniad aelodau Cymdeithas yr Iaith, 'goreuon ieuenctid Cymru . . . Hwy yw bugeiliaid newydd yr hen fynyddoedd hyn. O achos eu hymroddiad ardderchog hwy i'w galwedigaeth fel bugeiliaid Cymru fe fydd i'r genedl hon ddyfodol cenedlaethol.'[152]

> Trahaustra'r meistri Llundeinig a thaeogrwydd eu gweision Cymreig rhyngddynt a ddygodd y genedl i ymyl dibyn dinistr. O'u hachos nhw malurir Cymru heddiw . . . Ond gydag ewyllys a gweledigaeth gall y genedl hon lunio ei hamgylchedd bron fel y myn; nid oes grymusterau economaidd a gwleidyddol na all ei hewyllys genedlaethol mo'u darostwng. Y mae yn ysbryd a hyder y genhedlaeth newydd ddigon o nerth i sicrhau Cymru rydd a chyfiawn a Chymraeg a wna ei chyfraniad teilwng i wareiddiad ac i'r drefn gyd-wladol.[153]

O gael cenedl rydd, Gymraeg a chyfiawn, byddai cylch hanes Cymru'n gyflawn.

Nid meddyliwr gwleidyddol gwreiddiol mo Gwynfor Evans. Creu *synthesis* o ymdrechion eraill oedd ei briod waith. Yn wir, ag ystyried ei athroniaeth wleidyddol, ei wendid mwyaf oedd ei fod yn rhy gatholig ac yn rhy anfeirniadol, yn yr ystyr ei fod yn orbarod i geisio gwasgu elfennau anghymarus i mewn i un naratif ac yn amharod i fwrw o'r neilltu rai syniadau neu dybiaethau a oedd wedi hen golli pa bynnag rin neu fin a feddent gynt. Ond fel hanesydd poblogaidd, roedd Gwynfor Evans yn fwy llwyddiannus o lawer. Bid a fo am ei ddiffygion fel hanes 'go iawn', ei gamp wrth

[152] Evans, *Aros Mae*, t. 316.
[153] Evans, *Aros Mae*, t. 315.

lunio *Aros Mae* oedd creu darlun o hanes Cymru sydd wedi bod yn arf grymus yn nwylo'r mudiad cenedlaethol wrth iddo efengylu ymhlith ei gyd-Gymry a chymell ei gefnogwyr.

Mae *Aros Mae* yn cynnig fersiwn o hanes y genedl sydd, ar un olwg, yn syml ac efallai'n simplistig. Ond mae yna glyfrwch yn llechu'n ddi-sôn-amdano o dan yr wyneb. Yn bennaf oll, wrth greu ei *synthesis* o hanes Cymru llwyddodd Gwynfor Evans yn gelfydd i gynnwys oddi mewn iddo rannau pwysig o hanesyddiaethau Cymreig eraill. Ceir lle yn y *meta*-naratif i rai o elfennau canolog hanesyddiaeth ryddfrydol-anghydffurfiol O. M. Edwards yn ogystal ag elfennau o hanesyddiaeth Lafuraidd cyfnod diweddarach. Ceir lle ynddo'n ogystal i rai o'r tybiaethau hanesyddiaethol hynny a oedd yn annwyl gan genedlaethau blaenorol, megis hirhoedledd y dylanwad Rhufeinig a'r gwrthgyferbyniad rhwng Lloegr yr Oesoedd Tywyll a Chymru wâr. Yn hyn o beth, roedd y themâu a blethwyd ynghyd gan Gwynfor Evans yn gyfarwydd. Ond roedd y patrwm a luniodd ohonynt yn chwyldroadol o newydd, oblegid hanes wedi'i ysgrifennu at ddibenion cenedlaetholdeb modern Cymreig oedd hwn. Ailgyfluniodd ac ailgyflwynodd y themâu cyfarwydd hyn mewn modd a oedd yn gyson â'i weledigaeth ef o ddyfodol Cymru. A dadl ganolog y llyfr, wrth gwrs, yw mai'r unig ffordd y gellir bod yn driw i'r gorffennol yw trwy gefnogi'r mudiad gwleidyddol a chymdeithasol y cysegrodd Gwynfor Evans ei fywyd iddo, y mudiad cenedlaethol. O ddarllen rhwng llinellau ei hunangofiant, hawdd credu mai *Aros Mae* yw'r gyfrol yr oedd Gwynfor Evans falchaf ohoni o blith ei gynnyrch toreithiog. Roedd ganddo lawer i ymfalchïo yn ei gylch oblegid hon, yn ddi-os, ydoedd ei gampwaith.

Diwedd Prydeindod

Ar ddiwrnod cyntaf mis Awst 1945 dyrchafwyd Gwynfor Evans yn llywydd Plaid Cymru. Ysgwyddodd y cyfrifoldeb hwnnw hyd ddiwrnod olaf mis Hydref 1981. Ychydig o wythnosau'n unig cyn i'w lywyddiaeth ddod i ben anerchodd Gwynfor Evans rali a drefnwyd gan ei blaid ym Mhort Talbot. Cyhoeddwyd yr araith dan y teitl 'The end of Britishness' (cyhoeddwyd ei gyfrol *Diwedd Prydeindod* yr un mis). O ddarllen yr araith, a'i chymharu â'i gyhoeddiadau cyntaf fel llywydd, yr hyn sy'n taro dyn yw cyn lleied y newidiodd ei neges gyda threigl y blynyddoedd. Wrth gwrs, roedd y cyd-destun yn wahanol; ni chlywyd sôn am Margaret Thatcher, taflegrau Trident, ymgyrch y Sianel a'r Arglwydd Beeching yn 1945, ac er bod cof am y Dirwasgiad Mawr yn parhau'n frawychus o fyw yn y 1940au, dirwasgiad newydd a oedd yn hawlio sylw bron i ddeugain mlynedd yn ddiweddarach. Serch hynny, glynai Gwynfor Evans yn dynn wrth y credoau hynny y bu'n eu pregethu am ddegawdau a pharhau'n drwm hefyd y mae dylanwad Saunders Lewis. Clywir ei lais yn gwbl eglur yn y dyfyniad estynedig canlynol:

> This rally is concerned with language and work, 'iaith a gwaith.' Linking the two, far from being incongruous, is natural, for in Wales they are woven together in a seamless web. The Welsh language is not only our greatest tradition, it is *the* great tradition that Wales has, the only really great feature of world importance in our life. Its power is immense . . . The State's attack on it has been part of an attack on the Welsh identity and on the national community of Wales. Today the assault on the steel, coal and other industries is the same as the assault on Welsh society and culture. Likewise the defence of the language is one with the defence of the economy and the community. It is the defence of Welshmen as autonomous human persons and of their dignity and identity against the onslaught of Britishness. We fight to prevent the conversion of Welshmen into abstract beings lost in a rootless mass.[154]

Oedd, roedd Gwynfor Evans yn parhau i hyrwyddo'r syniadau creiddiol hynny a wyntyllwyd gan Saunders Lewis hanner canrif a mwy ynghynt.

Roedd dylanwadau eraill yn amlwg hefyd, yn bennaf oll dylanwad D. J. Davies a gweddill y tueddiad Llychlynnaidd oddi mewn i'r Blaid. Crybwyllir Grundtvig a'i Ysgolion Gwerin yn Nenmarc, er enghraifft – gŵr, cyfundrefn ac yn wir gwlad a fyddai'n llai na chyfarwydd i fwyafrif llethol ei gynulleidfa.[155] Cymherir cyfoeth, golud a gwarineb y gwledydd bychain (gwledydd Llychlyn yn arbennig) â chyflwr truenus Cymru, er mwyn 'profi', ym marn

[154] Gwynfor Evans, *The End of Britishness* (dim manylion cyhoeddi ond Plaid Cymru, 1981), t. 3. Yn ddiddorol, er bod Gwynfor Evans ei hun yn hawlio mai rali dros waith ac iaith oedd hon, dim ond gwaith, neu'n hytrach ei ddiffyg, a nodir ar glawr y pamffled: 'an Address . . . to launch the party's campaign against unemployment'.

[155] Evans, *The End of Britishness*, t. 1.

Gwynfor Evans, mai 'Self-government is the main condition of successfully rebuilding the Welsh economy.'[156]

Ond yn ogystal â hyn oll, gwelir, hefyd, ôl meddwl Gwynfor Evans ei hun. Mae grym dieflig militariaeth a bygythiad difodiant niwclear yn themâu canolog. Ond yn bennaf oll, gwelir sut yr hydreiddiwyd rhethreg wleidyddol Gwynfor Evans, yn enwedig yn ystod ail hanner ei lywyddiaeth, gan gyfeiriadaeth hanesyddol. Yn wir, gyda threigl y blynyddoedd, mabwysiadodd yr hyn a elwid yma yn 'batrwm triphlyg rhethreg genedlaetholgar' fel fframwaith ar gyfer ei ddatganiadau gwleidyddol. Mae'r araith yn dechrau yn ôl yn Oes Aur y chweched ganrif:

> We meet today on the western edge of the Vale of Glamorgan where Maelgwyn Gwynedd, the biggest political figure on the island in the 6th century, was educated at Llanilltud Fawr about the time that Arthur died of wounds received at the battle of Camlan, probably before the birth of St David. Maelgwyn Gwynedd came from Gwynedd to the Glamorgan coast through a country that had been united by nearly a thousand miles of Roman roads, and in which a sense of belonging was fostered by history, religion, language and traditions.[157]

Cyrhaedda'r araith ei chlo gyda pherorasiwn sy'n edrych tua'r dyfodol a'r Achubiaeth a all ddyfod trwy gyfrwng grym bywiol cenedlaetholdeb Cymreig:

> By far the most exciting thing about Wales is her possibilities. In a people of such talent as the Welsh, with such a magnificent history and tradition, these are almost limitless, whether in the field of social justice, cultural vitality, intellectual endeavour, industrial venture or in terms of a contribution to European civilisation or world order. I may be wrong, but I think there is beginning to develop a new spirit which will enable the people of Wales to rise to the level of history, to respond to the harsh challenge of our day, and to create in the land of their fathers a society of which their children will be proud: a country free, just and Welsh.[158]

Neges ganolog y ddarlith yw bod y gorffennol nid yn unig yn gosod dyletswydd arnom ni yn y presennol, ond hefyd yn cynnig

[156] Evans, *The End of Britishness*, t. 6.
[157] Evans, *The End of Britishness*, t. 1.
[158] Evans, *The End of Britishness*, t. 12.

allwedd i ddyfodol gwell cyhyd â'n bod yn coleddu'r ddyletswydd honno. Yng ngeiriau cerdd genedlaetholgar fawr Prosser Rhys, 'Cymru', yr oedd Gwynfor Evans

> . . . am fynnu o'n cenedl ni
> Gymod â'i theg orffennol hi.[159]

Nid fel meddyliwr y gwnaeth Gwynfor Evans ei brif gyfraniad i Blaid Cymru. Yn hytrach, ei ddycnwch, ei ymroddiad llwyr, y *gravitas* diamheuol a ddaeth i rôl y llywydd, ac yn bennaf oll, ei stamina rhyfeddol a gafodd y dylanwad mwyaf. Fodd bynnag, nid dibwys ychwaith oedd ei gyfraniad syniadaethol. Do, fe dderbyniodd y rhan fwyaf o'i syniadau creiddiol ynglŷn â'r genedl a chenedlaetholdeb gan Saunders Lewis ac aros yn driw iddynt gydol ei oes. O'r un ffynhonnell hefyd y derbyniodd lawer o'i syniadau ynglŷn â'r meysydd polisi hynny a oedd bwysicaf i'r Blaid. Ac unwaith yn rhagor, arhosodd yn syndod o driw iddynt. Ond gwnaeth gymwynas aruthrol â'i blaid trwy lwyddo i osod y geiriau a'r themâu hyn ar dôn tra gwahanol, tôn a oedd yn agosach o lawer at chwaeth rhan, o leiaf, o'r gynulleidfa Gymreig. Yn bennaf oll, erys y fersiwn o hanes Cymru a saernïodd ac a wnaeth gymaint i'w boblogeiddio fel cyfraniad gwirioneddol bwysig i gynhysgaeth syniadaethol cenedlaetholdeb Cymreig.

[159] Ceir adargraffiad diweddar o'r gerdd yn Emyr Edwards (gol.), *Beirdd y Mynydd Bach* (Cyhoeddiadau Barddas, 1999), t. 162. Dyfynnwyd y llinellau hyn yn Evans, *Rhagom i Ryddid*, t. 137.

4

MWY NA DAL ATI? CYFNOD Y DDAU DDAFYDD

Bu sawl trobwynt allweddol yn hanes Plaid Cymru, gyda Phenyberth a buddugoliaeth Gwynfor Evans yn isetholiad Caerfyrddin ymysg yr amlycaf. Ond o safbwynt ei datblygiad syniadaethol nid oes amheuaeth nad canlyniad refferendwm 1979 oedd y trobwynt mwyaf arwyddocaol. Mae'n anodd gorbwysleisio na gorliwio'r trawma a achoswyd gan y canlyniad hwnnw. Wrth wrthod cynigion gwantan Mesur Cymru 1978, a hynny mewn modd cwbl ysgubol, llwyddodd etholwyr Cymru nid yn unig i chwalu breuddwydion cenedlaethau o genedlaetholwyr Cymreig; chwalwyd eu hunanhyder yn ogystal. Fe'u gadawyd yn chwerw, yn rhanedig ac yn synio am ddyfodol eu gwlad yn y modd tywyllaf posibl. Credai llawer iawn ohonynt nad oedd dyfodol gwerth ei gael i Gymru bellach. Roedd y Cymry wedi penderfynu eu dileu eu hunain, a hynny trwy bleidlais. Ceir blas ar anobaith y cyfnod yn rhai o eiriau olaf, dirdynnol *Cerddi Ianws* T. James Jones a Jon Dressel:

> Onid iawn yw i ninnau 'nawr gymryd ein cymathu?
> Ni chlywai neb ond nyni boen y drin,
> a byr o boen a fyddai.
> Can gwanwyn eto, a bydd yr holl golledion
> dan gloeon hen glai hanes,
> ynghyd â'n cywilydd.[1]

[1] T. James Jones a Jon Dressel, *Cerddi Ianws Poems* (Llandysul: Gomer, 1979), t. 20. Ceir dehongliad apocalyptaidd arall o oblygiadau 1979 ym mhennod olaf gofiadwy Gwyn A. Williams, *When Was Wales?* (London: Penguin, 1991). Diddorol yw cymharu düwch darlun Williams â'r hyder tawel a amlygodd ei gyd-hanesydd Kenneth O. Morgan tua'r un cyfnod wrth ddadlau y byddai Cymru yn sicr o ddychwelyd at fater hunanlywodraeth yn hwyr neu'n hwyrach (gweler rhagair Morgan i David Foulkes, J. Barry Jones a R. A. Wilford (goln), *The Welsh Veto: The Wales Act 1978 and The Referendum* (Cardiff: University of Wales Press, 1983), tt. ix–xi). Yn yr achos hwn, chwigiaeth Morgan yn hytrach nag apocalyptiaeth yr angerddol Williams oedd y cywiraf o'r ddau ddehongliad.

Mae'r geiriau yn parhau'n iasol bron i ddeng mlynedd ar hugain yn ddiweddarach. Wele awr gorchfygiad terfynol y Cymry.

Ni ellir iawn ddeall hyd a lled y pydew o anobaith y disgynnodd cenedlaetholdeb Cymreig iddi wedi 1979 heb ddeall y modd y bu i ddigwyddiadau'r flwyddyn honno – blwyddyn pan ddilynwyd taranfollt y refferendwm gan gychwyn y dilyw Thatcheraidd – gael eu dehongli fel llawer iawn mwy nag ymateb i gyd-destun penodol y cyfnod. Nid amhoblogrwydd llywodraeth Lafur flinedig yn sgîl *winter of discontent* 1978/79, dyweder, neu'r fflyd o esboniadau cyd-destunol eraill a gynigiai eu hunain, oedd yn bennaf cyfrifol am y gyflafan. Yn hytrach, roedd y dehongliad apocalyptaidd o oblygiadau '1979' yn seiliedig ar y dybiaeth fod canlyniadau pleidleisiau'r flwyddyn honno yn adlewyrchu prosesau cymdeithasol llawer iawn mwy sylfaenol a hirhoedlog; prosesau y credid eu bod yn bygwth parhad unrhyw fath o Gymreictod.

Un o'r datblygiadau cymdeithasol hynny oedd y broses o Seisnigeiddio ieithyddol, proses a oedd fel petai'n dwysáu. Erbyn diwedd y 1970au, daeth yn amlwg i bawb ond y mwyaf unllygeidiog fod y rhagolygon ar gyfer y broydd Cymraeg, yr ardaloedd hynny lle roedd y Gymraeg yn brif gyfrwng cyfathrach gymdeithasol, yn dywyll iawn. Cynigiai hyn her aruthrol i Blaid Cymru, yn syniadaethol ac yn strategol. Beth, er enghraifft, am flaenoriaethau'r Blaid o hyn ymlaen? Gyda'r frwydr dros hunanlywodraeth wedi'i cholli i bob golwg, oni ddylid canolbwyntio popeth bellach ar frwydr yr iaith? Hyd yn oed pe bai'r Blaid yn penderfynu parhau i frwydro dros hunanlywodraeth, sut y gallai saernïo neges a fyddai'n llwyddo i ryngu bodd cynulleidfa (gynyddol denau) yr ardaloedd Cymraeg eu hiaith, broydd yr oedd y Blaid yn gynyddol ddibynnol arnynt, yn ogystal ag argyhoeddi etholwyr y Gymru ddi-Gymraeg? Nid dilema newydd mo hwn, wrth gwrs. Ond wedi i rai o ladmeryddion amlycaf y Gymru hon, megis Neil Kinnock a Leo Abse, brofi'n elynion mor filain o ddigymrodedd ac effeithiol i ddatganoli yn ail hanner y 1970au, a llwyddo i wneud y fath elw gwleidyddol drwy bwysleisio'r gwahaniaethau ieithyddol yng Nghymru, roedd hwn yn fater na ellid ei osgoi bellach. Cwestiynau strategol a thactegol dyrys oedd y rhain, ond roedd dirywiad pellach y Gymraeg yn codi cwestiwn mwy sylfaenol fyth: gyda'r iaith Gymraeg wedi'i chysylltu mor glòs â hunaniaeth Gymreig ym meddylfryd ac athrawiaeth draddodiadol y Blaid, a oedd unrhyw dir sefydlog bellach lle y gallai Cymreictod – a Phlaid Cymru – sefyll?

Codai'r un cwestiwn yng nghyd-destun proses arall a aeth rhagddi law yn llaw â'r Seisnigeiddio, sef seciwlareiddio. Erbyn diwedd y 1970au, roedd Cymru yn wlad drwyadl seciwlar. A hithau wedi ei chysylltu mor glòs â Phrotestaniaeth anghydffurfiol, nid yw'n syndod fod seciwlareiddio yn cael ei ddehongli gan lawer fel bygythiad i einioes Cymreictod. Ond mae'n rhaid pwysleisio yn ogystal fod seciwlareiddio'r gymdeithas Gymreig yn cynnig her benodol ac aruthrol fawr i Blaid Cymru. Wedi'r cwbl, onid i raddau helaeth yn sgîl y modd y llwyddodd i'w hieuo'i hun wrth anghydffurfiaeth y daeth y Blaid yn rym ym mywyd Cymru? Ond wrth i'r enwadau anghydffurfiol edwino a chrebachu ymddangosai 'cenedlaetholdeb Cristnogol' glewion megis Gwynfor Evans, Pennar Davies, Lewis Valentine ac, yn ei ffordd, Saunders Lewis, yn gynyddol anacronistig ac amherthnasol.[2] Ai dyma fyddai ffawd cenedlaetholdeb Cymreig drwyddo draw?

Fel pe na bai gwendid y ffurf ar Gymreictod yr adeiladwyd Plaid Cymru ar ei sail yn ddigon ynddo'i hun i greu digalondid ymysg ei chefnogwyr, daeth hefyd yn gynyddol amlwg yn y misoedd a'r blynyddoedd wedi Dygwyl Dewi 1979 fod holl seiliau ffurf arall ar Gymreictod yn prysur ddatgymalu. Diau fod yr ysgrifen eisoes ar fur y diwydiannau trymion hynny a fu'n sail i economi Cymru hyd yn oed cyn i ddirwasgiad mawr llywodraeth gyntaf Margaret Thatcher eu sgubo o'r neilltu mewn modd mor anfaddeuol a diangen o greulon. Serch hynny, roedd y chwalfa'n ergyd aruthrol. Dichon fod agwedd ambell un yn rhengoedd Plaid Cymru tuag at y Gymru ddiwydiannol yn amwys – gwelwyd eisoes mai felly yr oedd yn achos Saunders Lewis a Gwynfor Evans – ond ni olygai hyn eu bod yn gwadu Cymreictod sylfaenol Cymry di-Gymraeg y Cymoedd. Yn wir, wedi Caerfyrddin, dechreuwyd credu o ddifrif y gellid ennill y Cymry hyn, a'r Gymru hon, i'r achos cenedlaethol. Bellach, fodd bynnag, a Chymru'r Fro Gymraeg a Chymru'r Cymoedd fel ei gilydd, ar drengi, oni chyrhaeddodd Cymru hithau ddiwedd ei thaith? Hyd yn oed os nad 'iawn' oedd 'i ninnau 'nawr gymryd ein cymathu', ymddangosai i lawer iawn fel pe bai'n anorfod.

2 Gellir dwyn i gof yma sylw Dafydd Glyn Jones mai 'Pabydd ar gyfer Cymru ymneilltuol oedd Saunders Lewis', Saunders Lewis, '*Sefwch gyda mi . . .*', detholwyd gan Dafydd Glyn Jones (Llanrwst: Gwasg Carreg Gwalch, 2000), t. 9.

Wrth edrych yn ôl, mae'n weddol amlwg fod yr ymateb i 1979, er yn gyfan gwbl ddealladwy, wedi cynnwys elfen o ormodiaith. Yn benodol, bu'r tueddiad rhydwythiadol (*reductionist*) i gyfystyru Cymreictod ag ambell nodwedd gymdeithasol benodol (y Gymraeg neu anghydffurfiaeth Gymreig, yn yr achos hwn) yn gyfrifol am ddallu llawer i'r ffaith mai cytser o wahanol dueddiadau, nodweddion, sefydliadau, syniadau a phrofiadau yw hunaniaeth genedlaethol; cytser syndod o wydn a all oroesi hyd yn oed edwino ambell elfen ohono. Mae'n amlwg hefyd fod peth o'r proffwydoliaethu gwae a glywyd wedi'i fwriadu er mwyn ennyn gwrthsafiad.[3] Ond peth rhwydd a rhad yw doethineb trannoeth, ac mae'n debyg fod hyd yn oed y bobl hynny a oedd yn ceisio ennyn ymateb cadarnhaol yn credu'n ddiffuant mai difancoll a ddisgwyliai Cymru pe na baent yn llwyddo yn eu hymdrechion. Ar y pryd, felly, yn y cyfnod tywyll a ddilynodd 1979, roedd holl ddyfodol Cymru yn ymddangos fel petai yn y fantol. Plymiwyd Plaid Cymru i argyfwng deallusol a syniadaethol mwyaf dyrys ei hanes.

Os dilyniant a pharhad oedd prif nodweddion syniadaeth wleidyddol Plaid Cymru cyn 1979 – cyfnod a welodd lawer o syniadau Saunders Lewis yn cael eu cynnwys ym myd-olwg Gwynfor Evans – wedi 1979 ailystyriwyd holl amcanion, osgo a neges y blaid. Roedd hon yn broses boenus ac yn amlach na pheidio'n un gecrus hefyd. Heriwyd sawl tybiaeth a fu cyn hynny'n elfennau canolog yn ei chredo a'i hathrawiaeth. Diorseddwyd ambell hen siboleth yn llwyr. Fel y gwelir yn fanylach yn y man, y pwysicaf a'r mwyaf hirhoedlog o'r rhain oedd y syniad hwnnw y gellid llunio cenedlaetholdeb Cymreig yn ideoleg wleidyddol gyflawn ynddi'i hun. Rhennid y dybiaeth fod cenedlaetholdeb yn 'drydedd ffordd' rhwng sosialaeth, ar y naill law, a chyfalafiaeth ryddfrydol, ar y llaw arall, gan bersonoliaethau mor amrywiol eu hanian â Saunders Lewis, D. J. Davies a Gwynfor Evans. Ond yn sgîl 1979, daethpwyd i'r casgliad mai *cul-de-sac* oedd y 'drydedd ffordd'. Bellach, byddai'r Blaid yn mabwysiadu terminoleg wleidyddol mwy confensiynol a chyfarwydd gan leoli ei hunan ar 'chwith' y sbectrwm gwleidyddol. Ysywaeth, tiriogaeth eang tu hwnt yw'r chwith, felly yn hytrach na thorri'r ddadl ynglŷn â safbwynt

[3] Fel y dywedodd T. James Jones yn ei gyflwyniad i *Cerddi Ianws Poems* (t. 4), 'Safbwynt gwleidyddol a geir yn y cerddi ac anogaeth i weithredu'n ymarferol wleidyddol er ceisio diogelu parhad ein gwlad a'n hiaith.'

ideolegol y Blaid yr hyn a wnaed mewn gwirionedd oedd newid termau'r ddadl honno. Nid ai plaid adain chwith neu beidio fyddai'r pwnc llosg o hyn ymlaen, fel y bu i raddau helaeth ers canol y 1930au. Yn hytrach, pa fath o wleidyddiaeth adain chwith – pa fath o sosialaeth – a gynrychiolai'r Blaid a oedd y cwestiwn canolog bellach. Cynigiwyd llu o atebion posibl i'r cwestiwn hwnnw. Ond er na chafwyd cydsyniad, heb sôn am gytgord, ynglŷn ag union natur ymrwymiad Plaid Cymru i 'sosialaeth', golygai'r ffaith fod rhethreg y 'drydedd ffordd' wedi'i bwrw o'r neilltu yn derfynol fod trothwy hanesyddol wedi'i groesi.

Yn ogystal â sbarduno newidiadau pellgyrhaeddol o ran ei hosgo a'i safbwynt ideolegol, ailgododd hen ddadleuon ynglŷn â dulliau gweithredu'r Blaid. Gan fod gwleidyddiaeth gyfansoddiadol gonfensiynol wedi methu mor drychinebus yn ei hymdrech i sicrhau y mesur mwyaf egwan o hunanlywodraeth, sut bellach y gellid achub Cymru? Ei hachub nid yn unig rhag traha a difaterwch y wladwriaeth Brydeinig, ond rhag ei gelyn peryclaf oll, sef taeogrwydd ac ofnusrwydd y Cymry eu hunain. Gan fod amwysedd ynglŷn â dulliau gweithredu wedi nodweddu Plaid Cymru gydol ei bodolaeth, a thynfa dulliau anghyfansoddiadol i'w teimlo drwy'r Blaid, nid yw'n syndod fod methiant ymddangosiadol y 'llwybr seneddol' wedi peri i'w chefnogwyr selocaf wangalonni. Ond, mewn difrif, pa lwybrau amgenach a oedd ar gael iddi?

Canlyniad 1979 oedd peri i arweinwyr ac aelodau Plaid Cymru ddwys ystyried eu hymagweddiad tuag at Gymru a'u gwahanol ragdybiaethau ynglŷn â rôl eu plaid. Y dadleuon a gododd yn sgîl y broses honno yw testun y bennod hon. Rhennir y drafodaeth yn bedair rhan. Yn gyntaf, creffir ar ymateb ffurfiol y Blaid i chwalfa 1979 a gyhoeddwyd yn adroddiad Comisiwn Ymchwil Plaid Cymru. Wedi hynny, trafodir y dadleuon ynglŷn â sosialaeth a fu'n nodwedd mor amlwg o Blaid Cymru yn hanner cyntaf y 1980au, dadleuon a ddaeth i ben yn ddisymwth ddigon yn dilyn chwalfa fawr arall, sef methiant Streic y Glowyr. Yn drydydd, trafodir y gwahanol gyfeiriadau a awgrymwyd ar gyfer y Blaid yn ail hanner y 1980au. Yn bedwerydd, ceir trafodaeth o hynt Plaid Cymru yn ystod y 1990au. Yn y fan hon y trafodir syniadaeth Dafydd Wigley ynghyd â'r hyn a elwir yma'n 'arbrawf Ceredigion', sef ymdrech Cynog Dafis a Phil Williams i baentio'r Blaid yn wyrdd, fel petai, trwy ieuo achos cenedlaetholdeb Cymreig wrth wleidyddiaeth werdd. Yma hefyd y trafodir 'paradocs y 1990au', cyfnod pan oedd yr achos cenedlaethol yng Nghymru yn cryfhau tra oedd y blaid genedlaethol, mewn sawl ffordd – ac yn sicr o ran ei hyfywedd deallusol – fel pe bai'n nychu. Cloir y bennod trwy geisio cloriannu arwyddocâd ehangach y blynyddoedd dan sylw o safbwynt datblygiad syniadaethol Plaid Cymru, cyfnod a gychwynnodd yn nyfnderoedd anobaith 1979 ond a ddaeth i ben yn anterth ewfforia rhyfeddol buddugoliaeth trwch asgell gwybedyn refferendwm 1997.

Troi i'r Chwith: diwedd y 'Drydedd Ffordd'

Mewn cyfarfod a gynhaliwyd ar 16 Mehefin 1979 penderfynodd aelodau Cyngor Cenedlaethol Plaid Cymru sefydlu Comisiwn Ymchwil a fyddai'n adolygu safbwyntiau, strategaeth, strwythurau a seiliau ariannol y Blaid, gan roi cychwyn ar un o'r adolygiadau mewnol mwyaf pellgyrhaeddol ei gyrhaeddiad a welodd unrhyw blaid wleidyddol ddifrifol yn y Deyrnas Gyfunol erioed.[4] Apwyntiwyd pump i'r Comisiwn. Gan adlewyrchu natur Plaid Cymru – a gwleidyddiaeth Cymru – ar y pryd, roedd y pump ohonynt yn ddynion, a phob un yn meddu ar brofiad helaeth iawn yn rhengoedd y Blaid. Bu Eurfyl ap Gwilym, Emrys Roberts, Owen John Thomas a Dafydd Wigley yn cyfarfod yn rheolaidd gydol gweddill 1979 a 1980. Ymunodd Phil Williams â hwy am ran o'r cyfnod, ond roedd y ffaith ei fod yn treulio rhan sylweddol o'i amser dramor ar y pryd yn effeithio ar ei gyfraniad i waith y Comisiwn. Casglwyd tystiolaeth mewn cyfarfodydd o aelodau'r Blaid a chyfarfodydd unigol â'i phrif swyddogion, holwyd barn yr SNP, ac yn ogystal derbyniwyd 'cannoedd o sylwadau ysgrifenedig a llafar'.[5] Cyhoeddwyd eu hadroddiad – cyhoeddiad o bron i gant a hanner o dudalennau a gynhwysai adroddiad lleiafrifol gan Phil Williams – ym mis Chwefror 1981, ychydig fisoedd yn unig cyn i

[4] Ceir amlinelliad o'r cynnig ffurfiol a oedd yn sail i waith y Comisiwn yn *Adroddiad Comisiwn Ymchwil Plaid Cymru* (Plaid Cymru, 1981), tt. i–ii. Gweler tt. 115–18 am ddehongliad aelodau'r Comisiwn eu hunain o'r cylch gorchwyl a'u hwynebant.

[5] *Adroddiad Comisiwn Ymchwil Plaid Cymru*, t. iii.

un o'r comisiynwyr, Dafydd Wigley, gael ei ethol yn llywydd y Blaid am y tro cyntaf.[6]

Gan adlewyrchu anferthedd ei gylch gorchwyl, bwriodd y Comisiwn ei rwyd yn eang iawn hefyd, gan drafod materion mor wahanol i'w gilydd â dulliau codi arian, megis gyrfaon chwist a nosweithiau cawl a chân, a pherthynas Plaid Cymru â gweddill y mudiad cenedlaethol Cymreig.[7] Ond o ran y drafodaeth bresennol gellir canolbwyntio ar eu hargymhellion o dan ddau bennawd: *Athroniaeth wleidyddol* a *Strategaeth*.

Athroniaeth wleidyddol

Yn draddodiadol, roedd arweinwyr a phrif feddylwyr Plaid Cymru wedi wfftio'r rhaniad 'chwith–dde' fel un amhriodol i ddisgrifio gwahanol safbwyntiau economaidd, cymdeithasol a gwleidyddol eu plaid. Yn hytrach, ceisiwyd canfod modd o symud y tu hwnt – neu godi uwchlaw – amodau'r ddadl ideolegol a dueddai i ddiffinio'r ymryson gwleidyddol ym Mhrydain. Ceisiwyd rhyw fath o 'drydedd ffordd'. Noder mai 'trydedd ffordd' ac nid llwybr canol rhwng y chwith a'r dde a ddeisyfai meddylwyr Plaid Cymru. Roedd eu nod yn fwy uchelgeisiol o lawer: canfod rhaglen a ieithwedd wleidyddol a oedd yn trosgynnu'r categorïau de/chwith confensiynol gan ymgorffori a thrawsffurfio'r prif themâu a oedd yn gysylltiedig â hwy gan greu *synthesis* newydd. Dyma'n sicr safbwynt Saunders Lewis a J. E. Daniel: saif pamffled yr olaf, *Welsh Nationalism: What it Stands for*, fel un o'r datganiadau mwyaf huawdl o'r safbwynt.[8] Dyma hefyd fu safbwynt D. J. Davies a Gwynfor Evans er gwaetha'r ffaith i'r ddau ohonynt gael eu dylanwadu'n drwm gan ddemocratiaeth gymdeithasol Llychlynnaidd. Cofier, er enghraifft, sut y bu i'r ddau ohonynt wrthwynebu pob

6 Diddorol fyddai ymchwilio ymhellach i'r broses a ddarbwyllodd Phil Williams i baratoi ei adroddiad lleiafrifol ei hun. Yn y rhagymadrodd i'r prif adroddiad nodir yn gwbl gywir nad oedd y ffisegwr o Aberystwyth wedi mynychu cyfarfodydd y Comisiwn yn ystod y misoedd pan oedd yr adroddiad 'yn dod i'w siap terfynol' (t. iii). Mae'r adroddiad lleiafrifol, fodd bynnag, yn dra beirniadol o adroddiad y mwyafrif (gweler tt. 92–114), ac mae'n anodd credu na fyddai wedi bod yn bosibl canfod digon o dir cyffredin i lunio adroddiad cytûn hyd yn oed pe na bai Williams wedi'i ynysu y tu draw i gylch yr Arctig yng ngogledd Sweden ar berwyl ei waith ymchwil academaidd – yn enwedig gan fod Williams yn dadlau y byddai mwy o fudd i waith y Comisiwn pe bai wedi mynd ati i gyflwyno'r gwahanol safbwyntiau oddi mewn i Blaid Cymru yn hytrach na cheisio 'ffurf ar eiriau' i'w pontio (t. 92).

7 *Adroddiad Comisiwn Ymchwil Plaid Cymru*, tt. 83, 23–4.

8 Daniel, *Welsh Nationalism: What it Stands for*.

ymdrech gan 'chwith' hunanymwybodol eu plaid i honni bod y tir cyffredin helaeth y rhannai rhaglen Plaid Cymru â gwerthoedd a safbwyntiau gwleidyddol adain chwith – pwyslais ar ryngwladoldeb, cydweithrediad a democratiaeth ddiwydiannol – yn golygu y dylid ystyried y Blaid yn blaid sosialaidd.[9]

Roedd meddylwyr y Blaid ymhell o fod yn unigryw yn eu hawydd i ganfod a choleddu 'trydedd ffordd'. Hyd yn oed os oedd eu 'trydedd ffordd' hwy yn arwain i gyfeiriadau gwahanol iawn, clywyd rhethreg o'r fath ar draws y sbectrwm gwleidyddol (confensiynol) o'r dde eithafol, yn ffurf ffasgaeth, i'r chwith eithafol, yn ffurf Trotscïaeth. Yn y canol, ceid yr athroniaeth wleidyddol Gatholig a ddatblygwyd ar gyfandir Ewrop ac a fu'n ddylanwad ar Saunders Lewis. Ym Mhrydain hefyd ceisiodd y Blaid Lafur yn y blynyddoedd wedi'r Ail Ryfel Byd gyflwyno ei 'sosialaeth ddemocrataidd' hithau fel 'trydedd ffordd' rhwng cyfalafiaeth Americanaidd a Staliniaeth Sofietaidd.[10] O ystyried y cymhlethdodau a allai godi yn sgîl coleddu rhethreg a allai gysylltu'r Blaid â'r gwahanol garfanau hyn, nid yw'n syndod efallai fod Plaid Cymru wedi tueddu i osgoi labelu ei hathroniaeth wleidyddol fel 'trydedd ffordd'. Er iddi gyhoeddi pamffled yn dwyn y teitl hwnnw yn 1947 – pamffled a ysgrifennwyd gan Wilfred Wellock, cynaelod seneddol Llafur dros Stourbridge – dewiswyd labeli eraill i geisio crisialu safbwynt y Blaid.[11] 'Cenedlaetholdeb cydweithredol' oedd un ohonynt, 'cenedlaetholdeb Cristnogol' oedd un arall. Nid yr union enw sy'n bwysig yn y cyd-destun presennol, fodd bynnag,

[9] Gweler yn y cyd-destun hwn Evans, *Gwynfor*, t. 365.

[10] Am gyfnod byr bu Tony Blair yn chwarae â'r label 'Y Drydedd Ffordd' ar gyfer gweledigaeth wleidyddol Llafur Newydd. Diddorol yw nodi yn y cyd-destun hwn i Blair gydnabod dylanwad yr athronydd John Macmurray ar ei wleidyddiaeth yntau, gŵr a fu'n ddylanwad ar Gwynfor Evans flynyddoedd ynghynt.

[11] Wilfred Wellock, *Y Drydedd Ffordd*, cyf. G. R. Tilsley (Plaid Cymru, d.d. ond 1947?). Cyhoeddwyd fersiwn Saesneg ar yr un pryd. Ar ddechrau ei bamffled diweddarach, *New Horizons: Build the Future Now!* (London: Housemans Bookshop, d.d. ond 1954–5?), ceir y geiriau canlynol gan Wellock: 'This brochure is dedicated to all those isolated persons and small groups in all lands who, in these restless days of self-indulgence and materialistic glorification, of conflicting ideologies and financial and military systems, and of threatening dooms, are labouring to bring to birth an era of creative faith and action in which the impulses of a cultured humanity will be directed to erecting a civilisation wherein justice, beauty and truth dwell in the harmony that is peace; and to all seekers after a better way' (t. 2). Hawdd deall apêl y math yma o rethreg i aelodau Plaid Cymru; hawdd hefyd yw deall diddordeb Wellock ym Mhlaid Cymru oblegid hyd yn oed os oedd honno'n fach ac ynysig, o leiaf roedd yn blaid wleidyddol ac iddi droedle gwirioneddol ym mywyd deallusol ei gwlad. Roedd y sefyllfa yn fwy llwm o lawer yn Lloegr.

ond yn hytrach y ffaith fod prif feddylwyr Plaid Cymru wedi coleddu a pharhau'n driw i'r syniad nad oedd y labeli chwith/dde confensiynol yn briodol ar gyfer disgrifio neu fynegi safbwyntiau eu plaid, ac, yn wir, fod y mesurau a gynigiwyd dan y labeli hyn yn feddyginiaethau amhriodol ar gyfer y cyflwr Cymreig. Rhaid oedd ceisio llwybr amgen i'w dramwyo – ac ideoleg amgen i ddangos y ffordd.

Parhaodd Gwynfor Evans yn driw i'r syniad hwn hyd ddiwedd ei ddyddiau fel llywydd y Blaid – bron a bod. Mewn llythyr a gyhoeddwyd yn rhifyn Rhagfyr 1980 o'r *Welsh Nation*, fe atgoffodd ei gydaelodau ei fod yn credu bod y labeli chwith a dde – 'so beloved of British commentators' – yn 'unhelpful'.[12] Mae'n arwydd o'r modd y collodd Evans ei afael ar gyfeiriad y Blaid wedi *debacle* 1979 fod aelodau'r Comisiwn Ymchwil wedi dewis troi eu cefnau arno ef ac ar ddegawdau o draddodiad trwy ddatgan bod 'unrhyw ystyriaeth realistaidd o bolisi Plaid Cymru yn rhwym o ddod i'r casgliad ei fod yn sosialaidd ei natur' a bod 'Plaid Cymru ar yr asgell chwith o'r echel dde–chwith'.[13] Bid siŵr, fe gafwyd ymdrech i egluro'n union yr hyn a olygwyd, ac yn bennaf oll, efallai, i wahaniaethu safbwynt y Blaid oddi wrth ymrwymiad y Blaid Lafur Brydeinig i'r wladwriaeth ganolig ac imperialaeth. Yn benodol, cyflwynwyd y term 'datganoledig' i amodi'r ymrwymiad i sosialaeth trwy ddarlunio dwy ystod ideolegol y gellid eu gor-osod ar ben ei gilydd: chwith/dde a chanolig/datganoledig (gweler Ffigwr 1):

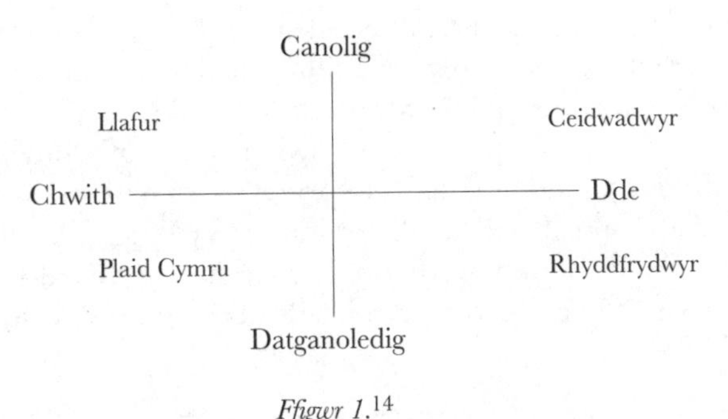

Ffigwr 1.[14]

[12] *Welsh Nation*, December 1980, 5.
[13] *Adroddiad Comisiwn Ymchwil Plaid Cymru*, t. 14.
[14] *Adroddiad Comisiwn Ymchwil Plaid Cymru*, t. 14 Ceir yr ymdrech i leoli'r pleidiau yn y gwreiddiol yn ogystal.

Argymhelliad y Comisiwn oedd y dylai'r Blaid 'ymlynu wrth fath o sosialaeth ddatganoledig wedi ei seilio ar y gymuned'.[15] Heb os, roedd yr eglurhad neu'r amodiad hwn yn arwyddocaol, a dychwelir ato yn y man, ond yr hyn a oedd yn llawer iawn mwy arwyddocaol o bersbectif datblygiad syniadaethol hirdymor Plaid Cymru oedd i'r Comisiwn Ymchwil fwrw heibio ymdrech trigain mlynedd gan brif feddylwyr y Blaid i hepgor labeli chwith/dde wrth geisio ffordd amgenach o leoli ei hathroniaeth wleidyddol. Nid dyma ddiwedd y dadlau ynglŷn â'r union leoliad hwnnw o bell, bell ffordd, ond o hyn ymlaen byddai'r ddadl yn cael ei chynnal ar dir – a thrwy gyfrwng ieithwedd – tra gwahanol.

Strategaeth

Aeth y Blaid yn rhy barchus, aeth i ymboeni gormod am wleidyddiaeth etholiadol, am gonsensws, ac am y gêm seneddol; roedd yn rhaid wrth ymagweddiad mwy heriol, radicalaidd a beiddgar: os oedd un dybiaeth a rennid trwy rengoedd Plaid Cymru yn sgîl chwaliad 1979, dyma hi. O bersbectif y dwthwn hwn, mae'r dybiaeth mai problem y Blaid oedd ei pharchusrwydd yn un rhyfedd ar y naw. Onid oedd yr arolwg manwl o agweddau etholwyr Cymru a gynhaliwyd yn 1979 wedi dangos yn ddigon eglur unwaith yn rhagor fod y Blaid yn amhoblogaidd yn eu plith, oherwydd eu bod, yn gam neu'n gymwys, o'r farn ei bod yn blaid 'eithafol'?[16] Mae'n ddiymwad mai rhan sylweddol o'r broblem a wynebai'r Blaid oedd ei bod yn cael ei chysylltu ym meddwl y cyhoedd â gweithgareddau Cymdeithas yr Iaith Gymraeg. Ond, er gwaethaf hynny, cynhwysai adroddiad y Comisiwn Ymchwil sylwadau edmygus ynglŷn â'r modd y llwyddodd y Gymdeithas i ddwyn y maen i'r wal yn hanes sawl ymgyrch a hynny'n rhannol oherwydd y modd y gallai grŵp pwyso o'r fath weithredu heb orfod cadw 'un llygad ar ei [ph]oblogrwydd gyda'r etholwyr'.[17] Gyda'r Blaid ei hun wedi profi llwyddiant trawiadol yn ystod 1980 yn sgîl bygythiad Gwynfor Evans i ymprydio dros fater y

[15] *Adroddiad Comisiwn Ymchwil Plaid Cymru*, t. iii; gweler yn ogystal tt. 13–16.

[16] Ceir trafodaeth ar y canfyddiad poblogaidd o Blaid Cymru yn 1979, a'r tro ar fyd a welwyd erbyn 1997, yn Geoff Evans a Dafydd Trystan, 'Why was 1997 different?' yn Bridget Taylor a Katarina Thomson (goln), *Scotland and Wales: Nations Again?* (Cardiff: University of Wales Press, 1999), tt. 95–117.

[17] *Adroddiad Comisiwn Ymchwil Plaid Cymru*, t. 19.

bedwaredd sianel – bygythiad a oedd yn gyfuniad paradocsaidd o safiad egwyddorol aruchel a blacmel amrwd, a bygythiad a oedd yn sicr ddigon wedi tywys prif ffrwd cenedlaetholdeb Cymreig yn bell o'r math o lwybrau a ddilynir gan bleidiau gwleidyddol confensiynol mewn gwladwriaethau democrataidd – nid yw'n syndod fod gweithgaredd grŵp pwyso ymysg yr opsiynau y rhoes y Comisiwn Ymchwil ystyriaeth iddynt ar gyfer y dyfodol.

Rhoddwyd ystyriaeth fanwl, yn wir, i bedair strategaeth wahanol bosibl:

1. gwleidyddiaeth etholiadol;
2. gweithgaredd grŵp pwyso – gweithgaredd a allai gynnwys tor-cyfraith ond nid trais yn erbyn unigolion;
3. ymdrechu i ddylanwadu ar fudiadau eraill o'r tu mewn – y math ar 'wleidyddiaeth ymdreiddio' (*entryism*) a oedd yn strategaeth hen-gyfarwydd i'r Blaid Gomiwnyddol ac un y ceisiodd grwpiau Trotscïaidd ei harfer yn y 1980au;
4. cychwyn ar y dasg o adeiladu'r 'gymdeithas amgen' a ddeisyfai'r Blaid trwy greu 'ein sefydliadau cymdeithasol ac economaidd ein hunain', er enghraifft trwy sefydlu mentrau cydweithredol.

Roedd y comisiynwyr yn ddifrïol o'r trydydd opsiwn. Oni chafodd y cenedlaetholwyr Cymreig hynny a ymunodd â rhengoedd y Blaid Lafur eu mygu a'u caethiwo ymhen byr amser gan beirianwaith y blaid honno?[18] Y tu hwnt i hynny, fodd bynnag, credai aelodau'r Comisiwn Ymchwil fod yn rhaid i'r Blaid – ar ei liwt ei hun ac ochr yn ochr â rhannau eraill o'r mudiad cenedlaethol – gyfuno opsiynau 1, 2 a 4 fel rhan o gynllun cyffredinol, hirdymor ar gyfer 'adfywiad cenedlaethol'.

A hwythau'n wleidyddion profiadol, yr oedd aelodau'r Comisiwn yn gwbl ymwybodol o'r tensiynau a oedd yn rhwym o godi rhwng y gwahanol strategaethau hyn, ac yn arbennig rhwng y cyntaf a'r ail, rhwng gwleidyddiaeth etholiadol a gweithgaredd grŵp pwyso. Mewn ymdrech i liniaru peth ar y tensiynau hyn cymeradwywyd ymestyn gweithgareddau grŵp pwyso o'r maes diwylliannol i 'ymwneud â phob agwedd ar fywyd Cymru gan

18 *Adroddiad Comisiwn Ymchwil Plaid Cymru*, t. 20.

gynnwys problemau diwydiannol, economaidd a chymdeithasol'.[19] Roedd hyn yn rhywbeth yr oedd rhai, o leiaf, o blith aelodau'r Blaid wedi bod wrthi'n ddygn yn ceisio ei wneud er 1979. Brithir tudalennau'r *Ddraig Goch* a'r *Welsh Nation* ar ddechrau'r 1980au gan hanesion protestiadau, boed yn wrthdystiadau neu'n ymdrechion i feddiannu swyddfeydd, a gwahanol achosion llys a ddeilliodd ohonynt (er mai prin oedd yr erlyniadau llwyddiannus). Deilliai'r mwyafrif llethol o'r protestiadau hyn o ymdrechion y Blaid i dynnu sylw at y caledi mawr a ddaeth yn sgîl dirwasgiad dwfn y cyfnod. Ar un ystyr, felly, gellir dweud mai cydnabod realiti oedd y Comisiwn. Gellir dweud ymhellach fod y gwahanol strategaethau a ystyriwyd gan y comisiynwyr (ac eithrio gwleidyddiaeth ymdreiddio) wedi cyd-fyw â'i gilydd oddi mewn i Blaid Cymru ers ei dyddiau cyntaf, hyd yn oed os oedd y cydbwysedd rhyngddynt wedi amrywio o gyfnod i gyfnod, er mai teg hefyd yw dweud bod y prif bwyslais ar wleidyddiaeth etholiadol yn ystod y tair blynedd ar ddeg wedi 1966. Gwir arwyddocâd ymdrechion y Comisiwn Ymchwil oedd iddynt ddarparu fframwaith deallusol a oedd yn ceisio cyfiawnhau a chydlynu'r defnydd o'r holl strategaethau gwahanol hyn gan Blaid Cymru – a gweddill y mudiad cenedlaethol Cymreig – a hynny mewn cyfnod pan oedd llawer iawn o aelodau yn 'teimlo'n rhwystredig neu wedi eu dadrithio' gan wleidyddiaeth etholiadol.[20]

Os oedd yr argymhelliad i goleddu 'sosialaeth' yn cynrychioli newid chwyldroadol yn hanes Plaid Cymru, ac os oedd y parodrwydd i ddyrchafu strategaethau eraill ochr yn ochr â gwleidyddiaeth etholiadol hefyd yn cynrychioli newid pwyslais go ddramatig a hynod arwyddocaol, roedd dogn helaeth iawn o barhad yn nodweddu elfennau eraill o'r adroddiad. Yn fwyaf trawiadol, roedd y modd y syniwyd am ryngberthynas yr unigolyn, y gymuned a'r genedl yn uniongred o Saundersaidd – o ran sylwedd ac ieithwedd fel ei gilydd:

> Cred Plaid Cymru ym mhwysigrwydd yr unigolyn a'r rhan sydd gan yr unigolyn i'w chwarae fel aelod o'r gymuned. Gwelwn mai cymuned o gymunedau yw cenedl . . . cred Plaid Cymru na ddylid canoli pŵer – boed wleidyddol neu economaidd – ond pan fo hynny'n angenrheidiol er lles y gymuned neu'r genedl yn ei chrynswth . . . O safbwynt economaidd, cred

19 *Adroddiad Comisiwn Ymchwil Plaid Cymru*, t. 20.
20 *Adroddiad Comisiwn Ymchwil Plaid Cymru*, t. 21.

> Plaid Cymru y dylid cadw cymaint o bŵer ag sy'n bosibl yn y gweithfan, ac felly gwrthwyneba organoli a thueddiadau gormesol cyfundrefnau cyfalafol a chomiwnyddol. Cred Plaid Cymru y bydd trefn genedlaethol a rhyngwladol wedi ei seilio ar yr athroniaeth hon yn arwain at ffordd fwy cyfiawn a boddhaol o fyw i bobloedd y byd.[21]

Dichon y byddai Saunders Lewis wedi mynegi hyn oll yn fwy telynegol; dichon hefyd y byddai Lewis, a Gwynfor Evans yn ei sgîl, wedi canfod lle i'r 'teulu' a 'gwareiddiad' wrth lunio eu cytser hwy o gysyniadau allweddol ar gyfer deall cymdeithas; ac yn sicr, byddai'r ddau'n gresynu at y ffaith na chafwyd unrhyw gyfeiriad at Gristnogaeth gan y Comisiynwyr. Serch hynny, onid parhad ac esblygiad graddol yw'r cywair yma yn hytrach nag unrhyw newid mwy sylfaenol?

Gwelir yr un patrwm yn ailadrodd ei hun yn y modd y sonnir am le'r Gymraeg oddi mewn i hunaniaeth Gymreig. Eto, gwerthfawr yw dyfynnu union eiriau'r comisiynwyr er mwyn pwysleisio graddfa'r parhad a'r dilyniant mewn ieithwedd yn ogystal â chynnwys:

> Un agwedd amlwg ar ein Cymreictod yw'r iaith Gymraeg sydd yn gyfraniad unigryw tuag at ein hunaniaeth genedlaethol. Hon yw costrel ein hanes, ein diwylliant a'n traddodiadau ond ar ben hynny – yng Nghymru a thu allan iddi – fe'i derbynnir fel arwydd o'n gwahanrwydd fel cenedl. Felly fe fydd i'r iaith Gymraeg le unigryw mewn cenedlaetholdeb Cymreig bob amser . . . Er nad yw'r rhan fwyaf o bobl Cymru, yn anffodus, yn siarad Cymraeg, y mae mesur helaeth o ewyllys da yn bod tuag at yr iaith. Rhaid i'r blaid arwain y ffordd i bontio'r gagendor rhwng Cymry Cymraeg a'r di-Gymraeg a sicrhau y daw'r mwyafrif di-Gymraeg i ystyried iaith a thraddodiadau diwylliannol Cymru fel rhan bwysig o'u treftadaeth hwythau.[22]

Gwir, fe wneir yn eglur nad y Gymraeg 'yw unig faen prawf ein cenedligrwydd' a chydnabyddir bod yn 'rhaid i ni dderbyn fod Cymru'n golygu gwahanol bethau i wahanol bobl'.[23] Ceir datganiad eglur mai'r elfen oddrychol sy'n ganolog i ddiffiniad Plaid Cymru o genedligrwydd: yr 'ymdeimlad o hunaniaeth . . . ni

21 *Adroddiad Comisiwn Ymchwil Plaid Cymru*, t. 13.
22 *Adroddiad Comisiwn Ymchwil Plaid Cymru*, t. 10.
23 *Adroddiad Comisiwn Ymchwil Plaid Cymru*, t. 10.

waeth beth yw tarddiad hwnnw'.[24] Serch hynny, mae'r rôl greiddiol a briodolir i'r Gymraeg fel cyfrwng a symbol o hunaniaeth genedlaethol y Cymry hefyd yn gwbl amlwg.

Trwy hyn oll mae dylanwad yr efengyl Saundersaidd, fel y'i dehonglwyd trwy bregethau Gwynfor Evans, yn ddiymwad; felly, hefyd, yn y modd y sonnir am y budd a lifai pe gellid deffro'r Cymry i'w hunaniaeth genedlaethol. O'i ryddhau a'i gyfeirio'n gywir, cynigiai rym rhyddfreiniol cenedlaetholdeb Cymreig fodd o greu cymdeithas a fyddai'n rhydd o'r 'biwrocratiaeth ganolig sy'n tueddu i ormesu . . . ac arwain at syrthni cymdeithasol', ar y naill law, ac ar y llaw arall, 'eithafion trachwant unigolion . . . sydd yn cael tragwyddol heol mewn cymdeithas gyfalafol'.[25] Er iddynt goleddu 'sosialaeth ddatganoledig' fel enw ar y nod i'w gyrchu, ac er iddynt ystyried gwahanol strategaethau er mwyn hwyluso'r siwrnai tua'r nod hwnnw, mae'n rhaid cydnabod bod llawer o'r diriogaeth syniadaethol a dramwywyd gan awduron yr adroddiad yn hynod gyfarwydd.

Sylwebaeth ar y brif adroddiad a gafwyd yn adroddiad lleiafrifol Phil Williams yn hytrach nag adroddiad crwn a chyflawn.[26] Diddorol yw nodi ei fod yn feirniadol o'r argymhellion syniadaethol a strategol fel ei gilydd. Ac yntau'n sosialydd o argyhoeddiad, nid yw'n syndod iddo gefnogi'r penderfyniad i goleddu 'sosialaeth ddatganoledig'. Serch hynny, roedd Williams am bwysleisio'r croesdynnu anorfod a godai rhwng sosialaeth a datganoli. Onid oedd ailddosbarthu cyfoeth yn angenrheidiol mewn unrhyw gyfundrefn sosialaidd a haeddai'r enw? Ac onid oedd hynny yn ei dro yn rhwym o olygu bodolaeth rhyw ffurf ar awdurdod canolog a allai orfodi trosglwyddo adnoddau o un man i'r llall pe bai'n rhaid? Ac onid oedd hynny wedyn yn rhwym o dynnu'n groes i egwyddor datganoli grym? Nid oedd hynny yn rheswm dros ymwrthod â'r ymdrech i lunio cyfaddawd rhwng y ddau, ond roedd Williams am bwysleisio 'pan fo'r ddwy egwyddor mewn gwrthdrawiad, i sosialaeth y dylem roi'r brif flaenoriaeth'.[27] A bod yn deg ag awduron y prif adroddiad, roeddynt hwythau hefyd yn ymwybodol o'r tensiwn, hyd yn oed os na fynegwyd y broblem mewn geiriau mor

[24] *Adroddiad Comisiwn Ymchwil Plaid Cymru*, t. 10.
[25] *Adroddiad Comisiwn Ymchwil Plaid Cymru*, t. 15.
[26] Gweler *Adroddiad Comisiwn Ymchwil Plaid Cymru*, tt. 92–114.
[27] *Adroddiad Comisiwn Ymchwil Plaid Cymru*, t. 110.

eglur â'r rhai o eiddo Williams. Serch hynny, nid aethant ati i flaenoriaethu un egwyddor ar draul y llall fel y gwnaeth ef.[28]

Beirniadaeth arall o'r adroddiad a gafwyd gan Phil Williams oedd i'r awduron fethu â darparu 'persbectif hanesyddol' digonol fel sail i'w dadansoddiad o sefyllfa bresennol Cymru a'r Blaid, a'r rhagolygon a'r posibiliadau ar gyfer y dyfodol. Fel y gwelir yn y man, daeth hon yn dipyn o dôn gron chwith y Blaid yn nechrau'r 1980au. Fodd bynnag, mae peth amwysedd ynglŷn â'r hyn a olyga Phil Williams wrth gynnig y feirniadaeth hon. Ar adegau, ymddengys ei fod yn credu y dylai'r adroddiad fod wedi cynnig dadansoddiad 'onest a thrylwyr' o'r ganrif ddiwethaf yn hanes Cymru; dro arall, '[p]ersbectif hanesyddol i gysylltu ein sefyllfa ni â'r patrwm mewn gwledydd eraill'; ac eto fyth, rhyw fath o athroniaeth hanesyddol hollgynhwysol a allai roddi i genedlaetholwyr yr un math o sicrwydd ac a gâi Comiwnyddion yng ngwirioneddau (honedig) 'materoliaeth ddilechdidol'.[29] Anodd credu ei fod yn rhesymol iddo ddisgwyl i broses megis y Comisiwn Ymchwil fynd i'r afael â'r cyntaf na'r ail o'r gofynion hyn: breuddwyd gwrach fu'r trydydd erioed.

Er gwaetha'r ffaith y gallai unrhyw un a gafodd y fraint o'i adnabod gadarnhau bod Phil Williams yn gochel rhag 'parchusrwydd' confensiynol, yr oedd er hynny'n amheus o'r awgrym y dylai Plaid Cymru fabwysiadu sawl strategaeth ar yr un pryd a cheisio cwmpasu rôl plaid wleidyddol, grŵp pwyso a chorff a geisiai greu sefydliadau amgen. Gwrthwynebai yn ogystal y syniad y dylai – ac yn wir, y gallai – Plaid Cymru gydlynu a rhoddi arweiniad i'r mudiad cenedlaethol drwyddo draw. Yn hytrach, roedd am i Blaid Cymru ganolbwyntio ar swyddogaeth 'anarwrol a digyfaredd' ond eto 'cwbl hanfodol' plaid wleidyddol. Y pwynt oedd cyflawni 'un swyddogaeth yn iawn' ac ni ellid gwneud hynny os disbyddwyd egnïon i gyfeiriadau eraill.[30]

Roedd Williams hefyd yn tanlinellu'r tensiynau a fodolai wrth i'r Blaid geisio newid y drefn (trwy hybu hunanlywodraeth) tra oedd ar yr un pryd yn ceisio gwella sefyllfa Cymru oddi mewn i'r

[28] Gweler *Adroddiad Comisiwn Ymchwil Plaid Cymru*, tt. 13–16.

[29] Gweler *Adroddiad Comisiwn Ymchwil Plaid Cymru*, tt. 92–3.

[30] *Adroddiad Comisiwn Ymchwil Plaid Cymru*, t. 108. Diddorol yw nodi bod Phil Williams am i'r Blaid ganolbwyntio ei hegnïon fel plaid wleidyddol ar lywodraeth leol – hen safbwynt Saunders Lewis, wrth gwrs, a dadleuon digon tebyg a ddefnyddiwyd i'w gyfiawnhau yn ogystal (gweler tt. 102–4).

drefn bresennol (trwy ennill consesiynau megis iawndal i chwarelwyr, sefydlu S4C, ac yn y blaen). Onid oedd y rhain yn aml yn tynnu i wahanol gyfeiriadau? Heb os, roedd elfen o ddychwelyd at ddadleuon datganoli ail hanner y 1970au yn hyn oll, cyfnod pan deimlai Phil Williams i'w blaid werthu ei henaid wrth estyn cefnogaeth ddiamod i gynlluniau datganoli y llywodraeth Lafur, cynlluniau i greu cynulliad a fyddai mor wan fel na fyddai ei sefydlu'n gwneud dim ond 'dwyn anfri' ar ddyheadau hirdymor y Blaid ar gyfer Cymru.[31] Mae'r tensiwn rhwng diwygio a chwyldroi yn un cyfarwydd i efrydwyr mudiadau blaengar/chwyldroadol a damcaniaeth gymdeithasol feirniadol fel ei gilydd, a go brin fod ateb Phil Williams i'r tyndra hwn, sef canolbwyntio ar newid y drefn yn unig, yn ddigonol. Serch hynny, nid yw gwadu'r tensiwn yn ateb digonol ychwaith.

Er bod ei sylwadau ynglŷn ag athroniaeth wleidyddol a strategaeth yn ddiddorol ac ar adegau'n dreiddgar, gorwedd prif ddiddordeb yr adroddiad lleiafrifol yn y modd y gwrthododd Phil Williams rai o elfennau canolog yr etifeddiaeth syniadaethol Saundersaidd yr oedd awduron y prif adroddiad wedi'u derbyn. Ar dudalen gyntaf ei sylwadau fe'i clywir yn arddel y term 'annibyniaeth' fel 'yr unig air sy'n ddisgrifiad cywir o'r statws cyfansoddiadol yr ydym yn ei geisio.' Aeth gam ymhellach. Annibyniaeth, meddai, yw'r

> term a ddeellir ledled y byd. I'm tyb i, y mae'r term 'hunan-lywodraeth' yn rhodresgar, yn foesegol ac yn ddoniol, yn dwyn rhyw arlliw o Samuel Smiles. Y mae dros 100 o genhedloedd wedi ennill 'Annibyniaeth' y ganrif hon. Boed i Gymru ddilyn eu hesiampl hwy.[32]

Aeth ymhellach fyth trwy ymosod yn chwyrn ar y safle canolog a neilltuwyd ar gyfer y Gymraeg, 'conglfaen ein hanes, ein diwylliant a'n traddodiadau' yn ôl yr adroddiad. Roedd hyn, meddai, yn 'anwybyddu ac yn sarhau rhan helaeth iawn o'n hanes, ein diwylliant a'n traddodiadau'.[33] Yn ogystal â'r Gymraeg, roedd Phil Williams am bwysleisio rôl y traddodiad sosialaidd Cymreig, ymwybyddiaeth o hanes Cymru, llenyddiaeth Saesneg Cymru, ac

[31] *Adroddiad Comisiwn Ymchwil Plaid Cymru*, t. 95.
[32] *Adroddiad Comisiwn Ymchwil Plaid Cymru*, t. 92.
[33] *Adroddiad Comisiwn Ymchwil Plaid Cymru*, t. 101.

adnabyddiaeth o dirwedd a phobl Cymru fel seiliau a oedd yr un mor ddilys ar gyfer hunaniaeth Gymreig.[34] Heb os, roedd elfen o annhegwch yn ei feirniadaeth oherwydd fod union eiriad y prif adroddiad yn caniatáu diffiniad eang iawn o Gymreictod dilys. Serch hynny, gellir amddiffyn beirniadaeth Williams ar y sail ei fod yn ddisgrifiad teg o gywair cyffredinol yr adroddiad, ac yn sicr ddigon o gywair cyffredinol arweinyddiaeth Gwynfor Evans. Yn wir, dichon mai Evans oedd gwir darged Williams wrth ysgrifennu'r geiriau hyn.

Yn yr un cyd-destun, arwyddocaol iawn hefyd yw'r modd y synia Phil Williams am y traddodiad sosialaidd fel un o gonglfeini hunaniaeth genedlaethol Gymreig: yn wir, yn ei dyb ef, y traddodiad hwn sy'n 'cynnig y mesur helaethaf o undod cenedlaethol'.[35] Unwaith yn rhagor, roedd dweud o'r fath yn ergyd amlwg tuag at gyfeiriad Gwynfor Evans a'r math o feddylfryd y bu yntau'n lladmerydd diflino drosto ar hyd y blynyddoedd. Roedd Cymreictod ôl-grefyddol, wrth-ddirwestol, Saesneg ei iaith a sosialaidd ei wleidyddiaeth, yr un mor ddilys â'r math o Gymreictod anghydffurfiol, gwladaidd, Cymraeg ei iaith a ddyrchafai'r gŵr a oedd, adeg cyhoeddi adroddiad y Comisiwn Ymchwil, yn parhau'n llywydd y Blaid. Roedd troi i'r chwith, felly, nid yn unig yn golygu coleddu math ar fyd-olwg a gwerthoedd y credai Phil Williams a'i debyg yn eirias ynddynt; golygai hefyd goleddu gweledigaeth amgen, ac, ar sawl ystyr, mwy cynhwysol, o Gymreictod na'r un yr anwylodd Saunders Lewis a Gwynfor Evans ar ei ôl: gweledigaeth a ystyriai fod y ffurfiau o Gymreictod a fodolai ym Merthyr (os nad Maesyfed) yr un mor ddilys â'r rheini ym Meirion! Tra oedd yr adroddiad mwyafrifol am fwrw heibio rhai o hen sibolethau'r Blaid, yn enwedig yr ymrwymiad at drydedd ffordd, roedd adroddiad lleiafrifol Phil Williams am fynd ymhellach: yn ei dyb ef roedd yn rhaid bwrw heibio unwaith ac am byth weddill yr etifeddiaeth syniadaethol Saundersaidd ynglŷn â natur hunaniaeth genedlaethol Gymreig. Er y gellid yn sicr ddehongli'r adroddiad mwyafrifol mewn modd a oedd yn caniatáu camau breision i'r union gyfeiriad y deisyfai Phil Williams fynd, nid oedd hynny'n ddigon ganddo. Yr hyn yr oedd ei angen bellach oedd datganiad cyhoeddus a chroyw fod dealltwriaeth y Blaid o Gymru wedi

[34] *Adroddiad Comisiwn Ymchwil Plaid Cymru*, t. 101.
[35] *Adroddiad Comisiwn Ymchwil Plaid Cymru*, t. 101.

newid: bod Plaid Cymru wedi newid yn llwyr. Nid datblygiad esblygol ar safbwyntiau blaenorol y Blaid a oedd ei angen ond yn hytrach newid mwy sylfaenol o lawer.

Dyma hefyd fyrdwn *critique* adain chwith arall o'r adroddiad a gyhoeddwyd yng ngwanwyn 1981, *critique* a oedd yn gyfan gwbl ddamniol o waith Dafydd Wigley a'i gyd-gomisiynwyr; mor ddamniol, yn wir, fel yn hawdd y gellir credu i'w gyhoeddi greu tensiwn mewnol sylweddol yn rhengoedd uchaf Plaid Cymru pan sylweddolir bod cyd-aelod seneddol Wigley, Dafydd Elis-Thomas, yn un o'i gyd-awduron. Yn eu hysgrif 'Commissioning national liberation' aeth Elis-Thomas ac Emyr Wynn Williams ati i fflangellu adroddiad mwyafrifol y Comisiwn Ymchwil yn y termau mwyaf didrugaredd.[36] Dro ar ôl tro, cyhuddwyd yr adroddiad a'i awduron o geidwadaeth. Cyfeiriwyd at yr 'extremely conservative stance', 'intense conservatism', 'utterly conservative stance' a nodweddai'r cyhoeddiad. Fe'i cafwyd yn euog hefyd o 'nauseating paternalism', 'ideological dogmatism' ac o ddarparu dadansoddiad a oedd yn 'utterly irrelevant and unreal'. Wfftiwyd arwyddocâd yr argymhelliad y dylid coleddu 'sosialaeth ddatganoledig'. Arwydd, ydoedd, o gryfder y chwith o fewn y Blaid, a dim mwy.[37] Barnwyd bod mwyafrif y comisiynwyr wedi eu dal yn rhigolau ideolegol y gorffennol. Er bod mwy o groeso i'r adroddiad lleiafrifol, roedd beiau sylweddol yma hefyd. Yn fwyaf sylfaenol, roedd Phil Williams yn euog o 'fundamental misconception' ynglŷn â natur a lleoliad grym oddi mewn i gymdeithas.

Yn ôl Elis-Thomas ac Emyr Wynn Williams, y dasg bellach oedd ailofyn 'y cwestiwn cenedlaethol' mewn termau cwbl newydd:

> We are determined that the national question in Wales be no longer answered in the negative because it is couched merely in the narrowest of cultural terms. We are determined that it shall be asked of and by and for the Welsh working class on the basis of a Welsh class politics which seeks to

[36] Emyr W. Williams a Dafydd Elis-Thomas, 'Commissioning national liberation', *The Bulletin of Scottish Politics*, 2 (Spring 1981), 139–55. Er i'r ysgrif hon gael ei chyhoeddi yn yr Alban, ni ddylid meddwl na chafodd ei hergydion eu teimlo ymhlith uchel-rengoedd Plaid Cymru a'r mudiad cenedlaethol Cymreig yn gyffredinol. Dengys hunangofiant Dafydd Wigley, er enghraifft, ei fod ef yn gwbl ymwybodol o'i chynnwys; gweler *Dal Ati* (Caernarfon: Gwasg Gwynedd, 1993), t. 139. Yn ddiddorol ddigon nid yw'n crybwyll enwau awduron yr ysgrif yn y fan honno!

[37] Williams ac Elis-Thomas, 'Commissioning national liberation', 146, 147, 152, 148, 143 (yn eu tro).

> confront and subvert the present social and economic system in Wales, by working through and beyond the Labour party as the arbiter and container of the status quo . . . Our commitment is to the making of the future of Wales, not the safeguarding of its past.[38]

Er mwyn llwyddo yn y dasg aruthrol fawr hon, rhaid oedd creu Plaid Cymru sylfaenol-wahanol:

> It is not a case of adopting positions which will 'appeal' to the Welsh working class. It is a case of positioning ourselves as a party at the service of that class. And, through that class, at the service of a new national and international economic and political order.[39]

Mewn gair, roedd yn rhaid cefnu ar genedlaetholdeb y gorffennol a choleddu dadansoddiad wedi'i wreiddio'n ddwfn ym mhridd Marxaeth.

Roedd Plaid Cymru, felly, yn rhanedig ynglŷn â'r ffordd ymlaen, ac roedd hyd yn oed y ddau aelod seneddol mewn carfanau gwahanol. Yn fwy na hynny, câi'r rhaniadau o fewn y Blaid eu cymhlethu a'u dwysáu gan duedd i fabwysiadu ieithwedd fwriadol sarhaus wrth ymdrin â safbwyntiau gwahanol. Nid digon oedd gwrthwynebu dadleuon eraill; roedd yn rhaid bwrw amheuaeth ar eirwiredd y sawl a'u dadleuodd. Yn y math hwn o awyrgylch y cyfarfu cynhadledd flynyddol Plaid Cymru yng Nghaerfyrddin yn ddiweddarach yn 1981. Roedd dwy eitem hollbwysig ar agenda'r gynhadledd. Yn gyntaf, roedd yn rhaid trafod cynnig hirfaith – a gwelliannau iddo – wedi ei sylfaenu ar argymhellion y Comisiwn Ymchwil ynglŷn ag amcanion a threfniadaeth Plaid Cymru, ac yn ail, rhaid oedd dewis olynydd i Gwynfor Evans fel llywydd. Yn cystadlu am yr anrhydedd hon yr oedd Dafydd Wigley a Dafydd Elis-Thomas.

Go brin y cynhaliwyd unrhyw gynhadledd yn hanes y Blaid a oedd mor ddramatig – a dryslyd – â chynhadledd Caerfyrddin. Ymysg y *dramatis personae*: Gwynfor Evans a oedd, ar ei domen ei hun, yn ei gynhadledd olaf fel llywydd, ac yn ddiarwybod i lawer o'i gefnogwyr ffyddlonaf, ar fin gwneud ei gyfraniad mawr olaf o ran cyfeiriad syniadaethol ei blaid, a hynny trwy gyflawni tro

38 Williams a Elis-Thomas, 'Commissioning national liberation', 154.
39 Williams a Elis-Thomas, 'Commissioning national liberation', 155.

pedol syfrdanol; cynrychiolwyr adain chwith y Blaid a welai 1979 fel arwydd o fethdaliad llwyr y safbwyntiau a'r strategaethau a fabwysiadodd y Blaid yn y gorffennol ac a deimlai fod y gwynt bellach yn chwythu i'w cyfeiriad hwy; a chynrychiolwyr adain mwy 'traddodiadol' y Blaid a adawyd yn syfrdan gan ffyrnigrwydd ymosodiadau'r adain chwith ar eu 'ceidwadaeth' honedig, ond a gredai'n gydwybodol y gallai mabwysiadu rhaglen 'ddogmataidd' y chwith wanhau sefyllfa'r Blaid hyd yn oed ymhellach.

Y chwith a enillodd y frwydr ynglŷn â'r ymateb i waith y Comisiwn Ymchwil. Nid oedd ymrwymo'r Blaid i bolisïau wedi'u seilio ar werthoedd 'sosialaeth ddatganoledig' yn ddigon ganddynt hwy. Yn hytrach, pasiwyd gwelliant i ddatganiad amcanion sylfaenol Plaid Cymru a'i hymrwymodd i'r nod o greu 'gwladwriaeth sosialaidd ddatganoledig' i Gymru. Wrth edrych yn ôl dros ddegawd yn ddiweddarach, roedd Dafydd Wigley yn hallt iawn ei feirniadaeth o'r cam hwn. Ystyriai ei fod yn rhoi 'blas Dwyrain Ewrop ar ein hamcanion':

> I mi, gwladwriaeth ddemocrataidd oedd nod Plaid Cymru. O fewn gwladwriaeth o'r fath . . . dylem fel plaid arddel polisïau sosialaidd cymunedol. [Ond] Mater i bobl Cymru fyddai dewis sut fath o lywodraeth a ddymunent . . . 'Roedd 'gwladwriaeth sosialaidd' yn creu amheuaeth a fyddai'r hawl hwn yn bodoli.[40]

A'r syndod mwyaf i Wigley oedd mai diolch i gefnogaeth Gwynfor Evans o bawb y llwyddwyd i sicrhau'r newid hwn i amcanion sylfaenol Plaid Cymru! Bu dyfalu cyson byth ers hynny beth a'i darbwyllodd i gefnogi gwelliant a gymerai gamau breision heibio i safbwynt y Comisiwn Ymchwil (safbwynt a oedd ynddo'i hunan yn heresi o safbwynt daliadau blaenorol Gwynfor Evans) i diriogaeth syniadau'r 'chwith caled', a defnyddio ieithwedd y cyfnod.[41] Ta waeth am hynny, roedd pleidlais Evans o blaid yn ddigon i ddarbwyllo llawer o'i gefnogwyr teyrngar i gefnogi'r gwelliant

[40] Wigley, *Dal Ati*, t. 142. Noder bod Wigley yn sôn yma am 'wladwriaeth sosialaidd' ac nid 'gwladwriaeth sosialaidd ddatganoledig' er mai dyna eiriad y gwelliant llwyddiannus.

[41] Ni thorrir y ddadl yn derfynol gan Rhys Evans ychwaith (*Gwynfor*, t. 455) ac, yn bersonol, rwy'n ei chael yn anodd iawn credu cyfiawnhad *post hoc* Gwynfor Evans ei hun o'i weithred, sef mai mater o eiriad yn unig oedd y newid gan fod y polisïau'n parhau yn ddigyfnewid. Efallai y gellid bod wedi dadlau hynny'n gredadwy pe bai wedi cefnogi safbwynt adroddiad y Comisiwn Ymchwil. Fodd bynnag, roedd coleddu 'gwladwriaeth sosialaidd ddatganoledig' yn gam llawer iawn mwy pellgyrhaeddol na hynny.

hefyd: oherwydd hynny derbyniodd cynnig y mwyafrif o ddwy ran o dair yr oedd ei angen er mwyn diwygio cyfansoddiad y Blaid.

Pan ddaethpwyd at fater y llywyddiaeth, fodd bynnag, Wigley a orfu dros ei gyd-aelod seneddol a hynny o 273 pleidlais i 212. Bu'n frwydr ddigymrodedd: cyfaddefodd Wigley ei hun 'fod gorfrwdfrydedd ar ddwy ochr yr ymgyrch'.[42] Ond er y dehonglwyd y canlyniad hwn fel buddugoliaeth i'r 'dde', yr hyn sy'n eironig ac yn drawiadol yw mai brwydr oedd hon a gynhaliwyd ar chwith y sbectrwm gwleidyddol rhwng dau ddarpar arweinydd a oedd, am y tro cyntaf yn hanes y mudiad, yn diffinio eu hunain yn y termau hynny. Wedi'r cwbl, yr ail amcan a osododd Wigley ar gyfer ei lywyddiaeth (ar ôl ailsefydlu 'hunan-lywodraeth' ar yr agenda wleidyddol) oedd '[d]enu . . . [c]efnogaeth eang o'r canol-chwith gwleidyddol i raglen o bolisïau ymarferol'. Felly, er bod aelod seneddol Arfon yn dweud nad oedd ganddo 'ddiddordeb mewn labeli', ac er iddo hefyd ymrwymo ei hunan i'r 'gwerthoedd heddychlon, cydweithredol a rhyngwladol y gweithiodd Gwynfor cymaint drostynt', yr oedd serch hynny yn mabwysiadu labeli ideolegol confensiynol i ddisgrifio'i safle ef a'i ymgyrch ar y sbectrwm gwleidyddol.[43] Roedd y rhod – a Phlaid Cymru – wedi troi.

Wedi'r gynhadledd, ceisiodd golygydd *Y Faner*, papur a fu'n gefnogol i achos y chwith, roi'r *spin* mwyaf positif posibl ar ganlyniadau dwy ornest fawr Caerfyrddin. Yn ôl Jennie Eirian Davies:

> Ar ryw olwg, gallesid tybio bod anghysondeb rhyfedd wedi brigo i'r wyneb yng Nghaerfyrddin: drwy ethol Dafydd Wigley yn Llywydd, ac ymgorffori ideoleg Dafydd Elis-Thomas yn y Cyfansoddiad. Ond efallai mai dyma'r union blethiad o elfennau sy'n mynd i olygu corff cyfansawdd llwyddiannus . . . Gall fod yn gyfnod cyffrous yn hanes y Blaid os llwydda yn awr i harneisio gweledigaeth ac egni y ddau Ddafydd. Oherwydd y mae gan y naill fel y llall gyfraniad arbennig i'w gynnig.[44]

Dyfarniad optimistig eithriadol oedd hwn – deisyfiad yn hytrach na dadansoddiad efallai? – oblegid, erbyn hynny, roedd y llanw deallusol yn llifo'n gryf iawn i gyfeiriad Dafydd Elis-Thomas

[42] Wigley, *Dal Ati*, t. 143.
[43] Wigley, *Dal Ati*, tt, 138, 136, 138 yn eu tro.
[44] *Y Faner*, 6 Tachwedd 1981, t. 2.

a'i gefnogwyr – 'criw brwd, ifanc' oedd disgrifiad Wigley ohonynt.[45] Aelod seneddol Meirion a oedd mewn gwirionedd 'yn mynegi ysbryd y cyfnod' ac iddo ef a'i gymrodyr, nid oedd penderfyniad Wigley a gweddill y Comisiwn Ymchwil i goleddu ieithwedd wleidyddol gonfensiynol i ddisgrifio safbwyntiau'r Blaid, ac i osod y Blaid ar y chwith neu'r canol-chwith o'r sbectrwm gwleidyddol nac yma nac acw.[46] Roedd angen meddyginiaeth gryfach o'r hanner. Mewn gwirionedd, cyfnod anodd, rhwystredig a digon aflwyddiannus a gafodd Wigley wedi iddo gael ei ethol yn llywydd. Roedd y Blaid mewn sefyllfa anodd tu hwnt wedi 1979; ac roedd yntau mewn sefyllfa anodd oddi mewn i'r Blaid. Yn yr ystyr yma – ac yn yr ystyr yma yn unig – efallai ei bod yn ffodus mai am gyfnod byr yn unig y daliodd y swydd. Yn haf 1984 cyhoeddodd y byddai'n rhaid iddo ildio'r llywyddiaeth yn sgîl dirywiad pellach yn iechyd dau o'i feibion, ill dau'n ysglyfaeth i salwch creulon nad oedd gwellhad iddo.[47] Yng nghynhadledd flynyddol y Blaid, a gynhaliwyd y flwyddyn honno yn Llanbedr Pont Steffan, etholwyd Dafydd Elis-Thomas i'r llywyddiaeth yn ei le. Nid yn unig roedd Plaid Cymru wedi penderfynu bod yn blaid adain chwith; roedd hefyd am gael ei harwain gan ŵr a oedd (bryd hynny) yn brif ladmerydd y safbwynt honno.

Radical Wales

Bu'r chwith yn bresenoldeb sylweddol yn rhengoedd Plaid Cymru gydol ei bodolaeth. Roedd nifer o'i haelodau cynharaf a ffydd-lonaf, megis D. J. Williams a Kate Roberts, yn gyn-aelodau o'r ILP (y Blaid Lafur Annibynnol), ac ni ddiflannodd eu hymrwymiad at y gwerthoedd a gynrychiolid gan y blaid honno wedi newid eu lliwiau gwleidyddol. Yn wir, fel y dadleuwyd eisoes yn y gyfrol hon, go brin y gellir amau nad ar chwith (neu ganol-chwith) y sbectrwm dde–chwith y safai'r mwyafrif llethol o aelodau cyffredin y Blaid yn y cyfnod cyn yr Ail Ryfel Byd, a hynny er gwaethaf safbwyntiau tra gwahanol y garfan fwyaf dylanwadol o blith

[45] Wigley, *Dal Ati*, t. 136.

[46] Cynog Dafis, *Mab y Pregethwr* (Talybont: Y Lolfa, 2005), t. 155.

[47] Adroddir gwahanol agweddau ar yr hanes dirdynnol hwn, a hynny gydag urddas anghyffredin, mewn cyfweliad radio gydag Elinor Bennett a adargraffwyd yn *Arcade*, 5 Mawrth 1982, ac yn Dafydd Wigley, *O Ddifri* (Caernarfon: Gwasg Gwynedd, 1992), tt. 151–70.

yr arweinyddiaeth. Wedi'r rhyfel, roedd y math o ddaliadau a safbwyntiau a goleddai'r Blaid trwy'r trwch yn rhai a gysylltir fynychaf â'r chwith neu'r chwith-ryddfrydol. Serch hynny, roedd hyd yn oed yr arweinwyr mwyaf 'blaengar' eu credoau gwleidyddol, megis D. J. Davies a Gwynfor Evans, yn ymwrthod yn llwyr ag unrhyw label a briodolai iddynt le ar chwith y sbectrwm ideolegol. Nid oeddynt yn ystyried eu hunain yn sosialwyr. Nid oeddynt am gael eu galw'n adain chwith. Ceisiasant drydedd ffordd ac roedd y rhan fwyaf o'r aelodau cyffredin yn fodlon eu dilyn ar hyd y trywydd hwn. Gwir, roedd nifer o aelodau, megis Dafydd Jenkins a Phil Williams, nad ofnai alw eu hunain yn sosialwyr wedi chwarae rôl amlwg iawn ym mywyd y Blaid, ond ni lwyddodd y rhain – heb sôn am weithgareddau grwpiau pwyso byrhoedlog megis Mudiad Gwerin[48] – i sigo ffydd y Blaid drwyddi draw yng nghywirdeb ei chenadwri amgen. Yn wir, er bod arwyddion erbyn ail hanner y 1970au fod y chwith hunanymwybodol oddi mewn i rengoedd Plaid Cymru yn ymgryfhau ac ymfyddino, nid oes unrhyw arwydd y byddai eu hymdrechion wedi bod yn fwy llwyddiannus oni bai am y gwagle syniadaethol a grëwyd gan 1979.[49] Yn sicr, ni fyddent wedi profi *mor* llwyddiannus. Wedi canlyniadau'r refferendwm a'r etholiad cyffredinol y flwyddyn honno, fodd bynnag, ymddangosai'r traddodiad syniadaethol a gynrychiolwyd gan brif ffrwd y Blaid yn gwbl hesb. Dim ond y chwith a gynigiai ffordd ymlaen.

Cododd y chwith ei baner yn fuan iawn wedi'r etholiad cyffredinol. Dan y pennawd 'Cymru – Be nesa?', cyfrannodd Dafydd Elis-Thomas ysgrif i rifyn Haf 1979 o *Cyffro*, cylchgrawn a gyhoeddwyd gan y Blaid Gomiwnyddol yng Nghymru, yn galw ar ei gyd-Bleidwyr i fabwysiadu dadansoddiad adain chwith o'r problemau

48 Mae'n debyg mai rhan o'r eglurhad dros y diffyg cefnogaeth i safbwyntiau Mudiad Gwerin oedd bod y safbwyntiau hynny yn rhai lled-Farxaidd, yn wir, lled-Stalinaidd, eu natur. Os Iwerddon Rydd oedd model trwch aelodau'r Blaid ar gyfer dyfodol Cymru yn y blynyddoedd cyn 1939, a Denmarc wedi'r rhyfel (gweler cyfrol dau), yna, ar sail y dystiolaeth ym mhapurau mewnol Mudiad Gwerin, ymddengys mai'r Undeb Sofietaidd oedd y model i'w hefelychu, yn eu tyb hwy. Cedwir archif Mudiad Gwerin, gan gynnwys llyfr cofnodion ei gyfarfodydd, yn Llyfrgell Prifysgol Cymru, Bangor.

49 Ceir llythyr dadlennol ym Mhapurau Phil Williams, a anfonwyd ato gan Dafydd Wigley ar 27 Medi 1977, yn cyfeirio at yr anfodlonrwydd a fynegwyd wrtho gan grŵp o gynghorwyr a fynychodd gynhadledd y Blaid ar Lywodraeth Leol ac a oedd yn synnu at 'extreme left wing tone' rhai o'i gyd-gynadleddwyr. Roedd y cynghorwyr yn ystyried sefydlu 'Social Democrat movement within Plaid Cymru to withstand what they regard as the swing to the left'. Mae'n amlwg o'r llythyr nad dyma'r tro cyntaf i Williams a Wigley drafod y mater.

a wynebai eu gwlad.[50] Cynhaliwyd Ysgol Haf y Blaid yn Nolgellau ym mis Awst i drafod 'Y ffordd ymlaen i'r mudiad cenedlaethol'. Roedd yr ateb wedi'i ragdybio yn natur y rhaglen a drefnwyd ar gyfer y cynadleddwyr: darlith Robin Okey ar wersi Iwgoslafia, darlith gan Merfyn Jones ar chwarelwyr gogledd Cymru a darlith gan Robert Griffiths ar S. O. Davies.[51] Y ffordd ymlaen oedd cyfannu'r hollt rhwng sosialaeth a chenedlaetholdeb. Yna, ym mis Medi, cyhoeddwyd pamffled gan Gareth Miles a Robert Griffiths, yn cynnwys rhagair gan Elis-Thomas, dan y teitl *Socialism for the Welsh People*.[52] Mae'n gyhoeddiad tra arwyddocaol er bod yr awduron wrthi'n cychwyn ar eu taith allan o Blaid Cymru pan y'i hysgrifennwyd, ac o'r herwydd, heb chwarae rhan uniongyrchol yn ymdrechion y chwith oddi mewn i'r Blaid yn y blynyddoedd dilynol.[53] Yn un peth, ceir rhwng ei chloriau fath o dempled ar gyfer rhaglen syniadaethol chwith Plaid Cymru dros y pum mlynedd a mwy nesaf. O haniaethu tipyn ar destun Miles a Griffiths, yna gorchwyl y chwith-genedlaetholgar oedd:

1. llunio dehongliad amgen o sefyllfa Cymru (a'r cyd-destun ehangach yr oedd Cymru wedi bodoli oddi mewn iddo yn hanesyddol). Yn allweddol, byddai'r dehongliad yma'n cynnwys

    - *critique* o Blaid Cymru, a
    - *critique* o'r mudiad llafur yng Nghymru, ac yn enwedig y Blaid Lafur;

[50] Dafydd Elis-Thomas, 'Cymru – Be nesa?' *Cyffro: Cylchgrawn Farcsaidd i Gymru*, Haf 1979, 21–4.

[51] Ceir un o'r cyfraniadau hyn yn Robin Okey, *The Lessons of Yugoslavia: Industrial Democracy for Wales* (Aberystwyth: Plaid Cymru, d.d.).

[52] Gareth Miles a Robert Griffiths, *Socialism for the Welsh People*, foreword by Dafydd Elis-Thomas (Caerdydd: Cyhoeddiadau Cleglen, 1979).

[53] *Socialism for the Welsh People* oedd y ddogfen ffurfiannol ar gyfer y Mudiad Gweriniaethol Sosialaidd Cymreig, mudiad a chwalodd yn sgîl pwysau gan yr heddlu yn 1982. Wedi hynny, ymunodd Miles a Griffiths â'r Blaid Gomiwnyddol; gweler 'Why I left Plaid Cymru . . . Gareth Miles is interviewed by Siân Edwards', *Radical Wales*, 1, Winter 1983, 4–5. Roedd Miles eisoes wedi cyhoeddi *Cymru Rydd, Cymru Gymraeg, Cymru Sosialaidd* dan adain Cymdeithas yr Iaith Gymraeg yn 1972, pamffled a gyfieithwyd i'r Saesneg a'i gyhoeddi 'ar ran' Plaid Cymru yn 1973 (Gareth Meils, *A Free Wales, A Welsh Wales, A Socialist Wales* (Caerdydd: Cyhoeddiadau Cymru Cyf., d.d. ond 1973). Mae hyn oll yn ein hatgoffa y byddai'n rhaid i unrhyw ymdrech gynhwysfawr i drafod datblygiad syniadaeth chwith-genedlaetholgar yng Nghymru yn ystod y cyfnod dan sylw drafod cydberthynas gwahanol unigolion a charfanau oddi mewn i, *inter alia*, Plaid Cymru, Cymdeithas yr Iaith, y Blaid Gomiwnyddol, Llafur, y Gweriniaethwyr, a mân grwpiau/bleidiau eraill yn ogystal. Nid yw gofod yn caniatáu gwneud hynny yn y gyfrol hon.

2. amlinellu meddyginiaeth amgen ar gyfer sefyllfa Cymru. Roedd hyn i gynnwys ymdrech i ateb y cwestiynau creiddiol a chysylltiedig canlynol:

    - pa grŵp(grwpiau) neu garfan(au) oddi mewn i gymdeithas sydd â'r gallu i roi'r feddyginiaeth ar waith?
    - sut y gellir annog y grŵp(grwpiau) neu garfan(au) dan sylw i wneud hynny?

Esblygodd safbwynt y chwith ar y materion hyn wrth i'r 1980au fynd rhagddynt. Yn wir, gellir dadlau mai amheuon cynyddol ynglŷn â'i gallu i gynnig atebion credadwy i'r ail set o gwestiynau ynghylch meddyginiaeth a arweiniodd at dranc y chwith fel dylanwad syniadaethol creadigol cyn diwedd y degawd hwnnw. Y pwynt pwysig yma, fodd bynnag, yw hwn: dyma'n fras oedd hyd a lled y *problematique* y ceisiodd y chwith ymdrin ag ef. Y canlyniad oedd prosiect deallusol hynod uchelgeisiol ac iddo elfennau hanesyddiaethol a damcaniaethol pwysig, yn ogystal â thrafodaethau astrus ynglŷn â strategaethau a thactegau priodol. Hyd yn oed os na lwyddodd y prosiect yn ei gyfanrwydd, bu'n gyfnod creadigol eithriadol a adawodd ei farc ar Blaid Cymru hyd heddiw.

Yn nhyb Miles a Griffiths, Marxaeth oedd yr allwedd i'r cyfan. Cynigiai'r dadansoddiad Marxaidd o hanes ddull o ddadlennu dynamig datblygiad hanes. Mewn ychydig o dudalennau ceir braslun o'u dealltwriaeth hwy o hanes Cymru wedi'i ddehongli o'r persbectif hwn: Cymru lwythol yn cael ei choncro a'i thraflyncu gan gyfundrefn ffiwdal fwy cynhyrchiol Edward I; methiant Cymru i ddatblygu ei bwrdais (*bourgeoisie*) cenedlaethol ei hun wrth i ffiwdaliaeth ildio ei lle i gyfalafiaeth, a hynny oherwydd fod y bwrdais yng Nghymru un ai'n estroniaid, neu'n garfan frodorol a Brydeineiddiwyd oherwydd mai'r wladwriaeth-ymerodraeth honno a warantai eu buddiannau dosbarth; absenoldeb bwrdais cenedlaethol yn golygu mai'r mân-fwrdais (*petty-bourgeoisie*) oedd arweinwyr bywyd Cymru yn ystod y bedwaredd ganrif ar bymtheg, dosbarth y bu eu hymdrechion ym meysydd crefydd ac addysg yn fodd i Seisnigeiddio a Phrydeineiddio Cymru ymhellach. Ar y seiliau hyn yr adeiladwyd *critique* yr awduron o Blaid Cymru, plaid a sefydlwyd pan gefnodd adran o'r 'Welsh Nonconformist petty-bourgeoisie' ar 'the traditional British allegiance of its class.'[54] Er gwaethaf ei 'socialist fringe', roedd honno wedi parhau'n blaid y mân-fwrdais anghydffurfiol ac felly wedi parhau i ymgorffori ac adlewyrchu ei holl nodweddion di-ddim, sef 'compromise, cowardice, vacillation, gradualism and opportunism'.[55] Os ei dweud hi . . . Ond, os rhywbeth, roedd yr ymdriniaeth o'r mudiad llafur yn fwy hallt. Yn absenoldeb strwythur dosbarth normal oddi mewn i Gymru (bwrdais cenedlaethol yn cystadlu â phroletariat Cymreig oddi mewn i fframwaith sefydliadau gwladwriaethol Cymreig wedi'u creu gan ymdrechion y cyntaf), gadawyd y dosbarth gweithiol Cymreig yn ysglyfaeth i holl batholegau'r mudiad llafur Prydeinig, sef, o'u crynhoi:

> *Economism* (an obsession within the trade union movement with wages and work conditions, to the exclusion of such matters as theory, and working-class history and culture), *Reformism* (bargaining in Parliament and the work-place for improvements within Capitalism, not fighting to install Socialism), *Philistinism* (an aversion to or sneering contempt for intellectualism and culture of any kind) and *British Nationalism* (a fear or dislike of 'foreigners' and an ignorance or animosity towards Welsh, Scottish and Irish nationhood).[56]

Oherwydd y dylanwadau hyn, collodd y mudiad llafur a'r Blaid Lafur yng Nghymru eu diddordeb cynnar mewn ymreolaeth. Yn hytrach, daeth Llafur yn nythle o 'centralist, British Nationalist place-seekers'; yn blaid a wnaeth mwy nag un blaid arall i ddileu hunaniaeth y genedl Gymreig.[57] Adlewyrchiad o effeithiau difaol y cyfuniad hwn o genedlaetholdeb llywaeth a mudiad llafur a wnâi ddim ond ategu cymhlethdod israddoldeb y Cymry oedd canlyniad y refferendwm.[58]

Os Marxaeth a oedd wrth wraidd y *diagnosis* hwn, roedd yn elfen sylfaenol o'r feddyginiaeth yn ogystal. Yn ôl Miles a Griffiths, y dosbarth gweithiol Cymreig yw'r unig ddosbarth yng Nghymru y mae ei buddiannau 'intrinsically in conflict' â buddiannau'r wladwriaeth Brydeinig.[59] Gellid prynu 'Cymry da' hawdd eu byd

[54] Miles a Griffiths, *Socialism for the Welsh People*, t. 12.
[55] Miles a Griffiths, *Socialism for the Welsh People*, tt. 12, 25.
[56] Miles a Griffiths, *Socialism for the Welsh People*, t. 14 (pwyslais y gwreiddiol).
[57] Miles a Griffiths, *Socialism for the Welsh People*, t. 16.
[58] Miles a Griffiths, *Socialism for the Welsh People*, t. 24.
[59] Miles a Griffiths, *Socialism for the Welsh People*, t. 13.

y mudiad cenedlaethol traddodiadol. Gellid prynu arweinwyr di-ddim y mudiad llafur, ac yn wir, onid oedd nifer o'r aelodau seneddol Llafur hynny a gynrychiolai seddau'r Cymoedd bellach yn byw yn ne-ddwyrain Lloegr? Ond nid felly y dosbarth gweithiol ei hun. Hwy a oedd yn dioddef canlyniadau enbyd y modd yr ystumiwyd holl fywyd cymdeithasol, economaidd a diwylliannol eu gwlad yn sgîl ei rôl fel trefedigaeth fewnol i'r wladwriaeth Brydeinig. A dim ond trwy sefydlu eu gwladwriaeth Gymreig, sosialaidd ac annibynnol eu hunain – Gweriniaeth Gymreig – y gallent obeithio newid hynny. Dyfynnwyd geiriau'r Comiwnydd Cymreig J. Roose Williams i ategu eu barn:

> Wales's misfortune is that the struggle for national freedom and the struggle for economic and social justice should have been separated for the last fifty years and more. As a result, both sides have only won a crumb or two here and there. Very little will come of our efforts as socialists or nationalists unless we manage to unite both struggles. When we manage to harness together the two most dynamic forces in the life of the nation, the desire for freedom and the desire for a complete society, we will see some astounding changes.[60]

Y dasg, felly, oedd darbwyllo cenedlaetholwyr, ar y naill law, na cheid dyfodol i Gymru oni fyddai'r dosbarth gweithiol yn chwarae rhan greiddiol ac arweinyddol yn y frwydr drosti, ac i ddarbwyllo sosialwyr, ar y llaw arall, fod y cwestiwn cenedlaethol yn rhan greiddiol ac allweddol o'u brwydr hwythau.

Haws dweud na gwneud, wrth gwrs. Gobaith yr awduron oedd y gellid casglu ynghyd y bobl hynny o bob plaid a rannai eu gweledigaeth mewn 'interim organisation', sef mudiad gweriniaethol sosialaidd Cymreig.[61] Tasg y mudiad hwnnw fyddai cynnal gwrthdystiadau a threfnu rhaglenni addysg ac ymchwil, y cyfan er mwyn llacio gafael y dosbarth llywodraethol ar gymdeithas a cheisio darbwyllo'r dosbarth gweithiol mai hwy oedd piau'r dyfodol. Gan gyfeirio'n benodol at y chwith yn rhengoedd Plaid Cymru, ac wrth ddymuno'n dda iddynt yn eu hymdrech i droi'r Blaid at gyfeiriad sosialaidd, trwyadl wrth-Brydeinig, mae Miles a Griffiths hefyd yn cynnig y rhybudd canlynol:

60 Miles a Griffiths, *Socialism for the Welsh People*, t. 23.
61 Miles a Griffiths, *Socialism for the Welsh People*, t. 30.

> in the event of the 'Rural Right' keeping its grip on the purse-strings and the internal levers of power, Socialists and Republicans in Plaid Cymru should have the courage – as well as the strength and organisation – to leave Plaid Cymru and contribute to the setting-up of an independent Welsh Socialist Party.[62]

Fel y gwelir yn y man, nid dyma fyddai'r tro olaf i eiriau tebyg gael eu hyngan.

Mae'n amlwg fod Dafydd Elis-Thomas yn cytuno â llawer iawn o'r hyn a gafwyd yn *Socialism for the Welsh People.* Thema ganolog ei ragair i'r pamffled oedd yr angen i genedlaetholwyr uniaethu â brwydr y dosbarth gweithiol Cymreig ac i'r chwith hithau gydnabod pwysigrwydd a dilysrwydd y frwydr o blaid rhyddid cenedlaethol a chreu *synthesis* chwith-genedlaetholgar newydd.[63] Er bod ei gyfeiriadau edmygus at Rudolf Bahro, Raymond Williams a Jean-Paul Sartre yn brawf o'r ffaith nad Marxaeth-Leniniaeth uniongred a oedd yn mynd â'i fryd – a hynny'n wahanol i Miles a Griffiths – gwelir apêl Marxaeth yn eglur iawn yn ysgrif Elis-Thomas yn *Cyffro* pan awgryma ei bod yn bryd i '[g]enedlaetholwyr diwylliannol ddatblygu dadansoddiad Marcsaidd' o'r sefyllfa a wynebai'r Gymraeg a Chymru.[64] Fe'i gwelir, hefyd, wrth iddo fflangellu diffygion ei blaid ei hun. Roedd gormod o genedlaetholwyr wedi anghofio mai aelodau o'r dosbarth gweithiol oedd mwyafrif y genedl ac wedi methu ag estyn eu teyrngarwch at yr unig garfan a oedd yn meddu'r gallu i ryddfreinio Cymru. Roedd gormod yn ddi-hid o realiti bywyd economaidd eu cydwladwyr.[65] Mewn adolygiad ffrwydrol o gyfrol D. Hywel Davies, *The Welsh Nationalist Party 1925–45: A Call to Nationhood*, yn dwyn y teitl awgrymog 'Freud Cymru', aeth ati i drafod gorffennol y Blaid yn y termau mwyaf ymfflamychol posibl:

> I'd always known it was bad from the bits of oral history picked up from my father's generation, but it's another thing to see . . . that it was as bad as this . . . Put . . . bluntly . . . these intellectual leaders were a bunch of ultra-reactionary 'fascist' sympathisers, as their contemporary critics alleged. After such a gruelling session of psychotherapy I will never let anyone get

[62] Miles a Griffiths, *Socialism for the Welsh People*, t. 25.
[63] Miles a Griffiths, *Socialism for the Welsh People*, tt. 3–4.
[64] Elis-Thomas, 'Cymru – Be nesa?' 21 a *passim*.
[65] Er enghraifft, Dafydd Elis-Thomas, 'Let's cut out the ambiguity', *Arcade*, Tachwedd 1980, 11.

away with calling me a 'nationalist'. And I will never call myself that, if I ever did.[66]

Ni ellir ond dychmygu ymateb to hŷn ei blaid ei hun wrth ddarllen y geiriau hyn.

Fodd bynnag, roedd Elis-Thomas yr un mor drwm ei lach ar y Blaid Lafur. Gwelai Llafur nid fel hyrwyddwr newid radicalaidd, ond yn hytrach fel un o'r prif rwystrau i unrhyw newid o'r fath. Roedd hyd yn oed arwr chwith y blaid honno ddechrau'r 1980au, Tony Benn, yn ddim amgen na lladmerydd ffurf ar 'English nationalist radical resistance'.[67] Yng Nghymru, roedd y Blaid Lafur wedi cadw'r dosbarth gweithiol Cymreig mewn cyflwr o 'waseidd-dra' ers dwy genhedlaeth.[68] Wrth fwrw ei rwyd yn fwy eang, condemniodd fethiant 'Marcswyr Seisnig a'u cefndryd dirywiedig yn y mudiad Llafur' i amgyffred 'grym rhyddhaol diwylliant', gan ryfeddu at yr 'hyblygrwydd a dyblygrwydd meddyliol' a oedd yn caniatáu iddynt ddadlau 'dros barhad trefedigaethedd pobl Cymru yn enw unoliaeth y dosbarth gweithiol drwy wledydd Prydain'. Y rhain oedd 'ceidwaid mwyaf dieflig y *status quo*'.[69]

Fel y gwelwyd eisoes, ystyriai Elis-Thomas mai ymuniaethu â brwydr y dosbarth gweithiol oedd yr unig ffordd ymlaen i'r mudiad cenedlaethol. Priod waith y Blaid oedd cynnig ei gwasanaeth i'r dosbarth hwnnw a'u cynorthwyo yn y dasg o ryddfreinio eu hunain a thrwy hynny ryddfreinio Cymru.[70] Golygai hyn weithredu gwleidyddol ar sawl lefel – fel plaid wleidyddol gonfensiynol a'i phryd ar ennill pleidleisiau yn ogystal â thrwy ymdaflu i'r brwydrau diwydiannol a chymunedol yr oedd y dosbarth gweithiol yn eu hymladd. Wrth ymateb i feirniadaeth Dafydd Wigley fod y chwith wedi ymollwng i fogail-syllu, ac i drafodaethau ideolegol diffrwyth nad oeddynt yn meddu ar unrhyw gysylltiad â phroblemau go iawn, pwysleisiai Dafydd Elis-Thomas pa mor ddiriaethol ymarferol oedd goblygiadau credoau'r chwith: 'We have got very wet this year on account of our political ideology. On the

66 Dafydd Elis-Thomas, 'Freud Cymru', *Radical Wales*, 1 (Winter 1983), 18.

67 Dafydd Elis-Thomas, 'Blowing his own trumpet', *Arcade*, 2 Hydref 1981, 13.

68 Dyfynnir Dafydd Elis-Thomas yn 'Plaid Conference', *Arcade*, 20 Chwefror 1981, 6.

69 Elis-Thomas, 'Cymru – Be nesa?', 23.

70 Yn ogystal ag Emyr W. Williams a Dafydd Elis-Thomas, 'Commissioning national liberation', gweler hefyd y datganiad herfeiddiol o'r gredo hon yn Dafydd Elis-Thomas, 'Sixties policies are old hat', *Welsh Nation*, July 1981, 3–4.

People's March for Jobs, on picket lines, on factory closures, sit-ins, occupations, we have got very wet this year.'[71]

Afraid yw dweud bod hyn oll yn cynrychioli gweledigaeth gwbl newydd o Gymru a Phlaid Cymru fel ei gilydd. Serch hynny, roedd cefnogaeth eang i'r weledigaeth hon oddi mewn i'r rhengoedd. Efallai mai Dafydd Elis-Thomas a gynrychiolai'r chwith ym meddyliau sylwebwyr allanol – a gwrthwynebwyr mewnol – ond nid llais unig mohono. Yn hytrach, derbyniodd prosiect y chwith gefnogaeth eang ar draws Plaid Cymru. Roedd bron y cyfan o ddeallusion y Blaid yn gefnogol, sefyllfa a adlewyrchwyd gan y ffaith fod cyhoeddiadau'r mudiad yn nwylo cefnogwyr prosiect y chwith. Mae'n bwysig pwysleisio, hefyd, fod y gefnogaeth yn pontio siaradwyr Cymraeg a'r di-Gymraeg fel ei gilydd. Efallai fod carfanau sylweddol yng Nghaerfyrddin ac Arfon yn amheus o'r prosiect ond roedd cefnogaeth ym Meirion (wrth reswm) a Cheredigion i'r cyfeiriad newydd. Roedd y prosiect adain chwith oddi mewn i'r Blaid hefyd yn cerdded law yn llaw â symudiad i'r chwith yn rhengoedd Cymdeithas yr Iaith Gymraeg, mudiad yr oedd iddo statws symbolaidd arbennig ymysg cenedlaetholwyr Cymraeg eu hiaith. Er bod tueddiad i geisio portreadu'r dadleuon ideolegol oddi mewn i Blaid Cymru yn nechrau'r 1980au fel dadleuon wedi'u polareiddio rhwng y 'dde', wledig a Chymraeg eu hiaith ar y naill law, a'r 'chwith', ddiwydiannol, Saesneg eu hiaith ar y llaw arall, mae hynny'n gamddealltwriaeth dybryd o ddeinameg y cyfnod. Roedd y chwith ar gerdded trwy'r Blaid a'r mudiad cenedlaethol wedi chwalfa 1979.

Yn ogystal ag absenoldeb unrhyw ymdrech gredadwy gan arweinwyr traddodiadol y Blaid i ddarparu cyfeiriad amgen, un o'r pethau a roddai hygrededd i ymdrechion y chwith oedd bod rhai yn y mudiad Llafur yng Nghymru ddechrau'r 1980au yn fodlon ystyried o ddifrif y posibilrwydd o gydweithio â'r cenedlaetholwyr. Yn benodol, roedd carfan o blith yr undebwyr llafur hynny a oedd dan warchae polisïau economaidd a chymdeithasol y llywodraeth Geidwadol, mor siomedig yn wyneb yr hyn a welent fel diymadferthedd y Blaid Lafur, fel eu bod yn fodlon gweithio ochr yn ochr â Phleidwyr. Datblygwyd perthynas dda rhyngddynt a'r Iron and Steel Trades Confederation (ISTC) ac Undeb y Gweithwyr Ffwrnais, y National Union of Blastfurnacemen, Ore

[71] Elis-Thomas, 'Sixties policies are old hat', 4.

Miners, Coke Workers and Kindred Trades, adeg yr anghydfod dur yng ngaeaf 1979–80.[72] Bu TUC Cymru hyd yn oed yn ystyried y posibilrwydd o drefnu streic gyffredinol ar raddfa genedlaethol Gymreig i wrthwynebu effeithiau polisïau'r llywodraeth ar economi'r wlad.[73] Bu'r un corff hefyd yn ymchwilio i'r posibilrwydd o drefnu mentrau cydweithredol yng Nghymru ar batrwm y mentrau enwog hynny ym Mondragón yng Ngwlad y Basg.[74] Er na ddaeth dim o'r ymdrechion i drefnu streic gyffredinol yn y pen draw, ac er mai digon di-ddim oedd yr ymdrechion i sefydlu mentrau cydweithredol newydd, roedd y ffaith fod rhai o arweinwyr corff mor ddiantur â TUC Cymru yn fodlon ystyried y fath bethau yn brawf fod syniadau go radical yn cyniwair trwy'r tir fel ymateb i anobaith a rhwystredigaeth y cyfnod. Dichon fod y chwith-genedlaetholgar yn tueddu i wneud môr a mynydd o bob arwydd cadarnhaol o gyfeiriad yr undebau, ond yn adladd refferendwm 1979 a buddugoliaeth Mrs Thatcher roedd tueddiad naturiol i droi chwyddwydr at bob llygedyn o oleuni waeth pa mor egwan ydoedd.

Ym mis Mehefin 1981 sefydlodd y chwith ei threfniadaeth fewnol ei hun, y Chwith Genedlaethol, er mwyn datblygu a hyrwyddo ei safbwyntiau. Gyda Dafydd Elis-Thomas ymysg ei sylfaenwyr, a chydag ynni deallusol Emyr Wynn Williams, Aberhosan, yn rhoi cyfeiriad i'w gweithgareddau, profodd y Chwith Genedlaethol yn rym dylanwadol ym mywyd Plaid Cymru am nifer o flynyddoedd. Yn wir, dichon mai dyma'r grŵp pwyso mewnol mwyaf effeithiol yn ei hanes erioed. Wedi buddugoliaeth hanesyddol y chwith yng nghynhadledd Caerfyrddin ychydig fisoedd wedi iddi gael ei sefydlu, gwelwyd dwy wedd ar weithgaredd y Chwith Genedlaethol.

Y wedd gyntaf ar y gwaith – y wedd amddiffynnol, os mynnir – oedd gwrthsefyll unrhyw ymdrechion o gyfeiriad y 'dde', neu adain fwy traddodiadol y Blaid, i wyrdroi neu lastwreiddio ymrwymiad newydd Plaid Cymru i 'wladwriaeth sosialaidd ddatganoledig'.

72 Cyhoeddwyd y *Welsh Steelman*, sef papur yn cefnogi streic y gweithwyr dur, fel atodiad i rifyn Mawrth 1980 o'r *Welsh Nation*.

73 Gweler Joe England, *The Wales TUC 1974–2004: Devolution and Industrial Politics* (Cardiff: University of Wales Press, 2004), tt. 42–57. Yn ôl a ddeallaf (gan ffynhonnell ddibynadwy sy'n dymuno aros yn anhysbys), bu rhywfaint o drafod ar y posibilrwydd o gynnal protestiadau torcyfraith ar y cyd rhwng cenedlaetholwyr a'r undebau ond ni ddaeth dim ohono.

74 Gweler, *inter alia*, 'A Mondragón is possible here', *Arcade*, 18 Medi 1981, 6–7.

Mewn gwirionedd, nid oedd gwyrdroi yn bosibilrwydd real. I'r graddau fod adain 'dde' yn bodoli o gwbl oddi mewn i Blaid Cymru, roedd yn wan o ran ei threfniadaeth a sylwedd syniadaethol fel ei gilydd. Carfan fechan iawn oedd y grŵp pwyso mewnol *Hydro* a sefydlwyd fel gwrthbwynt i'r Chwith Genedlaethol yn sgîl cynhadledd y Blaid yn 1982.[75] Ac wrth alw ar y Blaid i ddychwelyd at ymrwymiad syml hunanlywodraeth heb ei amodi – neu ei halogi – gan ymrwymiadau ideolegol eraill, roedd yn galw am 'ddychwelyd' at safbwynt na choleddodd y Blaid erioed mewn gwirionedd. Fel y gwelwyd eisoes, roedd prif arweinwyr deallusol y Blaid o Saunders Lewis ymlaen wedi cysylltu ymreolaeth â phrosiect ideolegol ehangach hyd yn oed os nad oedd hwnnw wedi'i ddisgrifio mewn termau de–chwith confensiynol. Yn wahanol iawn i'r SNP, dyweder, bu mwy i Blaid Cymru gydol ei hanes na ffocws 'ffwndamentalaidd' ar y cwestiwn cyfansoddiadol. Yn hyn o beth, *Hydro* ac nid y Chwith Genedlaethol a oedd yn tynnu'n groes i'r graen.

Ffynhonnell yr unig fygythiad go iawn i oruchafiaeth syniadaethol newydd y chwith oedd ymdrechion adain fwy traddodiadol y Blaid i lastwreiddio'r ymrwymiad swyddogol newydd trwy awgrymu nad oedd y newidiadau cyfansoddiadol a gyflwynwyd yn sgîl cynhadledd Caerfyrddin yn gyfystyr ag unrhyw newid sylfaenol o ran rhaglen nac ymagweddiad. Roedd hyn yn ddadl a glywyd gan Dafydd Wigley a Gwynfor Evans fel ei gilydd. Yn un o gyfrolau ei hunangofiant, sonia Wigley am ei awydd ar y pryd i ddarbwyllo cefnogwyr traddodiadol 'nad oedd newid yng Nghaerfyrddin o ran crynswth ein polisi manwl, serch bod newid yng ngeiriad ein hamcanion'. Felly,

> Wrth amddiffyn y ffaith ein bod yn 'blaid sosialaidd' yng ngŵydd y byd, defnyddiais y gyffelybiaeth ein bod wedi rhoddi label ar botel o win. Nid oedd y gwin wedi newid, canys plaid sosialaidd, o'i chymharu â chyfalafol, fu'r Blaid o'r dechrau, gan gynnwys cyfnod Saunders Lewis. Yng Nghynhadledd Caerfyrddin pasiodd y Blaid i roddi label ar y botel. Gwnaed hyn i helpu pobl Cymru i adnabod y gwin gwleidyddol oedd ym mhotel arbennig y Blaid. Bu'n bosibl i'r arweinwyr sy'n gyfarwydd â phob math o

[75] Ceir papurau'r *Hydro Group* – corff a fu mewn bodolaeth hyd 1987 – yn y Llyfrgell Genedlaethol. Yn ôl cyfansoddiad y grŵp, ei brif amcan oedd, 'To re-establish self-government for Wales, unqualified by any ideological dogma, as the main aim of Plaid Cymru.'

> win gwleidyddol wybod ers talwm dros beth y safem, ond trwy arddel y label roedd yn haws i'r rhelyw o drigolion Cymru ein hadnabod yn well, ac felly ymddiried ynom. Dehongliad arwynebol syml oedd hwn efallai, ond am gyfnod bu'n help i gadw'r Blaid yn unol.[76]

Nid oedd dim yn syml ynglŷn â'r ddadl hon, wrth gwrs. Yn hytrach, roedd y ddadl yn rhan o strategaeth soffistigedig i ailbecynnu digwyddiadau Caerfyrddin mewn ffordd a'u gwnaeth yn gwbl gyson â rhesymeg adroddiad mwyafrifol y Comisiwn Ymchwil. I'r chwith honno a brofodd fuddugoliaeth yng Nghaerfyrddin, roedd dadleuon o'r fath yn destun dicter a rhwystredigaeth. Iddynt hwy, rhan ganolog o bwrpas eu cynigion llwyddiannus yn y gynhadledd honno oedd i ddynodi toriad eglur gyda gorffennol y Blaid; cyhoeddi wrth y byd a'r betws fod 'gwin' cyfnod Gwynfor Evans – byddai sôn am sudd oren yn fwy priodol, mae'n debyg – wedi'i fwrw o'r neilltu'n gyfan gwbl a rhywbeth amgenach a chryfach o'r hanner wedi'i roi yn y botel yn ei le. Onid oedd y ffaith fod Caerfyrddin yn cael ei ddehongli mewn termau esblygol yn hytrach na chwyldroadol, a bod hyd yn oed Saunders Lewis, o bawb, yn cael ei gyflwyno fel rhyw fath o *proto*-sosialydd er mwyn hwyluso'r ddadl honno, yn brawf terfynol o agwedd ffuantus ac annemocrataidd y 'traddodiadwyr'? Roedd yn rhaid i'r chwith eu gwrthsefyll.

Roedd gwneud hynny'n llwyddiannus, fodd bynnag, yn golygu mwy nag amddiffyn y newidiadau a gafwyd yng Nghaerfyrddin. Byddai'n rhaid, hefyd, roddi cig ar esgyrn yr ymrwymiadau newydd. Daw hyn â ni at yr ail wedd fwy cadarnhaol ar weithgareddau'r Chwith Genedlaethol, sef ei rôl yn llunio gweledigaeth wleidyddol a rhaglen ymarferol ar gyfer y Blaid wedi ei seilio ar ddadansoddiad adain chwith o orffennol a phresennol Cymru. Gwelir yn eglur hyd a lled uchelgais deallusol y chwith yn y dogfennau a gylchredwyd ymhlith aelodau'r Chwith Genedlaethol yn ystod 1982.[77] Yn 'Athroniaeth a rhaglen datblygiad y Chwith Genedlaethol' a 'Cymru annibynnol – 1983 a'r dyfodol pellach', ill dau wedi'u hysgrifennu gan Emyr Wynn Williams, cadeirydd y Chwith Genedlaethol, ceisir gosod y seiliau athronyddol,

[76] Wigley, *Dal Ati*, tt. 146–7.

[77] Mae'r dadansoddiad sy'n dilyn wedi ei seilio ar y casgliad helaeth o bapurau'r Chwith Genedlaethol a geir ym Mhapurau Phil Williams sydd bellach yn Llyfrgell Genedlaethol Cymru.

hanesyddiaethol a gwleidyddol-economaidd ar gyfer fersiwn amgen o genedlaetholdeb Cymreig.[78]

Yn y papur cyntaf, trafodwyd y rhwystrau a wynebai'r Chwith Genedlaethol wrth iddi sefydlu ei seiliau athronyddol, ac yn benodol 'sgerbydau syniadau'r dde genedlaethol', ar y naill law, a syniadau'r 'chwith chwyldroadol, a arloeswyd yn ystod y can mlynedd a hanner diwethaf' ar y llaw arall. Roedd y ddau fel ei gilydd 'erbyn hyn naill yn farw neu wedi prenio'.[79] Mae hyn yn tanlinellu pwynt hollbwysig ynglŷn â'r Chwith Genedlaethol: yn ogystal â chyfeirio cic (ddisgwyliedig) i gyfeiriad traddodiadwyr y mudiad cenedlaethol, roedd prif ideolegydd y Chwith Genedlaethol o'r cychwyn cyntaf wedi troi tu min tuag at uniongrededd Marxaidd. Felly, er bod gelynion y grŵp pwyso newydd – Gwynfor Evans yn eu mysg – yn tueddu i'w labelu fel corff 'Marxaidd', a hynny fel modd o geisio ei ymylu a'i gystwyo, nid Marxaeth-Leniniaeth *à la* Miles a Griffiths oedd yr ysbrydoliaeth iddo mewn gwirionedd.[80] Yn hytrach, yr hyn a wnaeth y Chwith Genedlaethol yn rym syniadaethol mor greadigol yn ystod y 1980au oedd y ffaith nad oedd aelodau blaenllaw megis Emyr Williams wedi'u caethiwo gan un fersiwn dogmataidd o syniadaeth adain chwith. Roeddynt yn fodlon ceisio cyfuno nifer o wahanol ddylanwadau. Fel y gwelwn yn y man, roeddynt hefyd yn fodlon dadansoddi a dehongli o'r newydd pan oedd amgylchiadau'n newid. Mewn gair, roedd dogn go helaeth o bragmatiaeth y tu ôl i'r sicrwydd a'r pendantrwydd digon milwriaethus a nodweddai eu gwedd allanol.

Mae strwythur y ddadl yn 'Athroniaeth a rhaglen datblygiad y Chwith Genedlaethol' yn atseinio (yn anfwriadol, mae'n debyg) ffurf rethregol a fyddai'n gyfarwydd iawn i unrhyw un a borai drwy ysgrifau ac areithiau Gwynfor Evans, oblegid, fel Gwynfor Evans, tueddai ysgrifau Emyr Wynn Williams i gychwyn â thrafodaeth hanesyddol. Yn yr achos hwn, gan bwysleisio'r angen i ddeall y cyd-destun gwladwriaethol y bodolai Cymru oddi mewn iddo, cafwyd trafodaeth ganddo ar y Deddfau Uno a hynny yn nhermau proses a welodd wladwriaeth ymerodraethol yn mynd ati i israddoli cenedl ddarostyngedig, yn economaidd ac yn

[78] Cyflwynwyd y papur cyntaf i gynhadledd undydd a drefnwyd gan y Chwith Genedlaethol yng Nghaerdydd ar 4 Medi 1982, a'r ail i Ysgol Haf y Blaid ychydig o wythnosau ynghynt – cyfarfod â 'sosialaeth ddatganoledig' yn thema iddo.

[79] Emyr Wynn Williams, *Athroniaeth a Rhaglen Datblygiad y Chwith Genedlaethol* (Chwith Genedlaethol, mimeo), t. 1

[80] Gweler Gwynfor Evans, 'Stirring things up', *Welsh Nation*, August 1981, 8.

ddiwylliannol. Soniodd ymhellach am yr angen i sefydlu gwladwriaethau ar sail 'uned cenedligrwydd tiriogaethol' [*sic*] a hynny 'er galluogi gwladwriaeth i fod yn offeryn i bolisïau diwylliannol ac economaidd iach'. Ni allai cyn-lywydd y Blaid ddweud yn amgenach! Byddai hefyd, yn ddiau, wedi cymeradwyo dirmyg Williams tuag at ddeallusion y *metropolis* – gan gynnwys chwith y *metropolis* – oherwydd eu dihidrwydd o ormes gwladwriaethau imperialaidd. Ond roedd terfynau i'r consensws. Roedd Williams am ochel rhag gweld 'hanes y genedl yn nhermau datblygiad unionsyth a nodweddwyd gan frwydro cyson i amddiffyn diwylliant Cymreig ac ennill ffurf o ymerodraeth', sef yr union fath o hanesyddiaeth genedlaetholgar a gafwyd yn *Aros Mae*. Yn hytrach, pwysleisiodd fod yn rhaid deall a dod i delerau â'r rôl a chwaraeodd Cymru fel 'elfen israddol o fewn gwladwriaeth a oedd yn fetropolis i ymerodraeth gyfalafol byd eang'. Nid rhywbeth o ddiddordeb hanesyddol yn unig oedd natur imperialaidd y profiad Prydeinig yn y cyfnod modern. Yn nhyb Williams, roedd ei effeithiau yn parhau hyd heddiw. Yn un peth, effeithiai'n fawr ar natur y Blaid Lafur gan ei gwneud yn blaid sylfaenol adweithiol; yn blaid a lesteiriai ddatblygiadau mwy blaengar, a hynny ymhlith y cenhedloedd darostyngedig oddi mewn i'r wladwriaeth Brydeinig ac yn rhyngwladol, fel ei gilydd.[81]

Yn 'Cymru annibynnol – 1983 a'r dyfodol pellach', dadleuwyd bod y newid yn amcanion Plaid Cymru yn 1981 yn cynrychioli trobwynt yn hanes y mudiad, cyn belled ag y llwyddid i wrthsefyll ymdrechion y dde i 'ailddehongli y newidiadau yn amcanion y Blaid a fabwysiadwyd yng Nghaerfyrddin mewn modd a oedd yn eu glastwreiddio'n llwyr'. Un ffordd o wneud hynny oedd trwy ddarparu gweledigaeth eglur o oblygiadau'r newidiadau cyfansoddiadol. Wrth wneud hynny, soniodd Emyr Wynn Williams am 'yr angen am:

1. WLADWRIAETH GYMREIG yn hyrwyddo datblygiad sector;
2. SOSIALAIDD DDATGANOLEDIG yn seiliedig ar;
3. DREFN RYNGWLADOL NEWYDD.'[82]

Mae'r sôn yma am greu sector 'sosialaidd ddatganoledig' oddi mewn i wladwriaeth Gymreig yn amlygu agwedd ddiddorol ar

81 Williams, *Athroniaeth a Rhaglen Datblygiad y Chwith Genedlaethol*, tt. 2–3, 3, 6, 6 yn eu tro.

82 Emyr Wynn Williams, *Cymru Annibynnol – 1983 a'r Dyfodol Pellach* (Chwith Genedlaethol, mimeo), tt. 1, 3. Ceir y priflythrennu yn y gwreiddiol.

syniadau'r chwith yn nechrau'r 1980au. Wrth i Dafydd Elis-Thomas godi baner y chwith wedi 1979, soniodd yn aml am faint y sector cyhoeddus yng Nghymru. O ychwanegu'r nifer a weithiai (ar y pryd) yn y diwydiannau gwladoledig at y rheini a weithiai i wahanol rannau o'r wladwriaeth, ystyriai fod Cymru'n gartref i un o'r sectorau cyhoeddus mwyaf y tu allan i ddwyrain Ewrop.[83] Wedi i fuddugoliaeth cynhadledd Caerfyrddin greu'r angen i sicrhau bod sylwedd polisi i'r alwad am 'wladwriaeth sosialaidd ddatganoledig', dechreuwyd trafod y posibiliad o drawsffurfio'r sector cyhoeddus hwn mewn modd a'i gwnâi'n uniongyrchol atebol i'r bobl hynny a weithiai oddi mewn iddo a thrwy hynny greu cnewyllyn 'sosialaidd democrataidd' oddi mewn i'r wladwriaeth newydd. Hyd yn oed pe na bai'r broses o ddarnio'r sector cyhoeddus, a oedd yn prysuro yn ei flaen ar y pryd, heb wneud syniadau o'r fath yn gwbl academaidd, mae'n deg dweud na lwyddwyd erioed i lunio darlun credadwy o beth a olygai hyn oll mewn gwirionedd.

Priodol hefyd yw tynnu sylw at ddwy elfen arall o drafodaeth Williams. Yn gyntaf, noder y cyfeiriad yn nheitl y papur at 'Gymru Annibynnol'. Yn hanner cyntaf y 1980au, o leiaf, roedd y chwith yn barotach o lawer nag adain draddodiadol y Blaid i goleddu'r term 'annibyniaeth' i ddisgrifio ei hamcan hirdymor. Yn wir, ymddengys fod eu defnydd nid anfynych o'r term yn fodd o wahaniaethu eu hunain o rodres mân-fwrgeisiol y dde! Elfen bwysig arall yn nhrafodaeth Williams oedd yr angen i'r chwith benderfynu ar ei hagwedd at arweinyddiaeth y Blaid (a oedd bryd hynny, wrth gwrs, yn nwylo'r 'dde' ym mherson Dafydd Wigley). Yn y cyd-destun hwn y cafwyd y sylw amwys, os awgrymog, a ganlyn:

> Fel yr unig elfen o fewn Plaid Cymru sy'n cymryd ein hamcanion presennol o ddifrif, credaf y bydd yn rhaid i ni ystyried ein safiad mewn perthynas ag arweinyddiaeth y Blaid ymhen tair mlynedd. Ni ddylai hyn fodd bynnag ein rhwystro rhag bod yn weithredol o'i mewn yn y cyfamser, ond inni sylweddoli'r cyfyngiadau.[84]

Yn nyddiau blin y 1980au cynnar, nid oedd herio arweinyddiaeth y Blaid – neu hyd yn oed cefnu ar y Blaid yn gyfan gwbl – fyth yn bell o agenda'r chwith.

[83] Gweler e.e. Dafydd Elis-Thomas, 'The state of the nation', *Arcade*, 6 Mawrth 1981, 15.
[84] Williams, *Cymru Annibynnol – 1983 a'r Dyfodol Pellach*, t. 6.

Hyd yn oed os oedd diwydrwydd a gweithgarwch Emyr Wynn Williams yn ei wneud yn gymeriad unigryw – byddai'r ymadrodd *Stakhanovite* yn disgrifio'i lafur aruthrol oni bai am yr is-destun Stalinaidd – roedd y chwith yn gallu manteisio ar adnoddau deallusol sylweddol eraill wrth iddynt ymroi i'r dasg o roi cig ar esgyrn 'sosialaeth ddatganoledig'. Yn wir, yr hyn sy'n wirioneddol drawiadol am yr enwau a oedd yn gysylltiedig â gweithgareddau'r Chwith Genedlaethol, a'r chwith-genedlaetholgar drwyddi draw, yw eu bod fel pe baent yn cwmpasu cenhedlaeth gyfan o ysgolheigion y Dyniaethau a'r Gwyddorau Cymdeithasol, llawer iawn ohonynt yn ddi-Gymraeg: Teresa Rees, Gareth Rees, Graham Day, Glyn Williams, Lynn Mainwaring, Gwyn A. Williams, David Reynolds, Charlotte Davies, ac ati. Os Penyberth oedd y trobwynt allweddol ym mherthynas deallusion Cymraeg eu hiaith â chenedlaetholdeb Cymreig, onid 1979 oedd y trobwynt ym mherthynas deallusion Cymreig di-Gymraeg â'r mudiad cenedlaethol?

Un o'r ffigyrau pwysicaf ar y chwith oedd yr economegydd Phil Cooke. Yn 1983 aeth ati i baratoi dogfen drafod ddigon swmpus ar yr economi Gymreig yn dwyn y teitl 'The decline must stop – let's build a new Wales', dogfen a ddaeth yn sail cynnig yn ymwneud â pholisi economaidd y Blaid a basiwyd gan gynhadledd flynyddol y Blaid yn Nhreorci yn ddiweddarach y flwyddyn honno. Condemniad hallt o sefyllfa enbyd sylfaen economaidd Cymru oedd sail y papur. Haerai Cooke fod cyfalafwyr a biwrocratiaid y diwydiannau gwladoledig yn gyd-gyfrifol am y llanast:

> *The hard truth of the last twenty years is that Wales cannot afford Labourism any more than it can afford Capitalism* . . . The private sector has been tried and found sadly wanting in Wales; more depressingly for a country with radical, collectivist traditions in its agricultural as well as industrial regions, state management . . . has been largely an exercise in black farce. *The future of Wales now seems to lie in the force whose intelligence and imagination has been so sorely ignored in the past, the Welsh working classes.*[85]

[85] Phil Cooke, 'The decline must stop – let's build a new Wales', Papur Trafod y Chwith Genedlaethol, tt. 1–2; pwyslais y gwreiddiol. Diddorol yw nodi'r modd y mae drwgdybiaeth o reolaeth gwladwriaethol yn amlygu ei hunan yn yr un ddogfen yn agwedd Cooke tuag at bolisi tai. Ar ôl beirniadu'r fiwrocratiaeth a'r 'patronage' hynny a oedd/sydd yn nodweddion mor amlwg o reolaeth cynghorau lleol dros rannau o'r stoc dai, aeth ymlaen i ddadlau y dylid hwyluso newid radical 'from tenant to owner occupier' trwy ddiwygio'r ffordd yr adeiladid ac yr ariennid perchnogaeth tai. Dyma danlinellu unwaith yn rhagor barodrwydd y Chwith Genedlaethol i herio rhai o'r safbwyntiau a gysylltir â'r chwith Marxaidd uniongred.

Ond beth a olygai hyn yn ymarferol? Strategaeth economaidd driphlyg a gynhwysai:

1. ymdrech i adfywio diwydiannau glo a dur Cymru dan arweiniad Bwrdd Glo a Dur Cymreig. Cynigiwyd nifer o awgrymiadau diriaethol ynglŷn â'r ffordd ymlaen, megis datblygu cynlluniau i gynhyrchu olew a nwy o lo, yn ogystal â chynhyrchu ar gyfer y farchnad ryngwladol gyda chymhorthdal i ganiatáu i'r cynnyrch gael ei werthu am bris y farchnad ryngwladol;
2. ehangu maint y sector cyhoeddus trwy ddatblygu cyfleusterau iechyd ac addysgiadol mwy cyfoes, trwy ddarparu tai addas ar gyfer pobl hŷn, a thrwy greu darpariaeth gofal plant ar gyfer plant cyn oed ysgol;
3. estyn cymorth ar gyfer creu swyddi yn y sector preifat gan wneud cymorthdaliadau'n ddibynnol ar gytundeb gan gyflogwyr i estyn amodau teg i'r gweithlu – gan gynnwys cyfranogaeth gan y gweithwyr yn y broses reoli.

Er mwyn hwyluso hyn oll, byddai'n rhaid creu rhyw fath o gyfundrefn cynllunio canolog, anffurfiol 'where upper and lower limits for output, prices, wages and employment are negotiated between worker representatives, the state in Wales, consumer groups and other special interest groups' gan gynnwys cyflogwyr.[86] Os yw hyn oll yn swnio'n or-syml ac iwtopaidd yn yr oes archgyfalafol sydd ohoni, teg nodi bod ymwybyddiaeth o wendidau'r argymhellion hyn ar y pryd. Mewn araith ddiddorol yn Ysgol Basg Mudiad Ieuenctid Plaid Cymru yn Ebrill 1984, nododd Phil Cooke ei hun gyfyngiadau sosialaeth ddatganoledig. Gan dynnu ar brofiad Hwngari (sef yr economi fwyaf ffyniannus yn nwyrain Ewrop ar y pryd) ynghyd â gwaith economegwyr megis Alec Nove, cydnabu y tensiwn a fodolai rhwng effeithiolrwydd ar y naill law, a gwerthoedd sosialaidd ar y llaw arall. Mewn cyfundrefn sosialaidd lle nad oedd disgyblaeth y farchnad yn weithredol, gallai'r diog fanteisio ar draul y diwyd. Ei gasgliad, fodd bynnag, oedd nad oedd un ateb syml a fyddai'n dileu pob problem a thensiwn. Roedd y byd yn amherffaith. Ond er na fyddai sosialaeth ddatganoledig yn esgor ar baradwys, 'it might well be a Realistic

[86] Cooke, 'The decline must stop', t. 4.

Alternative to the current idleness, waste and alienation experienced by many under a declining capitalism'.[87] O ystyried bod economi Cymru dan warchae ar y pryd a chymunedau cyfain yn cael eu taflu ar y clwt, nid yw'n anodd deall apêl ymdrechion i drefnu bywyd economaidd ar seiliau amgen.

Agwedd arwyddocaol arall ar syniadau economaidd Cooke oedd y pwyslais a roddai ar gydraddoldeb rhwng y rhywiau. Yn 'The decline must stop . . .' hawliodd, 'Until women achieve an equal recognised standing (in reality not just rhetoric) with men there can be no truly socialist state in Wales.'[88] Roedd hyn yn atseinio safbwynt a glywyd yn fwyfwy cyson o gyfeiriad y chwith (yn arbennig) wrth i'r 1980au fynd rhagddynt. Ar y cyfan roedd y chwith a chenedlaetholdeb Cymreig fel ei gilydd wedi bod yn ddi-hid ar fater cydraddoldeb rhwng y rhywiau. Prin iawn oedd y sylw a roddwyd i'r mater yn *Socialism for the Welsh People*, er enghraifft.[89] Fodd bynnag, erbyn 1981 roedd datganiad ffurfiol yn ymrwymo'r Blaid i ymgyrchu o blaid cydraddoldeb rhwng y rhywiau yn un o'r diwygiadau hynny a dderbyniwyd ganddi yn sgîl ymyrraeth lwyddiannus y chwith yng nghynhadledd Caerfyrddin. Yn ogystal, cafwyd ymrwymiad i hybu statws a safle merched oddi mewn i'r Blaid trwy wahaniaethu cadarnhaol (*positive discrimination*).[90]

Un o ladmeryddion mwyaf egnïol yr achos ffeminyddol oddi mewn i'r Blaid oedd yr hanesydd hynod hwnnw Gwyn A. Williams. Pan ymunodd y cyn-Gomiwnydd â'r Blaid ar ddiwrnod etholiad cyffredinol 1983 daeth â llawer o syniadau'r Ewro-Gomiwnyddion a Chwith Newydd y 1960au gydag ef i'w gartref gwleidyddol newydd.[91] Un o nodweddion amlycaf y math yma o syniadaeth

87 Ceir testun yr araith ym Mhapurau Phil Williams.

88 Phil Cooke, 'The decline must stop', t. 8.

89 Er tegwch i Miles a Griffiths, roeddynt yn ymwybodol o ddiffygion eu pamffled yn hyn o beth. 'The inferior position of women in different societies is worthy of far more attention than we can afford here', *Socialism for the Welsh People*, t. 28.

90 Gweler 'Grassroots in the driving seat', *Arcade*, 13 Tachwedd 1981, 6, ac yn fwy cyffredinol Laura McAllister, *Plaid Cymru: The Emergence of a Political Party* (Bridgend: Seren, 2001), tt. 185–208.

91 Daeth y duedd Ewro-Gomiwnyddol yn ddylanwad pwysig oddi mewn i'r pleidiau comiwnyddol yng ngorllewin Ewrop tua diwedd y 1970au. Yn ddeallusol, y dylanwadau pwysicaf oedd syniadau Antonio Gramsci ac Enrico Berlinguer, arweinydd Plaid Gomiwnyddol yr Eidal rhwng 1972 a 1982. Yn ogystal â bod yn un o'r cyntaf i drafod syniadau Gramsci yn Saesneg, roedd Gwyn A. Williams hefyd yn cyfrannu'n weddol gyson i'r cylchgrawn *Marxism Today*, sef lladmerydd mwyaf dylanwadol y safbwynt Ewro-Gomiwnyddol yn ynysoedd Prydain yn y 1980au. Ceir trafodaeth ddiddorol o rôl Gwyn A. Williams yn cyflwyno Gramsci i'r gynulleidfa adain chwith ym Mhrydain yn David Forgacs, 'Gramsci and Marxism in Britain', *New Left Review* I/176 (July–August 1989), 70–88.

adain chwith oedd dadrithiad â safbwynt Marxaeth draddodiadol tuag at y dosbarth gweithiol. I Farxwyr uniongred, y dosbarth gweithiol oedd *alpha* ac *omega* sosialaeth. Dyma'r dosbarth a feddai'r modd i chwyldroi cymdeithas. Yn fwy na hynny, dyma'r dosbarth hollgyffredinol (*universal* neu *fundamental class*) y byddai ei ryddfreiniad yn rhwym o esgor ar ryddfreiniad y gymdeithas gyfan. Ar sail y dybiaeth hon, tueddai Marxwyr ddadlau o blaid gwneud pob brwydr yn erbyn gorthrwm cymdeithasol yn eilbeth i'r frwydr ddosbarth, oblegid byddai rhyddfreinio'r dosbarth gweithiol yn golygu dileu pob gorthrwm arall yn awtomatig, boed yn orthrwm dynion dros ferched, gorthrwm un genedl dros genedl ddarostyngedig, a hyd yn oed gorthrwm un duedd rywiol dros eraill. Nid oes syndod, felly, mai ennill ymddiriedaeth a chefnogaeth y dosbarth gweithiol oedd yr unig beth a gyfrai iddynt yn y pen draw.

I'r Ewro-Gomiwnyddion, fodd bynnag, nid oedd y math ar fyd-olwg a strategaeth wleidyddol a ddeilliai o'r gredo (sylfaenol fetaffisegol) hon yn gredadwy. Roedd brwydrau eraill yn erbyn gorthrwm hefyd yr un mor ddilys, ac ni ddylid eu darostwng i'r frwydr ddosbarth. At hynny, ystyrient fod llwyddiant yn y frwydr ddosbarth yn ddibynnol ar allu'r dosbarth gweithiol i gynghreirio'n effeithiol â grwpiau a charfanau eraill oddi mewn i gymdeithas. Mewn gair, roedd mwy i wleidyddiaeth ryddfreiniol na gwleidyddiaeth ddosbarth. Roedd safbwynt y Chwith Newydd hyd yn oed yn fwy cableddus: collodd llawer o feddylwyr y traddodiad hwn unrhyw ffydd yng ngallu'r dosbarth gweithiol i herio'r drefn; roedd y drefn honno, bellach, wedi eu hamsugno a'u dofi'n llwyddiannus. Yn hytrach, pwysleisient y rôl arweinyddol y gallai carfanau eraill, mwy ymylol eu chwarae yn y frwydr i sicrhau newid cymdeithasol radicalaidd – y di-waith, lleiafrifoedd hiliol ac ethnig, myfyrwyr, ac yn y blaen.[92]

Mewn cyfweliad yn y rhifyn cyntaf o *Radical Wales* (Gaeaf 1983), defnyddiodd Gwyn A. Williams ei ieithwedd Gramscïaidd nodweddiadol i bwysleisio potensial pellgyrhaeddol clymblaid o ferched, y di-waith a'r gweithwyr coler wen hynny a oedd mewn swyddi diflas a di-ddim: 'They are all *disinherited* and are in theory a force which could shape themselves into a hegemonic bloc

[92] Mae'n debyg na ddylid gorbwysleisio'r gwahaniaethau *deallusol* rhwng y Chwith Newydd a'r Ewro-Gomiwnyddion oherwydd fod mesur helaeth o orgyffwrdd yn eu safbwyntiau.

organised around the national terrain.'[93] Gyda Gwyn A. Williams yn aelod dylanwadol o fwrdd golygyddol y cylchgrawn, ynghyd â Charlotte Davies, Siân Edwards a Jill Evans, tair ffeminydd amlwg yn rhengoedd y Blaid, daeth *Radical Wales* yn lladmerydd dylanwadol safbwynt a geisiai *synthesis* o themâu ffeminyddol, sosialaidd, heddychol ac amgylcheddol.[94] Roedd rôl y cyntaf o'r rhain yn gwbl ganolog. Mewn ysgrif olygyddol ar gyfer cylchlythyr y Chwith Genedlaethol a gylchredwyd tua 1984 aeth Gwyn A. Williams mor bell â chyfeirio at ferched fel y 'fundamental class' y gellid adeiladu 'bloc hanesig' newydd o'u hamgylch.[95] Hynny yw, a chyfieithu o'r Gramsci-eg, merched ac nid y dosbarth gweithiol traddodiadol a oedd ym meddu ar y potensial i fod yn ganolbwynt clymblaid economaidd-wleidyddol-gymdeithasol a allai wyrdroi'r drefn y dwthwn hwnnw yn llwyr ac esgor ar gymdeithas well.

Ar drothwy gaeaf 1984, a Streic y Glowyr bellach yn ei hanterth, y cafwyd y fersiwn mwyaf datblygedig o weledigaeth sosialaeth ddatganoledig y chwith, a hynny ar ffurf ysgrif yn dwyn y teitl 'Datganoli, sosialaeth a democratiaeth' a gyhoeddwyd fel pamffledyn Cymraeg yn ogystal ag erthygl yn *Radical Wales*.[96]

Ymosodiad ar ganoli grym – yn economaidd, yn gymdeithasol ac yn wleidyddol – yw craidd yr ysgrif; ymosodiad y byddai Saunders Lewis a Gwynfor Evans ill dau wedi'i amenio. Yn ôl Phil Cooke, awdur yr ysgrif, roedd Cymru gyda'i diwydiannau gwladoledig, ei biwrocratiaeth gyhoeddus enfawr ac anatebol, ei dibyniaeth ddiraddiol ar y wladwriaeth yn ffurf taliadau a

93 'Gwyn Alf Williams interviewed by Phil Cooke', '. . . and why I joined!', *Radical Wales* (Winter 1983), 6; pwyslais y gwreiddiol. Mae'n ddiddorol nodi nad yw Williams yn cyfeirio at y dosbarth gweithiol *per se* fel rhan o'r glymblaid flaengar hon.

94 Cyhoeddwyd *Radical Wales* rhwng Gaeaf 1983 a Haf 1991. Roedd y Bwrdd Golygyddol hefyd yn cynnwys academyddion gwrywaidd uchel eu parch eraill megis Phil Cooke a Lynn Mainwaring. Plaid Cymru a oedd yn ei gynnal yn ariannol er bod y berthynas â'r Blaid yn un hyd braich ar rai ystyron. Dylid nodi yn ogystal i ddau rifyn ychwanegol ymddangos yn 2000 a 2001, gyda llawer o'r Bwrdd Golygyddol blaenorol ynghlwm â'r fenter newydd. Nid oedd y fersiwn atgyfodedig wedi'i chysylltu'n ffurfiol â'r Blaid; nid oedd yn meddu'r un synnwyr o liw a chyfeiriad a nodweddai'r rhifynnau gorau o'r fersiwn gwreiddiol ychwaith. Tybed ai absenoldeb Gwyn A. Williams – a fu farw yn 1995 – a oedd yn rhannol gyfrifol am hynny?

95 Papurau'r Chwith Genedlaethol ym Mhapurau Phil Williams.

96 Phil Cooke, *Datganoli, Sosialaeth a Democratiaeth* (Aberystwyth: Plaid Cymru, Hydref 1984), ni chrybwyllir enw'r cyfieithydd; 'Decentralism, socialism and democracy', *Radical Wales*, 5 (Winter 1984), 17–21. Yn ysgrif olygyddol y rhifyn hwnnw o *Radical Wales* soniwyd mai bwriad yr ysgrif oedd egluro'n fanylach brosiect Plaid Cymru i sefydlu 'decentralised, socialist, libertarian and independent state in Wales' (t. 3).

budd-daliadau diweithdra, gyda'r wlad fwyaf ganoledig y tu allan i Ddwyrain Ewrop. Roedd y fath ganoli yn afiach gan arwain at 'hesbedd moesol' wrth iddo 'wanhau dychymyg, crebwyll ac ewyllys'. Yn wir, gan danlinellu'r pwynt unwaith yn rhagor, 'Does yna'r unlle, ac eithrio Dwyrain Ewrop efallai, lle mae hyn yn fwy gwir nag yn y Gymru gyfoes.'[97] Er mwyn gwyrdroi'r sefyllfa, roedd angen rhaglen wleidyddol a gyfunai – yng ngeiriau'r teitl – ddatganoli, sosialaeth a democratiaeth; rhaglen a fyddai'n tanseilio grym y dosbarth cyfalafol a'r *elite* biwrocrataidd (Llafuraidd, yn aml) a oedd yn darostwng pobl Cymru.

Ni fyddai adfer neu ddiwygio'r wladwriaeth les yn gwneud y tro. Mewn cyfeiriad y byddai hen do'r Blaid, yn ddiau, wedi'i ystyried fymryn yn ddi-chwaeth, ond a oedd, er hynny, yn cyd-daro i'r dim â'u byd-olwg, soniodd Cooke am y modd yr oedd yr 'Athronydd Swedaidd G. Olsson wedi cymharu'r gyfundrefn les wladwraidd i gynghori dyn sy'n rhewi i biso yn ei drwser – rhyddhad dros dro, ar draul dwysáu ei broblem yn y tymor hir.'[98] Yn hytrach, roedd angen creu cymdeithas fwy hyblyg a chyfartal, cymdeithas wedi'i seilio ar economi gymysg a oedd yn manteisio'n llawn ar y chwyldro cysylltiadau; cymdeithas o 'ddinasyddion gweithredol' lle roedd llawer iawn o rym wedi ei ddatganoli i lefel comiwnau lleol i gynnwys rhyw 20,000 i 50,000 o bobl, a grym y wladwriaeth ganolog wedi'i leihau a'i ffrwyno.[99]

Credai Cooke fod modd ffurfio clymblaid ar sail rhaglen wleidyddol o'r fath, clymblaid a oedd yn trosgynnu'r wleidyddiaeth ddosbarth draddodiadol yn enw 'egalitariaeth newydd'. Rhagwelai dair carfan benodol yn dod ynghyd. Yn gyntaf, y rheini oddi mewn i'r gyfundrefn bresennol a ddeisyfai fywyd materol gwell, sef y dosbarth gweithiol (traddodiadol neu goler wen) ynghyd â'r 'fyddin anferth o'r di-waith a'r hanner cyflogedig, hen ac ifanc'. Ail elfen y glymblaid oedd y carfanau hynny nad ydynt yn derbyn triniaeth gydradd gan y gyfundrefn, sef, yn benodol, merched a lleiafrifoedd ethnig. Yn ogystal â'r ddwy garfan hon – y 'real disinherited' neu'r 'etifeddion coll', chwedl Gwyn A. Williams – rhagwelai Cooke bosibilrwydd y gellid sicrhau cefnogaeth y 'dosbarth gwybodaeth' newydd i sosialaeth ddatganoledig. Y rhain

97 Cooke, *Datganoli, Sosialaeth a Democratiaeth*, tt. 1–2.
98 Cooke, *Datganoli, Sosialaeth a Democratiaeth*, t. 6.
99 Cooke, *Datganoli, Sosialaeth a Democratiaeth*, tt. 4–9.

oedd y bobl broffesiynol hynny a oedd yn 'gweithredu yn null cynhyrchu ôl-ddiwydiannol y dyfodol'; carfan a welai batrymau cymdeithasol a gwleidyddol yr hen gymdeithas ddiwydiannol fel llyffethair neu gloffrwym ar botensial y grymoedd cynhyrchu newydd. Roedd 'tranc gwleidyddiaeth ddosbarth a gosod yn ei lle egalitariaeth newydd fwy cyfrannog a datganoledig o ddiddordeb' i'r 'etifeddion coll' a'r 'dosbarth gwybodaeth' fel ei gilydd.[100] Ac onid oedd argoelion fod potensial arbennig i wleidyddiaeth amgen o'r fath yng Nghymru? 'Efallai mai Cymru, gyda'i chyfuniad arbennig o ddosbarth gweithiol anferth yn crebachu, diweithdra uchel, nifer fawr o fenywod ymddieithredig ac ecsbloetiedig, – proletariat sector cyhoeddus fawr a'i hymwybyddiaeth genedlaethol, yw'r lle gallai mudiad torfol o'r fath ddod ynghyd.'[101] Beth bynnag oedd problemau a gwendidau sosialaeth ddatganoledig, a chwarae teg iddo, roedd Cooke yn barod iawn i'w nodi, yr oedd serch hynny yn 'foesol uwchraddol i unrhyw fath arall o drefniadaeth gymdeithasol y gallaf feddwl amdani'.[102] Priod waith Plaid Cymru – a Chymru – oedd ei datblygu a'i rhoi ar waith.

Go brin y gellir gwadu ehangder ac uchelgais gweledigaeth Cooke. Yn hyn o beth, roedd yn nodweddiadol o gyfraniad deallusol y chwith-genedlaetholgar drwyddi draw yn ystod hanner cyntaf y 1980au. O daflu'r rhwyd yn eang, a chloriannu'r cyfan ar sail templed Miles a Griffiths, cafwyd cyfraniadau nodedig i'n dealltwriaeth o ffurfiant y Gymru gyfoes yn economaidd, yn gymdeithasol ac yn wleidyddol. Ystyrier, yn anad dim, efallai, gynnyrch hanesyddiaethol amheuthun Gwyn A. Williams. Ar ben hynny, cafwyd cyfraniadau nodedig Glyn Williams, Emyr Wynn Williams, John Davies a D. Hywel Davies i'n dealltwriaeth o ddatblygiad hanesyddol cenedlaetholdeb Cymreig.[103] O ran dadansoddi presennol Cymru roedd *Radical Wales* ei hun yn gyfraniad pwysig. Felly, hefyd, gyfraniadau ysgolheigion unigol megis Charlotte

[100] Daw'r dyfyniadau yn y brawddegau uchod o Cooke, *Datganoli, Sosialaeth a Democratiaeth*, tt. 4–5

[101] Cooke, *Datganoli, Sosialaeth a Democratiaeth*, t. 5.

[102] Cooke, *Datganoli, Sosialaeth a Democratiaeth*, t. 8.

[103] Glyn Williams, 'The ideological basis of Welsh nationalism in nineteenth century Wales: the discourse of Michael D. Jones', yn Glyn Williams (gol.), *Crisis of Economy and Ideology: Essays on Welsh Society, 1840–1980* (Bangor: BSA Sociology of Wales Study Group, 1983) tt. 180–200; Emyr Wynn Williams, 'The politics of Welsh home rule 1886–1929: a sociological analysis' a 'D. J. Davies – a working class intellectual within Plaid Genedlaethol Cymru'; Davies, *The Green and the Red*; Davies, *The Welsh Nationalist Party 1925–45*.

Davies, Lynn Mainwaring a Phil Cooke.[104] Yn wir, go brin y gellir dychmygu bodolaeth a pharhad y cyfnodolyn *Contemporary Wales* yn nyddiau blin Thatcheriaeth heb fodolaeth a chefnogaeth y chwith-genedlaetholgar. O ran syniadau a gweledigaeth amgen – y feddyginiaeth, fel petai – cafwyd y gwahanol gyfraniadau a drafodwyd yn y bennod hon, yn ogystal â llu o gyfraniadau eraill, nifer ohonynt megis rhai Raymond Williams yn rhai nodedig tu hwnt.[105] Mewn gair, cafwyd bwrlwm o greadigrwydd deallusol er gwaethaf y cyd-destun hynod lwm ac anaddawol a fodolai wedi canlyniad 1979.

Mae'n anodd gorbwysleisio arwyddocâd hyn oll. Wedi i refferendwm 1979 gau'r drws yn glep ar obeithion cenedlaethau o genedlaetholwyr Cymreig, byddai'n hawdd iawn i genedlaetholdeb Cymreig ddatblygu yn rym cwbl negyddol a nihilistaidd, hyd yn oed, ym mywyd Cymru. Y chwith yn anad neb a sicrhaodd na ddigwyddodd hynny trwy ddarparu gweledigaeth a geirfa amgen a gysylltodd (unwaith yn rhagor) dueddiadau yng Nghymru â datblygiadau a thueddiadau rhyngwladol. Rhoes hyn oll ysbrydoliaeth, cyfeiriad a hyder i genhedlaeth o aelodau newydd. Ac er i raglen y chwith-genedlaetholgar brofi'n fethiant etholiadol – roedd canlyniadau'r Blaid yn etholiad cyffredinol 1983, heb sôn am isetholiadau megis isetholiad Brycheiniog yn 1985 yn drychinebus o wael – mae'n anodd credu na fu'r penderfyniad i gefnu ar y drydedd ffordd a mabwysiadu disgrifiad mwy confensiynol o'r cyfeiriad y deisyfai'r Blaid ar gyfer Cymru o fudd iddi yn yr hirdymor.

Fodd bynnag, ni ddylid gwyngalchu na rhamantu cyfraniad y chwith. Nodwyd eisoes yr elfen gecrus, annymunol a nodweddai frwydrau mewnol Plaid Cymru yn y 1980au. Yn sicr, nid oedd y naill ochr na'r llall yn y brwydrau hynny'n ddilychwin neu'n ddi-fai yn y mater hwn. Gellir dadlau, serch hynny, fod safle strwythurol y chwith yn eu gwthio i bwysleisio a gorbwysleisio'r gwahaniaethau real a thybiedig rhyngddynt hwy a'r 'dde', fel y galwent gefnogwyr mwy traddodiadol y Blaid. Wrth wneud hyn,

[104] Gweler, er enghraifft, Charlotte Aull Davies, *Welsh Nationalism in the Twentieth Century: The Ethnic Option and the Modern State* (New York: Praeger, 1989), a K. D. George a Lynn Mainwaring (goln), *The Welsh Economy* (Cardiff: University of Wales Press, 1988).

[105] Gweler Raymond Williams, *Who Speaks for Wales? Nation, Culture, Identity* (Cardiff: University of Wales Press, 2003), cyfrol a gafodd ei golygu a'i chyflwyno'n fedrus gan Daniel Williams.

roedd y chwith am bwysleisio pa mor bellgyrhaeddol yr oedd y newidiadau a gyflwynwyd i raglen a chyfansoddiad y Blaid yn dilyn chwalfa 1979: dyma drobwynt a welodd Plaid Cymru yn cefnu ar ei chefndir mân-fwrgeisiol (neu waeth) ac yn coleddu gweledigaeth newydd ac yn dyfod yn blaid y gallai ei chynulleidfa darged (yn ddosbarth gweithiol neu yn rhyw gyfuniad arall o garfanau cymdeithasol) ymddiried ynddi. Mae'r math yma o ymdrech i osod pellter rhwng gorffennol plaid neu fudiad a'i phresennol yn elfen bwysig mewn gwleidyddiaeth. Ystyrier, er enghraifft, ymdrechion Tony Blair, Gordon Brown a'u cymrodyr i bellhau Llafur Newydd oddi wrth yr 'Hen' Lafur. Er na fyddent yn gwerthfawrogi'r gymhariaeth, onid dyma'n rhannol, o leiaf, yr oedd y chwith oddi mewn i Blaid Cymru yn ceisio ei wneud? Er mwyn ailadeiladu Plaid Cymru ar seiliau newydd, roedd yn rhaid yn gyntaf fwrw heibio'r Hen Blaid. Ond roedd hyn yn brofiad poenus i'r Hen Blaid honno. Pa ryfedd, felly, fod Gwynfor Evans a Dafydd Wigley am bwysleisio parhad ac nid gweddnewidiad – esblygiad yn hytrach na chwyldroad – hyd yn oed os canlyniad hynny fyddai codi mwy ar wrychyn y chwith?

Ar ben hynny, roedd problemau 'mewnol', deallusol yn rhaglen y chwith. Y fwyaf amlwg ohonynt oedd rôl y Blaid, fel plaid wleidyddol, yn hybu a hyrwyddo'r broses o'r newid cymdeithasol a chwenychwyd. Bu hon yn broblem gyffredinol i'r Chwith Newydd a'r chwith Ewro-Gomiwnyddol fel ei gilydd, a hynny ar lefel haniaethol ddamcaniaethol yn ogystal ag ymarferol. Yn y cyd-destun Cymreig, y cwestiwn penodol a barai drafferth oedd natur y berthynas y dylai'r chwith-genedlaetholgar ei ffurfio ag elfennau eraill o'r chwith yng Nghymru, ac yn enwedig y Blaid Lafur. Yn 1983, er enghraifft, cafwyd cynnig gan Phil Cooke yn awgrymu y dylai'r Chwith Genedlaethol alw ar bwyllgor etholaeth Plaid Cymru yng ngogledd-orllewin Caerdydd i beidio ag ymladd yr isetholiad yno ond, yn hytrach, gefnogi ymgeisydd y Blaid Lafur, Jane Hutt, gan ei bod 'a siarad yn fras yn cytuno â llawer o'n polisïau'. Emyr Wynn Williams a arweiniodd y gwrthwynebiad. 'Trwy geisio swcro "TRENDY LEFTIES" Caerdydd,' taranodd, y cwbl a gyflawnir fydd 'profi i bawb o fewn y mudiad cenedlaethol ac oddi allan iddo, pa mor "naïf" ydym fel mudiad'. 'Trwy argymell cefnogi ymgeisydd Llafur, mae'r cynnig yn awgrymu mai'r hyn sydd ei angen i ddatrys problemau Cymru yw nid mudiad rhyddid cenedlaethol cryf i ennill annibyniaeth i Gymru, ond yn hytrach asgell chwith gref i'r Blaid Lafur.' Er i safbwynt Williams brofi'n fuddugoliaethus y tro hwn, ni ddiflannodd y mater oddi ar yr agenda. Yn ddiweddarach y flwyddyn honno, gofynnodd Jonathan Evans a Lynn Mainwaring i'w cyd-aelodau o'r Chwith Genedlaethol a allent mewn difrif fforddio 'the luxury of locating our socialist policies outside the Labour Party?'[106]

Yn y diwedd, fodd bynnag, nid dadleuon mewnol nac yn wir wrthwynebiad y 'dde' a barodd i'r cynnwrf deallusol a nodweddodd chwith Plaid Cymru yn hanner cyntaf y 1980au i chwythu ei blwc, ond yn hytrach chwalfa fawr arall: methiant Streic y Glowyr 1984–5.

Senedd ac Ewrop – eto

Ni ellir gorbwysleisio graddfa buddsoddiad chwith Plaid Cymru – ac yn wir, y chwith-genedlaetholgar ehangach – yn mrwydr y cymunedau glofaol rhwng Mawrth 1984 a Mawrth 1985. Roedd y buddsoddiad yn un emosiynol lawn cymaint ag ydoedd yn fuddsoddiad amser ac ynni. Ni fuddsoddodd neb mor helaeth ac mor hael â llywydd y Blaid, Dafydd Elis-Thomas, drwy hydref a gaeaf 1984–5. Roedd ei ymdrechion o blaid achos y glowyr yn ddiflino: areithiodd, lobïodd a gorymdeithiodd dros Gymru benbaladr a thu hwnt. Pa un ai a oedd ganddo unrhyw amheuon preifat neu beidio ynglŷn â doethineb y modd y llywiwyd y streic gan arweinyddion Undeb y Glowyr, roedd ei gefnogaeth gyhoeddus i'r glowyr a'u teuluoedd yn llwyr a diwyro. Yn wir, bu'n feirniadol iawn o'r hyn a welodd fel methiant rhannau o'i blaid ei hun i ddilyn arweiniad y chwith a thaflu eu holl egnïon hwythau y tu ôl i frwydr y glowyr.[107]

Ar wahân i'r awydd cyffredinol i gydsefyll â'r glowyr yn eu brwydr fawr yn erbyn y gelyn Thatcheraidd, roedd sawl agwedd

[106] Papurau'r Chwith Genedlaethol ym Mhapurau Phil Williams. Ceir y priflythrennu yn y gwreiddiol.

[107] Gweler 'Interview with Dafydd Elis-Thomas', *Penderyn* (Hydref 1984), 8–10. Diddorol yw nodi bod Thomas yn arbennig o feirniadol o'r modd yr oedd llawer o'r Blaid yn parhau i gael eu dominyddu gan 'the worst aspects of the nonconformist tradition'. Cystwyodd yr enwadau anghydffurfiol am eu rôl yn ystod y streic: 'they opened their vestries to the police but scarcely one denomination organised collections for the miners in their chapels' (t. 9).

benodol ar y streic a barodd i'r chwith-genedlaetholgar ei chefnogi gyda'r fath frwdfrydedd. Yn un peth, roedd y streic fel pe bai'n cadarnhau ei bod yn bosibl i adeiladu'r math o glymblaid o grwpiau cymdeithasol y bu meddylwyr y chwith yn dyheu amdani. Rôl flaenllaw gwragedd y glowyr – a merched y cymunedau glofaol yn fwy cyffredinol – oedd yr enghraifft fwyaf arwyddocaol a gobeithiol o hyn. Soniodd golygyddol *Radical Wales* am yr undod rhwng 'the miners of Wales, traditionally a vanguard, and the women of Wales, today's vanguard'.[108] Tadogwyd arwyddocâd arbennig i'r penderfyniad i sefydlu'r 'Wales Congress in Support of Mining Communities' yn haf 1984, sef clymblaid o wahanol fudiadau a phleidiau a oedd yn cefnogi achos y glowyr. Fe'i gwelwyd fel enghraifft o wleidyddiaeth amgen a oedd yn symud tu hwnt i'r 'narrow, male trade union, class-based politics of which South Wales Labourism is a classic expression'. Dehonglwyd y Gyngres fel enghraifft o weu ynghyd 'coalitions of very different interests, new social movements, extra-parliamentary activities as well as diverse, formal parties'.[109] Mewn gair, roedd y Gyngres fel pe bai'n ymgorfforiad o holl weledigaeth y chwith-genedlaetholgar er refferendwm 1979. Pa ryfedd, felly, fod Dafydd Elis-Thomas wedi dyrchafu'r streic i statws 'brwydr genedlaethol' ('national struggle'), gan ddadlau bod chwarae ei rhan yn y frwydr honno yn fater pwysicach o lawer i'r mudiad cenedlaethol na 'yakking on about an Assembly in Cardiff'?[110] A phe na bai'r cyfle i gydweithredu mewn clymblaid o rymoedd gwleidyddol amgen yn ddigon ynddo'i hun, roedd y tensiynau a gododd oddi mewn i'r mudiad llafur yn sgîl y streic rhwng y Blaid Lafur, ar y naill law, a'r glowyr a'u cefnogwyr ar y llaw arall, hefyd yn cynnig cyfle gwleidyddol euraidd i'r Blaid. Oni fyddai ffydd trwch yr etholaeth Gymreig yn y Blaid Lafur yn cael ei danseilio o'r diwedd?

Ofer oedd y gobeithion hyn i gyd. Wedi methiant llwyr y streic, buan iawn y datgymalodd y glymblaid amgen. 'Sbaddwyd y Gyngres gan chwalu gobeithion iwtopaidd rhai o'i chefnogwyr y gallai ddatblygu'n rhyw fath o fersiwn llawr gwlad, poblogaidd o'r

[108] *Radical Wales*, 5 (Winter 1984), 3. Afraid yw dweud bod y cyfeiriad at 'vanguard' yn adlais bwriadol o ddamcaniaeth Marxaidd-Leninaidd. Gellir mentro mai Gwyn A. Williams oedd awdur y geiriau hyn.

[109] Phil Cooke, Siân Edwards, Gerald Howells a Dafydd Elis-Thomas, 'Congress at the crossroads', *Radical Wales*, 7 (Summer 1985), 14.

[110] 'Interview with Dafydd Elis-Thomas', *Penderyn*, 10.

cynulliad a wrthodwyd yn 1979. Ni welwyd, ychwaith, unrhyw niwed parhaol i statws Llafur yn y Cymoedd. Ar ben hynny, golygai buddugoliaeth y llywodraeth fod y llywodraeth honno'n gryfach fyth, a phob gobaith o'i herio o safbwynt adain chwith (draddodiadol neu amgen) bellach yn yfflon. Heb os, roedd chwalfa Streic y Glowyr yn ergyd mor drwm i strategaeth y chwith yn hanner cyntaf y 1980au ag yr oedd canlyniad refferendwm 1979 i'r strategaeth Gwynforaidd gynharach. Nid yw'n syndod, felly, mai'r ymateb yn rhengoedd y chwith oedd siom, diflastod ac – ymhen y rhawg – ailystyried strategaeth.

Yn Awst 1985 dadlennwyd tensiynau oddi mewn i'r chwith mewn ysgrif olygyddol gan Emyr Wynn Williams yng nghylchlythyr y Chwith Genedlaethol. Yn nhyb Williams, roedd Dafydd Elis-Thomas yn euog o fabwysiadu '*Romantic idealist* approach' a oedd yn canolbwyntio ar hybu delfrydau yn hytrach na datblygu plaid a oedd yn cynnig 'practical political alternative'. O'r herwydd gwelwyd hunaniaeth a rhaglen Plaid Cymru yn cael eu glastwreiddio 'in favour of an identification with serious pressure groups within Welsh and British politics'. Ymhellach, roedd Elis-Thomas ar fai oherwydd ei amharodrwydd i gydnabod ei rôl arweinyddol fel llywydd y Blaid. Trwy ymhonni nad oedd yn fwy na llefarydd, yn hytrach nag arweinydd, roedd aelodaeth y Blaid yn cael ei hamddifadu o'r cyfle i gael trafod yn iawn beth oedd yn digwydd a pha gyfeiriad a oedd yn cael ei fabwysiadu.[111] O ystyried mai un o brif feirniadaethau Williams ac Elis-Thomas o arweinyddiaeth y Blaid yn nechrau'r 1980au oedd eu syniadau traddodiadol ac 'elitaidd' ynglŷn â rôl arweinwyr, roedd cryn eironi ymhlyg yn y ffaith fod Williams, bellach, yn galw ar ei awdur gynt i ymddwyn yn fwy traddodiadol ei hunan. Arwydd, efallai, o rwystredigaeth y cyfnod?

Wedi i sylwadau Williams dderbyn sylw yn y *Western Mail*, cafwyd ymateb iddynt gan Elis-Thomas yn yr un man. Cydnabu ei fod yn ddelfrydydd rhamantaidd ym mowld Gwynfor Evans, Saunders Lewis a W. J. Gruffydd. Derbyniodd, hefyd, ei fod wedi treulio mwy o amser yn ddiweddar ar wleidyddiaeth grwpiau pwyso ac y byddai'n rhaid i hyn newid. Credai hefyd, fodd bynnag, fod ei waith yn golygu bod agwedd fwy positif tuag at y Blaid ar

111 Daw'r dyfyniadau uchod o Emyr Wynn Williams, 'Golygyddol', *Cylchlythyr y Chwith Genedlaethol*, Awst 1985; mae'r pwyslais yn y gwreiddiol.

draws y 'Centre-left of Welsh politics': 'The task now until the general election is to turn the positive attitude into active support.'[112] Cafwyd awgrym o'r ffordd y gobeithiai llywydd y Blaid droi'r agweddau positif hyn yn gefnogaeth go iawn mewn ysgrif hynod ddadlennol a gyfrannodd ef a David Reynolds i rifyn gaeaf 1985 o *Radical Wales*, ysgrif a geisiodd bwyso a mesur hynt Plaid Cymru er cynhadledd Caerfyrddin yn 1981 ac awgrymu cyfeiriad i'r dyfodol.

Trwy goleddu sosialaeth ddatganoledig yn 1981, roedd Plaid Cymru wedi cymryd gambl hanesyddol. Roedd dwy wedd i'r gambl:

> that enough momentum and members would be gained from crossover Labour voters to outweigh any losses of enthusiasm among conventional nationalists, and that the new policies would be intellectually coherent, publically understood and therefore capable of winning the political battle of ideas in Wales.[113]

Ond er bod y cyfeiriad newydd wedi profi peth llwyddiant, nid oedd heb ei broblemau. Cyfeiriwyd at nifer ohonynt yn benodol. Yn gyntaf, roedd yr ymagweddiad newydd yn rhy haniaethol oherwydd fod y Blaid wedi methu â darparu glasbrint clir a chredadwy o'r math o Gymru yr oedd am ei chreu. Er bod hyn yn gwbl gyson â safbwynt y Blaid o rymuso cymunedau yn hytrach na gorfodi syniadau o'r canol, roedd yn creu problem wleidyddol ymarferol sylweddol: 'A political future which is in the hands of oneself and one's neighbours without any blueprint or prior guidance is perhaps a future that only the most secure could welcome without reservations.'[114] Hynny yw, dim ond y goludog a all fforddio'r fath ansicrwydd. Ail broblem y safbwynt a'r strategaeth a fabwysiadodd y Blaid wedi 1981 oedd eu bod yn fwy llwyddiannus yn denu aelodau na phleidleisiau. Problem arall oedd bod y Blaid wedi cael ei huniaethu'n rhy agos â phleidiau adain chwith eraill ac felly mewn perygl o golli ei hunaniaeth. Ar

[112] *Western Mail*, 25 Medi 1985, t. 8. Noder y modd y daeth 'left' dechrau'r 1980au yn 'centre-left', sef y term y bu Wigley'n ei arddel adeg y frwydr arweinyddol rhwng y ddau yn 1981! Oedd, roedd llawer o ddadleuon yn prysur cael eu troi ar eu pennau erbyn hyn.

[113] David Reynolds a Dafydd Elis-Thomas, 'Four years on: charting Plaid's new direction', *Radical Wales*, 9 (Winter 1985) 18.

[114] Reynolds ac Elis-Thomas, 'Four years on: charting Plaid's new direction', 18.

ben hynny, roedd pleidiau eraill, yn benodol y Gynghrair (sef rhag-flaenydd y Democratiaid Rhyddfrydol) a'r Toriaid, wedi llwyddo i dargedu rhai o gefnogwyr traddodiadol y Blaid.

Beth oedd i'w wneud, felly? Roedd yn rhaid diriaethu rhethreg y Blaid: sicrhau bod yr hyn a ddywedai yn 'street credible and street understandable'.[115] Yn ogystal â hyn, roedd yn rhaid ail-ddarganfod dimensiwn Cymreig i wleidyddiaeth y Blaid – cyf-addefiad go arwyddocaol, a dweud y lleiaf. Ar ben hynny, roedd yn rhaid cydnabod ac ymateb i berygl y Gynghrair trwy bwysleisio'r gwahaniaethau rhwng y ddwy blaid 'on nuclear disarmament, on economic policy and on the issue of Welsh independence, where the Alliance's devolution proposals offer Wales merely limbo status between integration and independence'.[116] Yn fwy sylfaenol fyth, roedd yn rhaid cydnabod nad oedd casineb tuag at Thatcher-iaeth yn ddigon ynddo'i hun i alluogi'r grwpiau hynny a oedd yn meddu'r potensial i greu clymblaid wleidyddol amgen i gydweith-redu â'i gilydd yn llwyddiannus:

> the groups that now uneasily co-exist within the Welsh resistance move-ment must themselves be brought into a closer relationship. For socialists, only through the conventional idea of independence will one ever get the chance of a socialist Welsh state. For 'cultural nationalists' . . . it is *only* through Wales' control of its own economy that we can stop the ditching of the language by young people forced into the English job market. Socialists must be nationalists – nationalists must also appreciate socialism. The green of nationalism, the red of socialism and the white of pacifism belong together in our Welsh rainbow coalition.[117]

Nid oedd y gambl wedi methu, felly, ond roedd angen mwy o waith cyn y gellid dweud i sicrwydd ei bod wedi llwyddo.

Ar un wedd, gellir dweud mai dim ond ailddatgan rhai o syniadau canolog y chwith-genedlaetholgar ers dechrau'r 1980au (a chyn hynny) yr oedd Reynolds ac Elis-Thomas. Yn sicr ddigon, roedd dadlau o blaid ieuo sosialaeth a chenedlaetholdeb Cymreig â'i gilydd yn dipyn o dôn gron erbyn 1985. Serch hynny, roedd y cywair yn wahanol, fel pe bai profiad y blynyddoedd blaenorol

[115] Reynolds ac Elis-Thomas, 'Four years on: charting Plaid's new direction', 18.
[116] Reynolds ac Elis-Thomas, 'Four years on: charting Plaid's new direction', 19.
[117] Reynolds ac Elis-Thomas, 'Four years on: charting Plaid's new direction', 19. Pwyslais yn y gwreiddiol.

wedi gadael ei ôl sobreiddiol ar yr awduron. Roedd y cyfeiriad at y Gynghrair yn dadlennu tipyn mwy o bragmatiaeth ac ymarferoldeb gwleidyddol nag a fu'n amlwg ar bob achlysur yn y gorffennol. Ond y nodwedd bwysicaf oll, oedd parodrwydd yr awduron i gydnabod yr angen i ailddarganfod dimensiwn Cymreig ('discover again a Welsh dimension'). Y cwestiwn mawr oedd beth yn union fyddai hynny'n ei olygu? Fel y gwelir, roedd dwy elfen i'r ateb a gynigiwyd i'r cwestiwn hwnnw yn y man (er nad oedd sôn am y naill na'r llall yn ysgrif Reynolds ac Elis-Thomas): cynllun ar gyfer Senedd ddatganoledig i Gymru a phwyslais drachefn ar y cyd-destun Ewropeaidd, sef, yn eironig ddigon, safbwyntiau a fyddai'n tywys Plaid Cymru i'r un diriogaeth wleidyddol a hawliwyd eisoes gan y Gynghrair! Ar ben hynny, ceisiwyd atgyfnerthu hygrededd y Blaid trwy lunio undeb etholiadol gyda'r SNP ar gyfer etholiad cyffredinol 1987.[118] Mae'r ffaith fod y Blaid wedi dod i gytundeb â phlaid yr oedd llawer ar y chwith yn ei hystyried – nid heb achos, efallai – yn blaid go adain dde ac oportiwnistaidd, yn arwyddo'n glir pa mor gyflym y dilynodd trai'r adain chwith wedi penllanw 1984–5.

Cwbl ddi-sail yw'r dybiaeth fod Plaid Cymru naill ai wedi anghofio neu lastwreiddio ei hymrwymiad i hunanlywodraeth wrth droi i'r chwith wedi 1979. Yn hytrach, nodweddwyd disgwrs cyfansoddiadol y chwith gan y defnydd (bwriadol gableddus) o'r gair 'annibyniaeth' a'r math o absoliwtiaeth – 'annibyniaeth' neu ddim – a welwyd yn ysgrif Reynolds ac Elis-Thomas. Wedi'r cwbl, pa obaith sefydlu gwladwriaeth sosialaidd yng Nghymru heb fesur pellgyrhaeddol iawn o ymreolaeth! Yr hyn y cefnwyd arno wedi siom 1979 oedd 'datganoli' fel rhyw fath o gam i'r cyfeiriad cywir. Yn Rhagfyr 1985, fodd bynnag, estynnodd Pwyllgor Gwaith y Blaid wahoddiad i Emyr Wynn Williams ddrafftio cynigion cyfansoddiadol newydd ar ei chyfer. Bu'r drafft hwnnw yn ei dro yn sail i drafodaeth bellach gan is-bwyllgor arbennig o aelodau hŷn y Blaid – Gwynfor Evans, Dafydd Elis-Thomas, Phil Williams, Dafydd Huws ac Emyr Wynn Williams. Canlyniad hyn oll oedd llunio cynllun ar gyfer Senedd i Gymru (*Senate* oedd y term a ddefnyddiwyd yn Saesneg) a fyddai'n gonglfaen ymgyrch Plaid

[118] Ceir testun y cytundeb fel atodiad i Faniffesto Plaid Cymru ar gyfer yr etholiad; gweler *Ennill dros Gymru/Winning for Wales* (Plaid Cymru, 1987), tt. 29, 31.

Cymru yn etholiad cyffredinol 1987.[119] Yng ngeiriau'r Maniffesto etholiadol, er mai 'llywodraeth annibynnol Gymreig yn atebol i neb ond pobl Cymru' oedd nod y Blaid o hyd, roedd yr 'argyfwng mor ddwys, y problemau mor ddyrys, yr anghyfiawnder mor fawr nes bod rhaid cychwyn ar y gwaith ar unwaith'.[120] Yn benodol, dylid trosglwyddo pwerau'r Swyddfa Gymreig i Senedd etholedig Gymreig a fyddai'n canolbwyntio yn anad dim ar adfywio'r economi.

Rhagwelwyd Senedd yn cynnwys 100 aelod wedi'u hethol trwy bleidlais gyfrannol. O ran pwerau, byddai'r Senedd yn etifeddu grym yr Ysgrifennydd Gwladol i bennu blaenoriaethau gwariant cyhoeddus yng Nghymru yn ogystal ag ad-drefnu llywodraeth leol, enwebu aelodau i gyrff cyhoeddus, ac yn y blaen. O ran grymoedd deddfwriaethol, rhagwelwyd cyfundrefn a oedd mor gymhleth ac annhebygol nes peri i'r cawlach cyfansoddiadol a nodweddodd ddau gyfnod cyntaf y Cynulliad Cenedlaethol presennol ymddangos fel patrwm o resymoldeb ac ymarferoldeb! Dyma ymdrech ysgrif olygyddol *Radical Wales* yn haf 1987 i egluro'r hyn yr oedd y Blaid yn ei argymell:

> The Senate will have the power to initiate legislation of particular relevance to Wales. It will not, however, have the power of unconditional implementation – the final reading will still be at Westminster. On the other hand, where Westminster-initiated legislation is of specific relevance to Wales the Senate will take over the functions of the House of Lords and thus have the power to delay or suggest amendments to such legislation (but not, at the end of the day, to block it all together).[121]

O ystyried bod y rhan fwyaf o raglen ddeddfwriaethol San Steffan o 'specific relevance' i Gymru, nid yw'n eglur a oedd awduron y cynllun mewn difri yn rhagweld Senedd Gymreig yn datblygu'n rhyw fath o ail siambr ar gyfer Tŷ'r Cyffredin? Unwaith yn rhagor, roedd gafael Plaid Cymru ar gwestiynau cyfansoddiadol i'w weld yn bur ansicr. Ond nid yn ei fanylion y gorwedd pwysigrwydd y cynllun ar gyfer Senedd a ddatblygwyd gan y Blaid rhwng 1985 a 1987. Yn hytrach, roedd y cynllun yn bwysig, nid yn unig

119 Gweler yn arbennig: Emyr Wynn Williams, *The Welsh Senate and Regeneration of Wales* (Plaid Cymru, d.d. ond 1986/7); *Ennill dros Gymru/Winning for Wales*, tt. 25, 27; *Radical Wales*, 15 (Summer 1987), 3–6.

120 *Ennill dros Gymru/Winning for Wales*, t. 25.

121 *Radical Wales*, 15 (Summer 1987), 5–6.

i Blaid Cymru, ond hefyd i wleidyddiaeth Cymru yn gyffredinol, oherwydd y modd y fframiwyd y ddadl o'i blaid gan Emyr Wynn Williams.

Dadl ganolog Williams oedd bod Cymru bellach yn meddu ar lawer iawn o sefydliadau gwladwriaethol – bod gwladwriaeth Gymreig o fath yn bodoli – ond nid oedd y sefydliadau hyn yn atebol i bobl Cymru. Nid oedd hyn ynddo'i hun yn ddadl newydd yn yr ystyr fod yr angen i ddemocrateiddio'r gyfundrefn lywodraethol a gweinyddol a fodolai yng Nghymru yn un o'r dadleuon a ddefnyddiwyd wrth bledio achos datganoli yn ôl yn y 1970au. Ond mae'n rhaid nodi dau beth. Yn gyntaf, nid dyma brif ffrwd y dadleuon o blaid datganoli yn y cyfnod hwnnw, yn enwedig yn ystod yr ymgyrch 'Ie' aflwyddiannus cyn y refferendwm. Yn ail, oherwydd maint y chwalfa yn 1979, ymddengys fod y dadleuon hynny wedi mynd yn angof. Yr hyn a wnaeth Williams, felly, oedd codi'r dadleuon o'r newydd a hynny ar sail disgrifiad a dadansoddiad go fanwl o ffurf y wladwriaeth Gymreig annemocrataidd hon, a'u gwneud yn gwbl ganolog i'w ddadl ef o blaid datganoli. Yn ogystal, daeth ag annigonolrwydd y gyfundrefn bresennol yn fyw trwy enghreifftio'r modd yr oedd y Toriaid yn defnyddio eu grymoedd nawdd trwy osod awenau'r cyrff cyhoeddus a ffurfiau'r wladwriaeth Gymreig yn nwylo eu cefnogwyr anetholedig ac anghynrychioliadol eu hunain. Yn benodol, dangosodd sut yr oedd o leiaf chwech o'r deuddeg aelod o fwrdd yr Awdurdod Datblygu yn aelodau o'r Blaid Geidwadol.[122]

Cafwyd y datganiad egluraf o ddadansoddiad Williams mewn papur a gylchredodd ymhlith y Chwith Genedlaethol tua dechrau 1988. Ar ôl olrhain datblygiadau sefydliadol yng Nghymru daeth i'r casgliad:

> In their totality I believe that these developments illustrate quite clearly that the tide of history is flowing very strongly in favour of Wales, and that the constructive processes at work far outweigh the destructive cross-currents which are also evident . . . Wales has survived the era of British centralism and nationalism which reached its peak around 1934, and now experiences a political reconstruction . . . If we contrast the current situation with that which existed during the early 1930s it is abundantly apparent that a transformation of revolutionary proportions has occurred. Whereas during the early '30s the existence of Wales was being challenged . . . we now live in a situation in which the Welsh state not only exists but also has developed

[122] Williams, *The Welsh Senate and Regeneration of Wales*, tt. 36–8.

> a tremendous impetus of its own. By now the concept of the Welsh State intervening in order to nurture the regeneration of Wales is becoming the central concept of Welsh politics. Moreover to state that Wales is run by a Governor General is to fail to comprehend the extent of the autonomy inherent in the post of Secretary of State for Wales. A far more appropriate concept would be to view Wales as being governed by a Prime Minister whose role is restricted by the absence of a Welsh Senate having a legislative and financial autonomy.[123]

Yn y dyfyniad hwn rhoddir mynegiant i'r prif ddadleuon a ddefnyddiwyd gan ddatganolwyr o bob plaid i bledio eu hachos yn ystod y 1990au. Gwelir hefyd yr ieithwedd a nodweddai'r dadleuon hynny. Hyd y gellir barnu, gwaith Emyr Wynn Williams o 1985 i 1989 a osododd y sylfeini syniadaethol a rhethregol ar gyfer gwleidyddiaeth genedlaetholgar y 1990au. Nid yw ei ymdrechion wedi derbyn y gydnabyddiaeth a haeddant.

Wedi düwch a diflastod 1979 a'i adladd, yr hyn sydd hefyd yn drawiadol am eiriau Williams yw'r optimistiaeth sydd ymhlyg ynddynt: roedd tueddiadau'r oes o blaid Cymru. Dyma, hefyd, y casgliad a ddeilliodd o ail elfen hollbwysig y broses o ailfeddwl ac ailystyried a nodweddai chwith Plaid Cymru yn sgîl chwalfa 1984–5, y tro hwn mewn perthynas ag Ewrop.[124]

Er gwaetha'r ffaith fod rhai unigolion a gysylltwyd â'r chwith, megis Raymond Williams a Ned Thomas, wedi gweld ymhell ar fater Ewrop, roedd y rhan fwyaf o'u cymrodyr ym Mhlaid Cymru wedi tueddu naill ai i bortreadu'r Gymuned Ewropeaidd fel clwb cyfalafol, neu i'w hanwybyddu yn gyfan gwbl fel pe bai'n ymylol i gwestiynau gwleidyddol go iawn.[125] Yn hyn o beth, roedd eu hagwedd yn nodweddiadol o agwedd y chwith Brydeinig drwyddi

[123] Papur gan Emyr Wynn Williams a draddodwyd gerbron aelodau cangen Llundain o Blaid Cymru ar 23 Mawrth 1988 a gylchredwyd yn ddiweddarach ymhlith aelodau'r Chwith Genedlaethol, t. 3; gweler Papurau'r Chwith Genedlaethol ym Mhapurau Phil Williams.

[124] Am drafodaeth o agweddau Plaid Cymru tuag at integreiddiad Ewropeaidd gweler Anwen Elias, 'From "full national status" to "independence" in Europe: the case of Plaid Cymru–the party of Wales', yn Michael Keating a John McGarry (goln), *European Integration and the Nationalities Question* (London: Routledge, 2006), tt. 193– 215.

[125] Fel enghraifft gymharol hwyr o'r tueddiad cyntaf gweler Lynn Mainwaring, 'The European community – a new colonialism?' *Radical Wales*, 3 (Summer 1984), 8–10. Roedd Mainwaring, llefarydd economaidd y Blaid ar y pryd, yn amheus o'r hyn a ystyriai fel tueddiad i ramantu blaengarwch y G.E.: 'The fact is that socialism has about as much chance of realisation in the European proto-state as it does in the British super-state' (t. 10), sef dim! Fel y crybwyllwyd eisoes, ni soniwyd am y dimensiwn Ewropeaidd o gwbl yn ysgrif Reynolds ac Elis-Thomas o 1985 a drafodwyd uchod.

draw. Fodd bynnag, yn 1988 daeth tro go ddramatig ar fyd. Yn rhifyn y gwanwyn o *Radical Wales* cafwyd ysgrif gan un o brif bersonoliaethau'r chwith, Syd Morgan, yn galw ar y Blaid i ganolbwyntio ar Ewrop ac etholiadau ar gyfer Senedd Ewrop gan mai yn y cyd-destun hwn yr oedd gelynion y Blaid ar eu gwannaf.[126] Yn yr un rhifyn cafwyd ysgrif arall gan Jill Evans – aelod blaenllaw ar adain chwith y Blaid a oedd hefyd yn ddolen gyswllt allweddol o ran cysylltiadau Ewropeaidd a rhyngwladol – a glodforai'r posibiliadau a oedd, bellach, yn amlygu eu hunain ar y gwastad Ewropeaidd. Roedd y cysyniad o 'Ewrop y bobloedd', a fyddai'n cyfuno pwyslais ar drosglwyddo grym i'r lefel isaf bosibl a sefydlu cynulliadau democrataidd ar y lefel ranbarthol, yn amlwg yn berthnasol i Gymru. Ar ben hynny, roedd clymblaid yn dechrau ymffurfio ar y lefel Ewropeaidd a allai ddwyn Ewrop o'r math yma i fodolaeth; clymblaid yn cynnwys y '"new thinking" European left', mudiadau heddwch, mudiadau a phleidiau amgylcheddol, a phleidiau rhanbarthol a chenedlaethol megis Plaid Cymru.[127] Neu yng ngeiriau ysgrif ddiweddarach gan yr un awdur, nid plaid fach ymylol fyddai Plaid Cymru bellach ond yn hytrach rhan o 'new and progressive force' mewn gwleidyddiaeth Ewropeaidd.[128]

Erbyn gaeaf 1988 roedd pedwar o Bleidwyr, a oedd mewn gwahanol ffyrdd yn gysylltiedig â'r chwith, wedi'u dewis yn ymgeiswyr ar gyfer etholiadau Ewropeaidd y flwyddyn ganlynol. Un ohonynt, neb llai na Dafydd Elis-Thomas ei hun, a ddarparodd y darlun egluraf o Ewro-*philia* newydd y Blaid.[129] Yn ôl y llywydd, roedd canlyniad refferendwm 1979 yn adlewyrchu'r ffaith fod etholwyr Cymru yn meddwl mewn termau Prydeinig ac wedi gwerthuso'r cynigion datganoli yn y goleuni hwnnw. Bellach, fodd bynnag, roedd Prydain yn cael ei hintegreiddio oddi mewn i'r Gymuned Ewropeaidd a golygai hynny fod termau'r ddadl o blaid datganoli hefyd yn newid – a hynny mewn modd a oedd yn sylfaenol ffafriol i 'genedlaetholdeb wleidyddol'. Y nod yn awr

126 Syd Morgan, 'Plaid Cymru: crisis and resolution', *Radical Wales*, 17 (Spring 1988), 9–11.

127 Jill Evans, 'A shared experience: Wales and the European free alliance', *Radical Wales*, 17 (Spring 1988), 17.

128 Jill Evans, 'Self-governing Wales in Europe: a community charter for change', *Radical Wales*, 21 (Spring 1989), 9.

129 Y tri ymgeisydd arall oedd Phil Williams, Jill Evans a Peter Keelan (dylid cofio bod Cymru ar y pryd wedi ei rhannu yn bedair etholaeth ar gyfer dibenion etholiadau i'r Senedd Ewropeaidd).

oedd dangos sut y gallai Cymru elwa o fodolaeth haen o lywodraeth ddemocrataidd genedlaethol 'with direct access from the Cardiff capital to the community capitals and the institutions of Europe'.[130] At hynny, er bod y ddwy ffurf bwysicaf ar Gymreictod yr ugeinfed ganrif yn wynebu argyfwng terfynol, gyda'r Gymru ddiwydiannol, Lafuraidd a'r Gymru anghydffurfiol fel ei gilydd ar drengi, nid oedd hyn yn golygu diwedd Cymru (na hyd yn oed diwedd y Gymraeg).[131] Yn hytrach roedd mabwysiadu cyd-destun a phersbectif Ewropeaidd yn fodd o ail-greu o'r newydd ddealltwriaeth o Gymreictod a oedd yn berthnasol, yn flaengar ac yn symud gyda graen datblygiadau rhyngwladol ehangach: Cymru lle gellid sôn am ddatganoli heb godi bwgan 'separatism'; Cymru lle'r oedd dwyieithrwydd ac amlieithrwydd, ar y patrwm Ewropeaidd, yn norm; Cymru lle'r oedd amryw brofiadau o hunaniaeth genedlaethol Gymreig yn cyd-fyw â'i gilydd; Cymru a oedd yn ymwybodol unwaith yn rhagor ei bod wedi bod yn rhan o fywyd diwylliannol Ewrop erioed, 'from its Celtic beginnings through its Anglo-Norman influences, into Calvinism and Communism'.[132] Dichon na fyddai Saunders Lewis a Gwynfor Evans yn cytuno â phopeth yn nadansoddiad Elis-Thomas, ond byddai'r ddau – a'r cyntaf o'r ddau yn enwedig – wedi cymeradwyo'r modd yr oedd y cyd-destun Ewropeaidd yn cael ei ddefnyddio i ddadansoddi sefyllfa Cymru ac i fframio'r posibiliadau ar gyfer ei dyfodol. Yn sicr, byddai Saunders Lewis wedi llawenhau wrth ddarllen perorasiwn yr ysgrif:

> For Scotland, the SNP is embracing a notion of independence within Europe. Interdependence within Europe would be a more acceptable slogan, but I think we understand the point. It seems to me quite clear that the only road for greater self-government for Wales is through relating what happens in Wales to what happens in Europe. If we succeed in replacing the British dimension with a European dimension in our thinking, then we will have become already the Welsh European internationalists that we always were in our hearts.[133]

Oedd, roedd Plaid Cymru bellach wedi troi (yn ôl) at Ewrop.

[130] Dafydd Elis-Thomas, 'A sense of Europe', *Radical Wales*, 20 (Winter 1988), 19.

[131] Noder yma ei ddisgrifiad o Streic y Glowyr fel 'the last great tradition celebration of that tradition of solidarity' a nodweddai'r Gymru ddiwydiannol, Lafuraidd: 'The march back to Mardy symbolised the end of a tradition' (t. 19).

[132] Elis-Thomas, 'A sense of Europe', 18.

[133] Elis-Thomas, 'A sense of Europe', 18–20.

Bu'r ymagweddiad positif iawn hwn tuag at Ewrop a welwyd yn areithiau ac ysgrifau Dafydd Elis-Thomas, Gwyn A. Williams, Jill Evans, ac eraill yn y cyfnod dan sylw yn bwysig am sawl rheswm.[134] Yn gyntaf, daeth pwysigrwydd y cyd-destun Ewropeaidd yn rhan bwysig o fframwaith deallusol a rhethregol y dadleuon o blaid datganoli yn ystod y 1990au – unwaith yn rhagor, roedd Pleidwyr wedi chwarae rôl hollbwysig wrth 'arfogi' datganolwyr o bob plaid ar gyfer brwydrau'r degawd. Yn ail, wedi i 1979 gau un drws a arweiniai tuag at 'ryddid', a methiant Streic y Glowyr gau drws arall yn glep, rhoes 'Ewrop y bobloedd' gyfeiriad deallusol newydd i'r Blaid. Yr hyn sy'n allweddol yw bod hwn yn gyfeiriad y gallai bron pob carfan oddi mewn i Blaid Cymru gytuno arno. Ym marn yr elfen fwyaf traddodiadol oddi mewn i'r Blaid roedd yr Ewropeaeth newydd hon yn atseinio themâu Saundersaidd clasurol. Roedd y math o ddyheadau cyfansoddiadol a dyfodd o brosiect 'Ewrop y bobloedd' hefyd yn gwbl gyson â'r hen waharddeb yn erbyn 'annibyniaeth' – gwaharddeb y bu'r chwith yn ei herio'n gyson yn hanner cyntaf y 1980au heb erioed lwyddo i'w dadwreiddio'n llwyr. Ond yn ogystal, bu Dafydd Wigley yn frwd o blaid integreiddio Ewropeaidd ymhell cyn i'r chwith fabwysiadu'r un safbwynt – gydag arddeliad nodweddiadol y sawl sy'n profi tröedigaeth hwyr – yn 1988. Yn wir, wrth i'r cynllun ar gyfer Senedd i Gymru a'r pwyslais Ewropeaidd ddisodli – i bob pwrpas ymarferol – y syniad o wleidyddiaeth ddosbarth o raglen y chwith-genedlaetholgar, roedd mwy o dir cyffredin syniadaethol oddi mewn i'r Blaid erbyn diwedd y 1980au nag a fu ers blynyddoedd lawer cyn hynny.

Mae'n eironig, felly, fod diwedd y 1980au a dechrau'r 1990au yn gyfnod digon anodd i Blaid Cymru. Yn un peth roedd difrawder hanner cyntaf y 1980au wedi gadael ei ôl. Gyda rhaniadau chwerw'r cyfnod wedi gwthio gwahanol garfanau i mewn i'r ffosydd, fel pe bai, roedd yn anodd i'r carfanau hynny gydnabod yn ddiweddarach yr hyn a oedd yn weddol amlwg i unrhyw sylwebydd allanol, sef mai prin iawn oedd y gwahaniaethau syniadaethol

[134] Er nad yw gofod yn caniatáu gwneud hynny yma, byddai'n rhaid i unrhyw ymdrech i fynd i'r afael o ddifrif â datblygiad yr ymagweddiad *pro*-Ewropeaidd ymhlith aelodau chwith y Blaid yn ail hanner yn 1980au orfod ystyried cyfraniad hollbwysig Gwyn A. Williams i'r broses; gweler, *inter alia*, ei araith gerbron cyfarfod lansio'r Ymgyrch Cynulliad i Gymru ym Merthyr yn Nhachwedd 1988 a argraffwyd yn rhifyn Gwanwyn 1989 o *Radical Wales*, 11–13.

gwirioneddol oddi mewn i'r Blaid erbyn tua 1987–8.[135] Y gwir yw, wrth gwrs, nad oedd y gwahaniaethau tybiedig rhwng y chwith a'r gweddill ddechrau'r 1980au mor fawr ag yr oedd llawer yn ei gredu ar y pryd, ac mai'r prif wahaniaeth rhyngddynt, efallai, oedd awydd y chwith i nodi a thanlinellu newid symbolaidd rhwng yr 'hen Blaid' a'r Blaid newydd, flaengar. Ond bid a fo am hynny, wedi 1985 gwelwyd unrhyw fwlch gwrthrychol a fodolai rhwng y gwahanol garfanau yn cau'n gyflym. Yng nghynhadledd flynyddol Plaid Cymru yn 1985, er enghraifft, cyfarfod a gynhaliwyd yng Nghaergybi gyda llygad ar obeithion y Blaid yn yr etholaeth honno yn yr etholiad cyffredinol nesaf, pasiwyd cynnig a olygai y byddai datganiad amcanion diwygiedig y Blaid yn darllen fel a ganlyn:

> fel plaid genedlaethol Cymru, ei hamcanion fydd:
>
> sicrhau hunanlywodraeth i Gymru a gwladwriaeth ddemocrataidd yn seiliedig ar egwyddorion sosialaidd;
>
> diogelu a hyrwyddo diwylliant, iaith, traddodiadau, yr amgylchfyd a bywyd economaidd Cymru drwy bolisïau sosialaidd datganoledig.

Fe'u pasiwyd fwy neu lai yn unfrydol heb ddim o ddrama Caerfyrddin yn 1981. Yn etholiad cyffredinol 1987 gwelwyd *doyen* y chwith, Gwyn A. Williams, yn annerch yng nghyfarfod lansio ymgyrch aelod seneddol Arfon Dafydd Wigley. Ond er gwaethaf datblygiadau o'r fath, roedd cryn annifyrrwch yn parhau yn y rhengoedd ac fe'i hamlygwyd mewn sawl ffordd.

Teimlai llawer fod y Blaid yn ddigyfeiriad. Dyma oedd wrth wraidd taith Wigley i Ddolgellau ym mis Medi 1989 i holi Dafydd Elis-Thomas 'Beth, yn syml, oedd y *game plan*?' Ofn Wigley oedd na feddai'r llywydd 'strategaeth o gwbl.'[136] Yn arwyddocaol, roedd hen gymrodyr Dafydd Elis-Thomas ar chwith y Blaid yn rhannu'r un pryder. Ychydig ynghynt, ym mis Rhagfyr 1988, roedd Emyr

[135] Un o'r enghreifftiau mwyaf trawiadol o ddifrawder yw'r modd y cyfeiriodd Emyr Wynn Williams at y 'dde' oddi mewn i Blaid Cymru fel 'the flag waving "Nuremburg Tendency"' mewn ysgrif olygyddol yng nghylchlythyr y Chwith Genedlaethol yn Rhagfyr 1988.

[136] Wigley, *Dal Ati*, t. 309.

Wynn Williams wedi datgan wrth ei gydaelodau o'r Chwith Genedlaethol ei bod yn 'essential that Dafydd Elis-Thomas gets his act together'.[137] Ond nid anniddigrwydd â'r arweinydd oedd yr unig arwydd o'r ysbryd anfoddog a nodweddai'r Blaid ar y pryd. Efallai mai'r arwydd mwyaf trawiadol oedd y sibrwd parhaus fod rhyw adain neu'i gilydd o Blaid Cymru wrthi y tu ôl i'r llenni yn trafod â phleidiau neu garfanau eraill gyda golwg ar gynghreirio neu hyd yn oed cychwyn proses fwy uchelgeisiol fyth o ail-gyflunio'r strwythur pleidiol yng Nghymru yn gyfan gwbl. Roedd y chwith, ar y naill law, yn hynod amheus o'r cysylltiadau honedig rhwng aelodau amlwg ar y 'dde', megis prif weithredwr y Blaid, Dafydd Williams, a'r islywydd, Dafydd Huws, â'r Democratiaid Rhyddfrydol.[138] Dwysawyd yr amheuon gan ddigwyddiad bisâr yn mis Hydref 1987 pan anfonodd rhywun (anhysbys) gopi o lythyr at bump o aelodau Cyngor Cenedlaethol Plaid Cymru a oedd fel pe bai'n datgelu trafodaethau rhwng Williams a Richard Livsey, aelod seneddol y Gynghrair dros Frycheiniog a Maesyfed; llythyr a gondemniwyd ac a ddyfarnwyd yn 'forgery' gan y Blaid.[139] Ond ar y llaw arall, roedd yr elfennau mwy traddodiadol oddi mewn i'r Blaid hefyd yn amheus ynglŷn â'r cysylltiadau yr oedd chwith eu plaid eu hunain wedi ei ffurfio â charfannau adain chwith eraill y tu mewn a'r tu hwnt i Gymru.[140] Mae'n anodd gwybod faint o wirionedd a oedd i holl amheuon a sibrydion y cyfnod. Yn sicr, nid oeddynt yn gwbl ddisylwedd. Er bod yr unigolion hynny a oedd yn rhan o'r gwahanol sgyrsiau a thrafodaethau yn parhau'n gyndyn o gadarnhau yn union yr hyn a drafodwyd (mae llawer ohonynt yn parhau'n weithgar yn y Blaid hyd heddiw), gallwn fod yn sicr fod cyd-drafod ag aelodau blaenllaw o'r Gynghrair ynglŷn â phosibil-rwydd cydweithredu rhwng y ddwy blaid. Yn wir, mae Dafydd

137 Ysgrif olygyddol ('Was that really the Plaid Cymru Conference?') yng ngylchlythyr y Chwith Genedlaethol, Rhagfyr 1988.

138 Papurau'r Chwith Genedlaethol ym Mhapurau Phil Williams.

139 Gweler *Daily Post*, 9 Hydref 1987.

140 Roedd yr amheuon ar y ddwy ochr yn dyddio yn ôl i ddechrau'r 1980au, pan oedd y chwith yn honni bod y 'dde' yn cynllwynio â'r Rhyddfrydwyr neu'r SDP, a'r elfennau mwy traddodiadol yn amheus o gysylltiadau honedig y chwith â'r *Bennites* oddi mewn i'r Blaid Lafur; gweler, er enghraifft, golofn llythyrau *Arcade*, 4 Medi 1981 (t. 13), lle ceir llythyr gan Dafydd Wigley yn gwadu bod trafodaethau ar y gweill am drefniant etholiadol rhwng y Blaid a'r SDP yng Nghaernarfon a llythyr arall gan Emyr Wynn Williams yn gwadu yr un mor bendant fod trafodaethau ar y gweill rhwng y Chwith Genedlaethol a chefnogwyr Tony Benn yn y Blaid Lafur.

Wigley yn cadarnhau bod Dafydd Elis-Thomas a Richard Livsey wedi trafod rhyw fath o gyd-ddealltwriaeth etholiadol rhwng y ddwy blaid tua dechrau'r 1990au.[141] Gellir bod yn weddol sicr hefyd fod cyd-drafod tua diwedd y 1980au rhwng rhai o ffigyrau mwyaf blaenllaw adain chwith y Blaid â charfanau eraill ar chwith y Blaid Lafur a'r SNP.[142] Ond ni ddaeth dim o'r cysylltiadau hyn. Yn wir, un o ganlyniadau ymosodiadau ciaidd y Blaid Lafur ar Blaid Cymru yn ystod isetholiad Pontypridd yn 1989 oedd i chwith y Blaid golli ffydd ym mhosibiliadau adeiladu pontydd rhyngddi a chwith y Blaid Lafur. (Ymddengys nad oedd chwith y Blaid yn sylwi ar eironi'r ffaith eu bod hwythau hefyd yn euog o ddefnyddio'r un ieithwedd amhriodol wrth ddisgrifio 'right wing culturalists' y mudiad cenedlaethol ag yr oedd Llafur yn ei defnyddio yn ymgyrch isetholiad Pontypridd wrth iddynt geisio pardduo Plaid Cymru drwyddi draw.)[143] Y gwir yw, fodd bynnag, nad diffyg teyrngarwch i'r Blaid a oedd yn gyfrifol am barodrwydd gwahanol garfanau o'i mewn i ystyried creu cytundebau etholiadol neu fathau eraill o drefniadaeth gyda phleidiau neu garfanau gwleidyddol eraill a hynny trwy drafodaethau cudd. Nid rhyw awydd cynhenid i ymgecru a oedd wrth wraidd ysbryd anfoddog y cyfnod ychwaith, er na ellir gwadu nad oedd ambell unigolyn mwy cecrus na'i gilydd yn bresennol yn y rhengoedd. Yn hytrach, y broblem sylfaenol oedd diffyg llwyddiant etholiadol y Blaid.

Er i fuddugoliaeth Ieuan Wyn Jones yn Ynys Môn yn 1987 godi calonnau o fewn Plaid Cymru, nid oedd hynny'n cuddio'r ffaith mai disgyn a wnaeth cyfanswm pleidleisiau'r Blaid ym mhob sir ac eithrio Gwynedd yn yr etholiad cyffredinol hwnnw. Ac nid oedd modd celu siom canlyniad etholiad Ewropeaidd 1989, yn enwedig yng ngogledd Cymru lle roedd gobaith gwirioneddol y gallai ymgyrch gorff ac enaid Dafydd Elis-Thomas ddiorseddu'r rhyfeddol Beata Brooks. Yn drydydd y daeth llywydd y Blaid, gyda'r ymgeisydd Llafur, yr ansylweddol Joe Wilson, yn cipio'r sedd. Oedd, roedd y Blaid Lafur yn ei hôl fel grym etholiadol difrifol, a hynny er gwaetha'r ffaith fod cymaint o Bleidwyr wedi bod yn

141 Wigley, *Dal Ati*, t. 342.

142 Ymddengys, er enghraifft, fod o leiaf un cyfarfod rhwng y dair carfan wedi ei gynnal yn ardal Manceinion. Gwybodaeth bersonol.

143 Daw'r term 'right wing culturalists' o adroddiad ar gyfarfod Ebrill 1988 o'r Chwith Genedlaethol yn un o gylchlythyrau mewnol y mudiad; gweler Papurau'r Chwith Genedlaethol ym Mhapurau Phil Williams.

darogan ei thranc er 1979. ('THERE WILL NEVER AGAIN BE A LABOUR GOVERNMENT IN OUR LIFETIME' oedd proffwydoliaeth hyderus Gwyn A. Williams ar Ddydd Gŵyl Dewi 1987.)[144] Yn waeth fyth, sicrhaodd y Gwyrddion – plaid heb unrhyw bresenoldeb ystyrlon dros y rhan fwyaf o Gymru – gynnydd rhyfeddol yn eu pleidlais gan ennill mwy o bleidleisiau na'r Blaid yn nhair o'r pedair etholaeth Gymreig. Er gwaetha'r ffaith fod y blaid yn fwy unedig yn syniadaethol nag y bu ers tro byd, ac er gwaethaf tystiolaeth gynyddol y polau piniwn fod y gefnogaeth i ddatganoli ar gynnydd ymhlith etholwyr Cymru, roedd Plaid Cymru yn troi yn ei hunfan. Yn wir, y tu hwnt i Wynedd, roedd yn dal i golli tir.

Yn nhyb Dafydd Wigley, roedd canlyniad yr etholiad Ewropeaidd yn ergyd drom iawn i Dafydd Elis-Thomas. Wedi hynny, gwelodd ef lywydd y Blaid yn 'troi'n sarrug iawn tuag at y blaid Lafur' a 'hefyd yn dechrau cael clust Wyn Roberts'.[145] Yn bwysicach na hynny, ymddengys mai canlyniad 1989 roes gychwyn ar ymdaith aelod seneddol Meirionnydd allan o Dŷ'r Cyffredin i Dŷ'r Arglwyddi ac i gadeiryddiaeth Bwrdd yr Iaith Gymraeg, y *quango* a sefydlwyd yn sgîl pasio Deddf Iaith 1993. Roedd digon o dystiolaeth cyn 1989 fod Elis-Thomas yn cael ei ddadrithio gan wleidyddiaeth bleidiol gonfensiynol. Mewn darlith a gyhoeddwyd yn y cylchgrawn *Radical Scotland* yn 1986, er enghraifft, dadleuodd na ddylai unrhyw un sydd ag awydd sicrhau newid cymdeithasol sylfaenol ofni diflaniad 'traditional party forms' oherwydd fod pleidiau yn eu ffurf draddodiadol, yn rhy aml o lawer yn rymoedd ceidwadol a oedd yn llyffetheirio yn hytrach na hybu egnïon blaengar. Roedd hyn hyd yn oed yn wir am bleidiau cenedlaethol yng Nghymru a'r Alban: 'In their determination to seek representation in the British state, these parties too often find themselves replicating the internal organisational forms of conventional political parties.'[146] Ar y pryd, roedd Elis-Thomas yn llawer mwy cadarnhaol ynglŷn â mudiadau cymdeithasol, ac yn arbennig y mudiad merched, y mudiad gwyrdd a'r mudiad heddwch. Fodd bynnag, mae'n hawdd gweld sut, ymhen amser, y llwyddodd i

144 Gwyn A. Williams, *Towards the Commonwealth of Wales* (Cardiff: Plaid Cymru, 1987), tudalen olaf (nid yw'r tudalennau wedi'u rhifo); pwyslais y gwreiddiol.

145 Wigley, *Dal Ati*, tt. 307–9.

146 Dafydd Elis-Thomas, 'Socialism and nationalism for our time', *Radical Scotland*, 22 (August/September 1986), 25.

gyfuno'r dadrithiad cyffredinol hwn â gwleidyddiaeth plaid – a gwleidyddiaeth y Blaid – a'r dehongliad a arloesodd Emyr Wynn Williams, yn anad neb, ynglŷn â bodolaeth gwladwriaeth Gymreig, er mwyn esgor ar strategaeth wleidyddol arall a ddadlennodd i Dafydd Wigley ym mis Medi 1989.

Pan deithiodd Wigley i Ddolgellau i holi Elis-Thomas ynglŷn â natur y '*game plan*' ar gyfer y Blaid yr ateb a gafodd ganddo oedd '*Quango Wales*': 'Gan fod y Torïaid yn creu rhesi ohonynt, dyma bellach fyddai'r haen newydd o lywodraeth yng Nghymru: ac o'u cael eu cymryd drosodd a phwyso wedyn i'w democrateiddio.'[147] Dyma fersiwn cenedlaetholgar, parchus o'r *entryism* a arddelwyd gan rannau o'r chwith Brydeinig ac a wrthodwyd gan y Comisiwn Ymchwil ar ddechrau'r degawd. Ar un ystyr, roedd yn strategaeth ddigon rhesymegol ac, yn sicr ddigon, nid yw'n anodd deall ei hapêl i ŵr a fu'n ymbalfalu er 1974 i geisio bwrw'r maen i'r wal, a hynny heb ryw lawer iawn o lwyddiant. Dichon fod problemau ymarferol go sylfaenol yn codi o geisio gweithredu strategaeth *Quango Wales*, ond gyda chyn lleied o lewyrch ar ymdrechion etholiadol y Blaid – a dim golwg o welliant ar y gorwel – onid y gwir amdani oedd bod pob opsiwn a gynigiai ei hun i genedlaetholwyr Cymreig (neu 'ôl-genedlaetholwyr', o ran hynny) yn drymlwythog o broblemau ac anawsterau?[148] Ac o leiaf roedd y *quangos* yn gyrff diriaethol, real – yn gyrff a chanddynt gyfrifoldebau a grymoedd go iawn dros rannau helaeth o fywyd Cymru. O gofio hynny, onid oedd 'yr orymdaith hir trwy'r sefydliadau', fel y galwodd Dafydd Elis-Thomas ei fersiwn ef o wleidyddiaeth ymdreiddio cenedlaetholgar, yn debyg o fod yn siwrnai fyrrach o lawer na'r orymdaith i rym trwy'r blwch pleidleisio?[149] Wedi'r cwbl, roedd yr orymdaith honno eisoes dros drigain mlynedd o hyd, a dim ond tri aelod

[147] Wigley, *Dal Ati*, t. 309. Rhaid cydnabod yma nad yw Wigley yn sylwebydd diduedd ac mae'n wybyddus na fu rhyw lawer o Gymraeg rhyngddo ef a'i gyd-aelod seneddol ar bob achlysur. Wedi dweud hynny, mae fersiwn Wigley o'r hyn a oedd ar feddwl Elis-Thomas yn gwbl gyson â gweithredoedd Elis-Thomas. Yn ogystal, nid yw Dafydd Elis-Thomas erioed wedi bwrw amheuaeth ar fersiwn Wigley o'r sgwrs a fu rhyngddynt.

[148] Ceisiais drafod rhai o'r problemau a oedd ymhlyg yn strategaeth *Quango Wales* yn Richard Wyn Jones, 'O sosialaeth gymunedol i *Quango Wales*: ymdaith ddeallusol hynod Dafydd Elis-Thomas', *Tu Chwith*, 5 (Haf 1996), 52–8.

[149] Ceir mewnweledid diddorol i fyd-olwg Dafydd Elis-Thomas yn ystod ei gyfnod fel cadeirydd Bwrdd yr Iaith yn 'Adeiladu'r wladwriaeth Gymreig', *Tu Chwith*, 5 (Haf 1996), 24–38. Cyfeiriad at Raymond Williams, arwr mawr Elis-Thomas, yw'r 'orymdaith hir trwy'r sefydliadau'.

seneddol, ill tri yng Ngwynedd, yn dâl am yr holl aberth ac ymdrech.

Ysywaeth, strategaeth unigolyddol oedd strategaeth *Quango Wales*; strategaeth na allai ond yr *elite* chwarae rhan weithredol ynddi (wedi'r cwbl, faint o swyddi a oedd ar gael ar fyrddau'r *quangos* bondigrybwyll?). Nid oedd yn bosibl i Blaid Cymru ei gweithredu a pharhau i fodoli fel plaid wleidyddol. Eto, dyma'r strategaeth yr oedd llywydd y Blaid bellach yn ei hargymell! Roedd y sefyllfa yn gwbl anghynaladwy ac mae rhywun yn synhwyro mai rhyddhad i bawb oedd cyhoeddiad Dafydd Elis-Thomas y byddai'n ildio'r llywyddiaeth yn 1991 ac yn ymadael â Thŷ'r Cyffredin adeg yr etholiad cyffredinol nesaf.[150] Erbyn 1992 byddai'n cymryd ei le yn 'y lle arall', a'i gyfraniad i ddatblygiad syniadaethol Plaid Cymru ar ben – am y tro beth bynnag.

Wigley, Ceredigion a pharadocs y 1990au

Cyfnod anhapus a digon diffrwyth oedd cyfnod cyntaf Dafydd Wigley yn llywydd Plaid Cymru. Dichon y byddai wedi profi'n eithriadol o anodd i bwy bynnag a fyddai wedi cydio yn yr awenau wedi i Gwynfor Evans ildio'r swydd. Roedd cysgod tywyll 1979 yn ddigon ynddo'i hun i sicrhau hynny. Ond fel y gwelsom, gwnaed sefyllfa Wigley fwy neu lai yn amhosibl yn y blynyddoedd rhwng 1981 a 1984 gan gyfuniad o amgylchiadau personol torcalonnus a'r ffaith fod y llanw syniadaethol oddi mewn i Blaid Cymru yn llifo mor gryf i gyfeiriad y chwith 'galed'. Erbyn 1991, fodd bynnag, roedd y rhod wedi troi. Roedd ffocws y Blaid wedi 1986 ar y cwestiwn cyfansoddiadol yn hytrach na gwleidyddiaeth ddosbarth, ac roedd y brwdfrydedd ynglŷn ag integreiddio Ewropeaidd a ysgubodd trwy'r Blaid ddwy flynedd yn ddiweddarach, oll yn golygu bod Plaid Cymru, bellach, yn coleddu'r un syniadau a blaenoriaethau â Dafydd Wigley. Os Dafydd Elis-Thomas a oedd yn cynrychioli 'ysbryd y cyfnod' yn ystod hanner cyntaf y 1980au, yna'n bendifaddau Dafydd Wigley a gynrychiolai ysbryd y 1990au oddi mewn i'r Blaid. O'r herwydd roedd ei ail gyfnod fel llywydd

[150] Teg yw nodi cydnabyddiaeth hael Dafydd Wigley o'r modd y trosglwyddodd Dafydd Elis-Thomas yr awenau llywyddol ynghyd â'r awenau ym Meirion; gweler *Dal Ati*, t. 329.

yn llawer iawn hapusach a mwy llwyddiannus. Fe'i coronwyd gan y ddau uchafbwynt mwyaf yn hanes Plaid Cymru hyd yn hyn, canlyniad refferendwm 1997 a chanlyniad yr etholiad cyntaf i Gynulliad Cenedlaethol Cymru yn 1999.

Nid o ran ei gyfraniad fel meddyliwr gwleidyddol y tueddir i feddwl am gyfraniad Dafydd Wigley i'w blaid ac i wleidyddiaeth Cymru. Yn wir, ni dderbyniodd ei syniadau gwleidyddol nemor ddim sylw gan sylwebyddion hyd yn hyn. Yn hytrach, tueddwyd i bwysleisio ei *garisma* a'i gyffyrddiad poblogaidd dihafal; ei waith diarbed fel cynrychiolydd etholaethol; ei ymroddiad angerddol i achos yr anabl; ac yn y blaen. Dichon na fydd Wigley yn orsiomedig ynglŷn â'r dyfarniad hwn. Wedi'r cwbl, tueddodd i gyflwyno ei hun fel gwleidydd ymarferol; fel un â'i draed ar y ddaear sy'n ymglywed â phroblemau beunyddiol ei bobl yn hytrach na breuddwydiwr haniaethol. Ac efallai'n wir nad yw'n berson sy'n ymddiddori mewn syniadau gwleidyddol i'r un graddau ag y gwnaeth nifer o lywyddion eraill ei blaid, yn arbennig Saunders Lewis a Dafydd Elis-Thomas. Serch hynny, annoeth fyddai anwybyddu ei gredoau gwleidyddol. Yn un peth, mae craidd o egwyddorion syniadaethol y bu Wigley yn dal yn dynn ynddynt gydol ei yrfa wleidyddol ac a'i cynhaliodd trwy flynyddoedd llwm iawn. Ond yn fwy na hynny, bu syniadau gwleidyddol Dafydd Wigley hefyd yn ddylanwad pwysig ar ddatblygiad Plaid Cymru yn ystod y 1990au.

Yn y cyd-destun presennol, dylid nodi tair agwedd benodol ar ei syniadau: yr Ewropeaeth frwd y cyfeiriwyd ati eisoes; ei bwyslais ar ennill y Cymoedd i'r Blaid, pwyslais a adlewyrchai ei dybiaethau ynglŷn â hunaniaeth Gymreig lawn cymaint â'i flaenoriaethau strategol; ac yn olaf, y modd y ceisiodd gysylltu'r ddadl o blaid ymreolaeth â dadleuon ehangach ynglŷn â'r ffyniant a ddeuai i ran pobl Cymru o'i hennill.

Roedd Dafydd Wigley ymhell o flaen ei amser ar fater Ewrop. Mor bell o flaen ei amser, yn wir, nes i'w Ewropeaeth gynamserol ei adael bron yn gwbl ynysig o fewn y Blaid yn hanner cyntaf y 1970au. Yr adeg honno, unodd yr elfennau mwy traddodiadol oddi mewn i'r Blaid gyda'r chwith i wrthwynebu aelodaeth o'r Gymuned Ewropeaidd, ac i annog pleidlais 'na' yn refferendwm 1975. Cyfuniad o resymau a oedd wrth wraidd agwedd y mwyafrif llethol o aelodau'r Blaid ar y pryd: ofn y byddai Ewrop yn datblygu'n rym milwrol a hyd yn oed yn rym niwclear; ofn colli sofraniaeth; tybiaeth mai clwb cyfalafol oedd y Gymuned; teimlad mai lle'r Gymru Rydd oedd gyda'r cenhedloedd bach Llychlynnaidd yn rhan o'r European Free Trade Area (EFTA); ac yn y blaen. Roedd cyfuniad o resymau eraill wrth wraidd safbwynt Wigley. Yn ei esboniad mwyaf trylwyr o'i safbwynt noda ddylanwad Leopold Kohr a Saunders Lewis ar ei syniadau, dylanwad a gyfrannodd at ei wneud yn Ewropead o argyhoeddiad.[151] Ond roedd ystyriaethau mwy pragmataidd ar waith yn ogystal. Cynigiai'r dimensiwn Ewropeaidd ffordd o 'droi'r byrddau' ar y gelynion gwleidyddol hynny a oedd yn cystwyo'r Blaid fel *seperatists*. Pe bai'r Blaid yn 'argymell, yn bositif, ddymchwel muriau a chreu cymuned ehangach, amlieithog, gan bontio hen raniadau' – hynny yw, pe bai'n coleddu'r weledigaeth Ewropeaidd – yna byddai hyn yn dinoethi Prydeindod 'mewnblyg, unieithog, cul ac ynysig' cymaint o'i gwrthwynebwyr.[152] Ar ben hynny, os oedd aelodaeth Brydeinig yn ffaith, yna onid ofer oedd dadleuon i'r perwyl y dylai Cymru Rydd y dyfodol ymddieithrio o'r Gymuned? Yn hytrach, priod le'r Blaid oedd sefyll ochr yn ochr â'r 'democratic forces of other micro-nations' mewn brwydr i ddatganoli grym oddi mewn i'r wladwriaeth Ewropeaidd a ragwelai yn datblygu ar sail y Gymuned: 'Since the problems associated with central control are bound to become a growing worry for many communities, Plaid politics will become a part of the mainstream of European development.'[153] Yn 1972 yr ysgrifennodd y geiriau hyn. Ar y pryd troes mwyafrif helaeth ei gyd-Bleidwyr glust fyddar iddynt. Erbyn diwedd y 1980au, fodd bynnag, daeth ei safbwynt – a llawer o'i ddadleuon – yn rhan o brif ffrwd syniadaethol Plaid Cymru. Cyrhaeddodd yr Ewro-frwdfrydedd newydd ei benllanw yng nghynhadledd flynyddol y Blaid yn 1990 pan basiwyd cynnig yn ymrwymo'r Blaid wrth yr amcanion cyfansoddiadol a ieuodd hunanlywodraeth wrth integreiddiad Ewropeaidd. Amcan Plaid Cymru oedd gweld sefydlu Senedd i Gymru o fewn pum mlynedd, a llais i Gymru oddi mewn i Gymuned Ewropeaidd a oedd wedi'i democrateiddio yn sgîl datblygiad 'Senedd y Rhanbarthau' fel ail

151 Gweler Wigley, *O Ddifri*, tt. 302–11.
152 Wigley, *O Ddifri*, tt. 311–12.
153 Dafydd Wigley, 'Rethink on Europe', *Welsh Nation*, 22 Medi 1972, 2.

siambr ar gyfer Senedd Ewropeaidd rymusach. Yn y tymor hir, amcan y Blaid oedd sicrhau bod Cymru yn ennill 'statws gwleidyddol llawn' o fewn y Gymuned Ewropeaidd gyda grym yn cael ei rannu rhwng Cymru a'r haen Ewropeaidd – â'r lefel Brydeinig yn colli pob dylanwad. Oedd, roedd hon, bellach, yn blaid a oedd yn barod i gael ei harwain gan Dafydd Wigley.

Os oedd Ewropeaeth Wigley yn uniongred o Saundersaidd – sonia am y modd y teithiodd i gartref yr hen ŵr ym Mhenarth yn 1975, 'cyfnod y teimlwn yn eithriadol o unig o fewn y Blaid', a chael cysur mawr o dderbyn sêl ei fendith ar ei safbwynt – nid felly ei ddealltwriaeth o hanfodion hunaniaeth Gymreig.[154] Bid siŵr, bu Wigley yn eithriadol weithgar gydol ei yrfa wleidyddol yn ceisio sicrhau mesurau i hybu'r Gymraeg. Yn wir, go brin y bu unrhyw wleidydd arall yn fwy ymroddedig i'r achos. Ond yn wahanol i Saunders Lewis a Gwynfor Evans, ac yn unol â daliadau Dafydd Elis-Thomas yn hyn o beth, nid oedd ymrwymiad Wigley i'r Gymraeg yn mynd law yn llaw ag unrhyw elfen o amwysedd ynglŷn â Chymreictod Cymry Saesneg-eu-hiaith. Cymry oeddynt. Ac yn nhyb Wigley yn arbennig, yn y Cymoedd y dylai Plaid Cymru fod yn canolbwyntio ei hymdrechion wedi cyflafan 1979.[155] Yng nghyd-destun y mater hwn, roedd cryn orgyffwrdd unwaith yn rhagor rhwng safbwyntiau Wigley ac Elis-Thomas, hyd yn oed os oedd cymhellion y ddau ychydig yn wahanol: tra bo sêl y cyntaf dros gyfiawnder cymdeithasol lawn cymaint â sêl yr olaf, ni ddeallai wleidyddiaeth yn nhermau gwleidyddiaeth ddosbarth ac felly nid ymwybyddiaeth ddosbarth yr hen Gymru ddiwydiannol a barodd iddo osod gwleidyddiaeth y Cymoedd yng nghanol ei raglen wleidyddol, ond yn hytrach y cyfuniad o hunaniaeth Gymreig a'r amodau difreintiedig a welai yno. Yn rhyfedd ddigon, roedd gan Wigley lawn cystal cyfle i adael ei farc ar yr ardal ag aelod seneddol Meirion, er gwaetha'r ffaith mai Elis-Thomas a oedd â'r ddelwedd fwyaf radical (cyn iddo gymryd ei le ar feinciau Tŷ'r Arglwyddi). Roedd Wigley wedi byw a gwleidydda yno cyn ei throi hi am Arfon.[156] Yn ogystal, nid oedd holl Bleidwyr y Cymoedd o bell ffordd yn ffafrio'r math o agenda adain chwith

[154] Wigley, *O Ddifri*, t. 321.

[155] Thema sy'n ymylu ar fod yn dôn gron yn ail gyfrol ei hunangofiant (yn arbennig), sef *Dal Ati*.

[156] Trafoda Wigley ei gyfnod yn byw ac yn gwleidydda ym Merthyr yn *O Ddifri*, tt. 113–41.

a goleddai Elis-Thomas. Ond bid a fo am hynny, erbyn isetholiad Pontypridd yn 1989, wedi i'r 'dde' a'r 'chwith' fel ei gilydd uno y tu ôl i'r ymgeisydd adain chwith Syd Morgan i greu'r ymgyrch isetholiadol fwyaf effeithiol a welodd y Blaid ers blynyddoedd maith, ymddangosai fod cecru mewnol wedi colli peth o'i flas. Unwaith yn rhagor, roedd yr amgylchiadau yn ffafriol ar gyfer arweinyddiaeth Dafydd Wigley a'r Blaid drwyddi draw yn barod i gefnogi ei strategaeth o geisio cynnal a chryfhau gafael Plaid Cymru ar yr etholaethau lle ceid y ganran uchaf o siaradwyr Cymraeg tra'n ymdrechu – rywsut, rywfodd – i wneud argraff go iawn ar bleidleiswyr y Cymoedd.

Ond sut yn y byd yr oedd ceisio ennill eu cefnogaeth? Yn sicr ddigon nid oedd Dafydd Wigley yn hawlio bod ganddo fformiwla hud i'w gynnig i'r Blaid. Pwysleisiodd yn hytrach yr angen am lafur dygn ac ymdrech ddiarbed a hynny i geisio darbwyllo pobl Cymru o werth ei neges.[157] Nid oedd dewis arall, felly, ond gweithio i ddarbwyllo. Yn benodol, roedd yn rhaid ceisio gwneud hunanlywodraeth yn rhywbeth byw ym mywydau pobl Cymru a hynny nid trwy apelio at eu hymdeimlad o hunaniaeth genedlaethol yn unig, ond trwy ddarbwyllo'r etholwyr fod eu ffyniant yn y pen draw yn dibynnu arno. Hyd yn oed os na chlywodd Dafydd Wigley am Miroslav Hroch, roedd ei ddealltwriaeth o amodau llwyddiant cenedlaetholdeb gwleidyddol yn cytgordio'n berffaith â chanlyniadau gwaith ymchwil y gŵr o Brâg (a drafodwyd uchod ym Mhennod 1).

Nid Wigley oedd y cyntaf i geisio dadlau o blaid hunanlywodraeth ar y sail mai newid cyfansoddiadol o'r fath a fyddai'n achub Cymru rhag ei phroblemau economaidd lu. Serch hynny, go brin y bu i'r ddadl honno ladmerydd mwy cyson. Yn wir, gellir dadlau mai Wigley, ochr yn ochr â'i gyfaill athrylithgar Phil Williams, a wnaeth fwyaf yn hanes Plaid Cymru i wneud y ddadl honno'n un gredadwy.[158] Wedi buddugoliaeth Caerfyrddin yn 1966, chwaraeodd y ddau rôl ganolog yng ngweithgareddau Grŵp Ymchwil y

157 Gweler yn arbennig un o'r darnau o ryddiaith mwyaf angerddol a gynhyrchodd Dafydd Wigley, sef pennod olaf *Dal Ati* (tt. 448–68).

158 Yr arloeswr, wrth gwrs, oedd D. J. Davies, gŵr y bu ei gyfraniad i'r Blaid yn ystod ei degawdau cyntaf yn un aruthrol bwysig. O ran gwreiddioldeb ei gyfraniad, saif Davies ar ei ben ei hun. Yr hyn a wnaeth cyfraniad Wigley a Williams mor allweddol oedd ei fanylder – trwy eu gwaith eu hunain a thrwy gydlynu gwaith eraill, llwyddodd y ddau i roi mwy o gig ar esgyrn y ddadl nag unrhyw un o'u blaenau.

Blaid, gweithgaredd a fu'n gefn hollbwysig i Gwynfor Evans yn ei gyfnod yn San Steffan, ac a esgorodd yn 1970 ar gynllun economaidd enwog y Blaid, yr *Economic Plan for Wales*. Ys dywedodd y ddau yn eu rhagair i'r cynllun, nod y cynllun uchelgeisiol hwn oedd amlinellu sut y gallai llywodraeth Gymreig ymreolus ddatrys problemau economaidd Cymru. Yr ateb, gan dalfyrru adroddiad swmpus yn fwy egr o lawer nag y mae'n ei haeddu: dylai llywodraeth Gymreig nodi rhyw ddeg o ganolfannau twf ledled Cymru; sicrhau bod isadeiledd modern i'w gwasanaethu, a chyfarwyddo 'Awdurdod Datblygu Cenedlaethol' i hybu datblygiadau diwydiannol a busnesau addas ym mhob un ohonynt.[159] Economi gymysg a ragwelwyd gan yr awduron, ac er bod y math ar gynllunio economaidd a oedd yn sail i'w cynllun yn cael ei arddel ar y pryd gan lywodraethau'r dde a'r chwith, mae'n amlwg mai ymdrechion llywodraethau'r gwledydd bychain Ewropeaidd a Llychlynnaidd a oedd yn darparu'r model ar gyfer y llywodraeth Gymreig arfaethedig.

Dichon na fu darllen eang ar y Cynllun Economaidd yn ei grynswth. Prin yw'r bobl hynny sy'n fodlon ymlafnio eu ffordd trwy ddogfen bron i dri chan tudalen sy'n cynnwys tablau ystadegol rif y gwlith! Serch hynny, bu'n arf hollbwysig i'r Blaid – hyd at 1979 o leiaf. Yn un peth, rhoes hyder i Bleidwyr. Onid oedd bodolaeth y cynllun yn brawf mai gan y Blaid yr oedd yr atebion? Ond yn fwy na hynny, onid oedd y ffaith fod y dasg o lunio dogfen mor sylfaenol bwysig wedi ei gadael i amaturiaid talentog y Blaid yn brawf terfynol o fethdaliad y gyfundrefn lywodraethol fel y safai, ac o werth diamheuol Plaid Cymru i fywyd y genedl?[160] O gofio hyn, ac o gofio yn arbennig rôl ganolog Dafydd Wigley yn y broses o lunio'r cynllun, mae'n syndod na chafwyd ymdrech yn y 1980au – yn enwedig yn ystod cyfnod cyntaf Wigley fel llywydd – i ddiweddaru neu ail-lunio cynllun economaidd ar gyfer amgylchiadau economaidd a chymdeithasol tra gwahanol y cyfnod hwnnw. Ymddengys fod sawl rheswm yn gyfrifol am hynny. Yr amlycaf

[159] Mae tebygrwydd rhyfeddol rhwng y Cynllun Economaidd a'r Cynllun Gofodol a fabwysiadodd Llywodraeth y Cynulliad yn 2004. Yn wir, pan â haneswyr y dyfodol ati i drafod hynt gwahanol ymdrechion i ddatblygu economi Cymru, dichon y byddant yn nodi'r tebygrwydd rhwng y gwahanol gynlluniau a hyrwyddwyd gan y Blaid a'r cynlluniau a fabwysiadwyd (flynyddoedd yn ddiweddarach) gan amryfal gyrff cyhoeddus.

[160] Pwynt a wnaethpwyd sawl gwaith yn y cynllun ei hun, gweler er enghraifft, *Economic Plan for Wales*, t. 287.

mae'n debyg, wedi hunllef 1979, oedd bod cynllunio ar gyfer economi Cymru hunanlywodraethol yn ymddangos fel gweithred gwbl ofer. Ond, yn ogystal â hynny, roedd gwrthwynebiad o gyfeiriad y chwith i unrhyw ymdrech i'r cyfeiriad hwn. I'r chwith, roedd cynllunio o'r fath yn sawru o dueddiad Llafuriaeth a Stalin-iaeth, fel ei gilydd, a oedd yn awdurdodi'r wladwriaeth i benderfynu dros y dosbarth gweithiol yn hytrach na gadael i'r gweithwyr benderfynu drostynt eu hunain. Dyma sail gwrthwynebiad Lynn Mainwaring i ymdrechion Phil Williams (gyda bendith Wigley?) i sicrhau bod y Blaid yn llunio olynydd i'r cynllun economaidd yn nechrau'r 1980au.[161] Ond tybed a oedd yr amheuaeth parthed yr angen am gynllun economaidd newydd yn ymestyn ymhellach na rhengoedd y chwith 'galed' erbyn hynny? Yn sicr, ni ellir gwadu nad ystyriwyd y math o bolisïau economaidd *dirigiste* a oedd yn ffasiynol ganol y 1960au, ac a oedd yn sail i gynllun economaidd 1970, yn amhriodol neu'n amherthnasol ddau ddegawd yn ddiweddarach. Sut y gellid llunio cynllun economaidd i sicrhau ffyniant i Gymru ymreolus os nad oedd strategaeth economaidd gredadwy i'w gosod yn ei chanol?

Daeth yr ateb o Geredigion, a hynny ar ffurf yr arbrawf pwysig odiaeth a welwyd yno ar drothwy'r 1990au i geisio ieuo syniadau gwyrdd wrth syniadau cenedlaetholgar Cymreig. Dyma'r arbrawf a esgorodd ar fuddugoliaeth ryfeddol clymblaid Plaid/Gwyrdd yn etholaeth Ceredigion yn etholiad cyffredinol 1992. Ond yn bwysicach na hynny hyd yn oed, dyma'r arbrawf a ganiataodd i Blaid Cymru lunio dadl newydd ynglŷn â'r berthynas rhwng hunanlywodraeth a ffyniant; dadl a oedd yn cysylltu hunanlywodraeth â chysyniad newydd o 'ffyniant', cysyniad wedi'i seilio ar ddadansoddiad gwyrdd o gymdeithas ddynol a'i pherthynas â'r blaned yr ydym yn byw arni.

Bellach mae hanes 'Gwyrddio'r Blaid' wedi'i adrodd gan Cynog Dafis, buddugwr Ceredigion a'r Pleidiwr a wnaeth fwyaf, ochr yn ochr â Phil Williams, i dywys y ddwy ochr i'r allor, fel pe bai.[162] Canlyniad 'syfrdanol y Gwyrddion yn etholiadau Ewropeaidd 1989' oedd y sbardun ar gyfer agor trafodaeth go iawn rhwng y ddwy blaid.[163] Clywyd *critique* gan y Gwyrddion o raglen polisi'r

161 Gweler Dafis, *Mab y Pregethwr*, t. 157. Gweler hefyd gwahanol drafodaethau mewnol y Chwith Genedlaethol ym Mhapurau Phil Williams.

162 Gweler Dafis, *Mab y Pregethwr*, t. 206 a tt. 174–209 *passim*.

163 Ibid., t. 175.

Blaid yng nghynhadledd flynyddol Plaid Cymru yn hydref 1989. Dan arweiniad Phil Williams, ail-luniwyd y rhaglen bolisi honno ar seiliau gwyrdd erbyn cynhadledd 1990 a'i gwneud yn sail i Faniffesto Plaid Cymru ar gyfer etholiad cyffredinol 1992.[164] Ar lefel leol, cynhaliwyd trafodaethau rhwng y Gwyrddion a Phlaid Cymru ynglŷn â'r posibilrwydd o greu cytundebau etholiadol mewn etholaethau penodol; trafodaethau a dalodd ar eu canfed yng Ngheredigion.

Perthynas fer, os ffrwythlon, a gafodd y ddwy blaid yng Ngheredigion, a hynny'n sgîl y modd y cyfunodd anhrefn gyfansoddiadol y Blaid Werdd â masocistiaeth anoddefgar dyrnaid o'i haelodau yn yr etholaeth i danseilio hygrededd y glymblaid yn llygaid ei phrif ladmeryddion. Er hynny, nid oedd dim yn fyrhoedlog ynglŷn â diddordeb ac ymwneud y Blaid â syniadau ac egwyddorion gwyrdd. Parhaodd gydol y 1990au ac, yn wir, pery hyd heddiw. Mae dau bwynt pwysig yn deillio o hyn. Yn gyntaf, a chan dderbyn bod ystyriaethau pragmataidd yn sgîl perfformiad y Gwyrddion yn 1989 yn sbardun pwysig i 'Wyrddio'r Blaid', roedd gwreiddiau dyfnach a mwy gwydn o lawer i'r broses. Roedd arweinwyr deallusol megis Cynog Dafis, Phil Williams, Peter Keelan a Dafydd Elis-Thomas wedi hen ymddiddori mewn mudiadau a syniadau gwyrdd. Yn wir, nid yw'n ormod o naid i honni bod llawer o syniadau sylfaenol Plaid Cymru – pwyslais ar fanteision bychander yn bennaf oll yn eu plith – yn gwbl gyson â gwyrddni gwleidyddol. Yn yr ystyr yma, o leiaf, gellid hawlio bod Saunders Lewis a Gwynfor Evans yn Wyrddion *avant la lettre*. Dichon hefyd fod Cynog Dafis yn llygad ei le wrth nodi bod yr elfen o 'gollfarn moesol' sydd ymhlyg mewn syniadau gwyrdd yn cytgordio â themâu sy'n gyfforddus gyfarwydd i'r niferoedd sylweddol o genedlaetholwyr Cymreig a fagwyd 'yn sŵn gwerthoedd Piwritanaidd' – ac yntau yn eu mysg.[165]

Yn ail, ac yn gysylltiedig â hyn, mae'n bwysig sylweddoli bod apêl gwyrddni wedi'i deimlo ar draws y Blaid gan drosgynnu rhaniadau ideolegol dwfn y blynyddoedd cynt a rhaniadau neu wahaniaethau diwylliannol fel ei gilydd. Yn sgîl chwalu prosiect y chwith ganol y 1980au, troes llawer o chwith y Blaid i gyfeiriad

[164] *Tuag at 2000: Rhaglen Plaid Cymru ar gyfer Cymru yn Ewrop / Towards 2000: Plaid Cymru's Programme for Wales in Europe* (Plaid Cymru, 1992).
[165] Dafis, *Mab y Pregethwr*, t. 174.

gwleidyddiaeth werdd. Roedd hyn, wrth gwrs, yn amlygiad Cymreig ar ymdaith ddeallusol ryngwladol a oedd ar gerdded. Un o'r dylanwadau hollbwysig ar y broses hon yng Nghymru, fel mewn mannau eraill, oedd llwyddiant y Gwyrddion – *Die Grünen* – yn yr Almaen, a phriodol yw nodi i *Radical Wales* gyhoeddi araith gan Petra Kelly, un o arweinwyr amlycaf y blaid honno, yn 1984.[166] Apeliodd gwyrddni'n ogystal at y deallusion Cymraeg eu hiaith – pa un a oeddynt yn perthyn i'r adain chwith ai peidio – a ffurfiai asgwrn cefn peirianwaith Plaid Cymru yng Ngheredigion. Ac yn allweddol, argyhoeddwyd Dafydd Wigley hefyd parthed cywirdeb y cyfeiriad a'r cywair gwyrdd.

Fel y cydnabu Wigley ei hun yn ddiweddarach, roedd gwaith argyhoeddi arno ynglŷn â doethineb cytundebau etholiadol â'r Gwyrddion.[167] Ymddengys, fodd bynnag, mai pryderon ynglŷn â doethineb cysylltu'n rhy glòs â'r Blaid Werdd a oedd wrth wraidd ei amheuon yn hytrach nag unrhyw wrthwynebiad mwy sylfaenol i ddadleuon gwyrdd. Yn sicr, nid oes unrhyw dystiolaeth nad oedd yn croesawu cyfeiriad a chywair y maniffesto yr oedd Phil Williams wedi'i baratoi ar gyfer etholiad cyffredinol 1992, maniffesto a ddisgrifiodd y flwyddyn ganlynol fel y gorau 'a gyflwynwyd erioed gan unrhyw blaid ar gyfer Cymru'.[168] Erbyn 1994 roedd ei afael ef ei hun ar ddadleuon gwyrdd, a'i ddealltwriaeth o sut roedd y rhain yn cydasio â'r ddadl o blaid hunanlywodraeth, wedi aeddfedu i'r fath raddau nes iddo neilltuo un o'i areithiau llywyddol gorau a mwyaf grymus erioed i'r mater.

Man cychwyn dadl Dafydd Wigley yn ei araith 'Yr her i Gymru' oedd yr angen i feddwl o'r newydd am ein dealltwriaeth o ddatblygu. Yn benodol, roedd yn bryd canolbwyntio ar ystyriaethau mwy crwn ynglŷn ag ansawdd bywyd (*quality of life*) yn hytrach nag ar fesurau traddodiadol a chul o dwf economaidd. 'The measurement of well-being in terms of economic growth – "the growth of GDP" – is to ignore every other consideration. What about social growth, cultural growth, community growth, moral growth, personal growth, and the growth of character?'[169]

166 Petra Kelly, 'The scandal of Europe', *Radical Wales*, 3 (Summer 1984), 6–7.

167 Wigley, *Dal Ati*, t. 344. Er tegwch, dylid nodi i Cynog Dafis ddatgan na phrofodd ddim ond cefnogaeth o gyfeiriad Wigley wedi i'r cytundeb â'r Gwyrddion gael ei arwyddo yng Ngheredigion; gweler *Mab y Pregethwr*, t. 206.

168 Wigley, *Dal Ati*, t. 347.

169 Dafydd Wigley, *The Challenge to Wales/Yr Her i Gymru* (Plaid Cymru, 1994), t. 8.

Yn wir, roedd yn rhaid sylweddoli bod ymdrechion i hybu twf economaidd trwy ddulliau anghynaladwy yn tueddu i danseilio yn hytrach na gwella ansawdd bywyd.[170] Dadleuai fod yr obsesiwn â thwf wedi ei fesur yn unol â dulliau amrwd a chamarweiniol y gorffennol hefyd yn tueddu i'n dallu i dwf tlodi a'r agendor anfoesol rhwng y tlawd a'r mwyaf cyfoethog.

Ond sut oedd torri'r cylch dieflig hwn lle roedd polisïau a fwriedid i hybu datblygiad yn tanseilio ansawdd bywyd? Yn sicr, ni cheid achubiaeth o gyfeiriad San Steffan. 'Politics at Westminster are still in a time warp', ac roedd hyn, yn ôl Wigley, yr un mor wir am Lafur Newydd Tony Blair a'r Toriaid:

> It is incredible that the Labour Party's new agenda should ignore the biggest shift in economic-political thought for 200 years. Tony Blair says that economic growth is a precondition of social justice. We say that social justice is a precondition of sustainable economic development.[171]

Ond byddai Senedd i Gymru yn cynnig achubiaeth. Yn benodol, gallai Senedd Gymreig ag iddi bwerau deddfu a threthiannol weithredu polisïau economaidd wedi'u seilio ar egwyddorion cynaladwyedd ac amcanu tuag at wella ansawdd bywyd. Byddai polisïau o'r fath nid yn unig yn gydnaws ag anghenion yr oes ond hefyd yn gwbl gydnaws â gwerthoedd radicalaidd ac egalitaraidd Cymreig. O sefydlu Senedd o'r fath, byddai Cymru wedi cymryd y cam cyntaf tuag at wireddu amcan cyfansoddiadol terfynol Plaid Cymru, sef hunanlywodraeth lawn a fyddai'n galluogi i Gymru gael 'strong, independent and equal constitutional position within the European Union'.[172]

Wrth gydnabod yr hyn a alwodd y shifft pwysicaf mewn meddwl economaidd-wleidyddol ers dau gant o flynyddoedd, roedd Dafydd Wigley hefyd yn cydnabod annigonolrwydd y math o syniadau a meddylfryd a oedd yn sail i gynllun economaidd 1970. Serch hynny, roedd yn parhau'n awyddus i ddangos sut y gallai hunanlywodraeth fod yn gyfrwng i bobl Cymru ddatrys eu problemau. Yn 1995 cyhoeddodd y Blaid fraslun o gynllun ar gyfer creu can mil

170 Wigley, *The Challenge to Wales/Yr Her i Gymru*, t. 8.
171 Wigley, *The Challenge to Wales/Yr Her i Gymru*, t. 11.
172 Wigley, *The Challenge to Wales/Yr Her i Gymru*, t. 16. Am fanylion o safbwynt cyfansoddiadol Plaid Cymru yng nghanol y 1990au gweler *Cymru Rydd mewn Ewrop Unedig*, sy'n cynnwys cyflwyniad gan Dafydd Wigley (Caernarfon: Plaid Cymru, 1995).

o swyddi yng Nghymru, cynllun a oedd yn seiliedig ar egwyddorion datblygu cynaladwy.[173] Mae ei atgofion diweddarach ynglŷn ag ymddangosiad y ddogfen honno yn ddadlennol. Roedd y cynllun, meddai,

> yn rhan o'r broses o ddatblygu argymhellion polisi manwl, perthnasol i'r nawdegau ac i'r ganrif i ddod, fel yr oedd ein Cynllun Economaidd chwarter canrif yn gynharach. Heddiw, fel yn y chwedegau, rwyf yn gwbl argyhoeddedig fod rhaid i ni fel plaid ddangos i bobl Cymru ein bod yn gwneud ein gwaith cartref, fod ein hargymhellion yn berthnasol i'w pryderon, wedi eu costio ac yn rhai y mae'n bosib eu gweithredu.[174]

Mewn gair, roedd yn rhaid dangos i bobl Cymru mai hunanlywodraeth oedd yr allwedd ar gyfer eu ffyniant hirdymor, boed hynny'n ffyniant yn ôl safonau meddylfryd y 1960au neu yn ôl ffon fesur Werdd y 1990au.

Erbyn y 1990au, felly, roedd Plaid Cymru yn unedig ynghylch ei rhaglen economaidd, cymdeithasol a chyfansoddiadol. Er bod elfennau amlwg o barhad o safbwyntiau'r gorffennol, yn enwedig felly yn y modd y glynwyd wrth y waharddeb Saundersaidd yn erbyn 'annibyniaeth', roedd y rhaglen yn llawer iawn mwy nag ail-bobiad o safbwyntiau blaenorol y 1960au a'r 1970au – roedd y 1980au wedi gadael ei ôl. Roedd y Gymru ddwyieithog wedi'i choleddu heb amwysedd y gorffennol. Roedd Ewrop a'r broses o integreiddiad Ewropeaidd wedi ei goleddu â brwdfrydedd.[175] Roedd yr agenda wyrdd hefyd wedi ei choleddu a'i gosod yng nghalon rhaglen bolisi'r Blaid. Ar yr un pryd, roedd y Blaid wedi ymadael â'r drydedd ffordd a lleoli ei hun ar y sbectrwm ideolegol de–chwith confensiynol. Plaid ar y chwith neu'r chwith-ganol oedd Plaid Cymru. Roedd hefyd yn arwyddocaol fod y Blaid bellach yn gyson saernïo ei neges yn nhermau'r dyfodol a ffyniant (yn ei ystyr ehangaf) yn y dyfodol yn hytrach nag yn nhermau cynnal rhyw lendid a fu.

173 *100,000 o Atebion . . . i Ddileu Di-weithdra yng Nghymru*, rhagair gan Dafydd Wigley (Plaid Cymru, Haf 1995).

174 Dafydd Wigley, *Maen i'r Wal* (Caernarfon: Gwasg Gwynedd, 2001), t. 37.

175 Yn wir, teg yw sôn am orfrwdfrydedd y modd y coleddwyd integreiddiad Ewropeaidd; gweler rhybudd diddorol Ned Thomas, 'Against europhoria', *Radical Wales*, 30 (Summer 1991), 10–12.

Yn ogystal â bod yn wahanol i raglenni polisi'r gorffennol, roedd pob argoel fod cynnwys rhaglen bolisi Plaid Cymru yn y 1990au yn taro tant â'r farn boblogaidd yng Nghymru. O ran y cwestiwn cyfansoddiadol, roedd polau piniwn erbyn canol y degawd yn awgrymu bod y gefnogaeth i ddatganoli wedi cynyddu'n ddirfawr o isafbwynt 1979. Yn wir, mewn un pôl a drefnwyd gan y BBC yn 1994 cofnodwyd fod 37 y cant o'r etholaeth yn cefnogi 'Annibyniaeth oddi mewn i'r Undeb Ewropeaidd'.[176] Un wennol ni wna wanwyn, wrth gwrs, ond roedd arwyddion pendant fod gafael gaeaf hirfaith y 1980au yn dechrau llacio. Ar ben hynny, roedd digon o dystiolaeth ynglŷn ag apêl themâu gwyrdd, gyda phleidiau gwleidyddol a chwmnïau masnachol fel ei gilydd am y gorau i geisio ein darbwyllo o'u hymrwymiad i'r amgylchedd. Waeth pa mor ffuantus oedd yr honiadau hyn, roedd y ffaith eu bod yn cael eu clywed mor fynych yn arwydd digamsyniol fod syniadau gwyrdd yn prysur fwrw gwreiddiau y tu hwnt i'r *fringe* cymdeithasol a gwleidyddol a fu'n eu meithrin cyn hynny. Mantais arall i Blaid Cymru arni yn ystod y cyfnod hwn oedd y ffaith fod i'w rhaglen ladmeryddion deniadol, gyda Dafydd Wigley yn arbennig wedi magu *rapport* neilltuol â'r etholwyr. Amlygwyd ei apêl gan ganlyniad etholiad Ewropeaidd 1994 pan gipiodd 34 y cant o'r bleidlais yn etholaeth Gogledd Cymru, a hynny mewn etholiad a brofodd yn un ardderchog i'r Blaid Lafur. O ystyried hyn oll, hawdd yw deall pam fod Cynog Dafis edrych yn ôl ar y cyfnod a datgan 'Gydol y nawdegau roedd hi fel pe bai'r gwynt ideolegol a gwleidyddol yn ein hwyliau ni.'[177]

Mewn gwirionedd, fodd bynnag, roedd y sefyllfa'n fwy cymhleth na hynny. Oedd, roedd rhaglen Plaid Cymru yn ôl pob golwg yn un ddeniadol a'i harweinydd yn un o wleidyddion mwyaf poblogaidd Cymru. Serch hynny, gydag eithriadau prin megis perfformiad y llywydd yn etholiad Ewropeaidd 1994 a buddugoliaeth Cynog Dafis yng Ngheredigion, ychydig iawn o argraff etholiadol a wnaeth Plaid Cymru mewn gwirionedd. Ystyrier canlyniad etholiad cyffredinol 1997: ychydig fisoedd yn unig cyn y refferendwm collodd Plaid Cymru ei hernes mewn 15 o'r 40 sedd

[176] Afraid yw dweud mai'r BBC ac nid Plaid Cymru a ddewisodd eiriad y cwestiwn! Ceir cyflwyniad hwylus i ganlyniadau polau piniwn y cyfnod yn John Osmond, *Welsh Europeans* (Bridgend: Seren, 1995), t. 32.

[177] Dafis, *Mab y Pregethwr*, t. 209.

yng Nghymru ac mewn 10 ohonynt roedd ymgeiswyr y Blaid yn bumed neu yn chweched y tu ôl i ymgeiswyr pleidiau ymylol a byrhoedlog megis Plaid Refferendwm Jimmy Goldsmith neu Plaid Lafur Sosialaidd Arthur Scargill. Ac nid perfformiadau etholiadol yn unig a oedd yn siomedig. Y tu ôl i sglein a sylwedd maniffestoau etholiadol 1992 a 1997 roedd arwyddion fod y Blaid yn wynebu math ar nychiad deallusol. Rhoddwyd y gorau i gyhoeddi *Radical Wales* yn haf 1991. Wedi cyfnod o gyhoeddi digon ysbeidiol, rhoddwyd y gorau i gyhoeddi'r *Ddraig Goch* a'r *Welsh Nation* fel papurau ar wahân yn 1995. Yn wir, prin y gwelwyd unrhyw gyhoeddiadau gan y Blaid. Nid oes amheuaeth nad oedd hyn yn rhannol adlewyrchu newidiadau cymdeithasol ymhell y tu hwnt i'w rheolaeth. Roedd cymdeithas yn newid a natur gwleidyddiaeth yn newid hefyd. Serch hynny, mae'n syndod na lwyddodd Plaid Cymru i sbarduno mwy o fywiogrwydd deallusol na'r hyn a gafwyd mewn cyfnod pan oedd gobaith gwirioneddol y gellid gwireddu'r hen freuddwyd o weld geni rhyw fath o Senedd Gymreig. Trawiadol, a dweud y lleiaf, yw'r gwrthgyferbyniad rhwng y cyfnod hwn a'r 1940au a'r 1950au, pan oedd y rhagolygon gwrthrychol yn fwy llwm o lawer, ond y bwrlwm deallusol a ysgogwyd gan y Blaid o leiaf cyn gryfed.

Dyma ddod â ni wyneb yn wyneb â pharadocs mawr y 1990au. Yn ystod y blynyddoedd hyn roedd achos cenedlaetholdeb Cymreig yn cryfhau. Roedd cefnogaeth i ddatganoli ar gynnydd, a hynny ymysg y cyhoedd ac ymhlith y pleidiau gwleidyddol eraill. Roedd addysg Gymraeg ar gerdded. Roedd diddordeb cynyddol yn hanes Cymru, diolch i raddau helaeth iawn i ymdrechion dau hanesydd o Bleidwyr, Gwyn A. Williams a John Davies.[178] Ni olygir unrhyw amarch i'r ddau gawr wrth ddweud bod y metanaratif o hanes Cymru a luniwyd ganddynt, ac a dderbyniwyd gydag awch gan eu cydwladwyr, yn gwbl gyson â'r byd-olwg cenedlaetholgar. Ar ben hynny, roedd y broses o sefydliadoli'r genedl drwy greu cyrff cyhoeddus ar seiliau Cymreig wedi parhau ac wedi dwysáu hyd yn oed. Roedd y rhain oll yn ddatblygiadau yr oedd cenedlaethau blaenorol o genedlaetholwyr wedi dyheu yn daer amdanynt. Eto i gyd, tra oedd cenedlaetholdeb Cymreig, yn ei ystyr ehangaf, ar

[178] Cyhoeddwyd *magnum opus* John Davies, *Hanes Cymru* yn 1990. Ymddangosodd cyfieithiad ohono, *A History of Wales*, dair mlynedd yn ddiweddarach (London: Allen Lane, 1993).

gerdded, roedd plaid genedlaethol Cymru, Plaid Cymru, fel pe bai'n troi yn ei hunfan ac yn methu'n lân ag elwa yn etholiadol ar hinsawdd ffafriol y cyfnod.

Mae sawl ffactor yn egluro'r paradocs hwn: y ffaith fod cyd-destun etholiadol San Steffan yn un nodedig o anffafriol i Blaid Cymru i'r graddau fod etholiadau cyffredinol yn tueddu i dan-gynrychioli y cydymdeimlad a fwynhâi'r Blaid; y ffaith fod y mudiad cenedlaethol yn ehangach na Phlaid Cymru; y ffaith, yn wir, na fu Plaid Cymru erioed yn unig gartref gwleidyddol cenedlaetholwyr Cymreig, ac y byddai'n rhaid i unrhyw ymdrech i bwyso a mesur dylanwad gwleidyddol a chymdeithasol cenedlaetholdeb Cymreig ystyried y cenedlaetholwyr hynny hefyd. A dylid cofio un ffaith (baradocsaidd) arall yn ogystal. Hyd yn oed os oedd Plaid Cymru yn troi yn ei hunfan yn etholiadol, yr oedd hi, serch hynny, yn chwarae rôl wleidyddol bwysig, a gyfrannodd yn sylweddol at wyrdroi canlyniad refferendwm Gŵyl Dewi 1979 yn refferendwm Medi 1997.

Yn un peth, profwyd dadl Dafydd Elis-Thomas, y rhoes fynegiant iddo tua diwedd y 1980au, yn gywir yn yr ystyr mai gwleidyddiaeth yr *elite* oedd gwleidyddiaeth ddatganoli yn ystod y 1990au – o leiaf cyn haf 1997. Fodd bynnag, nid penaethiaid y *quangos* a oedd yn cyfrif ond arweinyddiaeth y Blaid Lafur. Yn eu plith hwy y cynhaliwyd y dadleuon pwysig ynglŷn ag egwyddor a ffurf datganoli yn ystod y 1990au, a hynny'n mynd law yn llaw ag ymdrech cwbl fwriadus i gyfyngu'r drafodaeth i'r lefel honno.[179] Mewn cyd-destun o'r fath roedd rôl ambell unigolyn yn gwbl allweddol, a neb yn fwy felly na Ron Davies. Mae peth tystiolaeth fod Dafydd Wigley yn benodol wedi bod yn gefn i Davies yn ystod y brwydro mewnol ymhlith arweinyddiaeth Llafur yng Nghymru. Yn sicr, bu'r ddau'n cyd-drafod datblygiadau yn weddol gyson wedi 1995.[180] Nid yw'n hysbys beth yn union oedd cynnwys y trafodaethau hyn nac i ba raddau, er enghraifft, y dylanwadwyd

[179] Gweler Richard Wyn Jones a Bethan Lewis, 'The 1997 Welsh devolution referendum', *Politics*, 19 (1999), 37–46; David McCrone a Bethan Lewis, 'The Scottish and Welsh referendum campaigns', yn Taylor a Thomson, *Scotland and Wales*, 17–39; Lindsay Paterson a Richard Wyn Jones, 'Does civil society drive constitutional change? The cases of Scotland and Wales', yn Taylor a Thomson, *Scotland and Wales*, 169–97; Kevin Morgan a Geoff Mungham, *Redesigning Democracy: The Making of the Welsh Assembly* (Bridgend: Seren, 2000).

[180] Wigley, *Maen i'r Wal*, t. 115. Am enghraifft dda o'r ddau yn cyfarfod ac yn cyd-drafod mewn cyfnod a oedd yn anodd iawn yn wleidyddol i Davies, gweler hefyd tt. 80–1.

Davies gan syniadau Wigley? Ni fyddai'n syndod petai dylanwad o'r fath o ystyried bod llywydd y Blaid wedi treulio cyfnod llawer hwy yn dadlau achos rhyw fesur neu'i gilydd o ymreolaeth nag y gwnaeth y gŵr a oedd bryd hynny yn aelod seneddol Caerffili. Yr hyn sy'n gwbl sicr yw bod perthynas o ymddiriedaeth wedi datblygu rhwng y datganolwyr amlycaf yn rhengoedd Llafur ac arweinwyr Plaid Cymru. Bu'r berthynas hon yn gwbl allweddol i'r ymgyrch Ie yn 1997; yn wir, y berthynas hon oedd conglfaen yr ymgyrch.[181]

Cyfrannodd Plaid Cymru mewn ffyrdd pwysig eraill i ganlyniad refferendwm 1997. Sicrhaodd ei hymdrechion fod un rhan o'r etholaeth Gymreig – y Cymry Cymraeg eu hiaith – wedi datblygu'n gadarnle o gefnogaeth i ddatganoli. O'u cymharu â'r di-Gymraeg, roedd siaradwyr Cymraeg rhugl yn fwy tebygol o lawer o droi allan i bleidleisio yn y refferendwm a llawer mwy tebygol o bleidleisio 'Ie'.[182] Ond roedd cyfraniad y Blaid yn un ehangach na hynny. Un o'i chyfraniadau pwysicaf yn y 1990au oedd tynnu colyn y cyhuddiad o 'eithafiaeth' a glywyd mor fynych yn ei herbyn cyn hynny. Er bod ein gwybodaeth ynglŷn ag agweddau etholwyr Cymreig cyn 1997 yn fylchog iawn, gwyddom mai Plaid Cymru oedd y blaid fwyaf amhoblogaidd yng Nghymru adeg etholiad cyffredinol 1979. Mae'n weddol amlwg mai'r prif reswm am hynny oedd canfyddiad go gyffredinol fod Plaid Cymru yn blaid 'eithafol'. Fodd bynnag, bu newid dramatig mewn agweddau erbyn 1997. Erbyn hynny roedd y Blaid yn mwynhau lefel o boblogrwydd nid nepell o rai'r Blaid Lafur, tra gwisgai'r Toriaid ôl-Thatcheraidd fantell y blaid fwyaf dirmygedig.

Dichon fod Thatcher yn rhan bwysig o'r eglurhad ynglŷn â pham y gwelwyd cymaint o newid yn y farn gyhoeddus. Llwyddodd Thatcheriaeth i uno'r Cymry yn fwy effeithiol nag unrhyw genedlaetholwr Cymreig wrth i elynion mewn cyd-destunau eraill gynghreirio â'i gilydd yn erbyn gelyn a oedd hyd yn oed yn fwy bygythiol! Ond chwaraeodd Plaid Cymru ei hun ran yn y broses

181 Nid yw holl fanylion y cydweithredu a'r cydlynu a welwyd yn hysbys eto. Yn ogystal â Wigley a Ron Davies, y personoliaethau allweddol yn y berthynas oedd Ieuan Wyn Jones a Peter Hain. Gan fod trydedd cyfrol hunangofiant Dafydd Wigley (*Maen i'r Wal*) yn troedio'n ysgafn iawn ar y tir sensitif yma bydd yn rhaid disgwyl trafodaeth lawn gan un o'r tri arall rywbryd yn y dyfodol!

182 Richard Wyn Jones a Dafydd Trystan, 'The Welsh devolution referendum', yn Taylor and Thomson, *Scotland and Wales*, tt. 65–93.

yn ogystal ac yn hynny o beth roedd 'dal ati' yn werthfawr ynddo'i hun. Gyda chynrychiolwyr Plaid Cymru yn bresenoldeb cyson yn San Steffan, a'r Blaid felly'n rhan barhaol (os gweddol ymylol) o dirwedd wleidyddol Cymru, cafodd y cyhoedd yn gyffredinol gyfle i ymgyfarwyddo â hi. Yn y broses ciliodd llawer o'r dieithrwch a'r canfyddiad o eithafiaeth a arferai amgylchynu'r Blaid, a daeth yn haws o lawer yn y man i etholwyr gefnogi'r polisi a gâi ei gysylltu mor glòs â'r blaid honno.

Er ei bod yn amhosibl cynnig prawf terfynol y naill ffordd neu'r llall, mae'n anodd credu na fu'r newid yn ieithwedd y Blaid yn arwyddocaol hefyd, ac yn benodol y penderfyniad i arddel disgrifiad o safbwynt y Blaid a chenedlaetholdeb Cymreig a oedd yn mabwysiadu terminoleg gyfarwydd y sbectrwm de–chwith. Hyd yn oed os nad yw gwerthoedd cymdeithasol a gwleidyddol trwch yr etholaeth Gymreig mor adain chwith a radicalaidd ag yr awgrymwyd gan y disgwrs gwleidyddol dominyddol yng Nghymru, mae'r canfyddiad cyffredinol fod Cymru yn wlad flaengar, adain chwith yn bwysig.[183] Wrth fabwysiadu safbwynt adain chwith/chwith-ganol mewn modd mor allblyg, llwyddodd Plaid Cymru i greu gofod newydd ar ei chyfer ei hun a'i negeseuon craidd. Yn y broses, llwyddwyd i argyhoeddi llawer ar y chwith yng Nghymru fod y cwestiwn cyfansoddiadol yn rhan o wleidyddiaeth flaengar ac nid yn negyddiad ohoni: tro ar fyd hollbwysig yn hanes gwleidyddol Cymru.

* * *

'. . . ni bu dydd fel hwn
ers saith can mlynedd.'

Dyfarniad apocalyptaidd T. James Jones a Jon Dressel yn sgîl canlyniad refferendwm 1979. Aethant ymlaen i ddisgrifio gwlad lle roedd 'y pridd yn sur/yn sur i'w goluddion', gwlad lle roedd y 'coed yn diferu llygredd/a'r perthi'n hongian gan haint'.[184] Roedd pethau'n ymddangos yn dra gwahanol wedi 18 Medi 1997.

[183] Ceir trafodaeth fer o'r dystiolaeth yn Richard Wyn Jones, 'Dŵr coch croyw', *Barn* (Mehefin 2004), a 'Y traddodiad radicalaidd Cymreig?' *Barn* (Gorffennaf/Awst 2004).
[184] Jones a Dressel, *Cerddi Ianws Poems*, t. 16.

Cymysgedd o syndod, gorfoledd a rhyddhad a nodweddodd ymateb y beirdd y tro hwn.[185] Efallai mai Dafydd John Pritchard a grisialodd bethau orau:

> Er poenau'r oriau hirion a disgwyl
> dy esgor anfodlon,
> y lleisiau oll a'r holl sôn –
> un waedd egwan oedd ddigon.[186]

'Gwaedd egwan': na, nid yn y cywair arwrol, ymffrostgar y canodd y beirdd, ond mewn cywair mwy gwylaidd o'r hanner. A pha ryfedd? Efallai'n wir fod y gogwydd rhwng pleidlais 1979 a 1997 yn un anferthol mewn termau etholiadol – lawn 30 y cant. Serch hynny, mwyafrif trwch blewyn o 6,721 pleidlais a aeth â hi yn y pen draw; ffigwr sy'n cyfateb i 0.3 y cant o'r etholaeth Gymreig. Go brin y byddai ymffrost yn briodol yng nghyd-destun buddugoliaeth cael-a-chael o'r fath. Nid arwriaeth wleidyddol yn nhraddodiad Nelson Mandela neu Martin Luther King a'n tywysodd i'r fan honno ychwaith.

Yn sicr, nid hanes arwrol yw hanes Plaid Cymru yn ystod y 1980au a'r 1990au ychwaith, hyd yn oed os oes elfen o arwriaeth dawel yn y penderfyniad i 'ddal ati' ar ôl chwalfa 1979. Yn wir, nid oes fawr o amheuaeth y bydd rhai yn dehongli'r newidiadau trawiadol a welwyd yn safbwyntiau ideolegol Plaid Cymru yn ystod y ddau ddegawd hyn – ac yn fwy trawiadol fyth, y newidiadau sylfaenol a welwyd yn safbwyntiau rhai unigolion amlwg megis Dafydd Elis-Thomas – fel oportiwnistiaeth fas a ffuantus yn unig. Mae dyfarniad y bennod hon yn fwy caredig. Heb ymdrechion rhai o arweinwyr ac aelodau Plaid Cymru i ganfod ffordd ymlaen i'r Blaid a'r mudiad cenedlaethol yn fwy cyffredinol yn dilyn 1979, hawdd iawn y gallasai cenedlaetholdeb gwleidyddol Cymreig fod wedi darfod amdano yn gyfan gwbl neu suddo i gors nihilistiaeth dreisgar. Ni ddigwyddodd hynny, ac maent yn haeddu clod am eu hymdrechion. Ond yn fwy na hynny, hawdd iawn y gellir dadlau

[185] Ceir casgliad o ymatebion i'r refferendwm yn Branwen Niclas (gol.) *1997: Sut Oedd Hi i Ti?* (Llanrwst: Gwasg Carreg Gwalch, 1998). Gweler hefyd gerdd 'Ie' Rhys Dafis yn *Stwff y Stomp* (Llanrwst: Gwasg Carreg Gwalch, 2002) – 'Ni ail-law, gwastraff o le;/Y ni, o bawb, â'n 'Ie'!; a 'Dydd Iau, Medi 18fed 1997' gan Tudur Dylan Jones yn Myrddin ap Dafydd (gol.), *Cywyddau Cyhoeddus 3* (Llanrwst: Gwasg Carreg Gwalch, 1998), tt. 126–7: 'A wyddost y bydd dyddiad/y deunawfed o Fedi/un dydd yn dy gynnal di?'

[186] Cyhoeddwyd yr englyn yn Niclas, *1997*, t. 108.

bod ymddygiad Plaid Cymru yn ystod y cyfnod dan sylw yn gwbl resymegol. Nid yw pleidiau bychain megis Plaid Cymru yn gallu llunio ac ail-lunio'r dirwedd wleidyddol y maent yn ei throedio yn yr un modd ag y gall y pleidiau mawrion ei wneud. Yn hytrach, maent yn gorfod ymateb i dirwedd wleidyddol sy'n cael ei ffurfio gan eraill. Mewn cyd-destun o'r fath, mae'n gwbl resymol a rhesymegol eu bod yn ceisio canfod neu greu agoriadau gwleidyddol ar eu cyfer eu hunain yn y dirwedd o'u blaenau. Onid dyna'n union a wnaeth Plaid Cymru yn ystod cyfnod y ddau Ddafydd? Yn wir, o'r persbectif hwn, yr hyn sy'n rhyfedd ac yn anodd i'w egluro yw nid anwadalwch neu anghysondeb Plaid Cymru yn y 1980au a'r 1990au ond graddfa'r dilyniant a'r cysondeb yn syniadaeth y Blaid rhwng ei ffurfiant a thrychineb refferendwm 1979.

MYNEGAI